여러분의 합격을 응원하는

해커스경 별 혜택!

회독용 답안지 (PDF)

해커스경찰(police.Hackers.com) 접속 후 로그인 ▶ 상단의 [교재·서점 → 무료 학습 자료] 클릭 ▶
본 교재 우측의 [자료받기] 클릭하여 이용

FREE 경찰학 **특강**

해커스경찰(police.Hackers.com) 접속 후 로그인 ▶ 상단의 [무료강좌 → 경찰 무료강의] 클릭하여 이용

해커스경찰 온라인 단과강의 **20% 할인쿠폰**

C4DEADC3BCE2389Q

해커스경찰(police.Hackers.com) 접속 후 로그인 ▶ 상단의 [내강의실] 클릭 ▶
[쿠폰/포인트] 클릭 ▶ 쿠폰번호 입력 후 이용

* 등록 후 7일간 사용 가능(ID당 1회에 한해 등록 가능)

합격예측 **온라인 모의고사 응시권 + 해설강의 수강권**

FA5AF4B7E8C32E7U

해커스경찰(police.Hackers.com) 접속 후 로그인 ▶ 상단의 [내강의실] 클릭 ▶
[쿠폰/포인트] 클릭 ▶ 쿠폰번호 입력 후 이용

* ID당 1회에 한해 등록 가능

쿠폰 이용 관련 문의 **1588-4055**

단기 합격을 위한 해커스경찰 커리큘럼

입문

탄탄한 기본기와 핵심 개념 완성!

누구나 이해하기 쉬운 개념 설명과 풍부한 예시로 부담없이 쌩기초 다지기

TIP 베이스가 있다면 **기본 단계**부터!

▼

기본+심화

필수 개념 학습으로 이론 완성!

반드시 알아야 할 기본 개념과 문제풀이 전략을 학습하고
심화 개념 학습으로 고득점을 위한 응용력 다지기

▼

기출+예상 문제풀이

문제풀이로 집중 학습하고 실력 업그레이드!

기출문제의 유형과 출제 의도를 이해하고 최신 출제 경향을 반영한
예상문제를 풀어보며 본인의 취약영역을 파악 및 보완하기

▼

동형문제풀이

동형모의고사로 실전력 강화!

실제 시험과 같은 형태의 실전모의고사를 풀어보며 실전감각 극대화

▼

최종 마무리

시험 직전 실전 시뮬레이션!

각 과목별 시험에 출제되는 내용들을 최종 점검하며 실전 완성

PASS

* 커리큘럼 및 세부 일정은 상이할 수 있으며,
자세한 사항은 해커스경찰 사이트에서 확인하세요.

단계별 교재 확인 및
수강신청은 여기서!

police.Hackers.com

해커스경찰

서정표 경찰학

기출문제집 | 2권 각론

해커스경찰

서정표

약력

국립경찰대학교 행정학과(학사)
고려대학교 경영대학원 Finance MBA(경영학 석사)
제49회 사법시험 합격
사법연수원 수료, 한국변호사

전 | 경북지방경찰청, 독도경비대장
울산지방경찰청, 동부경찰서
법무법인(유) 율촌, 기업법무/공공법무
IT기업 법무총괄

현 | 해커스 경찰학원 경찰학(순경) 강의

저서

해커스경찰 서정표 경찰학 기본서, 해커스경찰
해커스경찰 서정표 경찰학 기출문제집, 해커스경찰
서정표 REAL 경찰헌법 기본서, 연승북스

서문

수험공부의 왕도, 기출

수험가에는 수많은 공부법이 존재하고, 시간의 흐름에 따라 유행하는 공부법과 쇠락하는 공부법이 있습니다. 이러한 수많은 공부법들이 공통적으로 강조하는 단 한가지를 찾는다면, 그것은 바로 '기출'입니다.

기출은 내가 준비하는 시험이 어떤 시험인지 가장 정확하게 알 수 있는 길을 제시하면서, 앞으로 어떻게 출제될지 예측하는 기준점이 되고, 기본서를 통해 공부한 내용들을 반복 숙달하기에 가장 좋은 도구입니다.

이 기출문제집은?

이 기출문제집은 과거 10년간 시행된 순경채용시험은 물론, 승진(실무)시험 문제와 최근 5년간의 경행특채 문제까지 모두 분석하고, 변경된 현행 법령이나 제도에 맞게 변형하면서 출제 당시의 출제의도를 살리기 위해 노력하였습니다. 그중에서도 최근 치러진 시험에 우선순위를 두고 하나하나 선별하는 과정을 거쳐 만들었습니다.

또한, 같은 주제 내에서도 각각의 문제의 주요 개념이 자연스럽게 숙달되고 익숙해 질 수 있도록 배치하였으며, 사례형 문제나 종합적 사고를 요하는 문제는 후반부에 배치하여 순서대로 편하게 풀어나가다 보면 자연스럽게 고난도 문제까지 풀릴 수 있도록 하였습니다.

나아가 무엇보다도, 전체적으로 책이 다소 두꺼워지는 것을 감수하더라도, 해설이 생략되는 지문 없이 모든 지문에 대한 해설을 제시하는 것을 원칙으로 삼았습니다. 기출문제 풀이의 본질은 반복과 반복, 그리고 반복이므로, 반복되는 해설을 통해서 여러분들이 한번이라도 더 출제된 내용을 숙지할 수 있는 기회를 드리고, 해당 문제의 학습은 해당 문제에서 끝낼 수 있도록 하여 혹시 풀이과정에서 의문이 생기더라도 앞뒤로 찾아보는 수고를 덜어드리고자 하였습니다.

마지막으로 이 기출문제집은, 주제별로 서술된 본 저자의 경찰학 기본서와 완벽한 대칭구조를 갖도록 만들었습니다. 이를 통해, 기본이론강의를 수강하면서 여러분들이 스스로 해당 주제의 기출문제를 쉽게 찾아서 풀어볼 수 있도록 하였고, 반대로 기출강의를 수강하면서 기본서의 해당 부분을 쉽게 찾아서 내용을 확인해 볼 수 있도록 하였습니다.

실력이 확인되는 즐거움!

본 저자가 경찰학 기본서와 강의를 통해 여러분들에게 경찰학이라는 과목 자체의 재미와 즐거움을 찾을 수 있도록 하였다면, 본 기출문제집과 경찰공무원 시험 전문 해커스경찰(police.Hackers.com)에서 이루어지는 학원강의 · 인터넷동영상강의를 통해서는 공부한 실력이 확인되는 재미와 즐거움, 문제가 풀리는 재미와 즐거움을 느낄 수 있도록 하겠습니다. 어제 몰랐던 것을 오늘 알았고, 그렇게 알게 된 것이 눈으로 확인되는 즐거움과 성취감은, 게임에서 레벨업하거나 승급하는 것과 같은 말초적 즐거움과는 차원이 다른 기쁨일 것입니다.

그리고 이 책이 수험생 여러분들과 만날 수 있도록 묵묵히 도움을 주신 해커스 편집팀 관계자분들께도 진심으로 감사의 마음을 전합니다.

감사합니다.

2024년 7월

서정표

목차

각론

제4편 분야별 경찰활동

제4편

분야별 경찰활동

제1장 | 생활안전경찰

주제 1 지역경찰업무

001 「112치안종합상황실 운영 및 신고처리 규칙」에 관한 설명 중 가장 적절하지 않은 것은? [2022 채용 2차]

① 시 · 도경찰청장 및 경찰서장이 112요원을 배치할 때에는 관할구역 내 지리감각, 언어 능력 및 상황 대처능력이 뛰어난 경찰공무원을 선발 · 배치하여야 하며, 근무기간은 1년 이상으로 한다.

② 112요원은 접수한 신고의 내용이 code 4의 유형에 해당하는 경우에는 출동요소에 지령하지 않고 자체 종결하거나 소관기관이나 담당 부서에 신고내용을 통보하여 처리하도록 조치하여야 한다.

③ 112신고 이외 경찰관서별 일반전화 또는 직접 방문 등으로 경찰관의 현장출동을 필요로 하는 사건의 신고를 한 경우 해당 신고를 받은 자가 접수한다. 이때 접수한 자는 112시스템에 신고내용을 입력하여야 한다.

④ 112치안종합상황실 자료 중 접수처리 입력자료는 1년간 보존하고, 무선지령내용 녹음자료는 24시간 녹음하고 3개월간 보존한다.

정답 및 해설 | ①

① [×] 근무기간은 2년 이상으로 한다.

> 예규 112치안종합상황실 운영 및 신고처리 규칙 제6조【근무자 선발 원칙 및 근무기간】① 시 · 도경찰청장 및 경찰서장은 112요원을 배치할 때에는 관할구역 내 지리감각, 언어 능력 및 상황 대처능력이 뛰어난 경찰공무원을 선발 · 배치하여야 한다.
> ② 112요원의 근무기간은 2년 이상으로 한다.

② [○]

> 예규 112치안종합상황실 운영 및 신고처리 규칙 제10조【지령】② 112요원은 접수한 신고의 내용이 code 4의 유형에 해당하는 경우에는 출동요소에 지령하지 않고 자체 종결하거나, 소관기관이나 담당 부서에 신고내용을 통보하여 처리하도록 조치하여야 한다.

③ [○]

> 예규 112치안종합상황실 운영 및 신고처리 규칙 제8조【신고의 접수】② 국민이 112신고 이외 경찰관서별 일반전화 또는 직접 방문 등으로 경찰관의 현장출동을 필요로 하는 사건의 신고를 한 경우 해당 신고를 받은 자가 접수한다. 이 때 접수한 자는 112시스템에 신고내용을 입력하여야 한다.

④ [○]

> 예규 112치안종합상황실 운영 및 신고처리 규칙 제24조【자료보존기간】① 112치안종합상황실 자료의 보존기간은 다음 각 호의 기준에 따른다.
> 1. 112신고 접수처리 입력자료는 1년간 보존

002 「112치안종합상황실 운영 및 신고처리 규칙」에 관한 내용 중 가장 적절하지 않은 것은? [2023 승진 변형]

① 긴급성이 없는 민원 · 상담신고는 112신고의 분류 중 code 4 신고로 분류한다.

② 현장 출동 경찰관은 접수자가 112신고의 대응코드를 분류한 경우라도 추가 사실을 확인하여 코드를 변경할 수 있다.

③ 112요원은 사건이 해결된 경우라면 타 부서의 계속적 조치가 필요하더라도 별도의 인계없이 112신고처리를 종결할 수 있다.

④ 112신고의 처리와 관련하여 출동요소는 현장 상황이 급박하여 신속한 현장 조치가 필요한 경우 우선 조치 후 보고할 수 있다.

정답 및 해설 I ③

③ [×] 타 부서의 계속적 조치가 필요한 경우 해당부서에 사건을 인계한 이후 종결하여야 한다.

> 예규 **112치안종합상황실 운영 및 신고처리 규칙 제18조【112신고처리의 종결】** 112요원은 다음 각 호의 경우 112신고처리를 종결할 수 있다. 다만, 타 부서의 계속적 조치가 필요한 경우 해당부서에 사건을 인계한 이후 종결하여야 한다.
> 1. 사건이 해결된 경우
> 2. 신고자가 신고를 취소한 경우. 다만, 신고자와 취소자가 동일인인지 여부 및 취소의 사유 등을 파악하여 신고취소의 진의 여부를 확인하여야 한다.
> 3. 추가적 수사의 필요 등으로 사건 해결에 장시간이 소요되어 해당 부서로 인계하여 처리하는 것이 효과적인 경우
> 4. 허위 · 오인으로 인한 신고 또는 경찰 소관이 아닌 내용의 사건으로 확인된 경우
> 5. 현장에 출동하였으나 사건 내용을 확인할 수 없으며, 사건이 실제 발생하였다는 사실도 확인되지 않는 경우
> 6. 그 밖에 상황관리관, 112치안종합상황실(팀)장이 초동조치가 종결된 것으로 판단하는 경우

① [○]

> **112치안종합상황실 운영 및 신고처리 규칙 제9조【112신고의 분류】** ① 112요원은 초기 신고내용을 최대한 합리적으로 판단하여 112신고를 분류하여 업무처리를 한다.
> ② 접수자는 신고내용을 토대로 사건의 긴급성과 출동필요성에 따라 다음 각 호와 같이 112신고의 대응코드를 분류한다.
> 1. **code 0 신고**: code 1 신고 중 이동성 범죄, 강력범죄 현행범인 등 실시간 전파가 필요한 경우
> 2. **code 1 신고**: 생명 · 신체에 대한 위험 발생이 임박, 진행 중, 직후인 경우 또는 현행범인인 경우
> 3. **code 2 신고**: 생명 · 신체에 대한 잠재적 위험이 있는 경우 또는 범죄예방 등을 위해 필요한 경우
> 4. **code 3 신고**: 즉각적인 현장조치는 불필요하나 수사, 전문상담 등이 필요한 경우
> 5. **code 4 신고**: 긴급성이 없는 민원 · 상담 신고

② [○]

> 예규 **112치안종합상황실 운영 및 신고처리 규칙 제9조【112신고의 분류】** ④ 시 · 도경찰청 · 경찰서 지령자 및 현장 출동 경찰관은 접수자가 제2항 부터 제4항과 같이 코드를 분류한 경우라도 추가 사실을 확인하여 코드를 변경할 수 있다.

④ [○]

> 예규 **112치안종합상황실 운영 및 신고처리 규칙 제15조【현장보고】** ① 112신고의 처리와 관련하여 출동요소는 다음의 기준에 따라 현장상황을 112치안종합상황실로 보고하여야 한다.
> 1. **최초보고**: 출동요소가 112신고 현장에 도착한 즉시 도착 사실과 함께 간략한 현장의 상황을 보고
> 2. **수시보고**: 현장 상황에 변화가 발생하거나 현장조치에 지원이 필요한 경우 수시로 보고
> 3. **종결보고**: 현장 초동조치가 종결된 경우 확인된 사건의 진상, 사건의 처리내용 및 결과 등을 상세히 보고
>
> ② 제1항에도 불구하고 현장 상황이 급박하여 신속한 현장 조치가 필요한 경우 우선 조치 후 보고할 수 있다.

003 「112치안종합상황실 운영 및 신고처리 규칙」에 관한 설명으로 가장 적절한 것은? [2024 승진]

① 112신고접수 및 무선지령내용 녹음자료는 24시간 녹음하고 2개월간 보존한다.

② 접수자는 신고내용을 토대로 강력범죄 현행범인 등 실시간 전파가 필요한 경우에는 112신고의 대응코드 중 code 1 신고로 분류한다.

③ 접수자는 불완전 신고로 인해 정확한 신고내용을 파악하기 힘든 경우라도 신속한 처리를 위해 우선 임의의 코드로 분류하여 하달할 수 있다.

④ 112요원은 접수한 신고의 내용이 code 3 신고의 유형에 해당하는 경우에는 출동요소에 지령하지 않고 자체 종결하거나, 소관기관이나 담당 부서에 신고내용을 통보하여 처리하도록 조치해야 한다.

정답 및 해설 I ③

③ [○]

> 예규 **112치안종합상황실 운영 및 신고처리 규칙 제9조【112신고의 분류】** ③ 접수자는 불완전 신고로 인해 정확한 신고내용을 파악하기 힘든 경우라도 신속한 처리를 위해 우선 임의의 코드로 분류하여 하달할 수 있다.

① [×] 3개월간 보존한다.

> 예규 **112치안종합상황실 운영 및 신고처리 규칙 제24조【자료보존기간】** ① 112치안종합상황실 자료의 보존기간은 다음 각 호의 기준에 따른다.
> 1. 112신고 접수처리 **입력자료**는 1년간 보존
> 2. 112신고 접수 및 무선지령내용 **녹음자료**는 24시간 녹음하고 3개월간 보존
> 3. 그 밖에 문서 및 일지는 「공공기관의 기록물 관리에 관한 법률」에서 정하는 바에 따라 보존

② [×] code 0로 분류한다.

> 예규 **112치안종합상황실 운영 및 신고처리 규칙 제9조【112신고의 분류】** ② 접수자는 신고내용을 토대로 사건의 긴급성과 출동필요성에 따라 다음 각 호와 같이 112신고의 대응코드를 분류한다.
> 1. **code 0 신고**: code 1 신고 중 이동성 범죄, 강력범죄 현행범인 등 실시간 전파가 필요한 경우
> 2. **code 1 신고**: 생명·신체에 대한 위험 발생이 임박, 진행 중, 직후인 경우 또는 현행범인인 경우

④ [×] 현장출동 없이 자체종결 등으로 처리할 수 있는 코드는 code 4 신고이다.

> 예규 **112치안종합상황실 운영 및 신고처리 규칙 제10조【지령】** ① 112요원은 접수한 신고 내용이 code 0 신고부터 code 3 신고의 유형에 해당하는 경우에는 1개 이상의 출동요소에 출동장소, 신고내용, 신고유형 등을 고지하고 처리하도록 지령해야 한다.
> ② 112요원은 접수한 신고의 내용이 code 4 신고의 유형에 해당하는 경우에는 출동요소에 지령하지 않고 자체 종결하거나, 소관기관이나 담당 부서에 신고내용을 통보하여 처리하도록 조치해야 한다.

004 순찰노선에 대한 설명 중 가장 적절하지 않은 것은?

[2015 실무 2]

① 정선순찰은 가급적 관할구역 전부에 미칠 수 있도록 사전에 정하여진 노선을 규칙적으로 순찰하는 방법이다.

② 난선순찰은 임의로 경찰사고 발생상황 등을 고려하여 순찰지역이나 노선을 선정, 불규칙적으로 순찰하는 방법이다.

③ 요점순찰은 지정된 요점과 요점 사이에서는 정선순찰 방식에 따라 순찰하는 방법이다.

④ 구역책임자율순찰은 지구대 관할지역을 몇 개의 소구역으로 나누고 지정된 개인별 담당구역을 요점순찰하는 방법이다.

정답 및 해설 I ③

③ [×] **요점순찰**은 관할구역 내에 치안수요 및 경찰대상의 분포 등 지역실태를 고려하여 설정한 주요지점(요점)에서 다른 요점에 이르기까지 일정한 노선 없이 적절한 통로를 자율적으로 순찰(난선순찰)하는 방법이다. ➜ 정선순찰과 난선순찰의 절충

005 경찰순찰에 대한 설명으로 가장 적절한 것은?

[2021 채용 1차]

① 뉴왁(Newark)시 도보순찰실험은 도보순찰을 강화하여도 해당 순찰구역의 범죄율을 낮추지는 못하였으나, 도보순찰을 할 때 시민이 경찰서비스에 더 높은 만족감을 드러냈음을 확인하였다.

② 「지역경찰의 조직 및 운영에 관한 규칙」상 순찰팀장은 일근근무를 원칙으로 하며, 휴게시간 · 휴무횟수 등 구체적인 사항은 「국가공무원 복무규정」 및 「경찰기관 상시근무 공무원의 근무시간 등에 관한 규칙」이 규정한 범위 안에서 지역경찰관서장이 정한다.

③ 「지역경찰의 조직 및 운영에 관한 규칙」상 순찰근무를 지정받은 지역경찰은 지정된 근무구역에서 범법자의 단속 및 검거, 경찰방문 및 방범진단, 시설 및 장비의 작동여부 확인, 각종 현황, 통계, 자료, 부책 관리와 같은 업무를 수행한다.

④ 워커(Samuel Walker)는 순찰의 3가지 기능으로 범죄의 억제, 대민서비스 제공, 교통지도단속을 언급하였다.

정답 및 해설 I ①

① [○] **뉴왁(Newark)시의 도보순찰실험**(1973)은 실험결과 도보순찰이 범죄율을 감소시키지는 않는 것으로 드러났으나, 시민들의 안전감을 향상시키고 경찰과 시민 사이에 좋은 관계를 형성하는데 긍정적 영향을 미쳤으며, 공공질서의 수준도 향상시켰다고 보았다.

② [×] 상시 · 교대근무가 원칙이며, 시 · 도경찰청장이 정한다.

> 예규 **지역경찰의 조직 및 운영에 관한 규칙 제21조【근무형태 및 시간】** ③ 순찰팀장 및 순찰팀원은 상시 · 교대근무를 원칙으로 하며, 근무교대 시간 및 휴게시간, 휴무횟수 등 구체적인 사항은 「국가공무원 복무규정」 및 「경찰기관 상시근무 공무원의 근무시간 등에 관한 규칙」이 규정한 범위 안에서 시 · 도경찰청장이 정한다.

③ [×] 각종 현황, 통계, 자료, 부책 관리업무는 행정근무를 지정받은 경찰의 업무이고, 시설 및 장비 작동 여부는 상황근무를 지정받은 경찰의 업무이다.

> 예규 **지역경찰의 조직 및 운영에 관한 규칙 제23조【행정근무】** 행정근무를 지정받은 지역경찰은 지역경찰관서 내에서 다음 각 호의 업무를 수행한다.
> 1. 문서의 접수 및 처리
> 2. 시설 · 장비의 관리 및 예산의 집행
> 3. 각종 현황, 통계, 자료, 부책 관리
> 4. 기타 행정업무 및 지역경찰관서장이 지시한 업무

예규 지역경찰의 조직 및 운영에 관한 규칙 제24조【상황 근무】① 상황근무를 지정받은 지역경찰은 지역경찰관서 및 치안센터 내에서 다음 각 호의 업무를 수행한다.
1. 시설 및 장비의 작동여부 확인
2. 방문민원 및 각종 신고사건의 접수 및 처리
3. 요보호자 또는 피의자에 대한 보호 · 감시
4. 중요 사건 · 사고 발생시 보고 및 전파
5. 기타 필요한 문서의 작성

예규 지역경찰의 조직 및 운영에 관한 규칙 제25조【순찰근무】① 순찰근무는 그 수단에 따라 112 순찰, 방범오토바이 순찰, 자전거 순찰 및 도보 순찰 등으로 구분한다.
② 112 순찰근무 및 야간 순찰근무는 반드시 2인 이상 합동으로 지정하여야 한다.
③ 순찰근무를 지정받은 지역경찰은 지정된 근무구역에서 다음 각 호의 업무를 수행한다.
1. 주민여론 및 범죄첩보 수집
2. 각종 사건사고 발생시 초동조치 및 보고, 전파
3. 범죄 예방 및 위험발생 방지 활동
4. 범법자의 단속 및 검거
5. 경찰방문 및 방범진단
6. 통행인 및 차량에 대한 검문검색 등

④ [×]

구분	헤일(C. D. Hale)	워커(S. Walker)
순찰의 기능	• 범죄예방 및 범인검거 • 법집행 • 대민서비스 제공 • 질서유지 • 교통지도단속	• 범죄의 억제 • 공공안전감의 증진 • 대민서비스 제공
순찰의 중요성	"모든 경찰활동의 목적이 순찰을 통하여 달성된다."	• "순찰은 경찰활동의 핵심이다." • "경찰관은 짧은 순간만 목격되어도, 잠재적인 범죄자에게는 경찰이 도처에 있다는 생각을 갖게 한다."

006 경찰공무원의 근무시간 등에 관한 용어 설명으로 가장 적절한 것은? [2021 경간]

① "상시근무"라 함은 일상적으로 24시간 계속하여 대응 · 처리해야 하는 업무를 수행하기 위하여 근무조를 나누어 일정한 계획에 의한 반복주기에 따라 교대로 업무를 수행하는 근무형태를 말한다.

② "대기"라 함은 근무도중 자유롭게 쉬는 시간을 말하며 식사시간을 포함한다.

③ "비번"이라 함은 교대근무자가 일정한 계획에 따라 다음 근무시작 전까지 자유롭게 쉬는 것을 말한다.

④ "휴게시간"이라 함은 근무일에 해당함에도 불구하고 누적된 피로 회복 등 건강유지를 위하여 일정시간 동안 근무에서 벗어나 자유롭게 쉬는 것을 말한다.

정답 및 해설 I ③

③ [○] ④ [×] 휴게시간이 아닌 "**휴무**"에 대한 설명이다.

훈령 경찰기관 상시근무 공무원의 근무시간 등에 관한 규칙 제2조【정의】이 규칙에서 사용하는 용어는 다음과 같다.
3. "**휴무**"라 함은 근무일에 해당함에도 불구하고 누적된 피로 회복 등 건강유지를 위하여 일정시간 동안 근무에서 벗어나 자유롭게 쉬는 것을 말한다.
4. "**비번**"이라 함은 교대근무자가 일정한 계획에 따라 다음 근무시작 전까지 자유롭게 쉬는 것을 말한다.

① [×] "**상시근무**"라 함은 일상적으로 24시간 계속하여 대응 · 처리해야 하는 업무를 수행하거나 긴급하고 중대한 치안상황에 대비하기 위하여 야간, 토요일 및 공휴일에 관계없이 상시적으로 업무를 수행하는 근무형태를 말하고, "**교대근무**"라 함은 근무조를 나누어 일정한 계획에 의한 반복주기에 따라 교대로 업무를 수행하는 근무형태를 말한다. 지문은 상시교대근무에 대한 설명이다.

> **훈령** **경찰기관 상시근무 공무원의 근무시간 등에 관한 규칙 제2조【정의】** 이 규칙에서 사용하는 용어는 다음과 같다.
> 1. "**상시근무**"라 함은 일상적으로 24시간 계속하여 대응 · 처리해야 하는 업무를 수행하거나 긴급하고 중대한 치안상황에 대비하기 위하여 야간, 토요일 및 공휴일에 관계없이 상시적으로 업무를 수행하는 근무형태를 말한다.
> 2. "**교대근무**"라 함은 근무조를 나누어 일정한 계획에 의한 반복주기에 따라 교대로 업무를 수행하는 근무형태를 말한다.

② [×] "**휴게시간**"에 대한 설명이다.

> **훈령** **경찰기관 상시근무 공무원의 근무시간 등에 관한 규칙 제2조【정의】** 이 규칙에서 사용하는 용어는 다음과 같다.
> 5. "**휴게시간**"이라 함은 근무도중 자유롭게 쉬는 시간을 말하며 식사시간을 포함한다.
> 6. "**대기**"라 함은 신고사건 출동 등 치안상황에 대응하기 위하여 일정시간 지정된 장소에서 근무태세를 갖추고 있는 형태의 근무를 말한다.

007 「지역경찰의 조직 및 운영에 관한 규칙」에 관한 설명으로 가장 적절한 것은? [2023 채용 2차]

① 경찰청장은 인구, 면적, 행정구역, 교통 · 지리적 여건, 각종 사건사고 발생 등을 고려하여 경찰서의 관할구역을 나누어 지역경찰관서를 설치한다.

② 순찰팀은 범죄예방 순찰, 각종 사건사고에 대한 초동조치 등 현장 치안활동을 담당한다.

③ 지역경찰관서장은 지역경찰관서의 운영에 관하여 총괄 지휘 · 감독한다.

④ 「지역경찰의 조직 및 운영에 관한 규칙」 제23조는 "행정근무를 지정받은 지역경찰은 지역경찰관서 및 치안센터 내에서 방문 민원 및 각종 신고사건의 접수 및 처리업무를 수행한다."라고 규정하고 있다.

정답 및 해설 I ②

② [○]

> **예규** **지역경찰의 조직 및 운영에 관한 규칙 제8조【순찰팀】** ① 순찰팀은 범죄예방 순찰, 각종 사건사고에 대한 초동조치 등 현장 치안활동을 담당하며, 팀장은 경감 또는 경위로 보한다.

① [×] 지역경찰관서를 설치권자는 시 · 도경찰청장이다.

> **예규** **지역경찰의 조직 및 운영에 관한 규칙 제4조【설치 및 폐지】** ① 시 · 도경찰청장은 인구, 면적, 행정구역, 교통 · 지리적 여건, 각종 사건사고 발생 등을 고려하여 경찰서의 관할구역을 나누어 지역경찰관서를 설치한다.

③ [×] 경찰서장은 지역경찰관서의 운영에 관하여 총괄 지휘 · 감독한다.

> **예규** **지역경찰의 조직 및 운영에 관한 규칙 제9조【지휘 및 감독】** 지역경찰관서에 대한 지휘 및 감독은 다음 각호에 따른다.
> 1. **경찰서장**: 지역경찰관서의 운영에 관하여 총괄 지휘 · 감독
> 3. **지역경찰관서장**: 지역경찰관서의 시설 · 장비 · 예산 및 소속 지역경찰의 근무에 관한 제반사항을 지휘 · 감독

④ [×] 지역경찰관서 및 치안센터 내에서 방문 민원 및 각종 신고사건의 접수 및 처리업무는 **상황근무**에 해당한다.

> **예규** **지역경찰의 조직 및 운영에 관한 규칙 제24조【상황 근무】** ① 상황근무를 지정받은 지역경찰은 지역경찰관서 및 치안센터 내에서 다음 각 호의 업무를 수행한다.
> 1. 시설 및 장비의 작동여부 확인
> 2. 방문민원 및 각종 신고사건의 접수 및 처리
> 3. 요보호자 또는 피의자에 대한 보호 · 감시
> 4. 중요 사건 · 사고 발생시 보고 및 전파
> 5. 기타 필요한 문서의 작성

008 「지역경찰의 조직 및 운영에 관한 규칙」에 대한 다음 설명 중 가장 적절하지 않은 것은? [2014 채용 2차]

① 관리팀은 일근근무, 순찰팀장 및 순찰팀원은 상시 · 교대근무를 원칙으로 한다.

② 경계근무는 반드시 2인 이상 합동으로 지정하여야 한다.

③ 지역경찰의 근무는 행정근무, 상황근무, 순찰근무, 경계근무, 대기근무, 기타근무로 구분한다.

④ 경찰서장은 인구, 면적, 교통 · 지리적 여건 등을 고려하여 경찰서의 관할구역을 나누어 지역경찰관서를 설치한다.

정답 및 해설 I ④

④ [×] 시 · 도경찰청장이 지역경찰관서를 설치한다.

> 예규 **지역경찰의 조직 및 운영에 관한 규칙 제4조【설치 및 폐지】** ① 시 · 도경찰청장은 인구, 면적, 행정구역, 교통 · 지리적 여건, 각종 사건사고 발생 등을 고려하여 경찰서의 관할구역을 나누어 지역경찰관서를 설치한다.
> ② 지역경찰관서의 명칭은 "OO경찰서 OO지구대(파출소)"로 한다.

① [O]

> 예규 **지역경찰의 조직 및 운영에 관한 규칙 제21조【근무형태 및 시간】** ① 지역경찰관서장은 일근근무를 원칙(➔ 주 40시간, 토요일 휴무)으로 한다. 다만, 경찰서장은 필요하다고 인정되는 경우에는 지역경찰관서장의 근무시간을 조정하거나, 시간외 · 휴일 근무 등을 명할 수 있다.
> ② 관리팀은 일근근무를 원칙으로 한다. 다만, 지역경찰관서장은 필요하다고 인정되는 경우에는 근무시간을 조정하거나, 시간외 · 휴일 근무 등을 명할 수 있다.
> ③ 순찰팀장 및 순찰팀원은 상시 · 교대근무를 원칙으로 하며, 근무교대 시간 및 휴게시간, 휴무횟수 등 구체적인 사항은 「국가공무원 복무규정」 및 「경찰기관 상시근무 공무원의 근무시간 등에 관한 규칙」이 규정한 범위 안에서 시 · 도경찰청장이 정한다.

② [O]

> 예규 **지역경찰의 조직 및 운영에 관한 규칙 제26조【경계근무】** ① 경계근무는 반드시 2인 이상 합동으로 지정하여야 한다.

③ [O]

> 예규 **지역경찰의 조직 및 운영에 관한 규칙 제22조【근무의 종류】** 지역경찰의 근무는 행정근무, 상황근무, 순찰근무, 경계근무, 대기근무, 기타근무로 구분한다. ➔ 행 · 상 · 순 · 경 · 대 · 기

009 「지역경찰의 조직 및 운영에 관한 규칙」에 대한 설명으로 가장 적절하지 않은 것은? [2018 채용 2차]

① 지역경찰의 근무는 행정근무, 상황근무, 순찰근무, 경계근무, 대기근무, 기타근무로 구분한다.

② 순찰팀의 수는 지역 치안수요 및 인력여건 등을 고려하여 경찰서장이 결정한다.

③ 관리팀 및 순찰팀의 인원은 지역 치안수요 및 인력여건 등을 고려하여 경찰서장이 결정한다.

④ '관리팀원 및 순찰팀원에 대한 일일근무 지정 및 지휘 · 감독'은 순찰팀장의 직무로 명시되어 있다.

정답 및 해설 I ②

② [×] 순찰팀의 수는 시 · 도경찰청장이 결정하고, 순찰팀의 인원은 경찰서장이 결정한다. / ③ [○]

> 예규 **지역경찰의 조직 및 운영에 관한 규칙 제6조【하부조직】** ① 지역경찰관서에는 관리팀과 상시 · 교대근무로 운영하는 복수의 순찰팀을 둔다.
> ② 순찰팀의 수는 지역 치안수요 및 인력여건 등을 고려하여 시 · 도경찰청장이 결정한다.
> ③ 관리팀 및 순찰팀의 인원은 지역 치안수요 및 인력여건 등을 고려하여 경찰서장이 결정한다.

① [○]

> 예규 **지역경찰의 조직 및 운영에 관한 규칙 제22조【근무의 종류】** 지역경찰의 근무는 행정근무, 상황근무, 순찰근무, 경계근무, 대기근무, 기타근무로 구분한다. ➜ 행 · 상 · 순 · 경 · 대 · 기

④ [○]

> 예규 **지역경찰의 조직 및 운영에 관한 규칙 제8조【순찰팀】** ② 순찰팀장은 다음 각호의 직무를 수행한다.
> 2. 관리팀원 및 순찰팀원에 대한 일일근무 지정 및 지휘 · 감독

010 「지역경찰의 조직 및 운영에 관한 규칙」에 대한 설명으로 가장 적절하지 않은 것은? [2018 실무 2]

① 시 · 도경찰청장은 인구, 면적, 행정구역, 교통 · 지리적 여건, 각종 사건사고 발생 등을 고려하여 경찰서의 관할구역을 나누어 지역경찰관서를 설치한다.

② 순찰팀의 인원은 지역 치안수요 및 인력여건 등을 고려하여 시 · 도경찰청장이 결정한다.

③ 시 · 도경찰청장은 지역치안을 효율적으로 수행하기 위하여 지역경찰관서장 소속하에 치안센터를 설치할 수 있다.

④ 순찰팀장은 '근무교대시 주요 취급사항 및 장비 등의 인수인계 확인', '관리팀원 및 순찰팀원에 대한 일일근무 지정 및 지휘 · 감독' 등의 직무를 수행한다.

정답 및 해설 I ②

② [×] 순찰팀의 수는 시 · 도경찰청장이 결정하고, 순찰팀의 인원은 경찰서장이 결정한다.

> 예규 **지역경찰의 조직 및 운영에 관한 규칙 제6조【하부조직】** ③ 관리팀 및 순찰팀의 인원은 지역 치안수요 및 인력여건 등을 고려하여 경찰서장이 결정한다.

① [○]

> 예규 **지역경찰의 조직 및 운영에 관한 규칙 제4조【설치 및 폐지】** ① 시 · 도경찰청장은 인구, 면적, 행정구역, 교통 · 지리적 여건, 각종 사건사고 발생 등을 고려하여 경찰서의 관할구역을 나누어 지역경찰관서를 설치한다.

③ [○]

> 예규 **지역경찰의 조직 및 운영에 관한 규칙 제10조【설치 및 폐지】** ① 시 · 도경찰청장은 지역치안을 효율적으로 수행하기 위하여 지역경찰관서장 소속하에 치안센터를 설치할 수 있다

④ [○]

> 예규 **지역경찰의 조직 및 운영에 관한 규칙 제8조【순찰팀】** ② 순찰팀장은 다음 각호의 직무를 수행한다.
> 1. 근무교대시 주요 취급사항 및 장비 등의 인수인계 확인
> 2. 관리팀원 및 순찰팀원에 대한 일일근무 지정 및 지휘 · 감독
> 3. 관내 중요 사건 발생시 현장 지휘
> 4. 지역경찰관서장 부재시 업무 대행
> 5. 순찰팀원의 업무역량 향상을 위한 교육

011 경찰청훈령인 '지역경찰의 조직 및 운영에 관한 규칙'에 대한 다음 설명 중 가장 옳은 것은? [2017 경간]

① '지역경찰관서'란 「국가경찰과 자치경찰의 조직 및 운영에 관한 법률」 제17조 및 「경찰청과 그 소속기관 직제」 제44조에 규정된 지구대, 파출소 및 치안센터를 말한다.

② 경찰서장은 인구, 면적, 행정구역, 교통 · 지리적 여건, 각종 사건사고 발생 등을 고려하여 경찰서의 관할구역을 나누어 지역경찰관서를 설치한다.

③ 지역 치안수요 및 인력여건 등을 고려하여 관리팀 및 순찰팀의 인원은 시 · 도경찰청장이 결정하고, 순찰팀의 수는 경찰서장이 결정한다.

④ 경찰 중요 시책의 홍보 및 협력치안 활동은 지역경찰관서장의 직무로, 관내 중요 사건 발생시 현장 지휘는 순찰팀장의 직무로 명시되어 있다.

정답 및 해설 I ④

④ [○]

> **예규** **지역경찰의 조직 및 운영에 관한 규칙 제5조【지역경찰관서장】** ③ 지역경찰관서장은 다음 각 호의 직무를 수행한다.
> 1. 관내 치안상황의 분석 및 대책 수립
> 2. 지역경찰관서의 시설 · 예산 · 장비의 관리
> 3. 소속 지역경찰의 근무와 관련된 제반사항에 대한 지휘 및 감독
> 4. 경찰 중요 시책의 홍보 및 협력치안 활동
>
> **예규** **지역경찰의 조직 및 운영에 관한 규칙 제8조【순찰팀】** ② 순찰팀장은 다음 각호의 직무를 수행한다.
> 1. 근무교대시 주요 취급사항 및 장비 등의 인수인계 확인
> 2. 관리팀원 및 순찰팀원에 대한 일일근무 지정 및 지휘 · 감독
> 3. 관내 중요 사건 발생시 현장 지휘
> 4. 지역경찰관서장 부재시 업무 대행
> 5. 순찰팀원의 업무역량 향상을 위한 교육

① [×] 치안센터는 포함되지 않는다.

> **예규** **지역경찰의 조직 및 운영에 관한 규칙 제2조【정의】** 이 규칙에서 사용하는 용어의 정의는 다음과 같다.
> 1. "**지역경찰관서**"란 「국가경찰과 자치경찰의 조직 및 운영에 관한 법률」 제30조 제3항 및 「경찰청과 그 소속기관 직제」 제43조에 규정된 지구대 및 파출소를 말한다.

② [×] 시 · 도경찰청장이 지역경찰관서를 설치한다.

> **예규** **지역경찰의 조직 및 운영에 관한 규칙 제4조【설치 및 폐지】** ① 시 · 도경찰청장은 인구, 면적, 행정구역, 교통 · 지리적 여건, 각종 사건사고 발생 등을 고려하여 경찰서의 관할구역을 나누어 지역경찰관서를 설치한다.

③ [×] 순찰팀의 수는 시 · 도경찰청장이 결정하고, 개별 팀의 인원은 경찰서장이 결정한다.

> **예규** **지역경찰의 조직 및 운영에 관한 규칙 제6조【하부조직】** ① 지역경찰관서에는 관리팀과 상시 · 교대근무로 운영하는 복수의 순찰팀을 둔다.
> ② 순찰팀의 수는 지역 치안수요 및 인력여건 등을 고려하여 시 · 도경찰청장이 결정한다.
> ③ 관리팀 및 순찰팀의 인원은 지역 치안수요 및 인력여건 등을 고려하여 경찰서장이 결정한다.

012 「지역경찰의 조직 및 운영에 관한 규칙」상 순찰팀장의 직무범위에 관한 것으로 가장 적절하지 않은 것은?

[2017 실무 2]

① 지역경찰관서의 시설 · 예산 · 장비의 관리

② 근무교대시 주요 취급사항 및 장비 등의 인수인계 확인

③ 관리팀원 및 순찰팀원에 대한 일일근무 지정

④ 관내 중요 사건 발생시 현장 지휘

정답 및 해설 | ①

① [×] 지역경찰관서의 시설 · 예산 · 장비의 관리는 지역경찰관서장의 직무이다.

> 예규 **지역경찰의 조직 및 운영에 관한 규칙 제5조【지역경찰관서장】** ③ 지역경찰관서장은 다음 각 호의 직무를 수행한다.
> 2. 지역경찰관서의 시설 · 예산 · 장비의 관리
>
> 예규 **지역경찰의 조직 및 운영에 관한 규칙 제8조【순찰팀】** ① 순찰팀은 범죄예방 순찰, 각종 사건사고에 대한 초동조치 등 현장 치안활동을 담당하며, 팀장은 경감 또는 경위로 보한다. ➜ = 파출소장 / + 1 = 지구대장
> ② 순찰팀장은 다음 각호의 직무를 수행한다.
> 1. 근무교대시 주요 취급사항 및 장비 등의 인수인계 확인
> 2. 관리팀원 및 순찰팀원에 대한 일일근무 지정 및 지휘 · 감독
> 3. 관내 중요 사건 발생시 현장 지휘
> 4. 지역경찰관서장 부재시 업무 대행
> 5. 순찰팀원의 업무역량 향상을 위한 교육

013 「지역경찰의 조직 및 운영에 관한 규칙」상 순찰팀장이 수행하는 직무 내용으로 가장 적절하지 않은 것은?

[2021 경간]

① 관내 중요 사건 발생시 현장 지휘

② 지역경찰관서의 시설 · 예산 · 장비의 관리

③ 근무교대시 주요 취급사항 및 장비 등의 인수인계 확인

④ 관리팀원 및 순찰팀원에 대한 일일근무 지정 및 지휘 · 감독

정답 및 해설 | ②

② [×] 지역경찰관서의 시설 · 예산 · 장비의 관리는 **지역경찰관서장**의 직무이다.

지역경찰관서장	순찰팀장
1. 관내 치안상황의 분석 및 대책 수립 2. 지역경찰관서의 시설 · 예산 · 장비의 관리 3. 소속 지역경찰의 근무와 관련된 제반사항에 대한 지휘 및 감독 4. 경찰 중요 시책의 홍보 및 협력치안 활동	1. 근무교대시 주요 취급사항 및 장비 등의 인수인계 확인 2. 관리팀원 및 순찰팀원에 대한 일일근무 지정 및 지휘 · 감독 3. 관내 중요 사건 발생시 현장 지휘 4. 지역경찰관서장 부재시 업무 대행 5. 순찰팀원의 업무역량 향상을 위한 교육

014 「지역경찰의 조직 및 운영에 관한 규칙」상 순찰팀장의 직무범위에 해당하는 것을 모두 고른 것은?

[2020 실무 2]

> ㉠ 관내 치안상황의 분석 및 대책 수립
> ㉡ 근무교대시 주요 취급사항 및 장비 등의 인수인계 확인
> ㉢ 관리팀원 및 순찰팀원에 대한 일일근무 지정 및 지휘·감독
> ㉣ 시설 및 장비의 관리

① ㉠, ㉡　　② ㉡, ㉢
③ ㉠, ㉢　　④ ㉡, ㉣

정답 및 해설 | ②

② [○] ㉡㉢은 순찰팀장의 직무범위에 해당하고, ㉠㉣은 지역경찰관서장의 직무범위에 해당한다.

> 예규 **지역경찰의 조직 및 운영에 관한 규칙 제5조【지역경찰관서장】** ③ 지역경찰관서장은 다음 각 호의 직무를 수행한다.
> 1. 관내 치안상황의 분석 및 대책 수립 ➔ ㉠
> 2. 지역경찰관서의 시설·예산·장비의 관리 ➔ ㉣
>
> 예규 **지역경찰의 조직 및 운영에 관한 규칙 제8조【순찰팀】** ② 순찰팀장은 다음 각호의 직무를 수행한다.
> 1. 근무교대시 주요 취급사항 및 장비 등의 인수인계 확인 ➔ ㉡
> 2. 관리팀원 및 순찰팀원에 대한 일일근무 지정 및 지휘·감독 ➔ ㉢

015 「지역경찰의 조직 및 운영에 관한 규칙」상 '순찰근무'에 대한 설명으로 가장 적절하지 않은 것은?

[2019 승진(경감)]

① 각종 사건사고 발생시 초동조치 및 보고, 전파
② 비상 및 작전사태 등 발생시 차량·선박 등의 통행 통제
③ 범법자의 단속 및 검거
④ 통행인 및 차량에 대한 검문검색 등

정답 및 해설 | ②

② [×] 비상 및 작전 사태 발생시 차량·선박 등 통행 통제는 경계근무의 내용이다.

> 예규 **지역경찰의 조직 및 운영에 관한 규칙 제26조【경계근무】** ① 경계근무는 반드시 2인 이상 합동으로 지정하여야 한다.
> [2012 승진(경감), 2014 채용 2차]
> ② 경계근무를 지정받은 지역경찰은 지정된 장소에서 다음 각 호의 업무를 수행한다.
> 1. 범법자 등을 단속·검거하기 위한 통행인 및 차량, 선박 등에 대한 검문검색 및 후속조치
> 2. 비상 및 작전사태 등 발생시 차량, 선박 등의 통행 통제

①③④ [○]

> 예규 **지역경찰의 조직 및 운영에 관한 규칙 제25조【순찰근무】** ③ 순찰근무를 지정받은 지역경찰은 지정된 근무구역에서 다음 각 호의 업무를 수행한다.
> 1. 주민여론 및 범죄첩보 수집
> 2. 각종 사건사고 발생시 초동조치 및 보고, 전파
> 3. 범죄 예방 및 위험발생 방지 활동
> 4. 범법자의 단속 및 검거
> 5. 경찰방문 및 방범진단
> 6. 통행인 및 차량에 대한 검문검색 등

016 「지역경찰의 조직 및 운영에 관한 규칙」에 대한 설명으로 가장 적절하지 않은 것은? [2022 승진]

① 지역경찰 동원은 근무자 동원을 원칙으로 하되, 불가피한 경우에 한하여 비번자, 휴무자 순으로 동원할 수 있다.

② 지역경찰관리자는 신고출동태세 유지 등을 위해 필요한 경우에는 휴게 및 식사시간도 기타 근무로 지정할 수 있다.

③ 순찰팀장은 관리팀원에게 행정근무를 지정하고, 순찰팀원에게 상황 또는 순찰근무 지정하는 것을 원칙으로 하되, 필요한 경우에는 다른 근무를 지정하거나 병행하여 수행하도록 지정할 수 있다.

④ 상황근무를 지정받은 지역경찰은 지역경찰관서 및 치안센터 내에서 요보호자 또는 피의자에 대한 보호 · 감시, 방문민원 및 각종 신고사건의 접수 및 처리 등의 업무를 수행한다.

정답 및 해설 I ②

② [×] 기타 근무가 아니라, 대기 근무로 지정할 수 있다.

> 예규 **지역경찰의 조직 및 운영에 관한 규칙 제29조【일일근무 지정】** ⑥ 지역경찰관리자는 신고출동태세 유지 등을 위해 필요한 경우에는 휴게 및 식사시간도 대기 근무로 지정할 수 있다.

① [○]

> 예규 **지역경찰의 조직 및 운영에 관한 규칙 제31조【지역경찰의 동원】** ② 지역경찰 동원은 근무자 동원을 원칙으로 하되, 불가피한 경우에 한하여 비번자, 휴무자 순으로 동원할 수 있다.

③ [○]

> 예규 **지역경찰의 조직 및 운영에 관한 규칙 제29조【일일근무 지정】** ③ 순찰팀장은 관리팀원에게 행정근무를 지정하고, 순찰팀원에게 상황 또는 순찰근무 지정하는 것을 원칙으로 하되, 필요한 경우에는 다른 근무를 지정하거나 병행하여 수행하도록 지정할 수 있다.

④ [○]

> 예규 **지역경찰의 조직 및 운영에 관한 규칙 제24조【상황 근무】** ① 상황근무를 지정받은 지역경찰은 지역경찰관서 및 치안센터 내에서 다음 각 호의 업무를 수행한다.
> 1. 시설 및 장비의 작동여부 확인
> 2. 방문민원 및 각종 신고사건의 접수 및 처리
> 3. 요보호자 또는 피의자에 대한 보호 · 감시
> 4. 중요 사건 · 사고 발생시 보고 및 전파
> 5. 기타 필요한 문서의 작성

017 「지역경찰의 조직 및 운영에 관한 규칙」에 대한 설명 중 가장 적절한 것은? [2023 승진]

① "지역경찰관서"란 「국가경찰과 자치경찰의 조직 및 운영에 관한 법률」 제30조 제3항 및 「경찰청과 그 소속기관 직제」 제43조에 규정된 지구대, 파출소 및 치안센터를 말한다.

② 상황근무를 지정받은 지역경찰은 문서의 접수 및 처리와 중요 사건 · 사고 발생시 보고 · 전파 업무를 수행한다.

③ 지역경찰은 근무 중 주요사항을 근무일지(을지)에 기재하여야 하고 근무일지는 5년간 보관한다.

④ 대기근무를 지정받은 지역경찰은 지정된 장소에서 휴식을 취하되, 무전기를 청취하며 10분 이내 출동이 가능한 상태를 유지하여야 한다.

정답 및 해설 I ④

④ [○]

> 예규 **지역경찰의 조직 및 운영에 관한 규칙 제27조【대기근무】** ③ 대기근무를 지정받은 지역경찰은 지정된 장소에서 휴식을 취하되, 무전기를 청취하며 10분 이내 출동이 가능한 상태를 유지하여야 한다.

① [×] 치안센터는 지역경찰관서에 해당하지 않는다.

> 예규 **지역경찰의 조직 및 운영에 관한 규칙 제2조【정의】** 이 규칙에서 사용하는 용어의 정의는 다음과 같다.
> 1. "**지역경찰관서**"란 「경찰법」 제30조 제3항 및 「경찰청과 그 소속기관 직제」 제43조에 규정된 지구대 및 파출소를 말한다.

② [×] "문서의 접수 및 처리"는 행정근무에 해당한다.

> 예규 **지역경찰의 조직 및 운영에 관한 규칙 제23조【행정근무】** 행정근무를 지정받은 지역경찰은 지역경찰관서 내에서 다음 각 호의 업무를 수행한다.
> 1. 문서의 접수 및 처리
> 2. 시설 · 장비의 관리 및 예산의 집행
> 3. 각종 현황, 통계, 자료, 부책 관리
> 4. 기타 행정업무 및 지역경찰관서장이 지시한 업무

③ [×] 근무일지는 3년간 보관한다.

> 예규 **지역경찰의 조직 및 운영에 관한 규칙 제42조【근무일지의 기록 · 보관】** ① 지역경찰관리자와 상황근무자는 근무 중 주요 사항을 별지 제4호서식의 근무일지(을지)에 기재하여야 한다.
> ③ 근무일지는 3년간 보관한다.

018 「지역경찰의 조직 및 운영에 관한 규칙」상 ( ) 안에 들어갈 숫자로 가장 적절한 것은? [2017 실무 2]

> 근무일지는 ( )년간 보관한다.

① 1 ② 2

③ 3 ④ 4

정답 및 해설 I ③

③ [○]

> 예규 **지역경찰의 조직 및 운영에 관한 규칙 제42조【근무일지의 기록 · 보관】** ③ 근무일지는 3년간 보관한다.

019 「지역경찰의 조직 및 운영에 관한 규칙」상 경찰서장이 정하는 사항으로 적절한 것은 모두 몇 개인가? [2023 경간]

> 가. 치안센터 관할구역의 크기
> 나. 순찰팀의 수
> 다. 치안센터 전담근무자의 근무형태 및 근무시간
> 라. 관리팀 및 순찰팀의 인원

① 1개 ② 2개
③ 3개 ④ 4개

정답 및 해설 | ③

가. [○]
> **지역경찰의 조직 및 운영에 관한 규칙 제11조【소속 및 관할】** ③ 치안센터 관할구역의 크기는 설치목적, 배치 인원 및 장비, 교통 · 지리적 요건 등을 고려하여 경찰서장이 정한다.

나. [×] **시 · 도경찰청장**이 결정
> **지역경찰의 조직 및 운영에 관한 규칙 제6조【하부조직】** ② 순찰팀의 수는 지역 치안수요 및 인력여건 등을 고려하여 시 · 도경찰청장이 결정한다.

다. [○]
> **지역경찰의 조직 및 운영에 관한 규칙 제21조【근무형태 및 시간】** ④ 치안센터 전담근무자의 근무형태 및 근무시간은 치안센터의 종류 및 운영시간 등을 고려하여 제1항부터 제3항까지의 규정을 준용하여 경찰서장이 정한다.

라. [○]
> **지역경찰의 조직 및 운영에 관한 규칙 제6조【하부조직】** ③ 관리팀 및 순찰팀의 인원은 지역 치안수요 및 인력여건 등을 고려하여 경찰서장이 결정한다.

020 「지역경찰의 조직 및 운영에 관한 규칙」에 관한 다음 설명 중 옳은 것은 모두 몇 개인가? [2018 경간]

> 가. 시 · 도경찰청장 및 경찰서장은 지역경찰의 올바른 직무수행 및 자질 향상을 위해 필요한 교육을 실시하여야 하며, 교육시간 · 방법 · 내용 등 지역경찰 교육과 관련된 세부적인 기준은 시 · 도경찰청장이 따로 정한다.
> 나. 순찰근무의 근무종류 및 근무구역은 시간대별 · 장소별 치안수요, 각종 사건사고 발생, 순찰 인원 및 가용 상비, 관할 면적 및 교통 · 지리적 여건을 고려하여 지정하여야 한다.
> 다. 상황근무를 지정받은 지역경찰은 지역경찰은 지역경찰관서 및 치안센터 내에서 시설 및 장비의 작동여부 확인, 방문민원 및 각종 신고사건의 접수 및 처리, 요보호자 또는 피의자에 대한 보호 · 감시, 중요사건 · 사고 발생시 보고 및 전파, 기타 필요한 문서의 작성의 업무를 수행한다.
> 라. 행정근무를 지정받은 지역경찰은 지역경찰관서 내에서 문서의 접수 및 처리, 시설 · 장비의 관리 및 예산의 집행, 각종 현황 · 통계 · 자료 · 부책 관리, 기타 행정업무 및 지역경찰관서장이 지시한 업무를 수행한다.
> 마. 시 · 도경찰청장은 소속 시 · 도경찰청의 지역경찰 정원 충원 현황을 연 2회 이상 점검하고 현원이 정원에 미달할 경우, 지역경찰 정원 충원의 대책을 수립 · 시행하여야 한다.

① 1개 ② 2개
③ 3개 ④ 4개

정답 및 해설 l ④

가. [×] 세부기준은 경찰청장이 정한다.

> 예규 지역경찰의 조직 및 운영에 관한 규칙 제39조【교육】① 시 · 도경찰청장 및 경찰서장은 지역경찰의 올바른 직무수행 및 자질 향상을 위해 필요한 교육을 실시하여야 한다.
> ② 교육시간, 방법, 내용 등 지역경찰 교육과 관련된 세부적인 기준은 경찰청장이 따로 정한다.

나. [○]

> 예규 지역경찰의 조직 및 운영에 관한 규칙 제29조【일일근무 지정】④ 순찰근무의 근무종류 및 근무구역은 지역 치안이 효율적으로 수행될 수 있도록 다음 각 호의 사항을 고려하여 지정하여야 한다.
> 1. 시간대별 · 장소별 치안수요
> 2. 각종 사건사고 발생
> 3. 순찰 인원 및 가용 장비
> 4. 관할 면적 및 교통 · 지리적 여건

다. [○]

> 예규 지역경찰의 조직 및 운영에 관한 규칙 제24조【상황 근무】① 상황근무를 지정받은 지역경찰은 지역경찰관서 및 치안센터 내에서 다음 각 호의 업무를 수행한다.
> 1. 시설 및 장비의 작동여부 확인
> 2. 방문민원 및 각종 신고사건의 접수 및 처리
> 3. 요보호자 또는 피의자에 대한 보호 · 감시
> 4. 중요 사건 · 사고 발생시 보고 및 전파
> 5. 기타 필요한 문서의 작성

라. [○]

> 예규 지역경찰의 조직 및 운영에 관한 규칙 제23조【행정근무】행정근무를 지정받은 지역경찰은 지역경찰관서 내에서 다음 각 호의 업무를 수행한다.
> 1. 문서의 접수 및 처리
> 2. 시설 · 장비의 관리 및 예산의 집행
> 3. 각종 현황, 통계, 자료, 부책 관리
> 4. 기타 행정업무 및 지역경찰관서장이 지시한 업무

마. [○]

> 예규 지역경찰의 조직 및 운영에 관한 규칙 제37조【정원관리】③ 시 · 도경찰청장은 소속 지방경찰청의 지역경찰 정원 충원 현황을 연 2회 이상 점검하고 현원이 정원에 미달할 경우, 지역경찰 정원충원 대책을 수립, 시행하여야 한다.

021 「지역경찰의 조직 및 운영에 관한 규칙」에 대한 설명 중 옳지 않은 것은 모두 몇 개인가? [2020 경간]

> 가. 행정근무를 지정받은 지역경찰은 각종 현황 · 통계 · 부책 관리 및 중요 사건 · 사고 발생시 보고 · 전파 업무를 수행한다.
> 나. 순찰팀의 수는 지역 치안수요 및 인력여건 등을 고려하여 경찰서장이 결정한다.
> 다. 경찰 중요 시책의 홍보 및 협력치안 활동은 지역경찰관서장의 직무로, 관내 중요 사건발생시 현장 지휘는 순찰팀장의 직무로 명시되어 있다.
> 라. 경찰서장은 인구, 면적, 교통 · 지리적 여건 등을 고려하여 경찰서 관할구역을 나누어 지역경찰관서를 설치한다.
> 마. '지역경찰관서'라 함은 「국가경찰과 자치경찰의 조직 및 운영에 관한 법률」 제30조 제3항 및 「경찰청과 그 소속기관 직제」 제43조에 규정된 지구대, 파출소 및 치안센터를 말한다.

① 1개 ② 2개
③ 3개 ④ 4개

정답 및 해설 I ④

가. [×] 중요 사건 · 사고 발생시 보고 · 전파 업무는 상황근무에 해당한다.

> 예규 **지역경찰의 조직 및 운영에 관한 규칙 제23조【행정근무】** 행정근무를 지정받은 지역경찰은 지역경찰관서 내에서 다음 각 호의 업무를 수행한다.
> 3. 각종 현황, 통계, 자료, 부책 관리
>
> 예규 **지역경찰의 조직 및 운영에 관한 규칙 제24조【상황 근무】** ① 상황근무를 지정받은 지역경찰은 지역경찰관서 및 치안센터 내에서 다음 각 호의 업무를 수행한다.
> 4. 중요 사건 · 사고 발생시 보고 및 전파

나. [×] 시 · 도경찰청장이 결정한다.

> 예규 **지역경찰의 조직 및 운영에 관한 규칙 제6조【하부조직】** ② 순찰팀의 수는 지역 치안수요 및 인력여건 등을 고려하여 시 · 도경찰청장이 결정한다.
> ③ 관리팀 및 순찰팀의 인원은 지역 치안수요 및 인력여건 등을 고려하여 경찰서장이 결정한다.

다. [○]

> 예규 **지역경찰의 조직 및 운영에 관한 규칙 제5조【지역경찰관서장】** ③ 지역경찰관서장은 다음 각 호의 직무를 수행한다.
> 4. 경찰 중요 시책의 홍보 및 협력치안 활동
>
> 예규 **지역경찰의 조직 및 운영에 관한 규칙 제8조【순찰팀】** ② 순찰팀장은 다음 각호의 직무를 수행한다.
> 3. 관내 중요 사건 발생시 현장 지휘

라. [×] 시 · 도경찰청장이 설치한다.

> 예규 **지역경찰의 조직 및 운영에 관한 규칙 제4조【설치 및 폐지】** ① 시 · 도경찰청장은 인구, 면적, 행정구역, 교통 · 지리적 여건, 각종 사건사고 발생 등을 고려하여 경찰서의 관할구역을 나누어 지역경찰관서를 설치한다.

마. [×] 치안센터는 포함되지 않는다.

> 예규 **지역경찰의 조직 및 운영에 관한 규칙 제2조【정의】** 이 규칙에서 사용하는 용어의 정의는 다음과 같다.
> 1. "**지역경찰관서**"란 「국가경찰과 자치경찰의 조직 및 운영에 관한 법률」 제30조 제3항 및 「경찰청과 그 소속기관 직제」 제43조에 규정된 지구대 및 파출소를 말한다.

022 지역경찰의 조직 및 운영에 관한 규칙에 관한 설명 중 옳은 것은 모두 몇 개인가? [2022 채용 1차]

> ㉠ 시 · 도경찰청장은 인구, 면적, 행정구역, 교통 · 지리적 여건, 각종 사건사고 발생 등을 고려하여 경찰서의 관할구역을 나누어 지역경찰관서를 설치한다.
> ㉡ 관리팀원 및 순찰팀원에 대한 일일근무 지정 및 지휘 · 감독과 관내 중요 사건 발생시 현장 지휘는 순찰팀장의 직무이다.
> ㉢ 직주일체형 치안센터에 배치된 근무자는 근무 종료 후(휴무일 포함)에도 관할구역 내에 위치하며 지역경찰관서와 연락체계를 유지하여야 한다.
> ㉣ 지역경찰관서장은 관내 치안상황의 분석 및 대책을 수립하고 소속 지역경찰의 근무와 관련된 제반사항에 대해 지휘 및 감독한다.
> ㉤ 상황근무를 지정받은 지역경찰은 지역경찰관서 및 치안센터 내에서 방문민원 및 각종 신고사건의 접수 및 처리를 수행한다.

① 5개 ② 4개
③ 3개 ④ 2개

정답 및 해설 I ②

㉠ [○]

> 예규 **지역경찰의 조직 및 운영에 관한 규칙 제4조【설치 및 폐지】** ① 시 · 도경찰청장은 인구, 면적, 행정구역, 교통 · 지리적 여건, 각종 사건사고 발생 등을 고려하여 경찰서의 관할구역을 나누어 지역경찰관서를 설치한다.

㉡ [○]

> 예규 **지역경찰의 조직 및 운영에 관한 규칙 제8조【순찰팀】** ② 순찰팀장은 다음 각호의 직무를 수행한다.
> 1. 근무교대시 주요 취급사항 및 장비 등의 인수인계 확인
> 2. 관리팀원 및 순찰팀원에 대한 일일근무 지정 및 지휘 · 감독
> 3. 관내 중요 사건 발생시 현장 지휘
> 4. 지역경찰관서장 부재시 업무 대행
> 5. 순찰팀원의 업무역량 향상을 위한 교육

㉢ [×] 휴무일은 제외한다.

> 예규 **지역경찰의 조직 및 운영에 관한 규칙 제18조【직주일체형 치안센터】** ③ 직주일체형 치안센터에 배치된 근무자는 근무 종료 후에도 관할구역 내에 위치하며 지역경찰관서와 연락체계를 유지하여야 한다. 다만, 휴무일은 제외한다.

㉣ [○]

> 예규 **지역경찰의 조직 및 운영에 관한 규칙 제5조【지역경찰관서장】** ③ 지역경찰관서장은 다음 각 호의 직무를 수행한다.
> 1. 관내 치안상황의 분석 및 대책 수립
> 2. 지역경찰관서의 시설 · 예산 · 장비의 관리
> 3. 소속 지역경찰의 근무와 관련된 제반사항에 대한 지휘 및 감독
> 4. 경찰 중요 시책의 홍보 및 협력치안 활동

㉤ [○]

> 예규 **지역경찰의 조직 및 운영에 관한 규칙 제24조【상황 근무】** ① 상황근무를 지정받은 지역경찰은 지역경찰관서 및 치안센터 내에서 다음 각 호의 업무를 수행한다.
> 1. 시설 및 장비의 작동여부 확인
> 2. 방문민원 및 각종 신고사건의 접수 및 처리
> 3. 요보호자 또는 피의자에 대한 보호 · 감시
> 4. 중요 사건 · 사고 발생시 보고 및 전파
> 5. 기타 필요한 문서의 작성

주제 2 생활질서업무

01 개설

02 풍속사범

023 '풍속영업의 규제에 관한 법률'에서 규정하는 풍속영업의 범위에 해당하지 않은 것은? [2017 경간]

① '게임산업진흥에 관한 법률'에 따른 복합유통게임제공업

② '영화 및 비디오물의 진흥에 관한 법률'에 따른 비디오물감상실업

③ '공중위생관리법'에 따른 미용업

④ '체육시설의 설치 · 이용에 관한 법률'에 따른 무도장업

정답 및 해설 I ③

③ [×] '공중위생관리법'에 따른 미용업은 풍속영업에 해당하지 않는다.

> **풍속영업의 규제에 관한 법률 제2조【풍속영업의 범위】** 이 법에서 "풍속영업"이란 다음 각 호의 어느 하나에 해당하는 영업을 말한다.
> 1. 「게임산업진흥에 관한 법률」 제2조 제6호에 따른 게임제공업 및 같은 법 제2조 제8호에 따른 복합유통게임제공업
> 2. 「영화 및 비디오물의 진흥에 관한 법률」 제2조 제16호 가목에 따른 비디오물감상실업
> 3. 「음악산업진흥에 관한 법률」 제2조 제13호에 따른 노래연습장업
> 4. 「공중위생관리법」 제2조 제1항 제2호부터 제4호까지의 규정에 따른 숙박업, 목욕장업, 이용업 중 대통령령으로 정하는 것
> 5. 「식품위생법」 제36조 제1항 제3호에 따른 식품접객업 중 대통령령으로 정하는 것 ➔ 단란주점영업, 유흥주점영업
> 6. 「체육시설의 설치 · 이용에 관한 법률」 제10조 제1항 제2호에 따른 무도학원업 및 무도장업
> 7. 그 밖에 선량한 풍속을 해치거나 청소년의 건전한 성장을 저해할 우려가 있는 영업으로 대통령령으로 정하는 것 ➔ 청소년 출입 · 고용금지업소에서의 영업

024 「풍속영업의 규제에 관한 법률」 및 동법 시행령에 대한 내용으로 가장 적절한 것은? (다툼이 있는 경우 판례에 의함)

[2020 실무 2]

① 「식품위생법」상 일반음식점, 단란주점, 유흥주점은 풍속영업에 해당한다.

② '풍속영업을 영위하는 자'는 풍속영업의 범위에 해당되는 영업으로 허가나 신고, 등록의 절차를 마친 경우를 말한다.

③ 풍속영업소 내에서 음란한 물건을 대여하는 것만으로 처벌되지 않는다.

④ 풍속영업의 범위에는 청소년의 건강한 성장을 저해할 우려가 있는 「청소년 보호법」상 청소년 출입 · 고용금지업소도 포함된다.

정답 및 해설 I ④

④ [○]

> **풍속영업의 규제에 관한 법률 제2조【풍속영업의 범위】** 이 법에서 "풍속영업"이란 다음 각 호의 어느 하나에 해당하는 영업을 말한다.
> 7. 그 밖에 선량한 풍속을 해치거나 청소년의 건전한 성장을 저해할 우려가 있는 영업으로 대통령령으로 정하는 것 ➔ 청소년 출입 · 고용금지업소에서의 영업

① [×] 단란주점영업과 유흥주점영업만 풍속영업에 포함되며, 일반음식점은 해당되지 않는다.

> **풍속영업의 규제에 관한 법률 제2조【풍속영업의 범위】** 이 법에서 "풍속영업"이란 다음 각 호의 어느 하나에 해당하는 영업을 말한다.
> 5. 「식품위생법」 제36조 제1항 제3호에 따른 식품접객업 중 대통령령으로 정하는 것 ➔ 단란주점영업, 유흥주점영업

② [×] 인가 · 등록 · 신고 없이 풍속영업 하는 자를 포함한다. / ③ [×] 처벌된다.

> **풍속영업의 규제에 관한 법률 제3조【준수 사항】** 풍속영업을 하는 자(허가나 인가를 받지 아니하거나 등록이나 신고를 하지 아니하고 풍속영업을 하는 자를 포함한다. 이하 "풍속영업자"라 한다) 및 대통령령으로 정하는 종사자는 풍속영업을 하는 장소(이하 "풍속영업소"라 한다)에서 다음 각 호의 행위를 하여서는 아니 된다.
> 1. 「성매매알선 등 행위의 처벌에 관한 법률」 제2조 제1항 제2호에 따른 성매매알선등행위
> 2. 음란행위를 하게 하거나 이를 알선 또는 제공하는 행위
> 3. 음란한 문서 · 도화 · 영화 · 음반 · 비디오물, 그 밖의 음란한 물건에 대한 다음 각 목의 행위
>   가. 반포 · 판매 · 대여하거나 이를 하게 하는 행위
>   나. 관람 · 열람하게 하는 행위
>   다. 반포 · 판매 · 대여 · 관람 · 열람의 목적으로 진열하거나 보관하는 행위
> 4. 도박이나 그 밖의 사행행위를 하게 하는 행위

03 기초질서 위반

025 「경범죄 처벌법」상 법정형이 가장 낮은 것은? [2017 실무 2]

① 거짓신고

② 출판물의 부당게재

③ 지속적 괴롭힘

④ 암표매매

정답 및 해설 | ③

③ [○] 10만원 이하의 벌금 · 구류 · 과료에 해당하여 가장 법정형이 낮다.

> **경범죄 처벌법 제3조【경범죄의 종류】** ① 다음 각 호의 어느 하나에 해당하는 사람은 10만원 이하의 벌금, 구류 또는 과료의 형으로 처벌한다. ➜ 범칙행위 ○
> 41. (**지속적 괴롭힘**) 상대방의 명시적 의사에 반하여 지속적으로 접근을 시도하여 면회 또는 교제를 요구하거나 지켜보기, 따라다니기, 잠복하여 기다리기 등의 행위를 반복하여 하는 사람

① [×] 60만원 이하의 벌금 · 구류 · 과료에 해당한다. ➜ 주취소란 · 거짓신고(주 · 거)

> **경범죄 처벌법 제3조【경범죄의 종류】** ③ 다음 각 호의 어느 하나에 해당하는 사람은 60만원 이하의 벌금, 구류 또는 과료의 형으로 처벌한다. ➜ 범칙행위 ×
> 1. (**관공서에서의 주취소란**) 술에 취한 채로 관공서에서 몹시 거친 말과 행동으로 주정하거나 시끄럽게 한 사람
> 2. (**거짓신고**) 있지 아니한 범죄나 재해 사실을 공무원에게 거짓으로 신고한 사람

②④ [×] 20만원 이하의 벌금 · 구류 · 과료에 해당한다. ➜ 암표 · 광고 · 부당게재 · 업무방해(암 · 광 · 부 · 업)

> **경범죄 처벌법 제3조【경범죄의 종류】** ② 다음 각 호의 어느 하나에 해당하는 사람은 20만원 이하의 벌금, 구류 또는 과료의 형으로 처벌한다. ➜ 범칙행위 ○
> 1. (**출판물의 부당게재 등**) 올바르지 아니한 이익을 얻을 목적으로 다른 사람 또는 단체의 사업이나 사사로운 일에 관하여 신문, 잡지, 그 밖의 출판물에 어떤 사항을 싣거나 싣지 아니할 것을 약속하고 돈이나 물건을 받은 사람
> 2. (**거짓 광고**) 여러 사람에게 물품을 팔거나 나누어 주거나 일을 해주면서 다른 사람을 속이거나 잘못 알게 할 만한 사실을 들어 광고한 사람
> 3. (**업무방해**) 못된 장난 등으로 다른 사람, 단체 또는 공무수행 중인 자의 업무를 방해한 사람
> 4. (**암표매매**) 흥행장, 경기장, 역, 나루터, 정류장, 그 밖에 정하여진 요금을 받고 입장시키거나 승차 또는 승선시키는 곳에서 웃돈을 받고 입장권 · 승차권 또는 승선권을 다른 사람에게 되판 사람

026 '경범죄 처벌법'상 경범죄의 종류와 처벌을 설명한 것으로 가장 적절하지 않은 것은? [2016 지능범죄]

① 사람이 마시는 물을 더럽히거나 사용하는 것을 방해한 사람 - 10만원 이하 벌금, 구류 또는 과료

② 못된 장난 등으로 다른 사람, 단체 또는 공무수행 중인 자의 업무를 방해한 사람 - 20만원 이하 벌금, 구류 또는 과료

③ 있지 아니한 범죄나 재해 사실을 공무원에게 거짓으로 신고한 사람 - 20만원 이하 벌금, 구류 또는 과료

④ 다른 사람의 신체에 위해를 끼칠 것을 공모하여 예비행위를 한 사람이 있는 경우 그 공모를 한 사람 - 10만원 이하 벌금, 구류 또는 과료

정답 및 해설 | ③

③ [×] 거짓신고는 60만원 이하 벌금, 구류 또는 과료에 해당한다.

> 경범죄 처벌법 제3조【경범죄의 종류】③ 다음 각 호의 어느 하나에 해당하는 사람은 60만원 이하의 벌금, 구류 또는 과료의 형으로 처벌한다. ➜ 범칙행위 ×
> 2. (**거짓신고**) 있지 아니한 범죄나 재해 사실을 공무원에게 거짓으로 신고한 사람

①④ [○]

> 경범죄 처벌법 제3조【경범죄의 종류】① 다음 각 호의 어느 하나에 해당하는 사람은 10만원 이하의 벌금, 구류 또는 과료의 형으로 처벌한다.
> 3. (**폭행 등 예비**) 다른 사람의 신체에 위해를 끼칠 것을 공모(共謀)하여 예비행위를 한 사람이 있는 경우 그 공모를 한 사람
> 10. (**마시는 물 사용방해**) 사람이 마시는 물을 더럽히거나 사용하는 것을 방해한 사람

② [○]

> 경범죄 처벌법 제3조【경범죄의 종류】② 다음 각 호의 어느 하나에 해당하는 사람은 20만원 이하의 벌금, 구류 또는 과료의 형으로 처벌한다. ➜ 범칙행위 ○ [2016 채용 2차]
> 3. (**업무방해**) 못된 장난 등으로 다른 사람, 단체 또는 공무수행 중인 자의 업무를 방해한 사람

027 「경범죄 처벌법」상 다음 ( ) 안에 들어갈 숫자로 알맞은 것은? [2023 채용 1차]

> ㉠ 출판물의 부당게재 등 – 올바르지 아니한 이익을 얻을 목적으로 다른 사람 또는 단체의 사업이나 사사로운 일에 관하여 신문, 잡지, 그 밖의 출판물에 어떤 사항을 싣거나 싣지 아니할 것을 약속하고 돈이나 물건을 받은 사람은 (가)만원 이하의 벌금, 구류 또는 과료의 형으로 처벌한다.
> ㉡ 거짓 광고 – 여러 사람에게 물품을 팔거나 나누어 주거나 일을 해주면서 다른 사람을 속이거나 잘못 알게 할 만한 사실을 들어 광고한 사람은 (나)만원 이하의 벌금, 구류 또는 과료의 형으로 처벌한다.
> ㉢ 업무방해 – 못된 장난 등으로 다른 사람, 단체 또는 공무 수행 중인 자의 업무를 방해한 사람은 (다)만원 이하의 벌금, 구류 또는 과료의 형으로 처벌한다.
> ㉣ 암표매매 – 흥행장, 경기장, 역, 나루터, 정류장, 그 밖에 정하여진 요금을 받고 입장시키거나 승차 또는 승선시키는 곳에서 웃돈을 받고 입장권 · 승차권 또는 승선권을 다른 사람에게 되판 사람은 (라)만원 이하의 벌금, 구류 또는 과료의 형으로 처벌한다.

	(가)	(나)	(다)	(라)
①	10	20	60	20
②	20	20	20	20
③	20	10	60	20
④	20	60	20	10

정답 및 해설 I ②

② [○] 모두 다 20만원 이하의 벌금 · 구류 · 과료에 해당한다. ➜ **암표 · 광고 · 부당게재 · 업무방해**(암 · 광 · 부 · 업)

> **경범죄 처벌법 제3조【경범죄의 종류】** ② 다음 각 호의 어느 하나에 해당하는 사람은 20만원 이하의 벌금, 구류 또는 과료의 형으로 처벌한다. ➜ 범칙행위 ○
> 1. **(출판물의 부당게재 등)** 올바르지 아니한 이익을 얻을 목적으로 다른 사람 또는 단체의 사업이나 사사로운 일에 관하여 신문, 잡지, 그 밖의 출판물에 어떤 사항을 싣거나 싣지 아니할 것을 약속하고 돈이나 물건을 받은 사람
> 2. **(거짓 광고)** 여러 사람에게 물품을 팔거나 나누어 주거나 일을 해주면서 다른 사람을 속이거나 잘못 알게 할 만한 사실을 들어 광고한 사람
> 3. **(업무방해)** 못된 장난 등으로 다른 사람, 단체 또는 공무수행 중인 자의 업무를 방해한 사람
> 4. **(암표매매)** 흥행장, 경기장, 역, 나루터, 정류장, 그 밖에 정하여진 요금을 받고 입장시키거나 승차 또는 승선시키는 곳에서 웃돈을 받고 입장권 · 승차권 또는 승선권을 다른 사람에게 되판 사람

028 「경범죄 처벌법」에 대한 설명으로 가장 적절하지 않은 것은? [2015 실무 2]

① 흉기의 은닉휴대는 정당한 이유가 있더라도 흉기를 숨겨서 지니고 다니면 성립한다.

② 지문채취 불응은 범죄 피의자로 입건된 사람의 신원을 지문조사 외의 다른 방법으로는 확인할 수 없어 경찰공무원이나 검사가 지문을 채취하려고 할 때에 정당한 이유 없이 이를 거부한 경우에 성립한다.

③ 거짓신고는 재해 사실에 대하여 공무원에게 거짓으로 신고한 경우에도 성립한다.

④ 무단 출입은 출입이 금지된 구역이나 시설 또는 장소에 정당한 이유 없이 들어가면 성립한다.

정답 및 해설 I ①

① [×] 정당한 이유가 없어야 성립한다. / ②④ [○]

> **경범죄 처벌법 제3조【경범죄의 종류】** ① 다음 각 호의 어느 하나에 해당하는 사람은 10만원 이하의 벌금, 구류 또는 과료의 형으로 처벌한다. ➜ 범칙행위 ○
> 2. (**흉기의 은닉휴대**) 칼 · 쇠몽둥이 · 쇠톱 등 사람의 생명 또는 신체에 중대한 위해를 끼치거나 집이나 그 밖의 건조물에 침입하는 데에 사용될 수 있는 연장이나 기구를 정당한 이유 없이 숨겨서 지니고 다니는 사람
> 34. (**지문채취 불응**) 범죄 피의자로 입건된 사람의 신원을 지문조사 외의 다른 방법으로는 확인할 수 없어 경찰공무원이나 검사가 지문을 채취하려고 할 때에 정당한 이유 없이 이를 거부한 사람
> 37. (**무단 출입**) 출입이 금지된 구역이나 시설 또는 장소에 정당한 이유 없이 들어간 사람

③ [○]

> **경범죄 처벌법 제3조【경범죄의 종류】** ③ 다음 각 호의 어느 하나에 해당하는 사람은 60만원 이하의 벌금, 구류 또는 과료의 형으로 처벌한다. ➜ 범칙행위 ×
> 2. (**거짓신고**) 있지 아니한 범죄나 재해 사실을 공무원에게 거짓으로 신고한 사람

029 「경범죄 처벌법」에 관한 다음 설명 중 가장 적절하지 <u>않은</u> 것은? (다툼이 있으면 판례에 의함)

[2014 채용 2차]

① 버스정류장 등지에서 소매치기할 생각으로 은밀히 성명불상자들의 뒤를 따라다닌 경우 「경범죄 처벌법」상 '불안감 조성'에 해당한다.

② 「경범죄 처벌법」 제3조(경범죄의 종류)에 따라 사람을 벌할 때에는 그 사정과 형편을 헤아려서 그 형을 면제하거나 구류와 과료를 함께 과할 수 있다.

③ 술에 취한 채로 관공서에서 몹시 거친 말과 행동으로 주정하고나 시끄럽게 한 사람은 60만원 이하의 벌금, 구류 또는 과료의 형으로 처벌한다.

④ '범칙자'란 범칙행위를 한 사람으로서 '범칙행위를 상습적으로 하는 사람', '피해자가 있는 행위를 한 사람', '죄를 지은 동기나 수단 및 결과를 헤아려볼 때 구류처분을 하는 것이 적절하다고 인정되는 사람', '18세 미만인 사람' 중 어느 하나에 해당하지 않는 사람을 말한다.

정답 및 해설 | ①

① [×] 단순히 따라다니는 것만으로는 부족하고 상대방이 귀찮고 불쾌한 감정을 느끼거나 객관적으로 그러한 감정을 느끼게 할 정도가 되어야 한다.

> **요지판례 |**
>
> ■ 경범죄 처벌법 제3조 제1항 제19호는 "정당한 이유 없이 길을 막거나 시비를 걸거나 주위에 모여들거나 뒤따르거나 또는 몹시 거칠게 겁을 주는 말 또는 행동으로 다른 사람을 불안하게 하거나 귀찮고 불쾌하게 한 사람"을 벌하도록 규정하고 있는바, 정당한 이유 없이 다른 사람의 뒤를 따르는 등의 행위가 위 조항의 처벌대상이 되려면 단순히 뒤를 따르는 등의 행위를 하였다는 것만으로는 부족하고 그러한 행위로 인하여 상대방이 불안감이나 귀찮고 불쾌한 감정을 느끼거나 객관적으로 보아 그러한 감정을 느끼게 할 정도의 것이어야 한다(대판 1999.8.24, 99도2034). ➜ 피고인들이 버스정류장 등지에서 소매치기를 할 생각으로 은밀히 성명불상자들의 뒤를 따라다녔다 하더라도 성명불상자들이 이를 의식하지 못한 이상 불안감이나 귀찮고 불쾌한 감정을 느꼈다고 볼 수 없어 경범죄 처벌법 제3조 제1항 제19호에 해당하지 않는다고 한 사례

② [○]

> 경범죄 처벌법 제5조 【형의 면제와 병과】 제3조에 따라 사람을 벌할 때에는 그 사정과 형편을 헤아려서 그 형을 면제하거나 구류와 과료를 함께 과할 수 있다. ➜ 감경규정은 없으나, 면제규정은 있다.

③ [○]

> 경범죄 처벌법 제3조 【경범죄의 종류】 ③ 다음 각 호의 어느 하나에 해당하는 사람은 60만원 이하의 벌금, 구류 또는 과료의 형으로 처벌한다. ➜ 범칙행위 ×
> 1. (**관공서에서의 주취소란**) 술에 취한 채로 관공서에서 몹시 거친 말과 행동으로 주정하거나 시끄럽게 한 사람

④ [○]

> 경범죄 처벌법 제6조 【정의】 ① 이 장에서 "**범칙행위**"란 제3조 제1항 각 호 및 제2항 각 호의 어느 하나에 해당하는 위반행위(➜ 10만원 ○, 20만원 ○, 60만원 ×)를 말하며, 그 구체적인 범위는 대통령령으로 정한다.
> ② 이 장에서 "**범칙자**"란 범칙행위를 한 사람으로서 다음 각 호의 어느 하나에 해당하지 아니하는 사람을 말한다.
> 1. 범칙행위를 상습적으로 하는 사람
> 2. 죄를 지은 동기나 수단 및 결과를 헤아려볼 때 구류처분을 하는 것이 적절하다고 인정되는 사람
> 3. 피해자가 있는 행위를 한 사람
> 4. 18세 미만인 사람

030 「경범죄 처벌법」에 대한 설명으로 가장 적절하지 않은 것은? [2018 실무 2]

① 「경범죄 처벌법」은 「형법」의 보충법이다.

② 범칙금을 납부한 사람은 그 범칙행위에 대하여 다시 처벌받지 아니한다.

③ '범칙자'란 범칙행위를 한 사람으로서 '통고처분서 받기를 거부한 사람', '주거 또는 신원이 확실하지 아니한 사람', '그 밖에 통고처분하기가 매우 어려운 사람' 중 어느 하나에 해당하지 아니하는 사람을 말한다.

④ 못된 장난 등으로 다른 사람, 단체 또는 공무수행 중인 자의 업무를 방해한 사람은 20만원 이하의 벌금, 구류 또는 과료의 형으로 처벌한다.

정답 및 해설 I ③

③ [×] 지문에 나열된 사유는 통고하지 아니하는 사유에 해당한다.

> **경범죄 처벌법 제6조【정의】** ① 이 장에서 "**범칙행위**"란 제3조 제1항 각 호 및 제2항 각 호의 어느 하나에 해당하는 위반행위(➜ 10만원 ○, 20만원 ○, 60만원 ×)를 말하며, 그 구체적인 범위는 대통령령으로 정한다.
> ② 이 장에서 "**범칙자**"란 범칙행위를 한 사람으로서 다음 각 호의 어느 하나에 해당하지 아니하는 사람을 말한다.
> 1. 범칙행위를 상습적으로 하는 사람
> 2. 죄를 지은 동기나 수단 및 결과를 헤아려볼 때 구류처분을 하는 것이 적절하다고 인정되는 사람
> 3. 피해자가 있는 행위를 한 사람
> 4. 18세 미만인 사람
>
> **경범죄 처벌법 제7조【통고처분】** ① 경찰서장, 해양경찰서장, 제주특별자치도지사 또는 철도특별사법경찰대장은 범칙자로 인정되는 사람에 대하여 그 이유를 명백히 나타낸 서면으로 범칙금을 부과하고 이를 납부할 것을 통고할 수 있다. 다만, 다음 각 호의 어느 하나에 해당하는 사람에게는 통고하지 아니한다.
> 1. 통고처분서 받기를 거부한 사람
> 2. 주거 또는 신원이 확실하지 아니한 사람
> 3. 그 밖에 통고처분을 하기가 매우 어려운 사람

① [○] 경범죄 처벌법은 형법에 우선 적용되는 특별법이 아닌 일반법이고, 형법을 보충하는 보충적 성격을 갖는다.

② [○]

> **경범죄 처벌법 제8조【범칙금의 납부】** ③ 제1항 또는 제2항에 따라 범칙금을 납부한 사람은 그 범칙행위에 대하여 다시 처벌받지 아니한다.

④ [○]

> **경범죄 처벌법 제3조【경범죄의 종류】** ② 다음 각 호의 어느 하나에 해당하는 사람은 20만원 이하의 벌금, 구류 또는 과료의 형으로 처벌한다. ➜ 범칙행위 ○
> 3. (**업무방해**) 못된 장난 등으로 다른 사람, 단체 또는 공무수행 중인 자의 업무를 방해한 사람

031 「경범죄 처벌법」에 규정된 통고처분에 관한 다음 설명 중 가장 옳지 않은 것은? [2018 경간]

① 주거 또는 신원이 확실하지 아니한 사람은 통고처분의 대상이 아니다.

② 천재지변이나 그 밖의 부득이한 사유로 말미암아 그 기간 내에 범칙금을 납부할 수 없을 때에는 그 부득이한 사유가 없어지게 된 날부터 5일 이내에 납부하여야 한다.

③ 범칙자란 범칙행위를 상습적으로 하는 사람, 피해자가 있는 행위를 한 사람, 죄를 지은 동기나 수단 및 결과를 헤아려볼 때 구류처분을 하는 것이 적절하다고 인정되는 사람을 말한다.

④ 경찰서장은 통고처분서 받기를 거부한 사람에 대하여 지체 없이 즉결심판을 청구하여야 한다.

정답 및 해설 I ③

③ [×] 지문은 범칙자에 해당하지 않는 사람을 나열한 것이다.

> **경범죄 처벌법 제6조【정의】** ① 이 장에서 "**범칙행위**"란 제3조 제1항 각 호 및 제2항 각 호의 어느 하나에 해당하는 위반행위(➜ 10만원 ○, 20만원 ○, 60만원 ×)를 말하며, 그 구체적인 범위는 대통령령으로 정한다.
> ② 이 장에서 "**범칙자**"란 범칙행위를 한 사람으로서 다음 각 호의 어느 하나에 해당하지 아니하는 사람을 말한다.
> 1. 범칙행위를 상습적으로 하는 사람
> 2. 죄를 지은 동기나 수단 및 결과를 헤아려볼 때 구류처분을 하는 것이 적절하다고 인정되는 사람
> 3. 피해자가 있는 행위를 한 사람
> 4. 18세 미만인 사람

①④ [○]

> **경범죄 처벌법 제7조【통고처분】** ① 경찰서장, 해양경찰서장, 제주특별자치도지사 또는 철도특별사법경찰대장은 범칙자로 인정되는 사람에 대하여 그 이유를 명백히 나타낸 서면으로 범칙금을 부과하고 이를 납부할 것을 통고할 수 있다. 다만, 다음 각 호의 어느 하나에 해당하는 사람에게는 통고하지 아니한다.
> 1. 통고처분서 받기를 거부한 사람
> 2. 주거 또는 신원이 확실하지 아니한 사람
> 3. 그 밖에 통고처분을 하기가 매우 어려운 사람
>
> **경범죄 처벌법 제9조【통고처분 불이행자 등의 처리】** ① 경찰서장, 해양경찰서장 및 제주특별자치도지사는 다음 각 호의 어느 하나에 해당하는 사람에 대하여는 지체 없이 즉결심판을 청구하여야 한다. 다만, 즉결심판이 청구되기 전까지 통고받은 범칙금에 그 금액의 100분의 50을 더한 금액을 납부한 사람에 대하여는 그러하지 아니하다.
> 1. 제7조 제1항 각 호의 어느 하나에 해당하는 사람 ➜ 거부 · 주거신원불명 · 어려움
> 2. 제8조 제2항에 따른 납부기간에 범칙금을 납부하지 아니한 사람 ➜ 2차 납부기간 미준수

② [○]

> **경범죄 처벌법 제8조【범칙금의 납부】** ① 제7조에 따라 통고처분서를 받은 사람은 통고처분서를 받은 날부터 10일 이내에 경찰청장 · 해양경찰청장 또는 철도특별사법경찰대장이 지정한 은행, 그 지점이나 대리점, 우체국 또는 제주특별자치도지사가 지정하는 금융기관이나 그 지점에 범칙금을 납부하여야 한다. 다만, 천재지변이나 그 밖의 부득이한 사유로 말미암아 그 기간 내에 범칙금을 납부할 수 없을 때에는 그 부득이한 사유가 없어지게 된 날부터 5일 이내에 납부하여야 한다.

032 「경범죄 처벌법」에 대한 설명으로 가장 적절하지 않은 것은? [2020 채용 2차]

① 범칙행위란 「경범죄 처벌법」 제3조 제1항 각 호부터 제3항 각 호까지의 어느 하나에 해당하는 위반행위이다.

② 「경범죄 처벌법」 제3조의 죄를 짓도록 시키거나 도와준 사람은 죄를 지은 사람에 준하여 처벌한다.

③ '범칙자'란 범칙행위를 한 사람으로서 '피해자가 있는 행위를 한 사람', '죄를 지은 동기나 수단 및 결과를 헤아려볼 때 구류처분을 하는 것이 적절하다고 인정되는 사람', '범칙행위를 상습적으로 하는 사람', '18세 미만인 사람'의 어느 하나에도 해당하지 않는 사람을 말한다.

④ 술에 취한 채로 관공서에서 몹시 거친 말과 행동으로 주정하거나 시끄럽게 한 사람에 대해서 60만원 이하의 벌금, 구류 또는 과료의 형으로 처벌한다.

정답 및 해설 I ①

① [×] 제3항 각 호 위반, 즉 60만원 이하에 해당하는 행위는 범칙행위에 포함되지 않는다.

> **경범죄 처벌법 제6조【정의】** ① 이 장에서 "**범칙행위**"란 제3조 제1항 각 호 및 제2항 각 호의 어느 하나에 해당하는 위반행위(➜ 10만원 ○, 20만원 ○, 60만원 ×)를 말하며, 그 구체적인 범위는 대통령령으로 정한다.

② [○]

> **경범죄 처벌법 제4조【교사 · 방조】** 제3조의 죄를 짓도록 시키거나 도와준 사람은 죄를 지은 사람에 준하여 벌한다.

③ [○]

> 경범죄 처벌법 제6조【정의】② 이 장에서 "**범칙자**"란 범칙행위를 한 사람으로서 다음 각 호의 어느 하나에 해당하지 아니하는 사람을 말한다.
> 1. 범칙행위를 상습적으로 하는 사람
> 2. 죄를 지은 동기나 수단 및 결과를 헤아려볼 때 구류처분을 하는 것이 적절하다고 인정되는 사람
> 3. 피해자가 있는 행위를 한 사람
> 4. 18세 미만인 사람

④ [○]

> 경범죄 처벌법 제3조【경범죄의 종류】③ 다음 각 호의 어느 하나에 해당하는 사람은 60만원 이하의 벌금, 구류 또는 과료의 형으로 처벌한다. ➜ 범칙행위 ×
> 1. (**관공서에서의 주취소란**) 술에 취한 채로 관공서에서 몹시 거친 말과 행동으로 주정하거나 시끄럽게 한 사람

033 「경범죄 처벌법」에 대한 내용으로 가장 적절하지 않은 것은? [2020 실무 3]

① 「형법」의 보충법이고, 특정한 신분 · 사물 · 행위 · 지역에 제한이 없이 일반적으로 적용된다는 점에서 일반법이다.

② 형사실체법이지만 절차법적 성격도 가지고 있다.

③ 죄를 지은 동기나 수단 및 결과를 헤아려볼 때 구류처분을 하는 것이 적절하다고 인정되는 사람은 범칙자에 해당하지 않는다.

④ 거짓 광고, 거짓신고에 대해서 통고처분을 할 수 있다.

정답 및 해설 I ④

④ [×] 통고처분은 '범칙자'에 대해서만 할 수 있는데, 범칙자는 '범칙행위'를 한 사람을 의미한다. 그런데 '거짓신고'는 범칙행위의 개념에 포함되지 않으므로 거짓신고에 대해서는 통고처분을 할 수 없다(거짓 광고에 대해서는 통고처분을 할 수 있다). / ③ [○]

> 경범죄 처벌법 제7조【통고처분】① 경찰서장, 해양경찰서장, 제주특별자치도지사 또는 철도특별사법경찰대장은 범칙자로 인정되는 사람에 대하여 그 이유를 명백히 나타낸 서면으로 범칙금을 부과하고 이를 납부할 것을 통고할 수 있다.
>
> 경범죄 처벌법 제6조【정의】① 이 장에서 "**범칙행위**"란 제3조 제1항 각 호 및 제2항 각 호의 어느 하나에 해당하는 위반행위(➜ 10만원 ○, 20만원 ○, 60만원 ×)를 말하며, 그 구체적인 범위는 대통령령으로 정한다.
> ② 이 장에서 "**범칙자**"란 범칙행위를 한 사람으로서 다음 각 호의 어느 하나에 해당하지 아니하는 사람을 말한다.
> 1. 범칙행위를 상습적으로 하는 사람
> 2. 죄를 지은 동기나 수단 및 결과를 헤아려볼 때 구류처분을 하는 것이 적절하다고 인정되는 사람
> 3. 피해자가 있는 행위를 한 사람
> 4. 18세 미만인 사람
>
> 경범죄 처벌법 제3조【경범죄의 종류】② 다음 각 호의 어느 하나에 해당하는 사람은 20만원 이하의 벌금, 구류 또는 과료의 형으로 처벌한다. ➜ 범칙행위 ○
> 2. (**거짓 광고**) 여러 사람에게 물품을 팔거나 나누어 주거나 일을 해주면서 다른 사람을 속이거나 잘못 알게 할 만한 사실을 들어 광고한 사람
>
> ③ 다음 각 호의 어느 하나에 해당하는 사람은 60만원 이하의 벌금, 구류 또는 과료의 형으로 처벌한다. ➜ 범칙행위 ×
> 2. (**거짓신고**) 있지 아니한 범죄나 재해 사실을 공무원에게 거짓으로 신고한 사람

① [○] 경범죄 처벌법은 형법에 우선 적용되는 특별법이 아닌 일반법이고, 형법을 보충하는 보충적 성격을 갖는다.

② [○] 범죄로 처벌되는 내용이 어떤 행위인지 정하는 실체법의 성격도 있지만, 통고처분 등 그 처벌 절차에 관한 내용도 함께 규정하고 있다.

034 「경범죄 처벌법」에 대한 설명으로 가장 적절하지 않은 것은? (다툼이 있는 경우 판례에 의함)

[2022 승진]

① 범칙행위를 한 사람이라도 18세 미만인 경우에는 범칙자에 해당하지 않는다.

② 주거지에서 음악 소리를 크게 내거나 큰 소리로 떠들어 이웃을 시끄럽게 하는 행위는 「경범죄 처벌법」상 '인근소란 등'에 해당한다.

③ '관공서에서의 주취소란'과 '거짓신고'의 법정형으로 볼 때, 두 경범죄의 경우에는 「형사소송법」 제214조(경미사건과 현행범인의 체포)에 해당되지 않아 범인의 주거가 분명하더라도 현행범인 체포가 가능하다.

④ '폭행 등 예비'와 '거짓 광고'는 10만원 이하의 벌금, 구류 또는 과료의 형으로 처벌한다.

정답 및 해설 | ④

④ [×] **거짓 광고는 20만원** 이하의 벌금, 구류 또는 과료의 형으로 처벌한다. ➔ **암표 · 광고 · 부당게재 · 업무방해(암 · 광 · 부 · 업)**

> **경범죄 처벌법 제3조【경범죄의 종류】** ① 다음 각 호의 어느 하나에 해당하는 사람은 10만원 이하의 벌금, 구류 또는 과료의 형으로 처벌한다. ➔ 범칙행위 ○
> 3. **(폭행 등 예비)** 다른 사람의 신체에 위해를 끼칠 것을 공모(共謀)하여 예비행위를 한 사람이 있는 경우 그 공모를 한 사람
>
> ② 다음 각 호의 어느 하나에 해당하는 사람은 20만원 이하의 벌금, 구류 또는 과료의 형으로 처벌한다. ➔ 범칙행위 ○
> 2. **(거짓 광고)** 여러 사람에게 물품을 팔거나 나누어 주거나 일을 해주면서 다른 사람을 속이거나 잘못 알게 할 만한 사실을 들어 광고한 사람

① [○]

> **경범죄 처벌법 제6조【정의】** ② 이 장에서 **"범칙자"**란 범칙행위를 한 사람으로서 다음 각 호의 어느 하나에 해당하지 아니하는 사람을 말한다.
> 4. 18세 미만인 사람

② [○] 지문과 같은 행위는 10만원 이하의 벌금 · 구류 또는 과료에 해당하는 인근소란이다. 60만원 이하의 벌금 · 구류 또는 과료에 해당하는 관공서에서의 주취소란과 구분하여야 한다.

> **경범죄 처벌법 제3조【경범죄의 종류】** ① 다음 각 호의 어느 하나에 해당하는 사람은 10만원 이하의 벌금, 구류 또는 과료의 형으로 처벌한다. ➔ 범칙행위 ○
> 21. **(인근소란 등)** 악기 · 라디오 · 텔레비전 · 전축 · 종 · 확성기 · 전동기 등의 소리를 지나치게 크게 내거나 큰소리로 떠들거나 노래를 불러 이웃을 시끄럽게 한 사람

③ [○] 형사소송법상 법정형이 50만원 이하의 벌금 · 구류 또는 과료에 해당하는 죄가 현행범 체포가 제한되는 경우이므로, 지문과 같이 60만원 이하의 벌금 · 구류 또는 과료에 해당하는 죄는 주거가 분명하더라도 현행범 체포가 가능하다. ➔ 즉 형사소송법상 현행범 체포가 제한되는 '경미사건'에 해당하지 않는다.

> **경범죄 처벌법 제3조【경범죄의 종류】** ③ 다음 각 호의 어느 하나에 해당하는 사람은 60만원 이하의 벌금, 구류 또는 과료의 형으로 처벌한다. ➔ 범칙행위 ×
> 1. **(관공서에서의 주취소란)** 술에 취한 채로 관공서에서 몹시 거친 말과 행동으로 주정하거나 시끄럽게 한 사람
> 2. **(거짓신고)** 있지 아니한 범죄나 재해 사실을 공무원에게 거짓으로 신고한 사람
>
> **형사소송법 제214조【경미사건과 현행범인의 체포】** 다액 50만원 이하의 벌금, 구류 또는 과료에 해당하는 죄의 현행범인에 대하여는 범인의 주거가 분명하지 아니한 때에 한하여 제212조(➔ 현행범 체포) 내지 제213조(➔ 체포된 현행범 인도)의 규정을 적용한다.

035 「경범죄 처벌법」에 관한 설명 중 가장 적절하지 않은 것은? [2023 승진]

① 경범죄를 짓도록 시키거나 도와준 사람은 죄를 지은 사람에 준하여 처벌한다.

② 범칙행위를 상습적으로 하는 사람은 범칙자에 해당하지 아니한다.

③ 음주소란, 지속적 괴롭힘, 거짓 인적사항을 사용한 사람은 10만원 이하의 벌금, 구류 또는 과료의 형으로 처벌한다.

④ 술에 취한 채로 관공서에서 몹시 거친 말과 행동으로 주정하거나 시끄럽게 한 사람은 100만원 이하의 벌금, 구류 또는 과료의 형으로 처벌한다.

정답 및 해설 I ④

④ [×] 60만원 이하의 벌금, 구류 또는 과료의 형으로 처벌한다.

> **경범죄 처벌법 제3조【경범죄의 종류】** ③ 다음 각 호의 어느 하나에 해당하는 사람은 60만원 이하의 벌금, 구류 또는 과료의 형으로 처벌한다. ➜ 범칙행위 ×
> 1. (**관공서에서의 주취소란**) 술에 취한 채로 관공서에서 몹시 거친 말과 행동으로 주정하거나 시끄럽게 한 사람

① [○]

> **경범죄 처벌법 제4조【교사·방조】** 제3조의 죄를 짓도록 시키거나 도와준 사람은 죄를 지은 사람에 준하여 벌한다.

② [○]

> **경범죄 처벌법 제6조【정의】** ① 이 장에서 "**범칙행위**"란 제3조 제1항 각 호 및 제2항 각 호의 어느 하나에 해당하는 위반행위(➜ 10만원 ○, 20만원 ○, 60만원 ×)를 말하며, 그 구체적인 범위는 대통령령으로 정한다.
> ② 이 장에서 "**범칙자**"란 범칙행위를 한 사람으로서 다음 각 호의 어느 하나에 해당하지 아니하는 사람을 말한다.
> 1. 범칙행위를 상습적으로 하는 사람

③ [○]

> **경범죄 처벌법 제3조【경범죄의 종류】** ① 다음 각 호의 어느 하나에 해당하는 사람은 10만원 이하의 벌금, 구류 또는 과료의 형으로 처벌한다. ➜ 범칙행위 ○
> 20. (**음주소란 등**) 공회당·극장·음식점 등 여러 사람이 모이거나 다니는 곳 또는 여러 사람이 타는 기차·자동차·배 등에서 몹시 거친 말이나 행동으로 주위를 시끄럽게 하거나 술에 취하여 이유 없이 다른 사람에게 주정한 사람
> 30. (**거짓 인적사항 사용**) 성명, 주민등록번호, 등록기준지, 주소, 직업 등을 거짓으로 꾸며대고 배나 비행기를 타거나 인적사항을 물을 권한이 있는 공무원이 적법한 절차를 거쳐 묻는 경우 정당한 이유 없이 다른 사람의 인적사항을 자기의 것으로 거짓으로 꾸며댄 사람
> 41. (**지속적 괴롭힘**) 상대방의 명시적 의사에 반하여 지속적으로 접근을 시도하여 면회 또는 교제를 요구하거나 지켜보기, 따라다니기, 잠복하여 기다리기 등의 행위를 반복하여 하는 사람

036 「경범죄 처벌법」에 대한 다음 설명 중 가장 적절하지 <u>않은</u> 것은? (다툼이 있는 경우 판례에 의함)

[2018 채용 3차]

① 버스정류장 등지에서 소매치기할 생각으로 은밀히 성명불상자들의 뒤를 따라다닌 경우 「경범죄 처벌법」상 불안감조성에 해당하지 않는다.

② 즉결심판이 청구된 피고인이 통고받은 범칙금에 그 금액의 100분의 50을 더한 금액을 납부하고 그 증명서류를 즉결심판 선고 전까지 제출하였을 때에는 경찰서장, 해양경찰서장 및 제주특별자치도지사는 그 피고인에 대한 즉결심판 청구를 취소할 수 있다.

③ 범칙금을 납부한 사람은 그 범칙행위에 대하여 다시 처벌받지 아니한다.

④ 통고처분서를 받은 날부터 10일 이내에 범칙금을 납부하여야 한다. 다만, 천재지변이나 그 밖의 부득이한 사유로 말미암아 그 기간 내에 범칙금을 납부할 수 없을 때에는 그 부득이한 사유가 없어지게 된 날부터 5일 이내에 납부하여야 한다.

정답 및 해설 I ②

② [×] 즉결심판 청구를 취소하여야 한다. / ③ [○]

> **경범죄 처벌법 제9조【통고처분 불이행자 등의 처리】** ① 경찰서장, 해양경찰서장 및 제주특별자치도지사는 다음 각 호의 어느 하나에 해당하는 사람에 대하여는 지체 없이 즉결심판을 청구하여야 한다. 다만, 즉결심판이 청구되기 전까지 통고받은 범칙금에 그 금액의 100분의 50을 더한 금액을 납부한 사람에 대하여는 그러하지 아니하다.
> 1. 제7조 제1항 각 호의 어느 하나에 해당하는 사람 ➜ 거부 · 주거신원불명 · 어려움
> 2. 제8조 제2항에 따른 납부기간에 범칙금을 납부하지 아니한 사람 ➜ 2차 납부기간 미준수
>
> ② 제1항 제2호에 따라 즉결심판이 청구된 피고인이 통고받은 범칙금에 그 금액의 100분의 50을 더한 금액을 납부하고 그 증명서류를 즉결심판 선고 전까지 제출하였을 때에는 경찰서장, 해양경찰서장 및 제주특별자치도지사는 그 피고인에 대한 즉결심판 청구를 취소하여야 한다.
>
> ③ 제1항 단서 또는 제2항에 따라 범칙금을 납부한 사람은 그 범칙행위에 대하여 다시 처벌받지 아니한다.

① [○]

> **요지판례 I**
>
> ■ 경범죄 처벌법 제3조 제1항 제19호는 "정당한 이유 없이 길을 막거나 시비를 걸거나 주위에 모여들거나 뒤따르거나 또는 몹시 거칠게 겁을 주는 말 또는 행동으로 다른 사람을 불안하게 하거나 귀찮고 불쾌하게 한 사람"을 벌하도록 규정하고 있는바, 정당한 이유 없이 다른 사람의 뒤를 따르는 등의 행위가 위 조항의 처벌대상이 되려면 단순히 뒤를 따르는 등의 행위를 하였다는 것만으로는 부족하고 그러한 행위로 인하여 상대방이 불안감이나 귀찮고 불쾌한 감정을 느끼거나 객관적으로 보아 그러한 감정을 느끼게 할 정도의 것이어야 한다(대판 1999.8.24, 99도2034). ➜ 피고인들이 버스정류장 등지에서 소매치기를 할 생각으로 은밀히 성명불상자들의 뒤를 따라다녔다 하더라도 성명불상자들이 이를 의식하지 못한 이상 불안감이나 귀찮고 불쾌한 감정을 느꼈다고 볼 수 없어 경범죄 처벌법 제3조 제1항 제19호에 해당하지 않는다고 한 사례

④ [○]

> **경범죄 처벌법 제8조【범칙금의 납부】** ① 제7조에 따라 통고처분서를 받은 사람은 통고처분서를 받은 날부터 10일 이내에 경찰청장 · 해양경찰청장 또는 철도특별사법경찰대장이 지정한 은행, 그 지점이나 대리점, 우체국 또는 제주특별자치도지사가 지정하는 금융기관이나 그 지점에 범칙금을 납부하여야 한다. 다만, 천재지변이나 그 밖의 부득이한 사유로 말미암아 그 기간 내에 범칙금을 납부할 수 없을 때에는 그 부득이한 사유가 없어지게 된 날부터 5일 이내에 납부하여야 한다.

037 「경범죄 처벌법」상 경범죄를 범한 자의 주거가 분명한 경우라도 현행범인 체포가 가능한 경범죄의 종류로 가장 적절한 것은?

[2018 승진(경위) 유사, 2020 승진(경감)]

① 출판물의 부당게재 등

② 거짓신고

③ 암표매매

④ 업무방해

정답 및 해설 I ②

② [○] 형사소송법상 현행범 체포는 50만원 이하의 벌금 · 구류 · 과료에 해당하는 죄에 대하여 주거불분명과 같은 제한이 있다. 그러나 지문의 '거짓신고'는 60만원 이하의 벌금 · 구류 · 과료에 해당하므로 주거가 분명한 경우라도 현행범 체포가 가능하다.

> **경범죄 처벌법 제3조【경범죄의 종류】** ③ 다음 각 호의 어느 하나에 해당하는 사람은 60만원 이하의 벌금, 구류 또는 과료의 형으로 처벌한다. ➜ 범칙행위 ×
> 2. (**거짓신고**) 있지 아니한 범죄나 재해 사실을 공무원에게 거짓으로 신고한 사람
>
> **형사소송법 제214조【경미사건과 현행범인의 체포】** 다액 50만원 이하의 벌금, 구류 또는 과료에 해당하는 죄의 현행범인에 대하여는 범인의 주거가 분명하지 아니한 때에 한하여 제212조(➜ 현행범 체포) 내지 제213조(➜ 체포된 현행범 인도)의 규정을 적용한다.

038 「경범죄 처벌법」에 대한 설명으로 가장 적절하지 않은 것은?

[2020 지능범죄]

① 이 법 제3조의 거짓신고를 한 자는 주거가 분명한 경우에도 현행범 체포가 가능하다.

② 이 법 제3조의 행렬방해에 해당하는 자는 20만원 이하의 벌금, 구류 또는 과료의 형으로 처벌한다.

③ 범칙금을 납부한 사람은 그 범칙행위에 대하여 다시 처벌받지 아니한다.

④ 범칙금 통고처분서를 받은 사람이 천재지변이나 그 밖의 부득이한 사유로 말미암아 기간 내에 범칙금을 납부할 수 없을 때에는 그 부득이한 사유가 없어지게 된 날부터 5일 이내에 납부하여야 한다.

정답 및 해설 I ②

② [×] 10만원 이하의 벌금 · 구류 · 과료에 해당한다.

> **경범죄 처벌법 제3조【경범죄의 종류】** ① 다음 각 호의 어느 하나에 해당하는 사람은 10만원 이하의 벌금, 구류 또는 과료의 형으로 처벌한다. ➜ 범칙행위 ○
> 36. (**행렬방해**) 공공장소에서 승차 · 승선, 입장 · 매표 등을 위한 행렬에 끼어들거나 떠밀거나 하여 그 행렬의 질서를 어지럽힌 사람

① [○] '거짓신고'는 60만원 이하의 벌금 · 구류 · 과료에 해당하므로 주거가 분명하여도 현행범 체포가 가능하다.

③ [○]

> **경범죄 처벌법 제9조【통고처분 불이행자 등의 처리】** ③ 제1항 단서 또는 제2항에 따라 범칙금을 납부한 사람은 그 범칙행위에 대하여 다시 처벌받지 아니한다.

④ [○]

> **경범죄 처벌법 제8조【범칙금의 납부】** ① 제7조에 따라 통고처분서를 받은 사람은 통고처분서를 받은 날부터 10일 이내에 경찰청장 · 해양경찰청장 또는 철도특별사법경찰대장이 지정한 은행, 그 지점이나 대리점, 우체국 또는 제주특별자치도지사가 지정하는 금융기관이나 그 지점에 범칙금을 납부하여야 한다. 다만, 천재지변이나 그 밖의 부득이한 사유로 말미암아 그 기간 내에 범칙금을 납부할 수 없을 때에는 그 부득이한 사유가 없어지게 된 날부터 5일 이내에 납부하여야 한다.

039 「경범죄 처벌법」에 대한 설명으로 가장 적절하지 않은 것은? [2018 경채]

① 거짓 광고, 업무방해, 암표매매의 경우 20만원 이하의 벌금, 구류 또는 과료의 형으로 처벌한다.

② 범칙금을 납부한 사람은 그 범칙행위에 대하여 다시 처벌받지 아니한다.

③ 「경범죄 처벌법」상의 범칙금 통고처분서를 받은 사람은 천재지변이나 그 밖의 부득이한 사유가 없는 한 통고처분서를 받은 날부터 10일 이내에 범칙금을 납부하여야 한다.

④ 있지 아니한 범죄나 재해 사실을 공무원에게 거짓으로 신고한 사람의 주거가 분명한 경우에는 현행범으로 체포할 수 없으므로 즉결심판 청구나 통고처분을 하여야 한다.

정답 및 해설 I ④

④ [×] '거짓신고'는 60만원 이하의 벌금 · 구류 · 과료에 해당하므로 주거가 분명하여도 현행범 체포가 가능하다.

① [○]

> 경범죄 처벌법 제3조 **【경범죄의 종류】** ② 다음 각 호의 어느 하나에 해당하는 사람은 20만원 이하의 벌금, 구류 또는 과료의 형으로 처벌한다. ➜ 범칙행위 ○
> 1. (**출판물의 부당게재 등**) 올바르지 아니한 이익을 얻을 목적으로 다른 사람 또는 단체의 사업이나 사사로운 일에 관하여 신문, 잡지, 그 밖의 출판물에 어떤 사항을 싣거나 싣지 아니할 것을 약속하고 돈이나 물건을 받은 사람
> 2. (**거짓 광고**) 여러 사람에게 물품을 팔거나 나누어 주거나 일을 해주면서 다른 사람을 속이거나 잘못 알게 할 만한 사실을 들어 광고한 사람
> 3. (**업무방해**) 못된 장난 등으로 다른 사람, 단체 또는 공무수행 중인 자의 업무를 방해한 사람
> 4. (**암표매매**) 흥행장, 경기장, 역, 나루터, 정류장, 그 밖에 정하여진 요금을 받고 입장시키거나 승차 또는 승선시키는 곳에서 웃돈을 받고 입장권 · 승차권 또는 승선권을 다른 사람에게 되판 사람

② [○]

> 경범죄 처벌법 제9조 **【통고처분 불이행자 등의 처리】** ③ 제1항 단서 또는 제2항에 따라 범칙금을 납부한 사람은 그 범칙행위에 대하여 다시 처벌받지 아니한다.

③ [○]

> 경범죄 처벌법 제8조 **【범칙금의 납부】** ① 제7조에 따라 통고처분서를 받은 사람은 통고처분서를 받은 날부터 10일 이내에 경찰청장 · 해양경찰청장 또는 철도특별사법경찰대장이 지정한 은행, 그 지점이나 대리점, 우체국 또는 제주특별자치도지사가 지정하는 금융기관이나 그 지점에 범칙금을 납부하여야 한다. 다만, 천재지변이나 그 밖의 부득이한 사유로 말미암아 그 기간 내에 범칙금을 납부할 수 없을 때에는 그 부득이한 사유가 없어지게 된 날부터 5일 이내에 납부하여야 한다.

040 「경범죄 처벌법」에 대한 설명 중 가장 적절하지 않은 것은? [2021 채용 1차]

① 장난전화, 광고물 무단부착, 행렬방해, 흉기의 은닉휴대는 10만원 이하의 벌금, 구류 또는 과료의 형으로 처벌한다.

② 「경범죄 처벌법」 제7조 제1항에 따라 범칙자로 인정되는 사람일지라도 통고처분서 받기를 거부한 사람, 주거 또는 신원이 확실하지 아니한 사람, 그 밖에 통고처분을 하기가 매우 어려운 사람에 대하여는 통고처분하지 않는다.

③ 경범죄를 짓도록 시키거나 도와준 사람은 죄를 지은 사람에 준하여 벌하며, 경범죄의 미수범도 처벌한다.

④ 「경범죄 처벌법」 제8조 제1항에 다른 납부기간에 범칙금을 납부하지 아니한 사람은 납부기간의 마지막 날의 다음 날부터 20일 이내에 통고받은 범칙금에 그 금액의 100분의 20을 더한 금액을 납부하여야 한다.

정답 및 해설 | ③

③ [×] 경범죄의 미수범은 처벌규정이 없다.

> **경범죄 처벌법 제4조【교사·방조】** 제3조의 죄를 짓도록 시키거나 도와준 사람은 죄를 지은 사람에 준하여 벌한다.

> **☑ KEY POINT | 경범죄 처벌법의 특징** ➜ 은·미·교·감·면(○·×·○·×·○)
>
> 1 **범인은닉죄가 성립할 수도** 있다!
> - 경범죄 처벌법은 벌금형도 규정되어 있으므로 경범죄 처벌법 위반자를 은닉·도피하게 한 경우 형법상 범인은닉죄가 성립할 수도 있다.
>
> 2 미수범 **처벌규정이** 없다!
>
> 3 교사·**방조의 처벌규정은** 있다!
>
> 4 감**경규정이** 없다!
>
> 5 면**제규정은** 있다!
>
> 6 **형사실체법이면서 절차법적 성격도 함께 가지고 있다.**
> - 경범죄로 처벌되는 내용이 어떤 행위인지 정하는 실체법의 성격도 있지만, 통고처분 등 그 처벌 절차에 관한 내용도 함께 규정하고 있다.
>
> 7 **형법에 대한 특별법이 아니다!**
> - 형법에 우선 적용되는 특별법이 아닌 일반법이고, 형법을 보충하는 보충적 성격을 갖는다.

① [○] 60만원 이하에 해당하는 경범죄[**주취소란**·**거짓신고**(주·거), 20만원 이하에 해당하는 경범죄[**암표**·**광고**·**부당게재**·**업무방해**(암·광·부·업)]가 아니므로 10만원 이하에 해당한다고 판단하는 것이 바람직해 보이는 지문이다.

> **경범죄 처벌법 제3조【경범죄의 종류】** ① 다음 각 호의 어느 하나에 해당하는 사람은 10만원 이하의 벌금, 구류 또는 과료의 형으로 처벌한다. ➜ 범칙행위 ○
>
> 2. (**흉기의 은닉휴대**) 칼·쇠몽둥이·쇠톱 등 사람의 생명 또는 신체에 중대한 위해를 끼치거나 집이나 그 밖의 건조물에 침입하는 데에 사용될 수 있는 연장이나 기구를 정당한 이유 없이 숨겨서 지니고 다니는 사람
> 9. (**광고물 무단부착 등**) 다른 사람 또는 단체의 집이나 그 밖의 인공구조물과 자동차 등에 함부로 광고물 등을 붙이거나 내걸거나 끼우거나 글씨 또는 그림을 쓰거나 그리거나 새기는 행위 등을 한 사람 또는 다른 사람이나 단체의 간판, 그 밖의 표시물 또는 인공구조물을 함부로 옮기거나 더럽히거나 훼손한 사람 또는 공공장소에서 광고물 등을 함부로 뿌린 사람
> 36. (**행렬방해**) 공공장소에서 승차·승선, 입장·매표 등을 위한 행렬에 끼어들거나 떠밀거나 하여 그 행렬의 질서를 어지럽힌 사람
> 40. (**장난전화 등**) 정당한 이유 없이 다른 사람에게 전화·문자메시지·편지·전자우편·전자문서 등을 여러 차례 되풀이하여 괴롭힌 사람

② [○]

> **경범죄 처벌법 제7조【통고처분】** ① 경찰서장, 해양경찰서장, 제주특별자치도지사 또는 철도특별사법경찰대장은 범칙자로 인정되는 사람에 대하여 그 이유를 명백히 나타낸 서면으로 범칙금을 부과하고 이를 납부할 것을 통고할 수 있다. 다만, 다음 각 호의 어느 하나에 해당하는 사람에게는 통고하지 아니한다.
>
> 1. 통고처분서 받기를 거부한 사람
> 2. 주거 또는 신원이 확실하지 아니한 사람
> 3. 그 밖에 통고처분을 하기가 매우 어려운 사람

④ [○]

> **경범죄 처벌법 제8조【범칙금의 납부】** ② 제1항에 따른 납부기간에 범칙금을 납부하지 아니한 사람은 납부기간의 마지막 날의 다음 날부터 20일 이내에 통고받은 범칙금에 그 금액의 100분의 20을 더한 금액을 납부하여야 한다.

041 다음은 파출소장 A가 소속 직원들에게 현행 「경범죄 처벌법」에 대하여 교양한 내용이다. 가장 적절하지 <u>않은</u> 것은? [2014 승진(경감)]

① 술에 취한 채로 관공서에서 몹시 거친 말과 행동으로 주정하거나 시끄럽게 한 사람에 대해서는 주거가 분명한 경우에도 현행범 체포가 가능하다.

② 있지 아니한 범죄나 재해 사실을 공무원에게 거짓으로 신고한 사람에 대해서는 주거가 분명한 경우 현행범 체포가 불가능하므로, 즉결심판 청구나 통고처분을 해야 한다.

③ 상대방의 명시적 의사에 반하여 지속적으로 접근을 시도하여 면회 또는 교제를 요구하거나 지켜보기, 따라다니기, 잠복하여 기다리기 등의 행위를 반복하여 하는 사람은 10만원 이하의 벌금, 구류 또는 과료의 형으로 처벌된다.

④ 여러 사람에게 물품을 팔거나 나누어 주거나 일을 해주면서 다른 사람을 속이거나 잘못 알게 할 만한 사실을 들어 광고한 사람은 20만원 이하의 벌금, 구류 또는 과료의 형으로 처벌한다.

정답 및 해설 I ②

② [×] '거짓신고'는 60만원 이하의 벌금 · 구류 · 과료에 해당하므로 주거가 분명하여도 현행범 체포가 가능하다.

① [○]

> 경범죄 처벌법 제3조 **【경범죄의 종류】** ③ 다음 각 호의 어느 하나에 해당하는 사람은 60만원 이하의 벌금, 구류 또는 과료의 형으로 처벌한다. ➜ 범칙행위 ×
> 1. (**관공서에서의 주취소란**) 술에 취한 채로 관공서에서 몹시 거친 말과 행동으로 주정하거나 시끄럽게 한 사람

③ [○]

> 경범죄 처벌법 제3조 **【경범죄의 종류】** ① 다음 각 호의 어느 하나에 해당하는 사람은 10만원 이하의 벌금, 구류 또는 과료의 형으로 처벌한다. ➜ 범칙행위 ○
> 41. (**지속적 괴롭힘**) 상대방의 명시적 의사에 반하여 지속적으로 접근을 시도하여 면회 또는 교제를 요구하거나 지켜보기, 따라다니기, 잠복하여 기다리기 등의 행위를 반복하여 하는 사람

④ [○]

> 경범죄 처벌법 제3조 **【경범죄의 종류】** ② 다음 각 호의 어느 하나에 해당하는 사람은 20만원 이하의 벌금, 구류 또는 과료의 형으로 처벌한다. ➜ 범칙행위 ○
> 2. (**거짓 광고**) 여러 사람에게 물품을 팔거나 나누어 주거나 일을 해주면서 다른 사람을 속이거나 잘못 알게 할 만한 사실을 들어 광고한 사람

042 「경범죄 처벌법」에 대한 설명 중 가장 옳지 <u>않은</u> 것은? [2016 경간]

① 술에 취한 채로 관공서에서 몹시 거친 말과 행동으로 주정하거나 시끄럽게 한 사람에 대해서는 주거가 분명한 경우에도 현행범 체포가 가능하다.

② 거짓신고는 재해 사실에 대하여 공무원에게 거짓으로 신고한 경우에도 성립한다.

③ 여러 사람에게 물품을 팔거나 나누어 주거나 일을 해주면서 다른 사람을 속이거나 잘못 알게 할 만한 사실을 들어 광고한 사람은 60만원 이하의 벌금, 구류 또는 과료의 형으로 처벌한다.

④ 상대방의 명시적 의사에 반하여 지속적으로 접근을 시도하여 면회 또는 교제를 요구하거나 지켜보기, 따라다니기, 잠복하여 기다리기 등의 행위를 반복하여 하는 사람은 10만원 이하의 벌금, 구류 또는 과료의 형으로 처벌한다.

정답 및 해설 I ③

③ [×] 20만원 이하의 벌금, 구류 또는 과료에 해당한다.

> **경범죄 처벌법 제3조【경범죄의 종류】** ② 다음 각 호의 어느 하나에 해당하는 사람은 20만원 이하의 벌금, 구류 또는 과료의 형으로 처벌한다. ➜ 범칙행위 ○
> 2. (**거짓 광고**) 여러 사람에게 물품을 팔거나 나누어 주거나 일을 해주면서 다른 사람을 속이거나 잘못 알게 할 만한 사실을 들어 광고한 사람

① [○] '관공서 주취소란'은 60만원 이하의 벌금, 구류 또는 과료에 해당하므로 현행범 체포가 가능하다.

② [○]

> **경범죄 처벌법 제3조【경범죄의 종류】** ③ 다음 각 호의 어느 하나에 해당하는 사람은 60만원 이하의 벌금, 구류 또는 과료의 형으로 처벌한다. ➜ 범칙행위 ×
> 2. (**거짓신고**) 있지 아니한 범죄나 재해 사실을 공무원에게 거짓으로 신고한 사람

④ [○]

> **경범죄 처벌법 제3조【경범죄의 종류】** ① 다음 각 호의 어느 하나에 해당하는 사람은 10만원 이하의 벌금, 구류 또는 과료의 형으로 처벌한다. ➜ 범칙행위 ○
> 41. (**지속적 괴롭힘**) 상대방의 명시적 의사에 반하여 지속적으로 접근을 시도하여 면회 또는 교제를 요구하거나 지켜보기, 따라다니기, 잠복하여 기다리기 등의 행위를 반복하여 하는 사람

043 「경범죄 처벌법」에 대한 설명으로 적절하지 않은 것은 모두 몇 개인가? [2021 경간]

> 가. 경범죄 처벌법 위반의 죄를 짓도록 시키거나 도와준 사람은 죄를 지은 사람에 준하여 벌한다.
> 나. 경찰청장, 해양경찰청장, 제주특별자치도지사 또는 철도특별사법경찰대장은 범칙자로 인정되는 사람에 대하여 그 이유를 명백히 나타낸 서면으로 범칙금을 부과하고 이를 납부할 것을 통고할 수 있다.
> 다. 통고처분서를 받은 사람은 통고처분서를 받은 날부터 10일 이내에 경찰청장 해양경찰청장 또는 철도특별사법경찰대장이 지정한 은행, 그 지점이나 대리점, 우체국 또는 제주특별자치도지사가 지정하는 금융기관이나 그 지점에 범칙금을 납부하여야 한다. 다만, 천재지변이나 그 밖의 부득이한 사유로 말미암아 그 기간 내에 범칙금을 납부할 수 없을 때에는 그 부득이한 사유가 없어지게 된 날부터 5일 이내에 납부하여야 한다.
> 라. 범칙행위를 상습적으로 하는 사람은 경범죄 처벌의 특례를 규정한 장에서 범칙자에 해당하지 않는다.
> 마. 술에 취한 채로 관공서에서 몹시 거친 말과 행동으로 주정하거나 시끄럽게 한 사람은 20만원 이하의 벌금, 구류 또는 과료의 형으로 처벌한다.

① 없음 ② 1개
③ 2개 ④ 3개

정답 및 해설 I ③

가. [○]

> **경범죄 처벌법 제4조【교사 · 방조】** 제3조의 죄를 짓도록 시키거나 도와준 사람은 죄를 지은 사람에 준하여 벌한다. ➜ 교사 · 방조 처벌규정은 있다!

나. [×] **통고처분권자**는 경찰청장과 해양경찰청장이 아닌 **경찰서장, 해양경찰서장이다.**

> **경범죄 처벌법 제7조【통고처분】** ① 경찰서장, 해양경찰서장, 제주특별자치도지사 또는 철도특별사법경찰대장은 범칙자로 인정되는 사람에 대하여 그 이유를 명백히 나타낸 서면으로 범칙금을 부과하고 이를 납부할 것을 통고할 수 있다. 다만, …

다. [○]

> **경범죄 처벌법 제8조【범칙금의 납부】** ① 제7조에 따라 통고처분서를 받은 사람은 통고처분서를 받은 날부터 10일 이내에 경찰청장·해양경찰청장 또는 철도특별사법경찰대장이 지정한 은행, 그 지점이나 대리점, 우체국 또는 제주특별자치도지사가 지정하는 금융기관이나 그 지점에 범칙금을 납부하여야 한다. 다만, 천재지변이나 그 밖의 부득이한 사유로 말미암아 그 기간 내에 범칙금을 납부할 수 없을 때에는 그 부득이한 사유가 없어지게 된 날부터 5일 이내에 납부하여야 한다.

라. [○]

> **경범죄 처벌법 제6조【정의】** ② 이 장에서 "**범칙자**"란 범칙행위를 한 사람으로서 다음 각 호의 어느 하나에 해당하지 아니하는 사람을 말한다. ➜ 범칙자에 해당하지 아니하는 사람: 피·구·상·18
> 1. 범칙행위를 상습적으로 하는 사람
> 2. 죄를 지은 동기나 수단 및 결과를 헤아려볼 때 구류처분을 하는 것이 적절하다고 인정되는 사람 [2020 실무 3]
> 3. 피해자가 있는 행위를 한 사람
> 4. 18세 미만인 사람

마. [×] 관공서에서의 주취소란은 **60만원** 이하의 벌금, 구류 또는 과료의 형으로 처벌한다.

> **경범죄 처벌법 제3조【경범죄의 종류】** ③ 다음 각 호의 어느 하나에 해당하는 사람은 60만원 이하의 벌금, 구류 또는 과료의 형으로 처벌한다. ➜ 범칙행위 ×
> 1. (**관공서에서의 주취소란**) 술에 취한 채로 관공서에서 몹시 거친 말과 행동으로 주정하거나 시끄럽게 한 사람
> 2. (**거짓신고**) 있지 아니한 범죄나 재해 사실을 공무원에게 거짓으로 신고한 사람

044 「경범죄 처벌법」에 대한 설명이다. 아래 가.부터 라.까지 설명 중 옳고 그름의 표시(○, ×)가 바르게 된 것은?

[2023 경간]

> 가. 여러 사람에게 물품을 팔거나 나누어 주거나 일을 해주면서 다른 사람을 속이거나 잘못 알게 할만한 사실을 들어 광고한 사람은 20만원 이하의 벌금, 구류 또는 과료의 형으로 처벌한다.
> 나. 「경범죄 처벌법」 제8조 제1항에 따른 납부기간에 범칙금을 납부하지 아니한 사람은 납부 기간의 마지막 날의 다음 날부터 30일 이내에 통고받은 범칙금에 그 금액의 100분의 30을 더한 금액을 납부하여야 한다.
> 다. 해양경찰서장을 제외한 경찰서장, 제주특별자치도지사 또는 철도특별사법경찰대장은 범칙자로 인정되는 사람에 대하여 그 이유를 명백히 나타낸 서면으로 범칙금을 부과하고 이를 납부할 것을 통고할 수 있다.
> 라. 범칙금 납부 기한 내 범칙금을 납부하지 않아 즉결심판이 청구된 피고인이 통고받은 범칙금에 그 금액의 100분의 50을 더한 금액을 납부하고 그 증명서류를 즉결심판 선고 전까지 제출하였을 때에는 경찰청장, 해양경찰청장, 제주특별자치도지사는 그 피고인에 대한 즉결심판 청구를 취소할 수 있다.

① 가. [×] 나. [×] 다. [×] 라. [×]
② 가. [○] 나. [×] 다. [○] 라. [×]
③ 가. [○] 나. [×] 다. [×] 라. [○]
④ 가. [○] 나. [×] 다. [×] 라. [×]

정답 및 해설 I ④

가. [○]

> 경범죄 처벌법 제3조【경범죄의 종류】② 다음 각 호의 어느 하나에 해당하는 사람은 20만원 이하의 벌금, 구류 또는 과료의 형으로 처벌한다. ➜ 범칙행위 ○
> 2. (거짓 광고) 여러 사람에게 물품을 팔거나 나누어 주거나 일을 해주면서 다른 사람을 속이거나 잘못 알게 할 만한 사실을 들어 광고한 사람

나. [×] 다음 날부터 20일 이내, 20%를 더한 금액이다.

> 경범죄 처벌법 제8조【범칙금의 납부】② 제1항에 따른 납부기간에 범칙금을 납부하지 아니한 사람은 납부기간의 마지막 날의 다음 날부터 20일 이내에 통고받은 범칙금에 그 금액의 100분의 20을 더한 금액을 납부하여야 한다.

다. [×] 해양경찰서장도 경범죄 처벌법상 통고처분권자에 포함된다.

> 경범죄 처벌법 제7조【통고처분】① 경찰서장, 해양경찰서장, 제주특별자치도지사 또는 철도특별사법경찰대장은 범칙자로 인정되는 사람에 대하여 그 이유를 명백히 나타낸 서면으로 범칙금을 부과하고 이를 납부할 것을 통고할 수 있다. 다만, …

라. [×] 즉결심판 청구권자 내지 취소권자는 경찰서장, 해양경찰서장 및 제주특별자치도지사이다. 통고처분권자와 달리, 철도특별사법경찰대장은 즉결심판 청구권자 내지 취소권자에는 포함되지 않음을 주의해야 한다.

> 경범죄 처벌법 제9조【통고처분 불이행자 등의 처리】① 경찰서장, 해양경찰서장 및 제주특별자치도지사는 다음 각 호의 어느 하나에 해당하는 사람에 대하여는 지체 없이 즉결심판을 청구하여야 한다. 다만, 즉결심판이 청구되기 전까지 통고받은 범칙금에 그 금액의 100분의 50을 더한 금액을 납부한 사람에 대하여는 그러하지 아니하다.
> 1. 제7조 제1항 각 호의 어느 하나에 해당하는 사람 ➜ 거부 · 주거신원불명 · 어려움
> 2. 제8조 제2항에 따른 납부기간에 범칙금을 납부하지 아니한 사람 ➜ 2차 납부기간 미준수
> ② 제1항 제2호에 따라 즉결심판이 청구된 피고인이 통고받은 범칙금에 그 금액의 100분의 50을 더한 금액을 납부하고 그 증명서류를 즉결심판 선고 전까지 제출하였을 때에는 경찰서장, 해양경찰서장 및 제주특별자치도지사는 그 피고인에 대한 즉결심판 청구를 취소하여야 한다.
> ④ 철도특별사법경찰대장은 제1항 각 호의 어느 하나에 해당하는 사람이 있는 경우에는 즉시 관할 경찰서장 또는 해양경찰서장에게 그 사실을 통보하고 관련 서류를 넘겨야 한다. 이 경우 통보를 받은 경찰서장 또는 해양경찰서장은 제1항부터 제3항까지의 규정에 따라 이를 처리하여야 한다.

045 「경범죄 처벌법」상 규정된 내용에 대한 설명으로 가장 적절하지 않은 것은? [2016 채용 2차]

① 주거가 확인된 경우라면 어떠한 경우라도 「경범죄 처벌법」을 위반한 사람을 체포할 수 없다.

② 거짓 광고, 업무방해, 암표매매의 경우 20만원 이하의 벌금, 구류 또는 과료의 형으로 처벌한다.

③ 「경범죄 처벌법」 위반의 죄를 짓도록 시키거나 도와준 사람은 죄를 지은 사람에 준하여 벌한다.

④ 「경범죄 처벌법」상의 범칙금 통고처분서를 받은 사람은 통고처분서를 받은 날로부터 10일 이내에 범칙금을 납부하여야 한다.

정답 및 해설 I ①

① [×] 「경범죄 처벌법」 제3조 제3항의 위반행위(60만원 이하 벌금 · 구류 · 과료)의 경우에는 주거가 확인되어도 현행범 체포가 가능하다.

KEY POINT I 경범죄 처벌법 위반자에 대한 처리 정리

1 **형사소송법 관련 규정**

형사소송법 제214조【경미사건과 현행범인의 체포】 다액 50만원 이하의 벌금, 구류 또는 과료에 해당하는 죄의 현행범인에 대하여는 범인의 주거가 분명하지 아니한 때에 한하여 제212조(➜ 현행범 체포) 내지 제213조(➜ 체포된 현행범 인도)의 규정을 적용한다.

2 **경범죄 처벌법 위반자에 대한 처리(제3조)**

구분	현행범체포	통고처분 가부	즉결심판
제1항 위반자 (10만원)	• 원칙적 × • 주거 불분명 ○	• 범칙자 ○ • 통고처분 가능	다음의 경우는 범칙자에서 제외되므로, 통고처분은 불가하나 즉결심판으로 처리 가능 • 상습적 범칙 • 동기 · 수단 · 결과 고려, 구류 적절 • 피해자 有
제2항 위반자 (20만원)	• 원칙적 × • 주거 불분명 ○	• 범칙자 ○ • 통고처분 가능	
제3항 위반자 (60만원)	주거 불분명 무관 ○	• 범칙자 × • 통고처분 불가능	• 애초에 범칙자가 아니므로 통고처분 불가 • 즉결심판의 '20만원 이하'는 선고형 기준이므로 즉결심판의 대상이 될 수도 있다.

② [○] 20만원 이하의 벌금 · 구류 · 과료의 형으로 처벌한다. ➜ 암표 · 광고 · 부당게재 · 업무방해(암 · 광 · 부 · 업)

경범죄 처벌법 제3조【경범죄의 종류】 ② 다음 각 호의 어느 하나에 해당하는 사람은 20만원 이하의 벌금, 구류 또는 과료의 형으로 처벌한다. ➜ 범칙행위 ○

1. (**출판물의 부당게재 등**) 올바르지 아니한 이익을 얻을 목적으로 다른 사람 또는 단체의 사업이나 사사로운 일에 관하여 신문, 잡지, 그 밖의 출판물에 어떤 사항을 싣거나 싣지 아니할 것을 약속하고 돈이나 물건을 받은 사람
2. (**거짓 광고**) 여러 사람에게 물품을 팔거나 나누어 주거나 일을 해주면서 다른 사람을 속이거나 잘못 알게 할 만한 사실을 들어 광고한 사람
3. (**업무방해**) 못된 장난 등으로 다른 사람, 단체 또는 공무수행 중인 자의 업무를 방해한 사람
4. (**암표매매**) 흥행장, 경기장, 역, 나루터, 정류장, 그 밖에 정하여진 요금을 받고 입장시키거나 승차 또는 승선시키는 곳에서 웃돈을 받고 입장권 · 승차권 또는 승선권을 다른 사람에게 되판 사람

③ [○]

경범죄 처벌법 제4조【교사 · 방조】 제3조의 죄를 짓도록 시키거나 도와준 사람은 죄를 지은 사람에 준하여 벌한다. ➜ 교사 · 방조 처벌규정은 있다.

④ [○]

경범죄 처벌법 제8조【범칙금의 납부】 ① 제7조에 따라 통고처분서를 받은 사람은 통고처분서를 받은 날부터 10일 이내에 경찰청장 · 해양경찰청장 또는 철도특별사법경찰대장이 지정한 은행, 그 지점이나 대리점, 우체국 또는 제주특별자치도지사가 지정하는 금융기관이나 그 지점에 범칙금을 납부하여야 한다. 다만, 천재지변이나 그 밖의 부득이한 사유로 말미암아 그 기간 내에 범칙금을 납부할 수 없을 때에는 그 부득이한 사유가 없어지게 된 날부터 5일 이내에 납부하여야 한다.

주제 3 여성 · 청소년 보호업무

01 소년경찰활동

046 「학교폭력예방 및 대책에 관한 법률」상 학교폭력 정의에 해당하는 범죄로 가장 적절하지 않은 것은?

[2017 실무 2]

① 절도

② 감금

③ 명예훼손

④ 상해

정답 및 해설 | ①

① [×] 절도는 학교폭력의 정의에 포함되지 않는다.

> **학교폭력예방 및 대책에 관한 법률 제2조【정의】** 이 법에서 사용하는 용어의 정의는 다음 각 호와 같다.
> 1. "**학교폭력**"이란 학교 내외에서 학생을 대상으로 발생한 상해, 폭행, 감금, 협박, 약취 · 유인, 명예훼손 · 모욕, 공갈, 강요 · 강제적인 심부름 및 성폭력, 따돌림, 사이버 따돌림, 정보통신망을 이용한 음란 · 폭력 정보 등에 의하여 신체 · 정신 또는 재산상의 피해를 수반하는 행위를 말한다.

047 「학교폭력예방 및 대책에 관한 법률」에 규정된 가해학생에 대한 조치로 가장 적절하지 않은 것은?

[2017 승진(경위)]

① 피해학생에 대한 구두사과

② 피해학생 및 신고 · 고발 학생에 대한 접촉, 협박 및 보복행위의 금지

③ 사회봉사

④ 학급교체

정답 및 해설 | ①

① [×] 피해학생에 대한 서면사과가 가해학생에 대한 조치로 규정되어 있다.

> **학교폭력예방 및 대책에 관한 법률 제17조【가해학생에 대한 조치】** ① 심의위원회는 피해학생의 보호와 가해학생의 선도 · 교육을 위하여 가해학생에 대하여 다음 각 호의 어느 하나에 해당하는 조치(수 개의 조치를 동시에 부과하는 경우를 포함한다)를 할 것을 교육장에게 요청하여야 하며, 각 조치별 적용 기준은 대통령령으로 정한다. 다만, 퇴학처분은 의무교육과정에 있는 가해학생에 대하여는 적용하지 아니한다.
> 1. 피해학생에 대한 서면사과
> 2. 피해학생 및 신고 · 고발 학생에 대한 접촉, 협박 및 보복행위의 금지
> 3. 학교에서의 봉사
> 4. 사회봉사
> 5. 학내외 전문가에 의한 특별 교육이수 또는 심리치료
> 6. 출석정지
> 7. 학급교체
> 8. 전학
> 9. 퇴학처분

02 청소년보호활동

048 「청소년 보호법」 제2조 제5호의 '청소년유해업소'란 청소년의 출입과 고용이 청소년에게 유해한 것으로 인정되는 청소년출입 · 고용금지업소와 청소년의 출입은 가능하나 고용이 청소년에게 유해한 것으로 인정되는 청소년고용금지업소를 말한다. 다음 중 옳지 않은 것은? (이 경우 업소의 구분은 그 업소가 영업할 때 다른 법령에 따라 요구되는 허가 · 인가 · 등록 · 신고 등의 여부와 관계없이 실제로 이루어지고 있는 영업행위를 기준으로 한다)

[2020 승진(경감)]

	청소년출입 · 고용금지업소	청소년고용금지업소
①	「게임산업진흥에 관한 법률」에 따른 '일반게임제공업'	「게임산업진흥에 관한 법률」에 따른 '청소년게임제공업'
②	「영화 및 비디오물의 진흥에 관한 법률」에 따른 '비디오물소극장업'	「영화 및 비디오물의 진흥에 관한 법률」에 따른 '비디오감상실업'
③	「사행행위 등 규제 및 처벌 특례법」에 따른 '사행행위영업'	「게임산업진흥에 관한 법률」에 따른 '인터넷 컴퓨터게임시설제공업'
④	「체육시설의 설치 · 이용에 관한 법률」에 따른 '무도학원업'	회비 등을 받거나 유료로 만화를 빌려주는 '만화대여업'

정답 및 해설 I ②

② [×] **비디오물소극장업**은 청소년고용금지업소이고, **비디오물감상실업**은 청소년출입 · 고용금지업소이다.

KEY POINT I 청소년유해업소(「청소년 보호법 시행령」 제5조, 제6조)

구분	항목
청소년 출입 · 고용 금지업소 (출입 · 고용 ×) ➜ 노 · 무 · 비 · 사 · 단 · 게 · 장	• 노래연습장업 • 무도학원업 및 무도장업 • 비디오물감상실업 · 제한관람가비디오물소극장업 및 복합영상물제공업 • 사행행위영업 • 단란주점영업 및 유흥주점영업 • 일반게임제공업 및 복합유통게임제공업 • 전기통신설비를 갖추고 불특정한 사람들 사이의 음성대화 또는 화상대화를 매개하는 것을 주된 목적으로 하는 영업. 다만, 「전기통신사업법」 등 다른 법률에 따라 통신을 매개하는 영업은 제외한다. 예 성인PC방 [여성가족부고시 제2013-52호] • 불특정한 사람 사이의 신체적인 접촉 또는 은밀한 부분의 노출 등 성적 행위가 이루어지거나 이와 유사한 행위가 이루어질 우려가 있는 서비스를 제공하는 영업으로서 청소년보호위원회가 결정하고 여성가족부장관이 고시한 것 예 키스방, 대딸방, 전립선마사지, 유리방 [여성가족부고시 제2013-52호] • 청소년유해매체물 및 청소년유해약물 등을 제작 · 생산 · 유통하는 영업 등 청소년의 출입과 고용이 청소년에게 유해하다고 인정되는 영업으로서 대통령령으로 정하는 기준에 따라 청소년보호위원회가 결정하고 여성가족부장관이 고시한 것 • 「한국마사회법」 제6조 제2항에 따른 **장외발매소** 예 일명 '장외경마장' • 「경륜 · 경정법」 제9조 제2항에 따른 **장외매장** 예 일명 '장외경륜장'

청소년 고용 금지업소 (출입 ○, 고용 ×) ➜ 이 · 숙 · 소 · 목 · 만 · P · 유 · 휴 · 일	• **이용업**. 취업이 금지되지 아니한 남자 청소년을 고용하는 경우는 제외 • **숙박업**(휴양콘도미니엄 등 제외) • **비디오물소극장업** • **목욕장업** 중 안마실을 설치하여 영업을 하거나 개별실로 구획하여 하는 영업 • 회비 등을 받거나 유료로 만화를 빌려 주는 **만화대여업** • **청소년게임제공업** 및 **인터넷컴퓨터게임**시설제공업 예 PC방 • **유해화학물질 영업**(예외 있음) • **휴게음식점영업**으로서 주로 차 종류를 조리 · 판매하는 영업 중 종업원에게 영업장을 벗어나 차 종류 등을 배달 · 판매하게 하면서 소요 시간에 따라 대가를 받게 하거나 이를 조장 또는 묵인하는 형태로 운영되는 영업 예 티켓다방 • **일반음식점영업** 중 음식류의 조리 · 판매보다는 주로 주류의 조리 · 판매를 목적으로 하는 소주방 · 호프 · 카페 등의 형태로 운영되는 영업 • 청소년유해매체물 및 청소년유해약물 등을 제작 · 생산 · 유통하는 영업 등 청소년의 고용이 청소년에게 유해하다고 인정되는 영업으로서 대통령령으로 정하는 기준에 따라 청소년보호위원회가 결정하고 여성가족부장관이 고시한 것

049 '청소년 보호법'상 청소년유해업소 중 청소년 출입 및 고용금지업소에 해당되지 <u>않는</u> 것은? [2015 경간]

① '식품위생법'에 의한 유흥주점업, 단란주점업

② '체육시설의 설치 · 이용에 관한 법률'에 의한 무도학원업, 무도장업

③ '사행행위 등 규제 및 처벌 특례법'에 의한 사행행위업

④ 회비 등을 받거나 유료로 만화를 대여하는 만화대여업

정답 및 해설 I ④

④ [×] 만화대여업은 청소년고용금지업소에 해당한다(이 · 숙 · 소 · 목 · 만 · P · 유 · 휴 · 일).

050 다음의 「청소년 보호법」 및 동법 시행령상 청소년유해업소 중 '청소년출입 · 고용금지업소'를 모두 고른 것은? [2018 채용 2차]

> ㉠ 「게임산업진흥에 관한 법률」에 따른 인터넷컴퓨터게임시설제공업
> ㉡ 「게임산업진흥에 관한 법률」에 따른 일반게임제공업
> ㉢ 「영화 및 비디오물의 진흥에 관한 법률」 제2조 제16호에 따른 비디오물감상실업
> ㉣ 「영화 및 비디오물의 진흥에 관한 법률」에 따른 비디오물소극장업

① ㉠, ㉢ ② ㉠, ㉣ ③ ㉡, ㉢ ④ ㉡, ㉣

정답 및 해설 I ③

③ [○] ㉡㉢이 **청소년출입 · 고용금지업소**에 해당한다.

> • **청소년출입 · 고용금지업소**: 노 · 무 · 비(㉢ 비디오물감상실업) · 사 · 단 · 게(㉡ 일반게임제공업) · 장
> • **청소년고용금지업소**: 이 · 숙 · 소(㉣ 비디오물소극장업) · 목 · 만 · P(㉠ 인터넷컴퓨터게임시설 제공업) · 유 · 휴 · 일

051 다음 중 「청소년 보호법」상 청소년의 출입과 고용이 청소년에게 유해한 것으로 인정되는 청소년출입 · 고용금지업소를 모두 고른 것은? [2019 승진(경감)]

㉠ 사행행위 등 규제 및 처벌 특례법에 따른 사행행위영업 ㉡ 체육시설의 설치 이용에 관한 법률에 따른 무도학원업 및 무도장업 ㉢ 영화 및 비디오물의 진흥에 관한 법률에 따른 비디오물 소극장업 ㉣ 회비 등을 받거나 유료로 만화를 빌려 주는 만화대여업

① ㉠, ㉡
② ㉠, ㉢
③ ㉡, ㉢
④ ㉡, ㉣

정답 및 해설 | ①

① [○] ㉠㉡이 **청소년출입 · 고용금지업소**에 해당한다.

- **청소년출입 · 고용금지업소**: 노 · 무(㉡ 무도학원업 및 무도장업) · 비 · 사(㉠ 사행행위영업) · 단 · 게 · 장
- **청소년고용금지업소**: 이 · 숙 · 소(㉢ 비디오물 소극장업) · 목 · 만(㉣ 만화대여업) · P · 유 · 휴 · 일

052 「청소년 보호법」상 '청소년유해업소'에 관한 설명으로 가장 적절하지 않은 것은? (단, 청소년은 모두 「청소년 보호법」 제2조 제1호의 '청소년'을 의미한다) [2019 채용 2차]

① 청소년 출입 · 고용금지업소와 청소년고용금지업소로 구분된다.
② 이 경우 업소의 구분은 그 업소가 영업을 할 때 다른 법령에 따라 요구되는 허가 · 인가 · 등록 · 신고 등의 여부와 관계없이 실제로 이루어지고 있는 영업행위를 기준으로 한다.
③ 사행행위영업, 단란주점영업, 유흥주점영업소의 경우 청소년의 고용뿐 아니라 출입도 금지되어 있다.
④ 청소년은 일반음식점영업 중 주로 주류의 조리 · 판매를 목적으로 한 소주방 · 호프 · 카페는 출입할 수 없다.

정답 및 해설 | ④

④ [×] 일반음식점영업 중 소주방 · 호프 · 카페는 청소년고용금지업소에 해당한다.

①② [○]

> **청소년 보호법 제2조 【정의】** 이 법에서 사용하는 용어의 뜻은 다음과 같다.
> 5. "**청소년유해업소**"란 청소년의 출입과 고용이 청소년에게 유해한 것으로 인정되는 다음 가목의 업소(이하 "청소년 출입 · 고용금지업소"라 한다)와 청소년의 출입은 가능하나 고용이 청소년에게 유해한 것으로 인정되는 다음 나목의 업소(이하 "청소년고용금지업소"라 한다)를 말한다. 이 경우 업소의 구분은 그 업소가 영업을 할 때 다른 법령에 따라 요구되는 허가 · 인가 · 등록 · 신고 등의 여부와 관계없이 실제로 이루어지고 있는 영업행위를 기준으로 한다.

③ [○] **청소년출입 · 고용금지업소**: 노 · 무 · 비 · 사(사행행위영업) · 단(단란주점영업, 유흥주점영업) · 게 · 장

053 청소년 보호법에 대한 판례의 입장으로 가장 적절한 것은? [2020 실무 2]

① 일반음식점의 실제 영업형태 중에서 주간에는 주로 음식류를 조리 · 판매하고 야간에는 주로 주류를 조리 · 판매하는 형태도 있을 수 있는데, 이러한 경우 주간과 야간을 불문하고 그 업소는 청소년 보호법상 청소년고용금지업소에 해당한다.

② 유흥주점 운영자가 업소에 들어온 미성년자의 신분을 의심하여 주문받은 술을 들고 룸에 들어가 신분증의 제시를 요구하고 밖으로 데리고 나온 경우 청소년 보호법 위반죄가 성립한다.

③ 단란주점의 업주가 청소년들을 고용하여 영업을 한 이상 그중 일부가 대기실에서 대기 중이었을 뿐 실제 접객행위를 한 바 없다 하더라도, 고용된 청소년 전부에 대하여 청소년 보호법 시행령에 따라 과징금을 부과한 것은 정당하다.

④ 청소년 보호법 제30조 제8호가 규정하는 '이성혼숙'은 남녀모두가 청소년일 것을 요구하고 남녀 중 일방이 청소년이면 족하다고 볼 수 없다.

정답 및 해설 I ③

③ [○]

> **요지판례 I**
>
> ■ 청소년유해업소인 단란주점의 업주가 청소년들을 고용하여 영업을 한 이상 그중 일부가 대기실에서 대기 중이었을 뿐 실제 접객행위를 한 바 없다 하더라도 청소년 보호법상 금지되는 행위로 이익을 취득한 것으로 볼 수 있어 이에 대한 과징금 부과는 정당하다(대판 2002.7.12, 2002두219).

① [×] 이러한 경우에는 주 · 야를 불문하는 것이 아니라, 야간 영업형태에 있어서 청소년고용금지업소로 본다.

> **요지판례 I**
>
> ■ 음식류를 조리 · 판매하면서 식사와 함께 부수적으로 음주행위가 허용되는 영업을 하겠다면서 식품위생법상의 일반음식점 영업허가를 받은 업소라고 하더라도 실제로는 음식류의 조리 · 판매보다는 주로 주류를 조리 · 판매하는 영업행위가 이루어지고 있는 경우에는 청소년 보호법상의 청소년고용금지업소에 해당하며, 나아가 일반음식점의 실제의 영업형태 중에서는 주간에는 주로 음식류를 조리 · 판매하고 야간에는 주로 주류를 조리 · 판매하는 형태도 있을 수 있는데, 이러한 경우 음식류의 조리 · 판매보다는 주로 주류를 조리 · 판매하는 야간의 영업형태에 있어서의 그 업소는 위 청소년 보호법의 입법취지에 비추어 볼 때 청소년 보호법상의 청소년고용금지업소에 해당한다(대판 2004.2.12, 2003도628).

② [×] 실제 주류를 마시거나 마실 수 있는 상태에 이르지 않았다면 청소년 보호법 위반죄가 성립하지 않는다.

> **요지판례 I**
>
> ■ 청소년 보호법상 '청소년에게 주류를 판매하는 행위'란 청소년에게 주류를 유상으로 제공하는 행위를 말하고, 청소년에게 주류를 제공하였다고 하려면 청소년이 실제 주류를 마시거나 마실 수 있는 상태에 이르러야 한다(대판 2008.7.24, 2008도3211). ➜ 유흥주점 운영자가 업소에 들어온 미성년자의 신분을 의심하여 주문받은 술을 들고 룸에 들어가 신분증의 제시를 요구하고 밖으로 데리고 나온 사안에서, 미성년자가 실제 주류를 마시거나 마실 수 있는 상태에 이르지 않았으므로 술값의 선불지급 여부 등과 무관하게 주류판매에 관한 청소년 보호법 위반죄가 성립하지 않는다고 한 사례

④ [×] 일방이 청소년이면 족하다.

> **요지판례 I**
>
> ■ 청소년 보호법 이성혼숙을 금지하는 입법 취지가 청소년을 각종 유해행위로부터 보호함으로써 청소년이 건전한 인격체로 성장할 수 있도록 하기 위한 것인 점 등을 감안하면, 위 법문이 규정하는 '이성혼숙'은 남녀 중 일방이 청소년이면 족하고, 반드시 남녀 쌍방이 청소년임을 요하는 것은 아니다(대판 2003.12.26, 2003도5980).

054 풍속사범에 대한 단속과 관련한 설명 중 옳은 것은 모두 몇 개인가? (판례에 의함) [2020 경간]

> 가. 풍속업소인 숙박업소에서 음란한 외국의 위성방송프로그램을 수신하여 투숙객 등으로 하여금 시청하게 하는 행위는 구 「풍속영업의 규제에 관한 법률」에서 규정된 '음란한 물건'을 관람하게 하는 행위에 해당하지 않는다.
> 나. 유흥주점영업허가를 받았다고 하더라도 실제로는 노래연습장영업을 하고 있다면 유흥주점영업에 따른 영업자 준수사항을 지켜야 할 의무가 있다고 할 수 없다.
> 다. 일반음식점 허가를 받은 사람이 주로 주류를 조리 · 판매하는 형태의 주점영업을 하였다면, 손님이 노래를 부를 수 있는 여건이 갖추어지지 않았다고 하더라도 구 「식품위생법」상 단란주점영업에 해당한다.
> 라. 18세 미만의 청소년에게 술을 판매함에 있어서 가사 그의 민법상 법정대리인의 동의를 받았다고 하더라도 그러한 사정만으로 위 행위가 정당화될 수는 없다.
> 마. 청소년이 이른바 '티켓걸'로서 노래연습장 또는 유흥주점에서 손님들의 흥을 돋우어 주고 시간당 보수를 받은 경우라고 하더라도 업소주인이 청소년을 시간제 접대부로 고용한 것으로 보기는 어려우므로 업소주인을 청소년 보호법 위반죄로 처벌할 수 없다.
> 바. 모텔에 동영상 파일 재생장치인 디빅 플레이어를 설치하고 투숙객에게 그 비밀번호를 가르쳐 주어 저장된 음란 동영상을 관람하게 한 경우, 이는 「풍속영업의 규제에 관한 법률」에서 금지하고 있는 음란한 비디오물을 풍속영업소에서 관람하게 한 행위에 해당한다.

① 1개 ② 2개 ③ 3개 ④ 4개

정답 및 해설 I ③

가. [×] '음란한 물건'을 관람하게 하는 행위에 해당한다.

> **요지판례 I**
> ■ 풍속영업소인 숙박업소에서 음란한 외국의 위성방송프로그램을 수신하여 투숙객 등으로 하여금 시청하게 하는 행위는, 풍속영업의 규제에 관한 법률 제3조 제3호에 규정된 '음란한 물건'을 관람하게 하는 행위에 해당한다(대판 2010.7.15, 2009도4545).

나. [○]

> **요지판례 I**
> ■ 풍속영업의 규제에 관한 법률 제3조 소정의 '풍속영업을 영위하는 자'는 식품위생법 등 개별법률에서 정한 영업허가나 신고, 등록의 유무를 묻지 아니하고, 같은 법 제2조에서 정하는 풍속영업의 범위에 속하는 영업을 실제로 하는 자이므로, 그 풍속영업자가 지켜야 할 준수사항도 실제로 하고 있는 영업형태에 따라 정하여지는 것이지, 그 자가 받은 영업허가 등에 의하여 정하여지는 것은 아니므로, 유흥주점영업허가를 받았다고 하더라도 실제로는 노래연습장 영업을 하고 있다면 유흥주점영업에 따른 영업자 준수사항을 지켜야 할 의무가 있다고 할 수 없다(대판 1997.9.30, 97도1873).

다. [×] 단란주점영업에 해당하지 않는다고 보았다.

> **요지판례 I**
> ■ 식품위생법 시행령에서 단란주점영업을 "주로 주류를 조리 · 판매하는 영업으로서 손님이 노래를 부르는 행위가 허용되는 영업"으로 규정하고 있으므로, 주로 주류를 조리 · 판매하는 영업이라고 하더라도 손님으로 하여금 노래를 부르게 하는 것이 가능하지 않은 형태의 영업은 위 시행령 소정의 단란주점영업에 해당한다고 볼 수 없다(대판 2008.9.11, 2008도2160). ➜ 일반음식점 허가를 받은 사람이 주로 주류를 조리 · 판매하는 형태의 주점영업을 하였더라도, 손님이 노래를 부를 수 있는 여건이 갖추어지지 않은 이상 구 식품위생법상 단란주점영업에 해당하지 않는다고 한 사례

라. [○]

> **요지판례 I**
> ■ 청소년 보호법의 입법취지 등에 비추어 볼 때, 19세 미만의 청소년에게 술을 판매함에 있어서 가사 그의 민법상 법정대리인의 동의를 받았다고 하더라도 그러한 사정만으로 위 행위가 정당화될 수는 없다(대판 2000.2.25, 99두10520).

마. [×] 시간제 접대부로 고용한 것으로 보았다.

> **요지판례 |**
> ■ 청소년이 이른바 '티켓걸'로서 노래연습장 또는 유흥주점에서 손님들의 흥을 돋우어 주고 시간당 보수를 받은 사안에서 업소주인이 청소년을 시간제 접대부로 고용한 것으로 보고 업소주인을 청소년 보호법 위반죄로 처단한 것은 정당하다(대판 2005.7.29, 2005도3801). ➜ 청소년 보호법상 '고용'에는 시간제로 보수를 받고 근무하는 경우도 포함된다.

바. [○]

> **요지판례 |**
> ■ 모텔에 동영상 파일 재생장치인 디빅 플레이어(DivX Player)를 설치하고 투숙객에게 그 비밀번호를 가르쳐 주어 저장된 음란 동영상을 관람하게 한 사안에서, 이는 풍속영업의 규제에 관한 법률 제3조 제3호가 금지하고 있는 음란한 비디오물을 풍속영업소에서 관람하게 한 행위에 해당한다(대판 2008.8.21, 2008도3975).

03 아동 · 청소년의 성보호

055 「아동 · 청소년의 성보호에 관한 법률」에 대한 내용으로 가장 적절하지 않은 것은? [2020 실무 2]

① 영업으로 아동 · 청소년의 성을 사는 행위를 하도록 유인 · 권유 또는 강요한 자는 아동 · 청소년의 성을 사는 행위를 한 자보다 법정형이 중(重)하다.

② 아동 · 청소년에게 금품을 제공하고 아동 · 청소년으로 하여금 신체의 전부 또는 일부를 접촉 · 노출하는 행위로서 일반인의 성적 수치심이나 혐오감을 일으키는 행위를 하게 하는 것은 '아동 · 청소년의 성을 사는 행위'에 해당한다.

③ 아동 · 청소년성착취물을 구입하거나 아동 · 청소년성착취물임을 알면서 이를 소지 · 시청한 자는 1년 이상의 유기징역에 처한다.

④ 아동 · 청소년성착취물을 제작 · 수입 또는 수출한 자에 대한 미수범 처벌규정을 두고 있다.

정답 및 해설 | ①

① [×] 영업으로 아동 · 청소년의 성을 사도록 유인 · 권유(속칭 '삐끼')하는 경우 '7년 이하의 징역 또는 5천만원 이하의 벌금'에 처하므로, 성매수자의 법정형인 '1년 이상 10년 이하, 2천만원 이상 5천만원 이하의 벌금'보다 가볍다.

> **아동 · 청소년의 성보호에 관한 법률 제15조 【알선영업행위 등】** ② 다음 각 호의 어느 하나에 해당하는 자는 7년 이하의 징역 또는 5천만원 이하의 벌금에 처한다.
> 1. 영업으로 아동 · 청소년의 성을 사는 행위를 하도록 유인 · 권유 또는 강요한 자 예 속칭 '삐끼'
>
> **아동 · 청소년의 성보호에 관한 법률 제13조 【아동 · 청소년의 성을 사는 행위 등】** ① 아동 · 청소년의 성을 사는 행위를 한 자는 1년 이상 10년 이하의 징역 또는 2천만원 이상 5천만원 이하의 벌금에 처한다.

② [○]

> **아동 · 청소년의 성보호에 관한 법률 제2조 【정의】** 이 법에서 사용하는 용어의 뜻은 다음과 같다.
> 4. **"아동 · 청소년의 성을 사는 행위"**란 아동 · 청소년, 아동 · 청소년의 성을 사는 행위를 알선한 자 또는 아동 · 청소년을 실질적으로 보호 · 감독하는 자 등에게 금품이나 그 밖의 재산상 이익, 직무 · 편의제공 등 대가를 제공하거나 약속하고 다음 각 목의 어느 하나에 해당하는 행위를 아동 · 청소년을 대상으로 하거나 아동 · 청소년으로 하여금 하게 하는 것을 말한다.
> 가. 성교 행위
> 나. 구강 · 항문 등 신체의 일부나 도구를 이용한 유사 성교 행위
> 다. 신체의 전부 또는 일부를 접촉 · 노출하는 행위로서 일반인의 성적 수치심이나 혐오감을 일으키는 행위
> 라. 자위 행위

③④ [○] 아동 · 청소년의 성보호에 관한 법률 제11조【아동 · 청소년성착취물의 제작 · 배포 등】① 아동 · 청소년성착취물을 제작 · 수입 또는 수출한 자는 무기 또는 5년 이상의 징역에 처한다.
⑤ 아동 · 청소년성착취물을 구입하거나 아동 · 청소년성착취물임을 알면서 이를 소지 · 시청한 자는 1년 이상의 유기징역에 처한다.
⑥ 제1항의 미수범은 처벌한다.

056 「아동 · 청소년의 성보호에 관한 법률」상 미수범으로 처벌되는 경우는? [2020 경간]

① 아동 · 청소년의 성을 사는 행위의 장소를 제공하는 행위를 업으로 하는 자
② 폭행이나 협박으로 아동 · 청소년으로 하여금 아동 · 청소년의 성을 사는 행위의 상대방이 되게 한 자
③ 아동 · 청소년의 성을 사는 행위를 알선하는 데 사용되는 사실을 알면서도 자금 · 토지 또는 건물을 제공하는 자
④ 영업으로 아동 · 청소년의 성을 사는 행위의 장소를 제공 · 알선하는 업소에 아동 · 청소년을 고용하도록 한 자

정답 및 해설 I ②
② [○] 아동 · 청소년에 대한 강요행위(제14조 제1항 제1호)에 해당하는 것으로서 미수범 처벌규정이 있다.
① [×] 알선영업행위(제15조 제1항 제1호)로서 미수범 처벌규정이 없다.
③ [×] 알선영업행위(제15조 제1항 제3호)로서 미수범 처벌규정이 없다.
④ [×] 알선영업행위(제15조 제1항 제4호)로서 미수범 처벌규정이 없다.

KEY POINT I 미수범 처벌규정의 유무

미수범 처벌규정 有	미수범 처벌규정 無
아동 · 청소년에 대한 강간 · 강제추행 등(제7조) ≪주의 예비 · 음모도 처벌함	• 장애인인 아동 · 청소년에 대한 간음 등(제8조) • 13세 이상 16세 미만 아동 · 청소년에 대한 간음 등(제8조의2) • 강간 등 상해 · 치상(제9조) • 강간 등 살인 · 치사(제10조)
아동 · 청소년성착취물의 제작 · 수입 · 수출(제11조 제1항)	아동 · 청소년성착취물의 판매 · 대여 · 배포 · 제공 · 소지 · 운반 · 광고 · 소개 · 전시 · 상영 · 알선 · 구입 · 소지 · 시청(제11조 제2항~제5항)
아동 · 청소년 매매행위(제12조)	아동 · 청소년의 성을 사는 행위 등(제13조 제1항)
• 아동 · 청소년에 대한 강요행위(제14조 제1항) ➜ 다음과 같은 수단으로 아동 · 청소년을 성매수 상대방이 되도록 하는 것 - 아동 · 청소년 폭행 · 협박 - 선불금 채무 등 이용 - 업무 · 고용 등 보호감독관계 이용 - 영업으로 청소년 유인 · 권유 • 아동 · 청소년에 대한 강요행위를 한 자가 대가를 받거나 요구 · 약속한 경우(제14조 제2항)	• 피해자 등에 대한 합의 강요행위(제16조) • 성을 사기 위해 유인하거나 성을 팔도록 권유하는 행위(제13조 제2항) [2017 채용 2차] • 성을 사는 행위의 상대방이 되도록 유인 · 권유하는 행위(제14조 제3항) • 알선영업행위 등(제15조) [2020 경간] - 장소 제공 - 정보통신망 알선정보 제공 - 자금 · 토지 · 건물 제공 - 영업으로 성을 사는 행위 유인 · 권유 등
	아동 · 청소년에 대한 성착취 목적 대화 등(제15조의2)

057 「아동 · 청소년의 성보호에 관한 법률」에 대한 설명으로 가장 적절하지 않은 것은? [2017 채용 2차]

① 아동 · 청소년성착취물을 제작 · 수입 또는 수출한 자(동법 제11조 제1항)에 대하여 미수범 규정을 두고 있다.

② 아동 · 청소년의 성을 사기 위하여 아동 · 청소년을 유인하거나 성을 팔도록 권유한 자(동법 제13조 제2항)의 경우 미수범 처벌규정이 없다.

③ 법원은 아동 · 청소년 대상 성범죄를 범한 「소년법」 제2조의 소년에 대하여 형의 선고를 유예하는 경우에는 반드시 보호관찰을 명하여야 한다.

④ 음주 또는 약물로 인한 심신장애 상태에서 아동 · 청소년대상 성폭력 범죄를 범한 때에는「형법」 제10조 제1항 · 제2항 및 제11조(심신장애인, 청각 및 언어장애인 감면규정)를 적용하지 아니한다.

정답 및 해설 I ④

④ [×] 적용하지 아니할 수 있다.

> **아동 · 청소년의 성보호에 관한 법률 제19조【「형법」상 감경규정에 관한 특례】** 음주 또는 약물로 인한 심신장애 상태에서 아동 · 청소년대상 성폭력범죄를 범한 때에는 「형법」 제10조 제1항 · 제2항 및 제11조를 적용하지 아니할 수 있다.

① [○] 아동 · 청소년성착취물을 제작 · 수입 · 수출(제11조 제1항)한 경우에 해당하는 것으로서 미수범 처벌규정이 있다.

② [○] 아동 · 청소년의 성을 사기 위해 유인하거나 성을 팔도록 권유(제13조 제2항)한 경우에 해당하는 것으로서 미수범 처벌규정이 없다.

③ [○]

> **아동 · 청소년의 성보호에 관한 법률 제21조【형벌과 수강명령 등의 병과】** ① 법원은 아동 · 청소년대상 성범죄를 범한 「소년법」 제2조의 소년에 대하여 형의 선고를 유예하는 경우에는 반드시 보호관찰을 명하여야 한다.

058 「아동 · 청소년의 성보호에 관한 법률」에 대한 설명으로 가장 적절하지 않은 것은? [2018 실무 2]

① 아동 · 청소년성착취물임을 알면서 이를 소지한 자에 대한 처벌규정을 두고 있다.

② 영업으로 아동 · 청소년을 아동 · 청소년의 성을 사는 행위의 상대방이 되도록 유인 · 권유한 자에 대한 미수범 처벌규정을 두고 있다.

③ 아동 · 청소년성착취물을 제작 · 수입 또는 수출한 자에 대한 미수범 처벌규정을 두고 있다.

④ 아동 · 청소년성착취물을 배포 · 제공하거나 공연히 전시 또는 상영한 자에 대한 미수범 처벌규정을 두고 있다.

정답 및 해설 I ④

④ [×] 아동 · 청소년성착취물의 경우 제작 · 수입 · 수출한 경우에만 미수범 처벌규정이 있다. / ③ [○]

> **아동 · 청소년의 성보호에 관한 법률 제11조【아동 · 청소년성착취물의 제작 · 배포 등】** ① 아동 · 청소년성착취물을 제작 · 수입 또는 수출한 자는 무기 또는 5년 이상의 징역에 처한다.
> ④ 아동 · 청소년성착취물을 제작할 것이라는 정황을 알면서 아동 · 청소년을 아동 · 청소년성착취물의 제작자에게 알선한 자는 3년 이상의 유기징역에 처한다.
> ⑥ 제1항의 미수범은 처벌한다.

① [○]

> **아동 · 청소년의 성보호에 관한 법률 제11조【아동 · 청소년성착취물의 제작 · 배포 등】** ⑤ 아동 · 청소년성착취물을 구입하거나 아동 · 청소년성착취물임을 알면서 이를 소지 · 시청한 자는 1년 이상의 유기징역에 처한다.

② [○] '영업으로', '유인 · 권유'행위가 있는 경우, 그것이 아동 · 청소년에 대한 유인 · 권유이면 미수범 처벌규정이 있고, 성을 사려고 하는 자에 대한 유인 · 권유이면 미수범 처벌규정이 없다는 점을 주의해야 한다.

059 「아동 · 청소년의 성보호에 관한 법률」의 내용으로 가장 적절하지 않은 것은? [2018 경채 변형]

① 「아동 · 청소년의 성보호에 관한 법률」상 '아동 · 청소년'은 19세 미만의 자를 말한다.

② 아동 · 청소년성착취물 제작 · 수입 · 수출 행위의 미수범은 처벌한다.

③ 음주 또는 약물로 인한 심신장애 상태에서 아동 · 청소년대상 성폭력범죄를 범한 때에는 「형법」상 심신장애인, 청각 및 언어장애인 감면규정을 적용하지 아니한다.

④ 아동 · 청소년에 대한 강간 · 강제추행 등의 죄는 디엔에이(DNA) 증거 등 그 죄를 증명할 수 있는 과학적인 증거가 있는 때에는 공소시효가 10년 연장된다.

정답 및 해설 | ③

③ [×] 적용하지 아니할 수 있다.

> **아동 · 청소년의 성보호에 관한 법률 제19조【「형법」상 감경규정에 관한 특례】** 음주 또는 약물로 인한 심신장애 상태에서 아동 · 청소년대상 성폭력범죄를 범한 때에는 「형법」 제10조 제1항 · 제2항 및 제11조를 적용하지 아니할 수 있다.

① [○]

> **아동 · 청소년의 성보호에 관한 법률 제2조【정의】** 이 법에서 사용하는 용어의 뜻은 다음과 같다.
> 1. "**아동 · 청소년**"이란 19세 미만의 자를 말한다.

② [○] 아동 · 청소년성착취물의 경우 제작 · 수입 · 수출하는 경우에만 미수범 처벌규정이 있다.

> **아동 · 청소년의 성보호에 관한 법률 제11조【아동 · 청소년성착취물의 제작 · 배포 등】** ① 아동 · 청소년성착취물을 제작 · 수입 또는 수출한 자는 무기 또는 5년 이상의 징역에 처한다.
> ④ 아동 · 청소년성착취물을 제작할 것이라는 정황을 알면서 아동 · 청소년을 아동 · 청소년성착취물의 제작자에게 알선한 자는 3년 이상의 유기징역에 처한다.
> ⑥ 제1항의 미수범은 처벌한다.

④ [○]

> **아동 · 청소년의 성보호에 관한 법률 제20조【공소시효에 관한 특례】** ② 제7조의 죄(➜ 아동 · 청소년에 대한 강간 · 강제추행 등)는 디엔에이(DNA)증거 등 그 죄를 증명할 수 있는 과학적인 증거가 있는 때에는 공소시효가 10년 연장된다.

060 「아동 · 청소년의 성보호에 관한 법률」에 대한 설명 중 가장 적절하지 않은 것은? [2020 승진(경위)]

① 아동 · 청소년성착취물을 제작한 자는 무기 또는 5년 이상의 징역에 처하며, 그 미수범 처벌규정을 두고 있다.

② 법원은 아동 · 청소년대상 성범죄를 범한 「소년법」 제2조의 소년에 대하여 형의 선고를 유예하는 경우에는 반드시 보호관찰을 명하여야 한다.

③ '아동 · 청소년의 성을 사는 행위의 장소를 제공하는 행위를 업으로 하는 자'에 대한 처벌규정보다는 '폭행이나 협박으로 아동 · 청소년대상 성범죄의 피해자를 상대로 합의를 강요한 자'에 대한 처벌규정이 중하다.

④ 노래와 춤 등으로 손님의 유흥을 돋구는 접객행위는 아동 · 청소년의 성을 사는 행위가 아니다.

정답 및 해설 I ③

③ [×] 성을 사는 행위의 장소 제공을 업으로 하는 자의 경우 '7년 이상의 징역'에 해당하고, 폭행 · 협박으로 합의를 강요한 자의 경우 '7년 이하의 징역'에 해당하므로 더 가볍다.

> **아동 · 청소년의 성보호에 관한 법률 제15조 【알선영업행위 등】** ① 다음 각 호의 어느 하나에 해당하는 자는 7년 이상의 유기징역에 처한다.
> 1. 아동 · 청소년의 성을 사는 행위의 장소를 제공하는 행위를 업으로 하는 자 예 아동 · 청소년 성매수행위 장소를 제공하는 모텔 업주
>
> **아동 · 청소년의 성보호에 관한 법률 제16조 【피해자 등에 대한 강요행위】** 폭행이나 협박으로 아동 · 청소년대상 성범죄의 피해자 또는 「아동복지법」 제3조 제3호에 따른 보호자(➜ 친권자 · 후견인, 사실상 보호 · 감독하는 자)를 상대로 합의를 강요한 자는 7년 이하의 징역에 처한다.

① [○]

> **아동 · 청소년의 성보호에 관한 법률 제11조 【아동 · 청소년성착취물의 제작 · 배포 등】** ① 아동 · 청소년성착취물을 제작 · 수입 또는 수출한 자는 무기 또는 5년 이상의 징역에 처한다.
> ⑥ 제1항의 미수범은 처벌한다.

② [○]

> **아동 · 청소년의 성보호에 관한 법률 제21조 【형벌과 수강명령 등의 병과】** ① 법원은 아동 · 청소년대상 성범죄를 범한 「소년법」 제2조의 소년에 대하여 형의 선고를 유예하는 경우에는 반드시 보호관찰을 명하여야 한다.

④ [○]

> **아동 · 청소년의 성보호에 관한 법률 제2조 【정의】** 이 법에서 사용하는 용어의 뜻은 다음과 같다.
> 4. "**아동 · 청소년의 성을 사는 행위**"란 아동 · 청소년, 아동 · 청소년의 성을 사는 행위를 알선한 자 또는 아동 · 청소년을 실질적으로 보호 · 감독하는 자 등에게 금품이나 그 밖의 재산상 이익, 직무 · 편의제공 등 대가를 제공하거나 약속하고 다음 각 목의 어느 하나에 해당하는 행위를 아동 · 청소년을 대상으로 하거나 아동 · 청소년으로 하여금 하게 하는 것을 말한다.
> 가. 성교 행위
> 나. 구강 · 항문 등 신체의 일부나 도구를 이용한 유사 성교 행위
> 다. 신체의 전부 또는 일부를 접촉 · 노출하는 행위로서 일반인의 성적 수치심이나 혐오감을 일으키는 행위
> 라. 자위 행위

061 「아동 · 청소년의 성보호에 관한 법률」에 대한 설명으로 옳은 것은 모두 몇 개인가? [2024 1차 채용]

> ㉠ 아동 · 청소년성착취물을 제작한 자에 대한 미수범 처벌규정이 있다.
> ㉡ 폭행 또는 협박으로 아동 · 청소년을 강간할 목적으로 예비 또는 음모한 자에 대한 처벌규정이 있다.
> ㉢ 아동 · 청소년의 성을 사는 행위를 한 자에 대한 미수범 처벌규정이 있다.
> ㉣ 13세 미만의 사람에 대하여 강간죄를 범한 경우에는 공소시효를 적용하지 않는다.

① 1개
② 2개
③ 3개
④ 4개

정답 및 해설 | ③

㉠ [○]

미수범 처벌규정 有	미수범 처벌규정 無
• 아동 · 청소년성착취물의 제작 · 수입 · 수출(제11조 제1항)	• 아동 · 청소년성착취물의 판매 · 대여 · 배포 · 제공 · 소지 · 운반 · 광고 · 소개 · 전시 · 상영 · 알선 · 구입 · 소지 · 시청(제11조 제2항~제5항)

㉡ [○] 아동청소년에 대한 강간 · 강제추행은 미수범을 처벌할 뿐만 아니라 예비음모까지 처벌하는 점을 주의하여야 한다.

미수범 처벌규정 有	미수범 처벌규정 無
• 아동 · 청소년에 대한 강간 · 강제추행 등(제7조) ≪주의 예비 · 음모도 처벌	• 장애인인 아동 · 청소년에 대한 간음 등(제8조) • 13세 이상 16세 미만 아동 · 청소년에 대한 간음 등(제8조의2) • 강간 등 상해 · 치상(제9조) • 강간 등 살인 · 치사(제10조)

㉢ [×] 아동 · 청소년의 성을 사는 행위를 한 자에 대해서는 미수범 처벌규정이 없다.

미수범 처벌규정 有	미수범 처벌규정 無
아동 · 청소년 매매행위(제12조)	• 아동 · 청소년의 성을 사는 행위 등(제13조 제1항)

㉣ [○]

> 아동 · 청소년의 성보호에 관한 법률 제20조 **【공소시효에 관한 특례】** ③ 13세 미만의 사람 및 신체적인 또는 정신적인 장애가 있는 사람에 대하여 다음 각 호의 죄를 범한 경우에는 제1항과 제2항에도 불구하고 「형사소송법」 제249조부터 제253조까지 및 「군사법원법」 제291조부터 제295조까지에 규정된 공소시효를 적용하지 아니한다.
> 1. 「형법」 제297조(강간), 제298조(강제추행), 제299조(준강간, 준강제추행), 제301조(강간등 상해 · 치상), 제301조의2(강간등 살인 · 치사) 또는 제305조(미성년자에 대한 간음, 추행)의 죄
> 2. 제9조 및 제10조의 죄 ➜ 강간 등 상해 · 치상, 강간 등 살인 · 치사
> 3. 「성폭력범죄의 처벌 등에 관한 특례법」 제6조 제2항, 제7조 제2항 · 제5항, 제8조, 제9조의 죄 ➜ 장애인에 대한 강제추행, 13세 미만의 미성년자에 대한 강제추행 및 위계 · 위력에 의한 간음 · 추행, 강간 등 상해 · 치상, 강간 등 살인 · 치사

062 「아동 · 청소년의 성보호에 관한 법률」에 대한 설명으로 가장 적절하지 않은 것은? (다툼이 있는 경우 판례에 의함)

[2021 승진(실무종합)]

① 아동 · 청소년이 이미 성매매 의사를 가지고 있었던 경우에도 그러한 아동 · 청소년에게 금품이나 그 밖의 재산상 이익, 직무 · 편의 제공 등 대가를 제공하거나 약속하는 등의 방법으로 성을 팔도록 권유하는 행위는 동법에서 말하는 '성을 팔도록 권유하는 행위'에 포함된다.

② 아동 · 청소년의 '성을 사는 행위'를 알선하는 행위를 업으로 하는 사람이 알선의 대상이 아동 · 청소년임을 인식하면서 알선행위를 하였더라도, 아동 · 청소년의 성을 사는 행위를 한 사람이 상대방이 아동 · 청소년임을 인식하지 못하였다면 아동 · 청소년의 성보호에 관한 법률 위반으로 처벌할 수 없다.

③ 성을 사는 행위를 알선하는 행위를 업으로 하는 자가 성매매 알선을 위한 종업원을 고용하면서 고용대상자에 대하여 연령확인의무 이행을 다하지 아니한 채 아동 · 청소년을 고용하였다면, 특별한 사정이 없는 한 적어도 아동 · 청소년의 성을 사는 행위의 알선에 관한 미필적 고의는 인정된다.

④ 아동 · 청소년의 성을 사기 위하여 아동 · 청소년을 유인하거나 성을 팔도록 권유한 행위(동법 제13조 제2항)는 미수범 처벌규정이 없다.

정답 및 해설 | ②

② [×] 업으로 하는 자만 인식하고 있으면 족하다.

> **요지판례 |**
>
> ■ 아동 · 청소년의 성을 사는 행위를 알선하는 행위를 업으로 하는 사람이 알선의 대상이 아동 · 청소년임을 인식하면서 알선행위를 하였다면, 알선행위로 아동 · 청소년의 성을 사는 행위를 한 사람이 행위의 상대방이 아동 · 청소년임을 인식하고 있었는지는 알선행위를 한 사람의 책임에 영향을 미칠 이유가 없다(대판 2016.2.18, 2015도15664). ➜ 따라서 제15조 제1항 제2호의 위반죄가 성립하기 위해서는 **알선행위를 업으로 하는 사람**이 아동 · 청소년을 알선의 대상으로 삼아 그 성을 사는 행위를 알선한다는 것을 인식하여야 하지만, 이에 더하여 알선행위로 아동 · 청소년의 **성을 사는 행위를 한 사람**이 행위의 상대방이 아동 · 청소년임을 인식하여야 한다고 볼 수는 없다.

① [○]

> **요지판례 |**
>
> ■ 아동 · 청소년이 이미 성매매 의사를 가지고 있었던 경우에도 그러한 아동 · 청소년에게 금품이나 그 밖의 재산상 이익, 직무 · 편의 제공 등 대가를 제공하거나 약속하는 등의 방법으로 성을 팔도록 권유하는 행위도 위 규정에서 말하는 '성을 팔도록 권유하는 행위'에 포함된다(대판 2011.11.10, 2011도3934). ➜ 인터넷 채팅사이트를 통하여, 이미 성매매 의사를 가지고 성매수자를 물색하고 있던 청소년 甲과 성매매 장소, 대가 등에 관하여 구체적 합의에 이른 다음 약속장소 인근에 도착하여 甲에게 전화로 요구 사항을 지시한 사안

③ [○]

> **요지판례 |**
>
> ■ 성을 사는 행위를 알선하는 행위를 업으로 하는 자가 성매매 알선을 위한 종업원을 고용하면서 고용대상자에 대하여 아동 · 청소년의 보호를 위한 연령확인의무의 이행을 다하지 아니한 채 아동 · 청소년을 고용하였다면, 특별한 사정이 없는 한 적어도 **아동 · 청소년의 성을 사는 행위의 알선에 관한 미필적 고의는 인정된다**(대판 2014.7.10, 2014도5173).

④ [○] **유인 · 권유**는 기본적으로는 미수범 처벌규정이 없다. 단, 유인 · 권유가 '영업으로', '아동 · 청소년을 대상'으로 이루어진 경우에는 미수범 처벌규정이 있다. 지문의 경우 '아동 · 청소년을 대상'으로 한 것은 맞지만 영업으로 유인 · 권유한 것이 아니므로 미수범 처벌규정이 없다.

063 「아동 · 청소년의 성보호에 관한 법률」에 관한 설명으로 가장 적절하지 않은 것은? [2023 채용 2차 변형]

① "아동 · 청소년"이란 19세 미만의 자를 말한다.

② 위계(僞計) 또는 위력으로써 아동 · 청소년을 추행한 자에 대한 미수범 처벌규정을 두고 있다.

③ 사법경찰관리는 19세 이상의 사람이 성적 착취를 목적으로 정보 통신망을 통하여 아동 · 청소년에게 성적 욕망이나 수치심 또는 혐오감을 유발할 수 있는 대화를 지속적 또는 반복적으로 하거나 그러한 대화에 지속적 또는 반복적으로 참여시키는 행위를 한 범죄에 대하여 신분을 비공개하고 범인으로 추정되는 자들에게 접근하여 범죄행위의 증거 및 자료 등을 수집할 수 있다.

④ 사법경찰관리가 디지털 성범죄에 대한 신분위장수사를 할 때 신분을 위장하기 위한 문서, 도화 및 전자기록 등의 작성, 변경 또는 행사는 가능하지만, 아동 · 청소년성착취물을 소지, 판매 또는 광고할 수 없다.

정답 및 해설 | ④

④ [×] 아동 · 청소년성착취물을 소지, 판매 또는 광고할 수 있다.

> **아동 · 청소년의 성보호에 관한 법률 제25조의2【아동 · 청소년대상 디지털 성범죄의 수사 특례】** ② 사법경찰관리는 디지털 성범죄를 계획 또는 실행하고 있거나 실행하였다고 의심할 만한 충분한 이유가 있고, 다른 방법으로는 그 범죄의 실행을 저지하거나 범인의 체포 또는 증거의 수집이 어려운 경우에 한정하여 수사 목적을 달성하기 위하여 부득이한 때에는 다음 각 호의 행위(이하 "신분위장수사"라 한다)를 할 수 있다.
> 1. 신분을 위장하기 위한 문서, 도화 및 전자기록 등의 작성, 변경 또는 행사
> 2. 위장 신분을 사용한 계약 · 거래
> 3. 아동 · 청소년성착취물 또는 「성폭력범죄의 처벌 등에 관한 특례법」 제14조 제2항의 촬영물 또는 복제물(복제물의 복제물을 포함한다)의 소지, 판매 또는 광고

① [○]

> **아동 · 청소년의 성보호에 관한 법률 제2조【정의】** 이 법에서 사용하는 용어의 뜻은 다음과 같다.
> 1. "아동 · 청소년"이란 19세 미만의 자를 말한다.

② [○] 강간 · 강제추행은 미수범을 처벌한다. 반면 간음은 미수범을 처벌하지 않는다.

> **아동 · 청소년의 성보호에 관한 법률 제7조【아동 · 청소년에 대한 강간 · 강제추행 등】** ⑤ 위계 또는 위력으로써 아동 · 청소년을 간음하거나 아동 · 청소년을 추행한 자는 제1항부터 제3항까지의 예에 따른다.
> ⑥ 제1항부터 제5항까지의 미수범은 처벌한다.
>
> **☑ 구분기준**
> - 강간 · 강제추행은 미수범 처벌 ○, 간음은 미수범 처벌 ×
> - 결과적 가중범 내지 결합범은 미수범 처벌 ×
> - 성착취물은 생산행위(제작 · 수입 · 수출)는 미수범 처벌 ○, 이용행위는 미수범 처벌 ×
> - 사람 자체 매매행위는 미수범 처벌 ○, 성 매수행위는 미수범 처벌 ×
> - 유인 · 권유는 기본적으로는 미수범 처벌 ×. 단, 유인 · 권유가 '영업으로', '아동 · 청소년을 대상'으로 이루어진 경우 미수범 처벌 ○

③ [○]

> **아동 · 청소년의 성보호에 관한 법률 제25조의2【아동 · 청소년대상 디지털 성범죄의 수사 특례】** ① 사법경찰관리는 다음 각 호의 어느 하나에 해당하는 범죄(이하 "디지털 성범죄"라 한다)에 대하여 신분을 비공개하고 범죄현장(정보통신망을 포함한다) 또는 범인으로 추정되는 자들에게 접근하여 범죄행위의 증거 및 자료 등을 수집(이하 "신분비공개수사"라 한다)할 수 있다.
> 1. 제11조(➔ 성착취물 제작 · 유포 등) 및 제15조의2(➔ 성착취 목적 대화 등)의 죄
> 2. 아동 · 청소년에 대한 「성폭력범죄의 처벌 등에 관한 특례법」 제14조 제2항 및 제3항의 죄 ➔ 카메라 이용 촬영물 · 복제물 등 반포 등 + 영리목적
> 2. 제2조 제4호 각 목의 어느 하나에 해당하는 행위를 하도록 유인 · 권유하는 행위

064 「아동 · 청소년의 성보호에 관한 법률」에 관한 설명 중 가장 적절하지 않은 것은? [2022 채용 2차]

① 사법경찰관리는 「아동 · 청소년의 성보호에 관한 법률」 제11조 및 제15조의2의 죄, 아동 · 청소년에 대한 「성폭력범죄의 처벌 등에 관한 특례법」 제14조 제2항 및 제3항의 죄에 해당하는 '디지털 성범죄'에 대하여 신분을 비공개하고 범죄현장(정보통신망 포함) 또는 범인으로 추정되는 자들에게 접근하여 범죄행위의 증거 및 자료 등을 수집할 수 있다.

② 사법경찰관리가 신분비공개수사를 진행하고자 할 때에는 사전에 상급 경찰관서 수사부서의 장의 승인을 받아야 한다. 이 경우 그 수사기간은 1개월을 초과할 수 없다.

③ 사법경찰관리는 신분위장수사를 하려는 경우에는 검사에게 신분위장수사에 대한 허가를 신청하고, 검사는 법원에 그 허가를 청구한다. 다만, 신분위장수사 절차를 거칠 수 없는 긴급을 요하는 때에는 동법 제25조의2 제2항의 요건을 구비하고 법원의 허가 없이 신분위장수사를 할 수 있다. 이 경우, 사법경찰관리는 신분위장수사 개시 후 지체 없이 검사에게 허가를 신청하여야 하고, 48시간 이내에 법원의 허가를 받지 못한 때에는 즉시 신분위장수사를 중지하여야 한다.

④ 국가수사본부장은 신분비공개수사가 종료된 즉시 대통령령으로 정하는 바에 따라 국가경찰위원회에 수사 관련 자료를 보고하여야 하며, 국가수사본부장은 대통령령으로 정하는 바에 따라 국회 소관 상임위원회에 신분비공개수사 관련 자료를 반기별로 보고하여야 한다.

정답 및 해설 | ②

② [×] 3개월을 초과할 수 없다.

> **아동 · 청소년의 성보호에 관한 법률 제25조의3【아동 · 청소년대상 디지털 성범죄 수사 특례의 절차】** ① 사법경찰관리가 신분비공개수사를 진행하고자 할 때에는 사전에 상급 경찰관서 수사부서의 장의 승인을 받아야 한다. 이 경우 그 수사기간은 3개월을 초과할 수 없다.

① [○]

> **아동 · 청소년의 성보호에 관한 법률 제25조의2【아동 · 청소년대상 디지털 성범죄의 수사 특례】** ① 사법경찰관리는 다음 각 호의 어느 하나에 해당하는 범죄(이하 "디지털 성범죄"라 한다)에 대하여 신분을 비공개하고 범죄현장(정보통신망을 포함한다) 또는 범인으로 추정되는 자들에게 접근하여 범죄행위의 증거 및 자료 등을 수집(이하 "신분비공개수사"라 한다)할 수 있다.
> 1. 제11조(➜ 성착취물 제작 · 유포 등) 및 제15조의2(➜ 성착취 목적 대화 등)의 죄
> 2. 아동 · 청소년에 대한 「성폭력범죄의 처벌 등에 관한 특례법」 제14조 제2항 및 제3항의 죄 ➜ 카메라 이용 촬영물 · 복제물 등 반포 등 + 영리목적

③ [○]

> **아동 · 청소년의 성보호에 관한 법률 제25조의3【아동 · 청소년대상 디지털 성범죄 수사 특례의 절차】** ③ 사법경찰관리는 신분위장수사를 하려는 경우에는 검사에게 신분위장수사에 대한 허가를 신청하고, 검사는 법원에 그 허가를 청구한다.
>
> **아동 · 청소년의 성보호에 관한 법률 제25조의4【아동 · 청소년대상 디지털 성범죄에 대한 긴급 신분위장수사】** ① 사법경찰관리는 제25조의2 제2항의 요건을 구비하고, 제25조의3 제3항부터 제8항까지에 따른 절차를 거칠 수 없는 긴급을 요하는 때에는 법원의 허가 없이 신분위장수사를 할 수 있다
> ② 사법경찰관리는 제1항에 따른 신분위장수사 개시 후 지체 없이 검사에게 허가를 신청하여야 하고, 사법경찰관리는 48시간 이내에 법원의 허가를 받지 못한 때에는 즉시 신분위장수사를 중지하여야 한다.

④ [○]

> **아동 · 청소년의 성보호에 관한 법률 제25조의6【국가경찰위원회와 국회의 통제】** ① 「국가경찰과 자치경찰의 조직 및 운영에 관한 법률」 제16조 제1항에 따른 국가수사본부장(이하 "국가수사본부장"이라 한다)은 신분비공개수사가 종료된 즉시 대통령령으로 정하는 바에 따라 같은 법 제7조 제1항에 따른 국가경찰위원회에 수사 관련 자료를 보고하여야 한다.
> ② 국가수사본부장은 대통령령으로 정하는 바에 따라 국회 소관 상임위원회에 신분비공개수사 관련 자료를 반기별로 보고하여야 한다.

04 실종아동 보호

065 「실종아동등 및 가출인 업무처리 규칙」상 규정된 용어에 대한 설명 중 가장 적절하지 않은 것은?

[2018 채용 3차]

① '가출인'이란 신고 당시 보호자로부터 이탈된 18세 이상의 사람을 말한다.

② '장기실종아동등'이란 보호자로부터 신고를 접수한 지 48시간이 경과한 후에도 발견되지 않은 찾는실종아동등을 말한다.

③ '보호실종아동등'이란 보호자가 확인되어 경찰관이 보호하고 있는 실종아동등을 말한다.

④ '발견지'란 실종아동등 또는 가출인을 발견하여 보호 중인 장소를 말하며, 발견한 장소와 보호 중인 장소가 서로 다른 경우에는 보호 중인 장소를 말한다.

정답 및 해설 I ③

③ [×] 보호자가 '확인되지 않아' 경찰관이 보호하고 있는 아동이다.

> 예규 실종아동등 및 가출인 업무처리 규칙 제2조【정의】이 규칙에서 사용하는 용어의 뜻은 다음과 같다.
> 4. "**보호실종아동등**"이란 보호자가 확인되지 않아 경찰관이 보호하고 있는 실종아동등을 말한다. ➜ 보호자 파악 ×, 아동 파악 ○

①② [○]

> 예규 실종아동등 및 가출인 업무처리 규칙 제2조【정의】이 규칙에서 사용하는 용어의 뜻은 다음과 같다.
> 5. "**장기실종아동등**"이란 보호자로부터 신고를 접수한 지 48시간이 경과한 후에도 발견되지 않은 찾는실종아동등을 말한다.
> 6. "**가출인**"이란 신고 당시 보호자로부터 이탈된 18세 이상의 사람을 말한다.

④ [○]

> 예규 실종아동등 및 가출인 업무처리 규칙 제2조【정의】이 규칙에서 사용하는 용어의 뜻은 다음과 같다.
> 8. "**발견지**"란 실종아동등 또는 가출인을 발견하여 보호 중인 장소를 말하며, 발견한 장소와 보호 중인 장소가 서로 다른 경우에는 보호 중인 장소를 말한다.

066 「실종아동 등 및 가출인 업무처리 규칙」상 다음 설명으로 가장 적절한 것은? [2017 실무 2]

① '보호실종아동등'이란 보호자가 확인되어 경찰관이 보호하고 있는 실종아동등을 말한다.

② '장기실종아동등'이란 보호자로부터 신고를 접수한 지 24시간이 경과한 후에도 발견되지 않은 찾는실종아동등을 말한다.

③ '가출인'이란 신고 당시 보호자로부터 이탈된 18세 미만의 사람을 말한다.

④ '찾는실종아동등'이란 보호자가 찾고 있는 실종아동등을 말한다.

정답 및 해설 I ④

④ [○]

> 예규 실종아동등 및 가출인 업무처리 규칙 제2조【정의】이 규칙에서 사용하는 용어의 뜻은 다음과 같다.
> 3. "**찾는실종아동등**"이란 보호자가 찾고 있는 실종아동등을 말한다. ➜ 보호자 파악 ○, 아동파악 ×
> 4. "**보호실종아동등**"이란 보호자가 확인되지 않아 경찰관이 보호하고 있는 실종아동등을 말한다. ➜ 보호자 파악 ×, 아동파악 ○
> 5. "**장기실종아동등**"이란 보호자로부터 신고를 접수한 지 48시간이 경과한 후에도 발견되지 않은 찾는실종아동등을 말한다.
> 6. "**가출인**"이란 신고 당시 보호자로부터 이탈된 18세 이상의 사람을 말한다.

① [×] 보호자가 '확인되지 않아' 경찰관이 보호하고 있는 실종아동등이다.
② [×] 24시간이 아니라 '48시간'이다.
③ [×] 18세 미만이 아니라 '18세 이상'이다.

067 「실종아동등의 보호 및 지원에 관한 법률」과 「실종아동 등 및 가출인 업무처리 규칙」상 용어의 설명으로 가장 적절한 것은? [2017 채용 1차]

① '아동등'이란 실종신고 당시 18세 미만인 아동, 「장애인복지법」 제2조의 장애인 중 지적장애인, 자폐성장애인 또는 정신장애인 및 「치매관리법」 제2조 제2호의 치매환자를 말한다.
② '발생지'란 실종아동등 및 가출인이 실종 · 가출 전 최종적으로 목격되었거나 목격되었을 것으로 추정하여 신고자 등이 진술한 장소를 말하며, 신고자 등이 최종 목격 장소를 진술하지 못하거나, 목격되었을 것으로 추정되는 장소가 대중교통시설 등일 경우 또는 실종 · 가출 발생 후 10일이 경과한 때에는 실종아동등 및 가출인의 실종 전 최종 주거지를 말한다.
③ '발견지'란 실종아동등 또는 가출인을 발견하여 보호 중인 장소를 말하며, 발견한 장소와 보호 중인 장소가 서로 다른 경우에는 발견한 장소를 말한다.
④ '장기실종아동등'이란 보호자로부터 신고를 접수한 지 48시간이 경과한 후에도 발견되지 않은 찾는실종아동등을 말한다.

정답 및 해설 I ④

④ [○]

> 예규 **실종아동등 및 가출인 업무처리 규칙 제2조【정의】** 이 규칙에서 사용하는 용어의 뜻은 다음과 같다.
> 5. **"장기실종아동등"**이란 보호자로부터 신고를 접수한 지 48시간이 경과한 후에도 발견되지 않은 찾는실종아동등을 말한다.

① [×] 실종신고 당시가 아니라 '실종 당시' 18세 미만인 아동을 말한다.

> **실종아동법 제2조【정의】** 이 법에서 사용하는 용어의 정의는 다음과 같다.
> 1. **"아동등"**이란 다음 각 목의 어느 하나에 해당하는 사람을 말한다.
> 가. 실종 당시 18세 미만인 아동
> 나. 「장애인복지법」 제2조의 장애인 중 **지적장애인, 자폐성장애인** 또는 **정신장애인**
> 다. 「치매관리법」 제2조 제2호의 **치매환자**

② [×] 10일이 아니라 '1개월'이 경과한 때이다.

> 예규 **실종아동등 및 가출인 업무처리 규칙 제2조【정의】** 이 규칙에서 사용하는 용어의 뜻은 다음과 같다.
> 7. **"발생지"**란 실종아동등 및 가출인이 실종 · 가출 전 최종적으로 목격되었거나 목격되었을 것으로 추정하여 신고자 등이 진술한 장소를 말하며, 신고자 등이 최종 목격 장소를 진술하지 못하거나, 목격되었을 것으로 추정되는 장소가 대중교통시설 등일 경우 또는 실종 · 가출 발생 후 1개월이 경과한 때에는 **실종아동등 및 가출인의 실종 전 최종 주거지**를 말한다.

③ [×] 발견한 장소와 보호 중인 장소가 서로 다를 경우 '보호 중인 장소'를 말한다.

> 예규 **실종아동등 및 가출인 업무처리 규칙 제2조【정의】** 이 규칙에서 사용하는 용어의 뜻은 다음과 같다.
> 8. **"발견지"**란 실종아동등 또는 가출인을 발견하여 **보호 중인 장소**를 말하며, 발견한 장소와 보호 중인 장소가 서로 다른 경우에는 보호 중인 장소를 말한다.

068 「실종아동등의 보호 및 지원에 관한 법률」과「실종아동등 및 가출인 업무처리 규칙」상 용어의 설명으로 가장 적절한 것은? [2014 승진(경위)]

① 실종신고 당시 18세 미만의 아동은 법상 '아동등'에 해당한다.
② '장기실종아동등'이란, 보호자로부터 신고를 접수한 지 24시간이 경과하도록 발견하지 못한 찾는 실종아동등을 말한다.
③ '가출인'은 신고 당시 보호자로부터 이탈된 19세 이상의 사람을 말한다.
④ '발견지'는 실종아동등 또는 가출인을 발견하여 보호 중인 장소를 말하며, 발견한 장소와 보호 중인 장소가 서로 다른 경우 보호 중인 장소를 말한다.

정답 및 해설 I ④

④ [○]

> 예규 실종아동등 및 가출인 업무처리 규칙 제2조【정의】이 규칙에서 사용하는 용어의 뜻은 다음과 같다.
> 8. "**발견지**"란 실종아동등 또는 가출인을 발견하여 보호 중인 장소를 말하며, 발견한 장소와 보호 중인 장소가 서로 다른 경우에는 보호 중인 장소를 말한다.

① [×] 실종신고 당시가 아니라 '실종' 당시이다.

> 실종아동법 제2조【정의】이 법에서 사용하는 용어의 정의는 다음과 같다.
> 1. "**아동등**"이란 다음 각 목의 어느 하나에 해당하는 사람을 말한다.
> 가. 실종 당시 18세 미만인 아동

② [×] 48시간이다.

> 예규 실종아동등 및 가출인 업무처리 규칙 제2조【정의】이 규칙에서 사용하는 용어의 뜻은 다음과 같다.
> 5. "**장기실종아동등**"이란 보호자로부터 신고를 접수한 지 48시간이 경과한 후에도 발견되지 않은 찾는실종아동등을 말한다.

③ [×] 18세 이상의 사람을 말한다.

> 예규 실종아동등 및 가출인 업무처리 규칙 제2조【정의】이 규칙에서 사용하는 용어의 뜻은 다음과 같다.
> 6. "**가출인**"이란 신고 당시 보호자로부터 이탈된 18세 이상의 사람을 말한다.

069 「실종아동등의 보호 및 지원에 관한 법률」과 「실종아동등 및 가출인 업무처리 규칙」에 규정된 용어의 설명으로 가장 적절하지 않은 것은? [2017 승진(경위)]

① 「실종아동등의 보호 및 지원에 관한 법률」상 '실종아동등'이란 약취 · 유인 또는 유기되거나 사고를 당하거나 가출하거나 길을 잃는 등의 사유로 인하여 보호자로부터 이탈된 아동등을 말한다.
② 「실종아동등 및 가출인 업무처리 규칙」상 '장기실종아동등'이란 보호자로부터 신고를 접수한 지 48시간이 경과한 후에도 발견되지 않은 찾는실종아동등을 말한다.
③ 「실종아동등 가출인 업무처리 규칙」상 '발생지'란 실종아동등 및 가출인이 실종 · 가출 전 최종적으로 목격되었거나 목격되었을 것으로 추정하여 신고자 등이 진술한 장소를 말하며, 신고자 등이 최종 목격 장소를 진술하지 못하거나, 목격되었을 것으로 추정되는 장소가 대중교통시설 등일 경우 또는 실종 · 가출 발생 후 1개월이 경과한 때에는 실종아동등 및 가출인의 실종 전 최종 주거지를 말한다.
④ 「실종아동등 및 가출인 업무처리 규칙」상 '발견지'란 실종아동등 또는 가출인을 발견하여 보호 중인 장소를 말하며, 발견한 장소와 보호 중인 장소가 서로 다른 경우에는 발견한 장소를 말한다.

정답 및 해설 I ④

④ [×] 발견한 장소와 보호 중인 장소가 서로 다른 경우 보호 중인 장소를 말한다. / ③ [○]

> 예규 **실종아동등 및 가출인 업무처리 규칙 제2조【정의】** 이 규칙에서 사용하는 용어의 뜻은 다음과 같다.
> 7. **"발생지"**란 실종아동등 및 가출인이 실종 · 가출 전 최종적으로 목격되었거나 목격되었을 것으로 추정하여 신고자 등이 진술한 장소를 말하며, 신고자 등이 최종 목격 장소를 진술하지 못하거나, 목격되었을 것으로 추정되는 장소가 대중교통시설 등일 경우 또는 실종 · 가출 발생 후 1개월이 경과한 때에는 실종아동등 및 가출인의 실종 전 최종 주거지를 말한다.
> 8. **"발견지"**란 실종아동등 또는 가출인을 발견하여 보호 중인 장소를 말하며, 발견한 장소와 보호 중인 장소가 서로 다른 경우에는 보호 중인 장소를 말한다.

① [○]

> **실종아동법 제2조【정의】** 이 법에서 사용하는 용어의 정의는 다음과 같다.
> 2. **"실종아동등"**이란 약취 · 유인 또는 유기되거나 사고를 당하거나 가출하거나 길을 잃는 등의 사유로 인하여 보호자로부터 이탈된 아동등을 말한다.

② [○]

> 예규 **실종아동등 및 가출인 업무처리 규칙 제2조【정의】** 이 규칙에서 사용하는 용어의 뜻은 다음과 같다.
> 5. **"장기실종아동등"**이란 보호자로부터 신고를 접수한 지 48시간이 경과한 후에도 발견되지 않은 찾는실종아동등을 말한다.

070 「실종아동등의 보호 및 지원에 관한 법률」과 「실종아동등 및 가출인 업무처리 규칙」상 용어에 대한 설명으로 가장 적절하지 않은 것은?

[2018 실무 2]

① '실종아동등'이란 약취(略取) · 유인(誘引) 또는 유기(遺棄)되거나 사고를 당하거나 가출하거나 길을 잃는 등의 사유로 인하여 보호자로부터 이탈(離脫)된 아동등을 말한다.

② '보호시설'이란 「사회복지사업법」 제2조 제4호에 따른 사회복지시설 및 인가 · 신고 등이 없이 아동등을 보호하는 시설로서 사회복지시설에 준하는 시설을 말한다.

③ '장기실종아동등'이란 보호자로부터 신고를 접수한 지 48시간이 경과한 후에도 발견되지 않은 찾는실종아동등을 말한다.

④ '발견지'란 실종아동등 및 가출인이 실종 · 가출 전 최종적으로 목격되었거나 목격되었을 것으로 추정하여 신고자 등이 진술한 장소를 말한다.

정답 및 해설 I ④

④ [×] 지문은 발생지에 대한 설명이다.

> 예규 **실종아동등 및 가출인 업무처리 규칙 제2조【정의】** 이 규칙에서 사용하는 용어의 뜻은 다음과 같다.
> 7. **"발생지"**란 실종아동등 및 가출인이 실종 · 가출 전 최종적으로 목격되었거나 목격되었을 것으로 추정하여 신고자 등이 진술한 장소를 말하며, 신고자 등이 최종 목격 장소를 진술하지 못하거나, 목격되었을 것으로 추정되는 장소가 대중교통시설 등일 경우 또는 실종 · 가출 발생 후 1개월이 경과한 때에는 실종아동등 및 가출인의 실종 전 최종 주거지를 말한다.
> 8. **"발견지"**란 실종아동등 또는 가출인을 발견하여 보호 중인 장소를 말하며, 발견한 장소와 보호 중인 장소가 서로 다른 경우에는 보호 중인 장소를 말한다.

①② [○]

> **실종아동법 제2조【정의】** 이 법에서 사용하는 용어의 정의는 다음과 같다.
> 2. **"실종아동등"**이란 약취 · 유인 또는 유기되거나 사고를 당하거나 가출하거나 길을 잃는 등의 사유로 인하여 보호자로부터 이탈된 아동등을 말한다.
> 4. **"보호시설"**이란 「사회복지사업법」 제2조 제4호에 따른 사회복지시설 및 인가 · 신고 등이 없이 아동등을 보호하는 시설로서 사회복지시설에 준하는 시설을 말한다.

③ [○]

> 예규 실종아동등 및 가출인 업무처리 규칙 제2조 【정의】 이 규칙에서 사용하는 용어의 뜻은 다음과 같다.
> 5. "**장기실종아동등**"이란 보호자로부터 신고를 접수한 지 48시간이 경과한 후에도 발견되지 않은 찾는실종아동등을 말한다.

071 「실종아동등의 보호 및 지원에 관한 법률」과 「실종아동등 및 가출인 업무처리 규칙」상 용어에 대한 설명으로 가장 적절한 것은? [2020 실무 2]

① '실종아동등'이란 신고 당시 18세 미만인 아동을 말한다.

② '보호시설'이란 「사회복지사업법」 제2조 제4호에 따른 사회복지시설 및 인가 · 신고 등이 없이 아동등을 보호하는 시설로서 사회복지시설에 준하는 시설을 말한다.

③ '장기실종아동등'이란 보호자로부터 신고를 접수한 지 24시간이 경과한 후에도 발견되지 않은 찾는실종아동등을 말한다.

④ '발생지'란 실종아동등 또는 가출인을 발견하여 보호 중인 장소를 말하며, 발견한 장소와 보호 중인 장소가 서로 다른 경우에는 보호 중인 장소를 말한다.

정답 및 해설 | ②

② [○]

> 실종아동법 제2조 【정의】 이 법에서 사용하는 용어의 정의는 다음과 같다.
> 4. "**보호시설**"이란 「사회복지사업법」 제2조 제4호에 따른 사회복지시설 및 인가 · 신고 등이 없이 아동등을 보호하는 시설로서 사회복지시설에 준하는 시설을 말한다.

① [×] 실종 당시가 기준이다.

> 실종아동법 제2조 【정의】 이 법에서 사용하는 용어의 정의는 다음과 같다.
> 1. "**아동등**"이란 다음 각 목의 어느 하나에 해당하는 사람을 말한다.
>   가. 실종 당시 18세 미만인 아동
> 2. "**실종아동등**"이란 약취 · 유인 또는 유기되거나 사고를 당하거나 가출하거나 길을 잃는 등의 사유로 인하여 보호자로부터 이탈된 아동등을 말한다.

③ [×] 48시간이다.

> 예규 실종아동등 및 가출인 업무처리 규칙 제2조 【정의】 이 규칙에서 사용하는 용어의 뜻은 다음과 같다.
> 5. "**장기실종아동등**"이란 보호자로부터 신고를 접수한 지 48시간이 경과한 후에도 발견되지 않은 찾는실종아동등을 말한다.

④ [×] 지문은 '발견지'에 대한 설명이다.

> 예규 실종아동등 및 가출인 업무처리 규칙 제2조 【정의】 이 규칙에서 사용하는 용어의 뜻은 다음과 같다.
> 8. "**발견지**"란 실종아동등 또는 가출인을 발견하여 보호 중인 장소를 말하며, 발견한 장소와 보호 중인 장소가 서로 다른 경우에는 보호 중인 장소를 말한다.

072 「실종아동등의 보호 및 지원에 관한 법률」과 「실종아동등 및 가출인 업무처리 규칙」상 규정된 용어에 대한 설명으로 가장 적절한 것은? [2017 승진(경감)]

① 「실종아동등의 보호 및 지원에 관한 법률」상 '보호시설'이란 「사회복지사업법」 제2조 제4호에 따른 사회복지시설을 말하고, 인가 · 신고 등이 없이 아동등을 보호하는 시설로서 사회복지시설에 준하는 시설은 해당하지 아니한다.

② 「실종아동등 및 가출인 업무처리 규칙」상 '발생지'란 실종아동등 또는 가출인을 발견하여 보호 중인 장소를 말하며, 발견한 장소와 보호 중인 장소가 서로 다른 경우에는 보호 중인 장소를 말한다.

③ 「실종아동등의 보호 및 지원에 관한 법률」상 '실종아동등'이란 약취 · 유인 또는 유기되거나 사고를 당하거나 가출하거나 길을 잃는 등의 사유로 인하여 보호자로부터 이탈된 아동등을 말한다.

④ 「실종아동등의 보호 및 지원에 관한 법률」상 '아동등'은 신고 당시 18세 미만인 아동과 「장애인복지법」 제2조의 장애인 중 지적장애인 · 자폐성장애인 또는 정신장애인, 「치매관리법」 제2조 제2호의 치매환자를 말한다.

정답 및 해설 | ③

③ [○]

> **실종아동법 제2조【정의】** 이 법에서 사용하는 용어의 정의는 다음과 같다.
> 2. **"실종아동등"**이란 약취 · 유인 또는 유기되거나 사고를 당하거나 가출하거나 길을 잃는 등의 사유로 인하여 보호자로부터 이탈된 아동등을 말한다.

① [×] 인가 · 신고 등이 없이 보호하는 시설도 포함된다.

> **실종아동법 제2조【정의】** 이 법에서 사용하는 용어의 정의는 다음과 같다.
> 4. **"보호시설"**이란 「사회복지사업법」 제2조 제4호에 따른 사회복지시설 및 인가 · 신고 등이 없이 아동등을 보호하는 시설로서 사회복지시설에 준하는 시설을 말한다.

② [×] 지문은 '발견지'에 대한 설명이다.

> 예규 **실종아동등 및 가출인 업무처리 규칙 제2조【정의】** 이 규칙에서 사용하는 용어의 뜻은 다음과 같다.
> 8. **"발견지"**란 실종아동등 또는 가출인을 발견하여 보호 중인 장소를 말하며, 발견한 장소와 보호 중인 장소가 서로 다른 경우에는 보호 중인 장소를 말한다.

④ [×] 신고 당시 18세 미만이 아니라 '실종 당시' 18세 미만인 아동을 말한다.

> **실종아동법 제2조【정의】** 이 법에서 사용하는 용어의 정의는 다음과 같다.
> 1. **"아동등"**이란 다음 각 목의 어느 하나에 해당하는 사람을 말한다.
> 가. 실종 당시 18세 미만인 아동
> 나. 「장애인복지법」 제2조의 장애인 중 지적장애인, 자폐성장애인 또는 정신장애인
> 다. 「치매관리법」 제2조 제2호의 치매환자

073 「실종아동등의 보호 및 지원에 관한 법률」에 대한 설명으로 가장 적절한 것은? [2019 승진(경감)]

① 경찰관서의 장은 실종아동등의 발생 신고를 접수하면 24시간 내에 수색 또는 수사의 실시 여부를 결정하여야 한다.

② 경찰관서의 장은 실종아동등(범죄로 인한 경우 포함)의 조속한 발견을 위하여 필요한 때에는 위치정보의 보호 및 이용에 관한 법률에 따른 개인위치정보사업자에게 실종아동등의 개인위치정보의 제공을 요청할 수 있다.

③ 업무에 관계없이 아동을 보호하는 자는 신고의무자에 해당한다.

④ '아동등'은 실종 당시 18세 미만인 아동과 장애인복지법 제2조의 장애인 중 지적장애인 · 자폐성장애인 또는 정신장애인 · 치매관리법 제2조 제2호의 치매환자를 말한다.

정답 및 해설 I ④

④ [○]

> **실종아동법 제2조【정의】** 이 법에서 사용하는 용어의 정의는 다음과 같다.
> 1. "**아동등**"이란 다음 각 목의 어느 하나에 해당하는 사람을 말한다.
>   가. 실종 당시 18세 미만인 아동
>   나. 「장애인복지법」 제2조의 장애인 중 지적장애인, 자폐성장애인 또는 정신장애인
>   다. 「치매관리법」 제2조 제2호의 치매환자

① [×] 지체 없이 결정하여야 한다.

> **실종아동법 제9조【수색 또는 수사의 실시 등】** ① 경찰관서의 장은 실종아동등의 발생 신고를 접수하면 지체 없이 수색 또는 수사의 실시 여부를 결정하여야 한다.

② [×] 범죄로 인한 경우는 제외된다.

> **실종아동법 제9조【수색 또는 수사의 실시 등】** ② 경찰관서의 장은 실종아동등(범죄로 인한 경우를 제외한다. 이하 이 조에서 같다)의 조속한 발견을 위하여 필요한 때에는 다음 각 호의 어느 하나에 해당하는 자에게 실종아동등의 위치 확인에 필요한 … 개인위치정보, … 인터넷주소 및 … 통신사실확인자료(이하 "개인위치정보등"이라 한다)의 제공을 요청할 수 있다. 이 경우 경찰관서의 장의 요청을 받은 자는 「통신비밀보호법」 제3조에도 불구하고 정당한 사유가 없으면 이에 따라야 한다.

③ [×] 신고의무를 부담하는 자들은 주로 보호시설이나 아동 관련 업무 내지 의료업에 종사하는 자들로 법에 열거되어 있다. 즉, 신고의무를 부담하는 자들은 자신의 업무과 관련하여 신고의무를 부담하는 것이다.

> **실종아동법 제6조【신고의무 등】** ① 다음 각 호의 어느 하나에 해당하는 사람은 그 직무를 수행하면서 실종아동등임을 알게 되었을 때에는 제3조 제2항 제1호에 따라 경찰청장이 구축하여 운영하는 신고체계(이하 "경찰신고체계"라 한다)로 지체 없이 신고하여야 한다.
> 1. 보호시설의 장 또는 그 종사자
> 2. 「아동복지법」 제13조에 따른 아동복지전담공무원
> 3. 「청소년 보호법」 제35조에 따른 청소년 보호 · 재활센터의 장 또는 그 종사자
> 4. 「사회복지사업법」 제14조에 따른 사회복지전담공무원
> 5. 「의료법」 제3조에 따른 의료기관의 장 또는 의료인
> 6. 업무 · 고용 등의 관계로 사실상 아동등을 보호 · 감독하는 사람

074 「실종아동등의 보호 및 지원에 관한 법률」 및 「실종아동등 및 가출인 업무처리 규칙」에 대한 설명 중 가장 적절한 것은? [2020 승진(경위)]

① 「실종아동등 및 가출인 업무처리 규칙」상 '장기실종아동등'이란 실종된 지 48시간이 경과한 후에도 발견되지 않은 찾는실종아동등을 말한다.

② 「실종아동등의 보호 및 지원에 관한 법률」상 「의료법」 제3조에 따른 의료기관의 장 또는 의료인은 신고의무자에 해당한다.

③ 「실종아동등 및 가출인 업무처리 규칙」 제7조 제2항에 따라 보호시설 무연고자는 실종아동등 프로파일링시스템에 입력하지 않을 수 있다.

④ 「실종아동등의 보호 및 지원에 관한 법률」상 '아동등'이란 약취 · 유인 또는 유기되거나 사고를 당하거나 길을 잃는 등의 사유로 인하여 보호자로부터 이탈된 아동등을 말한다.

정답 및 해설 I ②

② [○]

> **실종아동법 제6조 【신고의무 등】** ① 다음 각 호의 어느 하나에 해당하는 사람은 그 직무를 수행하면서 실종아동등임을 알게 되었을 때에는 제3조 제2항 제1호에 따라 경찰청장이 구축하여 운영하는 신고체계(이하 "경찰신고체계"라 한다)로 지체 없이 신고하여야 한다.
> 5. 「의료법」 제3조에 따른 의료기관의 장 또는 의료인

① [×] 신고를 접수한 지 48시간이다.

> 예규 **실종아동등 및 가출인 업무처리 규칙 제2조 【정의】** 이 규칙에서 사용하는 용어의 뜻은 다음과 같다.
> 5. **"장기실종아동등"**이란 보호자로부터 신고를 접수한 지 48시간이 경과한 후에도 발견되지 않은 찾는실종아동등을 말한다.

③ [×] 보호시설 무연고자는 실종아동등 프로파일링시스템 입력대상에 해당한다.

> 예규 **실종아동등 및 가출인 업무처리 규칙 제7조 【정보시스템 입력 대상 및 정보 관리】** ① 실종아동등 프로파일링시스템에 입력하는 대상은 다음 각 호와 같다.
> 1. 실종아동등
> 2. 가출인
> 3. 보호시설 입소자 중 보호자가 확인되지 않는 사람(이하 "보호시설 무연고자"라 한다)

④ [×] 지문은 '실종아동등'에 대한 설명이다.

> **실종아동법 제2조 【정의】** 이 법에서 사용하는 용어의 정의는 다음과 같다.
> 2. **"실종아동등"**이란 약취 · 유인 또는 유기되거나 사고를 당하거나 가출하거나 길을 잃는 등의 사유로 인하여 보호자로부터 이탈된 아동등을 말한다.

075 「실종아동등 및 가출인 업무처리 규칙」에 관한 설명 중 가장 적절하지 않은 것은? [2014 승진(경감)]

① '보호시설 입소자 중 보호자가 확인되지 않는 사람'은 실종아동등 프로파일링시스템 입력대상이다.

② 경찰관서의 장은 실종아동등 또는 가출인에 대한 신고를 접수한 후 신고대상자가 '보호자가 가출시 동행한 실종아동등'에 해당하는 경우에는 신고 내용을 실종아동등 프로파일링 시스템에 입력하지 않을 수 있다.

③ '장기실종아동등'이란 보호자로부터 신고를 접수한 지 48시간이 경과한 후에도 발견되지 않은 찾는실종아동등을 말한다.

④ 실종아동등 신고는 전화, 서면, 구술 등의 방법으로 실종아동등 주거지 관할 경찰서에서만 접수할 수 있다.

정답 및 해설 I ④

④ [×] 관할에 관계없이 접수한다.

> 예규 실종아동등 및 가출인 업무처리 규칙 제10조【신고 접수】① 실종아동등 신고는 관할에 관계 없이 실종아동찾기센터, 각 시·도경찰청 및 경찰서에서 전화, 서면, 구술 등의 방법으로 접수하며, 신고를 접수한 경찰관은 범죄와의 관련 여부 등을 확인해야 한다.

① [○]

> 예규 실종아동등 및 가출인 업무처리 규칙 제7조【정보시스템 입력 대상 및 정보 관리】① 실종아동등 프로파일링시스템에 입력하는 대상은 다음 각 호와 같다.
> 1. 실종아동등
> 2. 가출인
> 3. 보호시설 입소자 중 보호자가 확인되지 않는 사람(이하 "보호시설 무연고자"라 한다)

② [○]

> 예규 실종아동등 및 가출인 업무처리 규칙 제7조【정보시스템 입력 대상 및 정보 관리】② 경찰관서의 장은 실종아동등 또는 가출인에 대한 신고를 접수한 후 신고대상자가 다음 각 호의 어느 하나에 해당하는 경우에는 신고 내용을 실종아동등 프로파일링시스템에 입력하지 않을 수 있다.
> 1. 채무관계 해결, 형사사건 당사자 소재 확인 등 실종아동등 및 가출인 발견 외 다른 목적으로 신고된 사람
> 2. 수사기관으로부터 지명수배 또는 지명통보된 사람
> 3. 허위로 신고된 사람
> 4. 보호자가 가출 시 동행한 아동등
> 5. 그 밖에 신고 내용을 종합하였을 때 명백히 제1항에 따른 입력 대상이 아니라고 판단되는 사람

③ [○]

> 예규 실종아동등 및 가출인 업무처리 규칙 제2조【정의】이 규칙에서 사용하는 용어의 뜻은 다음과 같다.
> 5. "장기실종아동등"이란 보호자로부터 신고를 접수한 지 48시간이 경과한 후에도 발견되지 않은 찾는실종아동등을 말한다.

076 「실종아동등의 보호 및 지원에 관한 법률」 및 「실종아동등 및 가출인 업무처리 규칙」에 대한 설명으로 가장 적절한 것은?

[2019 승진(경위)]

① 실종아동등 및 가출인 업무처리 규칙상 '국가경찰 수사 범죄'란 「자치경찰사무와 시·도자치경찰위원회의 조직 및 운영 등에 관한 규정」 제3조 제1호부터 제5호까지 또는 제6호 나목의 범죄를 말한다.

② 실종아동등의 보호 및 지원에 관한 법률상 '보호자'란 친권자, 후견인, 보호시설의 장이나 그 밖에 다른 법률에 따라 아동등을 보호 또는 부양할 의무가 있는 자를 말한다.

③ 경찰관서의 장은 실종아동등(범죄로 인한 경우를 포함한다)의 조속한 발견을 위하여 필요한 때에는 개인위치정보사업자에게 실종아동등의 개인위치정보의 제공을 요청할 수 있다.

④ 보호시설의 장 또는 그 종사자는 그 직무를 수행하면서 실종아동등임을 알게 되었을 때에는 경찰청장이 구축하여 운영하는 신고체계로 지체 없이 신고하여야 한다.

정답 및 해설 I ④

④ [○]

> 실종아동법 제6조【신고의무 등】① 다음 각 호의 어느 하나에 해당하는 사람은 그 직무를 수행하면서 실종아동등임을 알게 되었을 때에는 제3조 제2항 제1호에 따라 경찰청장이 구축하여 운영하는 신고체계(이하 "경찰신고체계"라 한다)로 지체 없이 신고하여야 한다.
> 1. 보호시설의 장 또는 그 종사자

① [×] 열거된 조문의 범죄가 '아닌 범죄'를 말한다.

예규 실종아동등 및 가출인 업무처리 규칙 제2조【정의】이 규칙에서 사용하는 용어의 뜻은 다음과 같다.
9. "**국가경찰 수사 범죄**"란 「자치경찰사무와 시·도자치경찰위원회의 조직 및 운영 등에 관한 규정」 제3조 제1호부터 제5호까지 또는 제6호 나목의 범죄가 아닌 범죄를 말한다. ➜ 학교폭력 등 소년범죄, 가정폭력 및 아동학대범죄, 교통사고 및 교통 관련 범죄, 형법상 공연음란 등, 경범죄 및 기초질서 관련 범죄 등이 아닌 범죄

② [×] 보호시설의 장이나 종사자는 보호자에서 제외된다.

실종아동법 제2조【정의】이 법에서 사용하는 용어의 정의는 다음과 같다.
3. "**보호자**"란 친권자, 후견인이나 그 밖에 다른 법률에 따라 아동등을 보호하거나 부양할 의무가 있는 사람을 말한다. 다만, 제4호의 보호시설의 장 또는 종사자는 제외한다.

③ [×] 범죄로 인한 경우는 제외한다.

실종아동법 제9조【수색 또는 수사의 실시 등】① 경찰관서의 장은 실종아동등의 발생 신고를 접수하면 지체 없이 수색 또는 수사의 실시 여부를 결정하여야 한다. [2015 승진(경위), 2017 경간]
② 경찰관서의 장은 실종아동등(범죄로 인한 경우를 제외한다. 이하 이 조에서 같다)의 조속한 발견을 위하여 필요한 때에는 다음 각 호의 어느 하나에 해당하는 자에게 실종아동등의 위치 확인에 필요한 … 개인위치정보, … 인터넷주소 및 … 통신사실확인자료(이하 "개인위치정보등"이라 한다)의 제공을 요청할 수 있다. 이 경우 경찰관서의 장의 요청을 받은 자는 「통신비밀보호법」 제3조에도 불구하고 정당한 사유가 없으면 이에 따라야 한다.
1. 「위치정보의 보호 및 이용 등에 관한 법률」 제5조 제7항에 따른 개인위치정보사업자
예 삼성전자, 구글코리아, LG전자, 한국교통공단 등 2021.12.31. 기준 285개 업체등록

077 「실종아동등 및 가출인 업무처리 규칙」에 관한 내용으로 가장 적절하지 않은 것은? [2015 승진(경감)]

① 실종아동등 또는 가출인에 대한 신고를 접수한 경찰관은 보호자가 요청하는 경우에는 신고접수증을 발급할 수 있다.
② 실종아동등 신고 접수는 관할 경찰서에서만 가능하다.
③ 경찰관서의 장은 본인 또는 보호자의 동의를 받아 실종아동등 프로파일링시스템에서 데이터베이스로 관리하는 실종아동등 및 보호시설 무연고자 자료를 실종아동찾기센터 홈페이지(인터넷 안전드림)에 공개할 수 있다.
④ 경찰관서의 장은 실종아동등에 대하여 현장 탐문 및 수색 후 그 결과를 즉시 보호자에게 통보하여야 한다.

정답 및 해설 | ②

② [×] 관할에 관계없이 신고가 가능하다.

예규 실종아동등 및 가출인 업무처리 규칙 제10조【신고 접수】① 실종아동등 신고는 관할에 관계 없이 실종아동찾기센터, 각 시·도경찰청 및 경찰서에서 전화, 서면, 구술 등의 방법으로 접수하며, 신고를 접수한 경찰관은 범죄와의 관련 여부 등을 확인해야 한다.

① [○]

예규 실종아동등 및 가출인 업무처리 규칙 제7조【정보시스템 입력 대상 및 정보 관리】⑥ 실종아동등 또는 가출인에 대한 신고를 접수하거나, 실종아동등 프로파일링시스템에 신고 내용이 입력되어 있는 것을 확인한 경찰관은 보호자가 요청하는 경우에는 별지 제1호서식의 신고접수증을 발급할 수 있다.

③ [○]

예규 실종아동등 및 가출인 업무처리 규칙 제6조【정보시스템의 운영】① 경찰청 생활안전국장은 법 제8조의2 제1항에 따른 정보시스템으로 실종아동등 프로파일링시스템 및 실종아동찾기센터 홈페이지(이하 "인터넷 안전드림"이라 한다)를 운영한다.

예규 실종아동등 및 가출인 업무처리 규칙 제7조【정보시스템 입력 대상 및 정보 관리】④ 경찰관서의 장은 본인 또는 보호자의 동의를 받아 실종아동등 프로파일링시스템에서 데이터베이스로 관리하는 실종아동등 및 보호시설 무연고자 자료를 인터넷 안전드림에 공개할 수 있다.

④ [○]

> 예규 실종아동등 및 가출인 업무처리 규칙 제11조【신고에 대한 조치 등】⑤ 경찰관서의 장은 실종아동등에 대하여 제18조의 현장 탐문 및 수색 후 그 결과를 즉시 보호자에게 통보하여야 한다. 이후에는 실종아동등 프로파일링시스템에 등록한 날로부터 1개월까지는 15일에 1회, 1개월이 경과한 후부터는 분기별 1회 보호자에게 추적 진행사항을 통보한다.

078 「실종아동등의 보호 및 지원에 관한 법률」상 실종아동등의 수색에 대한 설명으로 가장 적절하지 않은 것은?

[2015 승진(경위)]

① 경찰관서의 장은 실종아동등의 조속한 발견을 위하여 필요한 때에는 위치정보사업자에게 실종아동등의 개인위치정보의 제공을 요청할 수 있다.

② 위 ①의 요청을 받은 위치정보사업자는 그 실종아동등의 동의 없이 개인위치정보를 수집할 수 없으며, 실종아동등의 동의가 없음을 이유로 경찰관서의 장의 요청을 거부할 수 있다.

③ 경찰관은 실종아동등을 찾기 위한 목적으로 제공받은 개인위치정보를 실종아동등을 찾기 위한 목적 외의 용도로 이용하여서는 아니 된다.

④ 경찰관서의 장은 실종아동등의 발생 신고를 접수하면 지체 없이 수색 또는 수사의 실시 여부를 결정하여야 한다.

정답 및 해설 | ②

② [×] 경찰관서의 장의 개인위치정보 요청에 대해, 위치정보사업자는 해당 개인위치정보의 주체인 실종아동등의 동의가 없어도 개인위치정보를 수집할 수 있고, 동의가 없다는 이유로 경찰관서의 장의 요청을 거부해서도 안 된다. / ① [○]

> 실종아동법 제9조【수색 또는 수사의 실시 등】② 경찰관서의 장은 실종아동등(범죄로 인한 경우를 제외한다. 이하 이 조에서 같다)의 조속한 발견을 위하여 필요한 때에는 다음 각 호의 어느 하나에 해당하는 자에게 실종아동등의 위치 확인에 필요한 … 개인위치정보, … 인터넷주소 및 … 통신사실확인자료(이하 "개인위치정보등"이라 한다)의 제공을 요청할 수 있다. 이 경우 경찰관서의 장의 요청을 받은 자는 「통신비밀보호법」 제3조에도 불구하고 정당한 사유가 없으면 이에 따라야 한다.
> 1. 「위치정보의 보호 및 이용 등에 관한 법률」 제5조 제7항에 따른 개인위치정보사업자
>   예 삼성전자, 구글코리아, LG전자, 한국교통공단 등 2021.12.31. 기준 285개 업체등록
> 2. 「정보통신망 이용촉진 및 정보보호 등에 관한 법률」 제2조 제1항 제3호에 따른 정보통신서비스 제공자 중에서 대통령령으로 정하는 기준을 충족하는 제공자
>   예 기간통신사업자: KT, SKT, LGT / 부가통신사업자: NAVER · Daum 등 포털사이트, 각종 게임사이트, 커뮤니티, 미니홈피 등
> 3. 「정보통신망 이용촉진 및 정보보호 등에 관한 법률」 제23조의3에 따른 본인확인기관
>   예 3대 통신사(모바일 본인확인), 3대 신용평가사(아이핀 본인확인), 신용카드사(신용카드 본인확인), 비바리퍼블리카(toss)
> 4. 「개인정보 보호법」 제24조의2에 따른 주민등록번호 대체가입수단 제공기관
>   예 아이핀 운영기관
>
> ③ 제2항의 요청을 받은 자는 그 실종아동등의 동의 없이 개인위치정보등을 수집할 수 있으며, 실종아동등의 동의가 없음을 이유로 경찰관서의 장의 요청을 거부하여서는 아니 된다.

③ [○]

> 실종아동법 제9조【수색 또는 수사의 실시 등】④ 경찰관서와 경찰관서에 종사하거나 종사하였던 자는 실종아동등을 찾기 위한 목적으로 제공받은 개인위치정보등을 실종아동등을 찾기 위한 목적 외의 용도로 이용하여서는 아니 되며, 목적을 달성하였을 때에는 지체 없이 파기하여야 한다.

④ [○]

> 실종아동법 제9조【수색 또는 수사의 실시 등】① 경찰관서의 장은 실종아동등의 발생 신고를 접수하면 지체 없이 수색 또는 수사의 실시 여부를 결정하여야 한다.

079 실종아동등에 대한 설명으로 가장 적절하지 않은 것은? [2022 승진]

① 「실종아동등 및 가출인 업무처리 규칙」상 '장기실종아동등'이란 보호자로부터 신고를 접수한 지 48시간이 경과한 후에도 발견되지 않은 찾는실종아동등을 말한다.

② 「실종아동등 및 가출인 업무처리 규칙」상 '발견지'는 실종아동등 또는 가출인을 발견하여 보호 중인 장소를 말하며, 발견한 장소와 보호 중인 장소가 서로 다른 경우에는 발견한 장소를 말한다.

③ 「실종아동등 및 가출인 업무처리 규칙」상 경찰관서의 장은 실종아동등 또는 가출인에 대한 신고를 접수한 후, 신고대상자가 수사기관으로부터 지명수배 또는 지명통보된 사람에 해당하는 경우에는 신고 내용을 실종아동등 프로파일링시스템에 입력하지 않을 수 있다.

④ 「실종아동등의 보호 및 지원에 관한 법률」상 경찰관서의 장은 실종아동등(범죄로 인한 경우 제외)의 조속한 발견을 위하여 「위치정보의 보호 및 이용 등에 관한 법률」에 따른 개인위치정보사업자에게 실종아동등의 위치 확인에 필요한 개인위치정보등의 제공을 요청할 수 있다.

정답 및 해설 | ②

② [×] 발견한 장소와 보호 중인 장소가 서로 다른 경우에는 보호 중인 장소를 말한다.

> 예규 **실종아동등 및 가출인 업무처리 규칙 제2조【정의】** 이 규칙에서 사용하는 용어의 뜻은 다음과 같다.
> 8. "**발견지**"란 실종아동등 또는 가출인을 발견하여 보호 중인 장소를 말하며, 발견한 장소와 보호 중인 장소가 서로 다른 경우에는 보호 중인 장소를 말한다.

① [○]

> 예규 **실종아동등 및 가출인 업무처리 규칙 제2조【정의】** 이 규칙에서 사용하는 용어의 뜻은 다음과 같다.
> 5. "**장기실종아동등**"이란 보호자로부터 신고를 접수한 지 48시간이 경과한 후에도 발견되지 않은 찾는실종아동등을 말한다.

③ [○] 프로파일링 시스템에 입력하는 대상은 실종아동등 · 가출인 · 보호시설무연고자이나, 신고대상자가 지명수배자 등인 경우에는 입력하지 아니할 수 있다.

> 예규 **실종아동등 및 가출인 업무처리 규칙 제7조【정보시스템 입력 대상 및 정보 관리】** ② 경찰관서의 장은 실종아동등 또는 가출인에 대한 신고를 접수한 후 신고대상자가 다음 각 호의 어느 하나에 해당하는 경우에는 신고 내용을 실종아동등 프로파일링시스템에 입력하지 않을 수 있다.
> 1. 채무관계 해결, 형사사건 당사자 소재 확인 등 실종아동등 및 가출인 발견 외 다른 목적으로 신고된 사람
> 2. 수사기관으로부터 지명수배 또는 지명통보된 사람
> 3. 허위로 신고된 사람
> 4. 보호자가 가출시 동행한 아동등
> 5. 그 밖에 신고 내용을 종합하였을 때 명백히 제1항에 따른 입력 대상이 아니라고 판단되는 사람

④ [○]

> **실종아동법 제9조【수색 또는 수사의 실시 등】** ② 경찰관서의 장은 실종아동등(범죄로 인한 경우를 제외한다. 이하 이 조에서 같다)의 조속한 발견을 위하여 필요한 때에는 다음 각 호의 어느 하나에 해당하는 자에게 실종아동등의 위치 확인에 필요한 … 개인위치정보, … 인터넷주소 및 … 통신사실확인자료(이하 "개인위치정보등"이라 한다)의 제공을 요청할 수 있다. 이 경우 경찰관서의 장의 요청을 받은 자는 「통신비밀보호법」 제3조에도 불구하고 정당한 사유가 없으면 이에 따라야 한다.

080 「실종아동등의 보호 및 지원에 관한 법률」과 「실종아동등 및 가출인 업무처리 규칙」에 관한 설명 중 옳은 것은 모두 몇 개인가? [2022 채용 2차]

> ㉠ '장기실종아동등'이라 함은 보호자로부터 이탈한지 48시간이 경과한 후에도 발견되지 않은 '찾는실종아동등'을 말한다.
> ㉡ 경찰관서의 장은 실종아동등의 발생 신고를 접수하면 24시간 이내에 수색 또는 수사의 실시 여부를 결정하여야 한다.
> ㉢ 발견된 18세 미만 아동 및 가출인의 경우, 실종아동등 프로파일링시스템에 등록된 자료는 수배 해제 후로부터 10년간 보관한다.
> ㉣ 실종아동등 프로파일링시스템에 등록된 미발견자의 자료는 소재 발견시까지 보관한다.
> ㉤ 경찰관서의 장은 실종아동등에 대하여 「실종아동등 및 가출인 업무처리 규칙」 제18조에 따른 현장 탐문 및 수색 후, 그 결과를 즉시 보호자에게 통보하여야 한다. 이후에는 실종아동등 프로파일링시스템에 등록한 날로부터 1개월까지는 15일에 1회, 1개월이 경과한 후부터는 분기별 1회 보호자에게 추적 진행사항을 통보한다.

① 1개 ② 2개
③ 3개 ④ 4개

정답 및 해설 | ②

② [○] 옳은 것은 ㉣㉤ 2개이다.

㉠ [×] 신고를 접수한 지 48시간 기준이다.

> 예규 **실종아동등 및 가출인 업무처리 규칙 제2조 【정의】** 이 규칙에서 사용하는 용어의 뜻은 다음과 같다.
> 5. **"장기실종아동등"**이란 보호자로부터 신고를 접수한 지 48시간이 경과한 후에도 발견되지 않은 찾는실종아동등을 말한다.

㉡ [×] 지체 없이 하여야 한다.

> **실종아동법 제9조 【수색 또는 수사의 실시 등】** ① 경찰관서의 장은 실종아동등의 발생 신고를 접수하면 지체 없이 수색 또는 수사의 실시 여부를 결정하여야 한다.

㉢ [×] 보관기간은 수배 해제 후 5년간이다.

> 예규 **실종아동등 및 가출인 업무처리 규칙 제7조 【정보시스템 입력 대상 및 정보 관리】** ③ 실종아동등 프로파일링시스템에 등록된 자료의 보존기간은 다음 각 호와 같다. 다만, 대상자가 사망하거나 보호자가 삭제를 요구한 경우는 즉시 삭제하여야 한다.
> 1. 발견된 18세 미만 아동 및 가출인: 수배 해제 후로부터 5년간 보관

㉣ [○]

> 예규 **실종아동등 및 가출인 업무처리 규칙 제7조 【정보시스템 입력 대상 및 정보 관리】** ③ 실종아동등 프로파일링시스템에 등록된 자료의 보존기간은 다음 각 호와 같다. 다만, 대상자가 사망하거나 보호자가 삭제를 요구한 경우는 즉시 삭제하여야 한다.
> 3. 미발견자: 소재 발견시까지 보관

㉤ [○]

> 예규 **실종아동등 및 가출인 업무처리 규칙 제11조 【신고에 대한 조치 등】** ⑤ 경찰관서의 장은 실종아동등에 대하여 제18조의 현장 탐문 및 수색 후 그 결과를 즉시 보호자에게 통보하여야 한다. 이후에는 실종아동등 프로파일링시스템에 등록한 날로부터 1개월까지는 15일에 1회, 1개월이 경과한 후부터는 분기별 1회 보호자에게 추적 진행사항을 통보한다.

081 「실종아동등 및 가출인 업무처리 규칙」에 대한 다음 설명 중 옳은 것은 모두 몇 개인가? [2016 경간]

> ㉠ '아동등'이란 「실종아동등의 보호 및 지원에 관한 법률」 제2조 제1호에 따른 실종 당시 18세 미만 아동, 지적 · 자폐성 또는 정신장애인, 치매환자를 말한다.
> ㉡ '장기실종아동등'이란 보호자로부터 신고를 접수한 지 36시간이 경과한 후에도 발견되지 않은 찾는실종아동등을 말한다.
> ㉢ '발견지'란 실종아동등 또는 가출인을 발견하여 보호 중인 장소를 말하며, 발견한 장소와 보호 중인 장소가 서로 다른 경우에는 발견한 장소를 말한다.
> ㉣ 실종아동등 프로파일링시스템에 입력하는 대상은 실종아동등, 가출인, 보호자가 확인된 보호시설 입소자, 변사자 · 교통사고 사상자 중 신원불상자이다.
> ㉤ 미발견자의 경우 실종아동등 프로파일링시스템에 등록된 자료는 소재 발견시까지 보관한다.

① 0개 ② 1개
③ 2개 ④ 3개

정답 및 해설 I ③

㉠ [○]

> 실종아동법 제2조 【정의】 이 법에서 사용하는 용어의 정의는 다음과 같다.
> 1. "아동등"이란 다음 각 목의 어느 하나에 해당하는 사람을 말한다.
> 가. 실종 당시 18세 미만인 아동
> 나. 「장애인복지법」 제2조의 장애인 중 지적장애인, 자폐성장애인 또는 정신장애인
> 다. 「치매관리법」 제2조 제2호의 치매환자

㉡ [×] 48시간이다.

> 예규 실종아동등 및 가출인 업무처리 규칙 제2조 【정의】 이 규칙에서 사용하는 용어의 뜻은 다음과 같다.
> 5. "장기실종아동등"이란 보호자로부터 신고를 접수한 지 48시간이 경과한 후에도 발견되지 않은 찾는실종아동등을 말한다.

㉢ [×] 발견한 장소와 보호 중인 장소가 서로 다를 경우 보호 중인 장소를 말한다.

> 예규 실종아동등 및 가출인 업무처리 규칙 제2조 【정의】 이 규칙에서 사용하는 용어의 뜻은 다음과 같다.
> 8. "발견지"란 실종아동등 또는 가출인을 발견하여 보호 중인 장소를 말하며, 발견한 장소와 보호 중인 장소가 서로 다른 경우에는 보호 중인 장소를 말한다.

㉣ [×] 과거에는 변사자 · 교통사고 사상자 중 신원불상자도 입력대상이었으나 삭제되었고, 보호시설 입소자 중 보호자가 확인되지 않는 사람이 입력대상이다.

> 예규 실종아동등 및 가출인 업무처리 규칙 제7조 【정보시스템 입력 대상 및 정보 관리】 ① 실종아동등 프로파일링시스템에 입력하는 대상은 다음 각 호와 같다.
> 1. 실종아동등
> 2. 가출인
> 3. 보호시설 입소자 중 보호자가 확인되지 않는 사람(이하 "보호시설 무연고자"라 한다)

㉤ [○]

> 예규 실종아동등 및 가출인 업무처리 규칙 제7조 【정보시스템 입력 대상 및 정보 관리】 ③ 실종아동등 프로파일링시스템에 등록된 자료의 보존기간은 다음 각 호와 같다. 다만, 대상자가 사망하거나 보호자가 삭제를 요구한 경우는 즉시 삭제하여야 한다.
> 1. 발견된 18세 미만 아동 및 가출인: 수배 해제 후로부터 5년간 보관
> 2. 발견된 지적 · 자폐성 · 정신장애인 등 및 치매환자: 수배 해제 후로부터 10년간 보관
> 3. 미발견자: 소재 발견시까지 보관 [2016 경간]
> 4. 보호시설 무연고자: 본인 요청시

082 '실종아동등의 보호 및 지원에 관한 법률'에 대한 다음 설명 중 옳은 것은 모두 몇 개인가? [2017 경간]

> ㉠ '보호시설'이란 「사회복지사업법」 제2조 제4호 따른 사회복지시설만을 의미하고, 인가 · 신고 등이 없이 아동등을 보호하는 시설로서 사회복지시설에 준하는 시설은 보호시설에 포함되지 않는다.
> ㉡ 직무를 수행하면서 실종아동등임을 알게 되었을 때에 경찰신고체계로 지체 없이 신고해야 하는 신고의무자로는 보호시설의 장, 사회복지전담공무원이 있고, 보호시설의 종사자는 신고의무자에 해당하지 않는다.
> ㉢ 경찰관서의 장은 실종아동등의 발생 신고를 접수하면 지체 없이 수색 또는 수사의 실시 여부를 결정하여야 한다.
> ㉣ 경찰관서의 장은 실종아동등(범죄로 인한 경우 포함)의 조속한 발견을 위하여 필요한 때에는 「위치정보의 보호 및 이용 등에 관한 법률」 제5조에 따른 위치정보사업자에게 실종아동등의 개인위치정보의 제공을 요청할 수 있다.

① 1개 ② 2개
③ 3개 ④ 4개

정답 및 해설 I ①

㉠ [×] '보호시설'이란 「사회복지사업법」 제2조 제4호에 따른 사회복지시설 및 인가 · 신고 등이 없이 아동등을 보호하는 시설로서 사회복지시설에 준하는 시설을 말한다.

> **실종아동법 제2조【정의】** 이 법에서 사용하는 용어의 정의는 다음과 같다.
> 4. "**보호시설**"이란 「사회복지사업법」 제2조 제4호에 따른 사회복지시설 및 인가 · 신고 등이 없이 아동등을 보호하는 시설로서 사회복지시설에 준하는 시설을 말한다.

㉡ [×] 보호시설의 종사자도 신고의무자에 해당한다.

> **실종아동법 제6조【신고의무 등】** ① 다음 각 호의 어느 하나에 해당하는 사람은 그 직무를 수행하면서 실종아동등임을 알게 되었을 때에는 제3조 제2항 제1호에 따라 경찰청장이 구축하여 운영하는 신고체계(이하 "경찰신고체계"라 한다)로 지체 없이 신고하여야 한다.
> 1. 보호시설의 장 또는 그 종사자
> 2. 「아동복지법」 제13조에 따른 아동복지전담공무원
> 3. 「청소년 보호법」 제35조에 따른 청소년 보호 · 재활센터의 장 또는 그 종사자
> 4. 「사회복지사업법」 제14조에 따른 사회복지전담공무원
> 5. 「의료법」 제3조에 따른 의료기관의 장 또는 의료인
> 6. 업무 · 고용 등의 관계로 사실상 아동등을 보호 · 감독하는 사람

㉢ [○]

> **실종아동법 제9조【수색 또는 수사의 실시 등】** ① 경찰관서의 장은 실종아동등의 발생 신고를 접수하면 지체 없이 수색 또는 수사의 실시 여부를 결정하여야 한다.

㉣ [×] 범죄로 인한 경우는 제외한다.

> **실종아동법 제9조【수색 또는 수사의 실시 등】** ② 경찰관서의 장은 실종아동등(범죄로 인한 경우를 제외한다. 이하 이 조에서 같다)의 조속한 발견을 위하여 필요한 때에는 다음 각 호의 어느 하나에 해당하는 자에게 실종아동등의 위치 확인에 필요한 … 개인위치정보, … 인터넷주소 및 … 통신사실확인자료(이하 "개인위치정보등"이라 한다)의 제공을 요청할 수 있다. 이 경우 경찰관서의 장의 요청을 받은 자는 「통신비밀보호법」 제3조에도 불구하고 정당한 사유가 없으면 이에 따라야 한다.
> 1. 「위치정보의 보호 및 이용 등에 관한 법률」 제5조 제7항에 따른 개인위치정보사업자
> 예 삼성전자, 구글코리아, LG전자, 한국교통공단 등 2021.12.31. 기준 285개 업체등록
> 2. 「정보통신망 이용촉진 및 정보보호 등에 관한 법률」 제2조 제1항 제3호에 따른 정보통신서비스 제공자 중에서 대통령령으로 정하는 기준을 충족하는 제공자
> 예 **기간통신사업자**: KT, SKT, LGT / **부가통신사업자**: NAVER · Daum 등 포털사이트, 각종 게임사이트, 커뮤니티, 미니홈피 등
> 3. 「정보통신망 이용촉진 및 정보보호 등에 관한 법률」 제23조의3에 따른 본인확인기관
> 예 3대 통신사(모바일 본인확인), 3대 신용평가사(아이핀 본인확인), 신용카드사(신용카드 본인확인), 비바리퍼블리카(toss)
> 4. 「개인정보 보호법」 제24조의2에 따른 주민등록번호 대체가입수단 제공기관
> 예 아이핀 운영기관

083 「실종아동등의 보호 및 지원에 관한 법률」상 실종아동등에 대한 신고의무자가 아닌 것은 모두 몇 개인가?

[2018 경간]

> 가. 「아동복지법」 제13조에 따른 아동복지전담공무원
> 나. 「사회복지사업법」 제14조에 따른 사회복지전담공무원
> 다. 「청소년 보호법」 제35조에 따른 청소년 보호 · 재활센터의 장 또는 그 종사자
> 라. 업무 · 고용 등의 관계로 사실상 아동등을 보호 · 감독하는 사람

① 0개 ② 1개 ③ 2개 ④ 3개

정답 및 해설 I ①

① [○] 모두 신고의무자에 해당한다.

> **실종아동법 제6조 【신고의무 등】** ① 다음 각 호의 어느 하나에 해당하는 사람은 그 직무를 수행하면서 실종아동등임을 알게 되었을 때에는 제3조 제2항 제1호에 따라 경찰청장이 구축하여 운영하는 신고체계(이하 "경찰신고체계"라 한다)로 지체 없이 신고하여야 한다.
> 1. 보호시설의 장 또는 그 종사자
> 2. 「아동복지법」 제13조에 따른 아동복지전담공무원
> 3. 「청소년 보호법」 제35조에 따른 청소년 보호 · 재활센터의 장 또는 그 종사자
> 4. 「사회복지사업법」 제14조에 따른 사회복지전담공무원
> 5. 「의료법」 제3조에 따른 의료기관의 장 또는 의료인
> 6. 업무 · 고용 등의 관계로 사실상 아동등을 보호 · 감독하는 사람

05 데이트폭력 · 스토킹

084 스토킹범죄의 처벌등에 관한 법률에 관한 설명 중 가장 적절하지 않은 것은?

[2022 채용 1차]

① '스토킹범죄'란 지속적 또는 반복적으로 스토킹행위를 하는 것을 말한다.

② 사법경찰관리는 진행 중인 스토킹행위에 대하여 신고를 받은 경우 즉시 현장에 나가 스토킹행위의 제지, 스토킹행위자와 피해자 분리, 유치장 또는 구치소에의 유치 등의 조치를 할 수 있다.

③ 스토킹범죄를 저지른 사람은 3년 이하의 징역 또는 3천만원 이하의 벌금에 처한다.

④ 흉기 또는 그 밖의 위험한 물건을 휴대하거나 이용하여 스토킹범죄를 저지른 사람은 5년 이하의 징역 또는 5천만원 이하의 벌금에 처한다.

정답 및 해설 I ②

② [×] 유치장 또는 구치소 유치는 즉시 현장에서 할 수 있는 응급조치에 포함되지 않는다.

> **스토킹범죄의 처벌 등에 관한 법률 제3조 【스토킹행위 신고 등에 대한 응급조치】** 사법경찰관리는 진행 중인 스토킹행위에 대하여 신고를 받은 경우 즉시 현장에 나가 다음 각 호의 조치를 하여야 한다.
> 1. 스토킹행위의 제지, 향후 스토킹행위의 중단 통보 및 스토킹행위를 지속적 또는 반복적으로 할 경우 처벌 서면 경고
> 2. 스토킹행위자와 피해자등의 분리 및 범죄수사
> 3. 피해자등에 대한 긴급응급조치 및 잠정조치 요청의 절차 등 안내
> 4. 스토킹 피해 관련 상담소 또는 보호시설로의 피해자등 인도(피해자등이 동의한 경우만 해당한다)

① [○]

> **스토킹범죄의 처벌 등에 관한 법률 제2조 【정의】** 이 법에서 사용하는 용어의 뜻은 다음과 같다.
> 2. "스토킹범죄"란 지속적 또는 반복적으로 스토킹행위를 하는 것을 말한다.

③④ [○]

> **스토킹범죄의 처벌 등에 관한 법률 제18조【스토킹범죄】** ① 스토킹범죄를 저지른 사람은 3년 이하의 징역 또는 3천만원 이하의 벌금에 처한다.
> ② 흉기 또는 그 밖의 위험한 물건을 휴대하거나 이용하여 스토킹범죄를 저지른 사람은 5년 이하의 징역 또는 5천만원 이하의 벌금에 처한다.

085 「스토킹범죄의 처벌 등에 관한 법률」상 잠정조치에 대한 설명으로 가장 적절하지 않은 것은? [2024 승진]

① 검사는 스토킹범죄가 재발될 우려가 있다고 인정하면 직권 또는 사법경찰관의 신청에 따라 법원에 스토킹행위자에 대한 잠정조치를 청구할 수 있다.

② 법원은 스토킹범죄의 원활한 조사 · 심리 또는 피해자 보호를 위하여 필요하다고 인정하는 경우에는 결정으로 스토킹행위자에게 피해자 또는 그의 동거인, 가족에 대한 「전기통신기본법」 제2조 제1호의 전기통신을 이용한 접근 금지조치를 할 수 있다.

③ 피해자 또는 그의 동거인, 가족이나 그 주거 등으로부터 100미터 이내의 접근을 금지하는 잠정조치를 이행하지 아니한 사람은 2년 이하의 징역 또는 2천만원 이하의 벌금에 처한다고 규정되어 있다.

④ 법원이 스토킹행위자에게 국가경찰관서의 유치장 또는 구치소에의 유치의 잠정조치를 하는 경우 그 기간은 1개월을 초과할 수 없다. 다만, 법원은 피해자의 보호를 위하여 그 기간을 연장할 필요가 있다고 인정하는 경우에는 결정으로 두 차례에 한정하여 각 1개월의 범위에서 연장할 수 있다.

정답 및 해설 | ④

④ [×] 잠정조치 중 유치장 · 구치소 유치는 연장규정이 없다.

잠정조치 내용	기간
1. 피해자에 대한 스토킹범죄 중단에 관한 서면 경고	-
2. 피해자 또는 그의 동거인, 가족이나 그 주거등으로부터 100미터 이내의 접근 금지	3개월 + 3개월 + 3개월
3. 피해자 또는 그의 동거인, 가족에 대한 「전기통신기본법」 제2조 제1호의 전기통신을 이용한 접근 금지	3개월 + 3개월 + 3개월
3의2. 「전자장치 부착 등에 관한 법률」 제2조 제4호의 위치추적 전자장치의 부착	3개월 + 3개월 + 3개월
4. 국가경찰관서의 유치장 또는 구치소에의 유치	1개월

① [○] 사법경찰관의 잠정조치 신청이 없더라도, 검사가 직권으로 잠정조치를 청구할 수 있다.

> **스토킹처벌법 제8조【잠정조치의 청구】** ① 검사는 스토킹범죄가 재발될 우려가 있다고 인정하면 직권 또는 사법경찰관의 신청에 따라 법원에 제9조 제1항 각 호의 조치를 청구할 수 있다.

② [○]

> **스토킹처벌법 제9조【스토킹행위자에 대한 잠정조치】** ① 법원은 스토킹범죄의 원활한 조사 · 심리 또는 피해자 보호를 위하여 필요하다고 인정하는 경우에는 결정으로 스토킹행위자에게 다음 각 호의 어느 하나에 해당하는 조치(이하 "잠정조치"라 한다)를 할 수 있다.
> 3. 피해자 또는 그의 동거인, 가족에 대한 「전기통신기본법」 제2조 제1호의 전기통신을 이용한 접근 금지

③ [○] 긴급응급조치 불이행의 경우 1년 이하의 징역 또는 1천만원 이하의 벌금인 것과 비교해 둘 필요가 있다.

> **스토킹처벌법 제20조【벌칙】** ② 제9조 제1항 제2호 또는 제3호의 잠정조치를 이행하지 아니한 사람은 2년 이하의 징역 또는 2천만원 이하의 벌금에 처한다.

086 「스토킹범죄의 처벌 등에 관한 법률」상 잠정조치로 적절한 것은 모두 몇 개인가?

[2023 경간]

가. 국가경찰관서의 유치장 또는 구치소에의 유치
나. 스토킹행위자와 피해자 등의 분리 및 범죄수사
다. 피해자 또는 그의 동거인, 가족이나 그 주거 등으로부터 100미터 이내의 접근 금지
라. 스토킹 피해 관련 상담소 또는 보호시설로의 피해자 등 인도(피해자 등이 동의한 경우만 해당한다)
마. 피해자 또는 그의 동거인, 가족에 대한 「전기통신기본법」 제2조 제1호의 전기통신을 이용한 접근 금지

① 1개 ② 2개
③ 3개 ④ 4개

정답 및 해설 I ③

나.라. [×] 스토킹 행위 신고등에 대한 **응급조치**의 내용이다

스토킹처벌법 제9조【스토킹행위자에 대한 잠정조치】 ① 법원은 스토킹범죄의 원활한 조사 · 심리 또는 피해자 보호를 위하여 필요하다고 인정하는 경우에는 결정으로 스토킹행위자에게 다음 각 호의 어느 하나에 해당하는 조치(이하 "잠정조치"라 한다)를 할 수 있다.
1. 피해자에 대한 스토킹범죄 중단에 관한 서면 경고
2. 피해자 또는 그의 동거인, 가족이나 그 주거등으로부터 100미터 이내의 접근 금지
3. 피해자 또는 그의 동거인, 가족에 대한 「전기통신기본법」 제2조 제1호의 전기통신을 이용한 접근 금지
3의2. 「전자장치 부착 등에 관한 법률」 제2조 제4호의 위치추적 전자장치(이하 "전자장치"라 한다)의 부착
4. 국가경찰관서의 유치장 또는 구치소에의 유치

087 「스토킹범죄의 처벌 등에 관한 법률」상 처리절차에 관한 설명 중 옳은 것은 모두 몇 개인가?

[2022 채용 2차]

㉠ 사법경찰관은 스토킹행위 신고와 관련하여 스토킹행위가 지속적 또는 반복적으로 행하여질 우려가 있고 스토킹범죄의 예방을 위하여 긴급을 요하는 경우, 스토킹행위자에게 직권으로 또는 스토킹행위의 상대방이나 그 법정대리인 또는 스토킹행위를 신고한 사람의 요청에 의하여, 스토킹행위의 상대방이나 그 주거등으로부터 100미터 이내의 접근 금지, 「전기통신기본법」 제2조 제1호의 전기통신을 이용한 접근 금지 등의 조치를 할 수 있다.
㉡ 사법경찰관은 긴급응급조치를 하였을 때에는 지체 없이 검사에게 해당 긴급응급조치에 대한 사후승인을 지방법원 판사에게 청구하여 줄 것을 신청하여야 하며, 신청을 받은 검사는 긴급응급조치가 있었던 때부터 48시간 이내에 지방법원 판사에게 해당 긴급응급조치에 대한 사후승인을 청구한다.
㉢ 긴급응급조치기간은 1개월을 초과할 수 없다.
㉣ 법원은 스토킹범죄의 원활한 조사 · 심리 또는 피해자 보호를 위하여 잠정조치가 필요하다고 인정하는 경우에는 결정으로 스토킹행위자를 경찰관서의 유치장 또는 구치소에 1개월을 초과하지 않는 범위에서 유치할 수 있다. 다만, 법원은 피해자의 보호를 위하여 그 기간을 연장할 필요가 있다고 인정하는 경우에는 결정으로 2개월의 범위에서 연장할 수 있다.

① 1개 ② 2개
③ 3개 ④ 4개

정답 및 해설 I ③

③ [○] ㉠㉡㉢이 옳은 설명이다.

㉠ [○]

> **스토킹처벌법 제4조【긴급응급조치】** ① 사법경찰관은 스토킹행위 신고와 관련하여 스토킹행위가 지속적 또는 반복적으로 행하여질 우려가 있고 스토킹범죄의 예방을 위하여 긴급을 요하는 경우 스토킹행위자에게 직권으로 또는 스토킹행위의 상대방이나 그 법정대리인 또는 스토킹행위를 신고한 사람의 요청에 의하여 다음 각 호에 따른 조치를 할 수 있다.
> 1. 스토킹행위의 상대방등이나 그 주거등으로부터 100미터 이내의 접근 금지 ➜ 즉 ① 피해자 100미터 내 접근금지(사람기준), ② 피해자 주거등으로부터 100미터 내 접근금지(장소기준) 2가지
> 2. 스토킹행위의 상대방등에 대한 「전기통신기본법」 제2조 제1호의 전기통신을 이용한 접근 금지 예 피해자에 대한 문자 · 전화 · 카톡 등 금지

㉡ [○]

> **스토킹처벌법 제5조【긴급응급조치의 승인 신청】** ① 사법경찰관은 긴급응급조치를 하였을 때에는 지체 없이 검사에게 해당 긴급응급조치에 대한 사후승인을 지방법원 판사에게 청구하여 줄 것을 신청하여야 한다.
> ② 제1항의 신청을 받은 검사는 긴급응급조치가 있었던 때부터 48시간 이내에 지방법원 판사에게 해당 긴급응급조치에 대한 사후승인을 청구한다. 이 경우 제4조 제2항에 따라 작성된 긴급응급조치결정서를 첨부하여야 한다.

㉢ [○]

> **스토킹처벌법 제5조【긴급응급조치의 승인 신청】** ⑤ 긴급응급조치기간은 1개월을 초과할 수 없다.

㉣ [×] 유치장 또는 구치소 유치는 연장이 불가능하다.

> **스토킹처벌법 제9조【스토킹행위자에 대한 잠정조치】** ① 법원은 스토킹범죄의 원활한 조사 · 심리 또는 피해자 보호를 위하여 필요하다고 인정하는 경우에는 결정으로 스토킹행위자에게 다음 각 호의 어느 하나에 해당하는 조치(이하 "잠정조치"라 한다)를 할 수 있다.
> 1. 피해자에 대한 스토킹범죄 중단에 관한 서면 경고
> 2. 피해자 또는 그의 동거인, 가족이나 그 주거등으로부터 100미터 이내의 접근 금지 ➜ 3 + 3 + 3개월
> 3. 피해자 또는 그의 동거인, 가족이에 대한 「전기통신기본법」 제2조 제1호의 전기통신을 이용한 접근 금지 ➜ 3 + 3 + 3개월
>
> 3의2. 「전자장치 부착 등에 관한 법률」 제2조 제4호의 위치추적 전자장치(이하 "전자장치"라 한다)의 부착 ➜ 3 + 3 + 3개월
>
> 4. 국가경찰관서의 유치장 또는 구치소에의 유치 ➜ 1개월

주제 4 민간생활안전(민간경비)

088 「경비업법」상 경비업 업무로 가장 적절하지 않은 것은? [2016 승진(경위)]

① 시설경비업무
② 철거용역업무
③ 호송경비업무
④ 특수경비업무

정답 및 해설 I ②

② [×] 경비업법상 경비업무의 종류는 시설경비 · 호송경비 · 신변보호 · 기계경비 · 특수경비의 5가지이다.

089 「경비업법」상 경비업무에 대한 설명으로 가장 적절한 것은? [2015 채용 3차]

① 시설경비업무 - 경비대상시설에 설치한 기기에 의하여 감지 · 송신된 정보를 그 경비대상시설 외의 장소에 설치한 관제시설의 기기로 수신하여 도난 · 화재 등 위험발생을 방지하는 업무

② 호송경비업무 - 사람의 생명이나 신체에 대한 위해의 발생을 방지하고 그 신변을 보호하는 업무

③ 기계경비업무 - 경비를 필요로 하는 시설 및 장소에서의 도난 · 화재 그 밖의 혼잡 등으로 인한 위험발생을 방지하는 업무

④ 특수경비업무 - 공항(항공기를 포함한다) 등 대통령령이 정하는 국가중요시설의 경비 및 도난 · 화재 그 밖의 위험 발생을 방지하는 업무

정답 및 해설 I ④

④ [○]

> 경비업법 제2조【정의】이 법에서 사용하는 용어의 정의는 다음과 같다.
> 1. "**경비업**"이라 함은 다음 각목의 1에 해당하는 업무(이하 "경비업무"라 한다)의 전부 또는 일부를 도급받아 행하는 영업을 말한다.
>   가. **시설경비업무**: 경비를 필요로 하는 시설 및 장소(이하 "경비대상시설"이라 한다)에서의 도난 · 화재 그 밖의 혼잡 등으로 인한 위험발생을 방지하는 업무
>   나. **호송경비업무**: 운반중에 있는 현금 · 유가증권 · 귀금속 · 상품 그 밖의 물건에 대하여 도난 · 화재 등 위험발생을 방지하는 업무
>   다. **신변보호업무**: 사람의 생명이나 신체에 대한 위해의 발생을 방지하고 그 신변을 보호하는 업무
>   라. **기계경비업무**: 경비대상시설에 설치한 기기에 의하여 감지 · 송신된 정보를 그 경비대상시설외의 장소에 설치한 관제시설의 기기로 수신하여 도난 · 화재 등 위험발생을 방지하는 업무
>   마. **특수경비업무**: 공항(항공기를 포함한다) 등 대통령령이 정하는 국가중요시설(이하 "국가중요시설"이라 한다)의 경비 및 도난 · 화재 그 밖의 위험발생을 방지하는 업무

① [×] 지문은 기계경비업무에 대한 설명이다.

② [×] 지문은 신변보호업무에 대한 설명이다,

③ [×] 지문은 시설경비업무에 대한 설명이다.

090 「경비업법」상 경비업무의 종류에 대한 정의로 가장 적절하지 않은 것은? [2016 채용 1차]

① 특수경비업무 - 공항(항공기를 포함한다) 등 대통령령이 정하는 국가중요시설의 경비 및 도난 · 화재 그 밖의 위험발생을 방지하는 업무를 말한다.

② 기계경비업무 - 경비대상시설에 설치한 기기에 의하여 감지 · 송신된 정보를 그 경비대상시설 내의 장소에 설치한 관제시설의 기기로 수신하여 도난 · 화재 등 위험발생을 방지하는 업무를 말한다.

③ 시설경비업무 - 경비를 필요로 하는 시설 및 장소에서의 도난 · 화재 그 밖의 혼잡 등으로 인한 위험발생을 방지하는 업무를 말한다.

④ 신변보호업무 - 사람의 생명이나 신체에 대한 위해의 발생을 방지하고 그 신변을 보호하는 업무를 말한다.

정답 및 해설 I ②

② [×] 기계경비업무에서의 관제시설은 '경비대상시설 외의 장소'에 설치되는 것이다.

> 경비업법 제2조【정의】이 법에서 사용하는 용어의 정의는 다음과 같다.
> 라. **기계경비업무**: 경비대상시설에 설치한 기기에 의하여 감지 · 송신된 정보를 그 경비대상시설외의 장소에 설치한 관제 시설의 기기로 수신하여 도난 · 화재 등 위험발생을 방지하는 업무

091 「경비업법」상 경비업무에 관한 설명으로 가장 적절하지 않은 것은? [2016 승진(경감)]

① 시설경비업무 – 경비를 필요로 하는 시설 및 장소에서의 도난 · 화재 그 밖의 혼잡 등으로 인한 위험발생을 방지하는 업무
② 신변보호업무 – 사람의 생명이나 신체에 대한 위해의 발생을 방지하고 그 신변을 보호하는 업무
③ 호송경비업무 – 운반 중에 있는 현금 · 유가증권 · 귀금속 · 상품 그 밖의 물건에 대해여 도난 · 화재 등 위험발생을 방지하는 업무
④ 기계경비업무 – 공항(항공기를 포함) 등 대통령령이 정하는 국가중요시설의 경비 및 도난 · 화재 그 밖의 위험발생을 방지하는 업무

정답 및 해설 I ④
④ [×] 지문은 특수경비업무에 대한 설명이다.

> 경비업법 제2조 【정의】 이 법에서 사용하는 용어의 정의는 다음과 같다.
> 라. **기계경비업무**: 경비대상시설에 설치한 기기에 의하여 감지 · 송신된 정보를 그 경비대상시설외의 장소에 설치한 관제시설의 기기로 수신하여 도난 · 화재 등 위험발생을 방지하는 업무
> 마. **특수경비업무**: 공항(항공기를 포함한다) 등 대통령령이 정하는 국가중요시설(이하 "국가중요시설"이라 한다)의 경비 및 도난 · 화재 그 밖의 위험발생을 방지하는 업무

092 경비업법 제2조 정의에 관한 설명 중 가장 적절하지 않은 것은? [2022 채용 1차]

① '시설경비업무'란 경비를 필요로 하는 시설 및 장소(이하 '경비대상시설'이라 한다)에서의 도난 · 화재 그 밖의 혼잡 등으로 인한 위험발생을 방지하는 업무를 말한다.
② '호송경비업무'란 운반 중에 있는 현금 · 유가증권 · 귀금속 · 상품 그 밖의 물건에 대하여 도난 · 화재 등 위험발생을 방지하는 업무를 말한다.
③ '신변보호업무'란 사람의 생명 · 신체 · 재산에 대한 위해의 발생을 방지하고 그 신변을 보호하는 업무를 말한다.
④ '기계경비업무'란 경비대상시설에 설치한 기기에 의하여 감지 · 송신된 정보를 그 경비대상시설 외의 장소에 설치한 관제시설의 기기로 수신하여 도난 · 화재 등 위험발생을 방지하는 업무를 말한다.

정답 및 해설 I ③
③ [×] 신변보호업무의 보호내상에 '재산'은 포함되지 않는다.

> 경비업법 제2조 【정의】 이 법에서 사용하는 용어의 정의는 다음과 같다.
> 다. **신변보호업무**: 사람의 생명이나 신체에 대한 위해의 발생을 방지하고 그 신변을 보호하는 업무

093 「경비업법」 제2조 제1호에서 정의하고 있는 '경비업'의 내용을 설명한 것이다. 아래 ㉠부터 ㉣까지의 설명 중 옳은 것을 모두 고른 것은? [2017 승진(경감)]

> ㉠ 특수경비업무는 공항(항공기 포함) 등 대통령령이 정하는 국가중요시설의 경비 및 도난 · 화재 그 밖의 위험발생을 방지하는 업무이다.
> ㉡ 신변보호업무는 사람의 생명이나 신체에 대한 위해의 발생을 방지하고 그 신변을 보호하는 업무이다.
> ㉢ 혼잡경비업무는 경비를 필요로 하는 시설 및 장소(이하 '경비대상시설'이라 한다)에서의 도난 · 화재 그 밖의 혼잡 등으로 인한 위험발생을 방지하는 업무이다.
> ㉣ 기계경비업무는 경비대상시설에 설치한 기기에 의하여 감지 · 송신된 정보를 그 경비대상시설장소에 설치한 관제시설의 기기로 수신하여 도난 · 화재 등 위험발생을 방지하는 업무이다.

① ㉠, ㉡
② ㉠, ㉡, ㉢
③ ㉠, ㉡, ㉣
④ ㉠, ㉡, ㉢, ㉣

정답 및 해설 I ①

㉠㉡ [○]

> 경비업법 제2조 【정의】 이 법에서 사용하는 용어의 정의는 다음과 같다.
> 다. **신변보호업무**: 사람의 생명이나 신체에 대한 위해의 발생을 방지하고 그 신변을 보호하는 업무
> 마. **특수경비업무**: 공항(항공기를 포함한다) 등 대통령령이 정하는 국가중요시설(이하 "국가중요시설"이라 한다)의 경비 및 도난 · 화재 그 밖의 위험발생을 방지하는 업무

㉢ [×] 지문은 시설경비업무에 대한 설명이다. 혼잡경비는 행사안전경비라고도 하며, 공연이나 기념행사 등 각종 행사를 위해 모인 미조직된 군중에 의해 발생하는 혼란상태를 예방하고 진압하는 경비활동을 말하는데, 이는 「경비업법」상 정의된 용어는 아니다.

> 경비업법 제2조 【정의】 이 법에서 사용하는 용어의 정의는 다음과 같다.
> 가. **시설경비업무**: 경비를 필요로 하는 시설 및 장소(이하 "경비대상시설"이라 한다)에서의 도난 · 화재 그 밖의 혼잡 등으로 인한 위험발생을 방지하는 업무

㉣ [×] 기계경비업무에서의 관제시설은 '경비대상시설 외의 장소'에 설치되는 것이다.

> 경비업법 제2조 【정의】 이 법에서 사용하는 용어의 정의는 다음과 같다.
> 라. **기계경비업무**: 경비대상시설에 설치한 기기에 의하여 감지 · 송신된 정보를 그 경비대상시설외의 장소에 설치한 관제시설의 기기로 수신하여 도난 · 화재 등 위험발생을 방지하는 업무

094 「경비업법」상 경비업에 대한 설명이다. 다음 중 옳은 것을 모두 고른 것은? [2017 채용 1차]

> ㉠ 경비업의 업무에는 시설경비, 호송경비, 신변보호, 기계경비, 특수경비가 있다.
> ㉡ 신변보호업무는 사람의 생명이나 신체에 대한 위해의 발생을 방지하고 그 신변을 보호하는 업무이다.
> ㉢ 시설경비업무는 공항(항공기를 포함)등 대통령령이 정하는 국가중요시설의 경비 및 도난 · 화재 그 밖의 위험발생을 방지하는 업무이다.
> ㉣ 기계경비업무는 경비대상시설에 설치한 기기에 의하여 감지 · 송신된 정보를 그 경비대상시설 내의 장소에 설치한 관제시설의 기기로 수신하여 도난 · 화재 등 위험발생을 방지하는 업무이다.

① 없음
② ㉠, ㉡
③ ㉠, ㉡, ㉢
④ ㉠, ㉡, ㉢, ㉣

정답 및 해설 I ②

㉠ [O] 「경비업법」상 경비업무의 종류는 시설경비 · 호송경비 · 신변보호 · 기계경비 · 특수경비의 5가지이다.

㉡ [O]

> **경비업법 제2조【정의】** 이 법에서 사용하는 용어의 정의는 다음과 같다.
> 다. **신변보호업무**: 사람의 생명이나 신체에 대한 위해의 발생을 방지하고 그 신변을 보호하는 업무

㉢ [×] 지문은 특수경비업무에 대한 설명이다.

> **경비업법 제2조【정의】** 이 법에서 사용하는 용어의 정의는 다음과 같다.
> 가. **시설경비업무**: 경비를 필요로 하는 시설 및 장소(이하 "경비대상시설"이라 한다)에서의 도난 · 화재 그 밖의 혼잡 등으로 인한 위험발생을 방지하는 업무

㉣ [×] 기계경비업무에서의 관제시설은 '경비대상시설 외의 장소'에 설치되는 것이다.

> **경비업법 제2조【정의】** 이 법에서 사용하는 용어의 정의는 다음과 같다.
> 라. **기계경비업무**: 경비대상시설에 설치한 기기에 의하여 감지 · 송신된 정보를 그 경비대상시설외의 장소에 설치한 관제시설의 기기로 수신하여 도난 · 화재 등 위험발생을 방지하는 업무

095 「경비업법」상 경비업무의 내용을 설명한 것으로 다음 <보기> 중 옳은 것은 모두 몇 개인가?

[2016 지능범죄]

<보기>

㉠ **시설경비업무**: 경비를 필요로 하는 시설 및 장소(이하 '경비대상시설'이라 한다)에서의 도난 · 화재 그 밖의 혼잡 등으로 인한 위험발생을 방지하는 업무
㉡ **호송경비업무**: 운반 중에 있는 현금 · 유가증권 · 귀금속 · 상품 그 밖의 물건에 대하여 도난 · 화재 등 위험발생을 방지하는 업무
㉢ **신변보호업무**: 사람의 생명이나 신체에 대한 위해의 발생을 방지하고 그 신변을 보호하는 업무
㉣ **기계경비업무**: 경비대상시설에 설치한 기기에 의하여 감지 · 송신된 정보를 그 경비대상시설 내의 장소에 설치한 관제시설의 기기로 수신하여 도난 · 화재 등 위험발생을 방지하는 업무
㉤ **특수경비업무**: 공항(항공기를 제외한다) 등 대통령령이 정하는 국가중요시설(이하 '국가중요시설'이라 한다)의 경비 및 도난 · 화재 그 밖의 위험발생을 방지하는 업무

① 2개　② 3개
③ 4개　④ 5개

정답 및 해설 | ②

㉠㉡㉢ [○]

> **경비업법 제2조 【정의】** 이 법에서 사용하는 용어의 정의는 다음과 같다.
> 가. **시설경비업무**: 경비를 필요로 하는 시설 및 장소(이하 "경비대상시설"이라 한다)에서의 도난 · 화재 그 밖의 혼잡 등으로 인한 위험발생을 방지하는 업무
> 나. **호송경비업무**: 운반중에 있는 현금 · 유가증권 · 귀금속 · 상품 그 밖의 물건에 대하여 도난 · 화재 등 위험발생을 방지하는 업무
> 다. **신변보호업무**: 사람의 생명이나 신체에 대한 위해의 발생을 방지하고 그 신변을 보호하는 업무

㉣ [×] 기계경비업무에서의 관제시설은 '경비대상시설 외의 장소'에 설치되는 것이다.
㉤ [×] 특수경비업무에서의 공항에는 항공기를 포함한다.

096 「경비업법」상 경비업에 대한 설명 중 옳은 것을 모두 고른 것은?

[2020 경간]

가. 기계경비업무는 경비대상시설에 설치한 기기에 의하여 감지 · 송신된 정보를 그 경비대상시설 외의 장소에 설치한 관제시설의 기기로 수신하여 도난 · 화재 등 위험발생을 방지하는 업무이다.
나. 신변보호업무는 사람의 생명이나 신체에 대한 위해의 발생을 방지하고 그 신변을 보호하는 업무이다.
다. 특수경비업무는 공항(항공기를 제외한다) 등 대통령령이 정하는 국가중요시설의 경비 및 도난 · 화재 그 밖의 위험발생을 방지하는 업무이다.
라. 혼잡경비업무는 경비를 필요로 하는 시설 및 장소에서의 도난 · 화재 그 밖의 혼잡 등으로 인한 위험발생을 방지하는 업무이다.

① 가
② 가, 나
③ 가, 나, 다
④ 가, 나, 다, 라

정답 및 해설 | ②

가. [○]

> **경비업법 제2조 【정의】** 이 법에서 사용하는 용어의 정의는 다음과 같다.
> 라. **기계경비업무**: 경비대상시설에 설치한 기기에 의하여 감지 · 송신된 정보를 그 경비대상시설외의 장소에 설치한 관제시설의 기기로 수신하여 도난 · 화재 등 위험발생을 방지하는 업무

나. [○]

> **경비업법 제2조 【정의】** 이 법에서 사용하는 용어의 정의는 다음과 같다.
> 다. **신변보호업무**: 사람의 생명이나 신체에 대한 위해의 발생을 방지하고 그 신변을 보호하는 업무

다. [×] 특수경비업무에서의 공항에는 항공기를 포함한다.

> **경비업법 제2조 【정의】** 이 법에서 사용하는 용어의 정의는 다음과 같다.
> 마. **특수경비업무**: 공항(항공기를 포함한다) 등 대통령령이 정하는 국가중요시설(이하 "국가중요시설"이라 한다)의 경비 및 도난 · 화재 그 밖의 위험발생을 방지하는 업무

라. [×] 지문은 시설경비업무에 대한 설명이다. 혼잡경비업무는 「경비업법」상 정의된 용어가 아니다.

097 「경비업법」에 관한 설명으로 가장 적절하지 않은 것은? [2017 실무 2]

① 경비업의 종류에 시설경비업무, 호송경비업무, 신변보호업무, 기계경비업무, 특수경비업무를 규정하고 있다.

② 경비업은 법인이 아니면 이를 영위할 수 없다.

③ 경비업 허가의 유효기간은 허가받은 날부터 5년이고, 법인의 주사무소의 소재자를 관할하는 시 · 도경찰청장의 허가를 받아야 한다.

④ 경비업의 종류 중 시설경비업무는 경비대상시설에 설치한 기기에 의하여 감지 · 송신된 정보를 그 경비대상시설 외의 장소에 설치한 관제시설의 기기로 수신하여 도난 · 화재 등 위험발생을 방지하는 업무를 뜻한다.

정답 및 해설 | ④

④ [×] 지문은 기계경비업무에 대한 설명이다.

> **경비업법 제2조 【정의】** 이 법에서 사용하는 용어의 정의는 다음과 같다.
> 가. **시설경비업무**: 경비를 필요로 하는 시설 및 장소(이하 "경비대상시설"이라 한다)에서의 도난 · 화재 그 밖의 혼잡 등으로 인한 위험발생을 방지하는 업무
> 라. **기계경비업무**: 경비대상시설에 설치한 기기에 의하여 감지 · 송신된 정보를 그 경비대상시설외의 장소에 설치한 관제시설의 기기로 수신하여 도난 · 화재 등 위험발생을 방지하는 업무

② [○]

> **경비업법 제3조 【법인】** 경비업은 법인이 아니면 이를 영위할 수 없다.

③ [○]

> **경비업법 제4조 【경비업의 허가】** ① 경비업을 영위하고자 하는 법인은 도급받아 행하고자 하는 경비업무를 특정하여 그 법인의 주사무소의 소재지를 관할하는 시 · 도경찰청장의 허가를 받아야 한다. 도급받아 행하고자 하는 경비업무를 변경하는 경우에도 또한 같다.
>
> **경비업법 제6조 【허가의 유효기간 등】** ① 제4조 제1항의 규정에 의한 경비업 허가의 유효기간은 허가받은 날부터 5년으로 한다.

098 다음 중 경비업의 허가를 받은 법인이 관할 시 · 도경찰청장에게 신고해야 할 사항이 아닌 것은?

[2018 경간]

① 영업을 폐업하거나 휴업한 때

② 법인의 주사무소나 출장소를 신설 · 이전 또는 폐지한 때

③ 도급받아 행하고자 하는 경비업무를 변경하는 경우

④ 특수경비업무를 개시하거나 종료한 때

정답 및 해설 I ③

③ [×] 경비업무 변경은 허가사유이다.

> **경비업법 제4조 【경비업의 허가】** ① 경비업을 영위하고자 하는 법인은 도급받아 행하고자 하는 경비업무를 특정하여 그 법인의 주사무소의 소재지를 관할하는 시 · 도경찰청장의 허가를 받아야 한다. 도급받아 행하고자 하는 경비업무를 변경하는 경우에도 또한 같다.

①②④ [○]

> **경비업법 제4조 【경비업의 허가】** ③ 제1항의 규정에 의하여 경비업의 허가를 받은 법인은 다음 각호의 1에 해당하는 때에는 시 · 도경찰청장에게 신고하여야 한다.
> 1. 영업을 폐업하거나 휴업한 때
> 2. 법인의 명칭이나 대표자 · 임원을 변경한 때
> 3. 법인의 주사무소나 출장소를 신설 · 이전 또는 폐지한 때
> 4. 기계경비업무의 수행을 위한 관제시설을 신설 · 이전 또는 폐지한 때
> 5. 특수경비업무를 개시하거나 종료한 때
> 6. 그 밖에 대통령령이 정하는 중요사항을 변경한 때

099 「경비업법」에 대한 설명으로 가장 적절하지 않은 것은?

[2020 실무 2]

① 기계경비업무는 경비대상시설에 설치한 기기에 의하여 감지 · 송신된 정보를 그 경비대상시설 외의 장소에 설치한 관제시설의 기기로 수신하여 도난 · 화재 등 위험발생을 방지하는 업무이다.

② 특수경비업무는 공항(항공기를 포함한다) 등 대통령령이 정하는 국가중요시설의 경비 및 도난 · 화재 그 밖의 위험발생을 방지하는 업무이다.

③ 경비업 허가의 유효기간은 허가받은 날부터 5년으로 한다.

④ 기계경비업의 허가를 받은 법인이 기계경비업무의 수행을 위한 관제시설을 신설 · 이전 또는 폐지한 때에는 시 · 도경찰청장의 허가를 받아야 한다.

정답 및 해설 I ④

④ [×] 이는 시 · 도경찰청장에 대한 신고사항이다.

> **경비업법 제4조 【경비업의 허가】** ③ 제1항의 규정에 의하여 경비업의 허가를 받은 법인은 다음 각호의 1에 해당하는 때에는 시 · 도경찰청장에게 신고하여야 한다.
> 4. 기계경비업무의 수행을 위한 관제시설을 신설 · 이전 또는 폐지한 때

①② [○]

> **경비업법 제2조 【정의】** 이 법에서 사용하는 용어의 정의는 다음과 같다.
> 라. **기계경비업무**: 경비대상시설에 설치한 기기에 의하여 감지 · 송신된 정보를 그 경비대상시설외의 장소에 설치한 관제시설의 기기로 수신하여 도난 · 화재 등 위험발생을 방지하는 업무
> 마. **특수경비업무**: 공항(항공기를 포함한다) 등 대통령령이 정하는 국가중요시설(이하 "국가중요시설"이라 한다)의 경비 및 도난 · 화재 그 밖의 위험발생을 방지하는 업무

③ [○]

> **경비업법 제6조【허가의 유효기간 등】** ① 제4조 제1항의 규정에 의한 경비업 허가의 유효기간은 허가받은 날부터 5년으로 한다.

100 「경비업법」에 대한 내용으로 가장 적절하지 않은 것은? [2018 채용 1차]

① 경비업은 법인이 아니면 이를 영위할 수 없다.

② 경비업을 영위하고자 하는 법인은 도급받아 행하고자 하는 경비업무를 특정하여 그 법인의 주사무소의 소재지를 관할하는 시 · 도경찰청장의 허가를 받아야 한다. 도급받아 행하고자 하는 경비업무를 변경하는 경우에도 또한 같다.

③ 이 법 제4조 제1항의 규정에 의한 경비업 허가의 유효기간은 허가받은 다음 날부터 5년으로 한다.

④ 경비업자는 집단민원현장에 경비원을 배치하는 때에는 경비지도사를 선임하고 그 장소에 배치하여 행정안전부령으로 정하는 바에 따라 경비원을 지도 · 감독하게 하여야 한다.

정답 및 해설 | ③

③ [×] 다음 날부터 아니라 허가받은 날부터 5년이다.

> **경비업법 제6조【허가의 유효기간 등】** ① 제4조 제1항의 규정에 의한 경비업 허가의 유효기간은 허가받은 날부터 5년으로 한다.

① [○]

> **경비업법 제3조【법인】** 경비업은 법인이 아니면 이를 영위할 수 없다.

② [○]

> **경비업법 제4조【경비업의 허가】** ① 경비업을 영위하고자 하는 법인은 도급받아 행하고자 하는 경비업무를 특정하여 그 법인의 주사무소의 소재지를 관할하는 시 · 도경찰청장의 허가를 받아야 한다. 도급받아 행하고자 하는 경비업무를 변경하는 경우에도 또한 같다.

④ [○]

> **경비업법 제7조【경비업자의 의무】** ⑥ 경비업자는 집단민원현장에 경비원을 배치하는 때에는 경비지도사를 선임하고 그 장소에 배치하여 행정안전부령으로 정하는 바에 따라 경비원을 지도 · 감독하게 하여야 한다.

101 「경비업법」에 관한 설명으로 가장 적절하지 않은 것은? [2024 승진]

① 주주총회와 관련하여 이해대립이 있어 다툼이 있는 장소, 100명 이상의 사람이 모이는 국제 · 문화 · 예술 · 체육 행사장, 「행정대집행법」에 따라 대집행을 하는 장소는 집단민원현장에 해당한다.

② 경비업을 영위하고자 하는 법인은 도급받아 행하고자 하는 경비업무를 특정하여 그 법인의 주사무소의 소재지를 관할하는 시 · 도경찰청장의 허가를 받아야 한다.

③ 금고 이상의 형의 선고유예를 받고 그 유예기간 중에 있는 자는 경비지도사의 결격사유에 해당한다.

④ 경비업의 허가를 받으려는 법인이 갖추어야 할 요건 중 시설경비업무의 경비인력 요건은 경비원 10명 이상 및 경비지도사 1명 이상이다.

정답 및 해설 I ③

③ [×] 금고 이상 형의 **집행유예**를 받고 그 유예기간 중에 있는 자이다. **비교»** 무기까지 사용할 수 있는 **특수경비원**의 경우에는 훨씬 엄격한 결격사유가 적용된다(금고 이상의 형의 **선고유예**를 받고 그 유예기간 중에 있는 자).

> **경비업법 제10조【경비지도사 및 경비원의 결격사유】** ①다음 각 호의 어느 하나에 해당하는 자는 경비지도사 또는 일반경비원이 될 수 없다.
> 4. 금고 이상의 형의 **집행유예**선고를 받고 그 유예기간중에 있는 자

① [○] 전체적으로 물리적 충돌가능성이 높고, 실제 물리적 충돌이 일어나는 경우 대규모의 충돌이 발생할 가능성이 높은 장소들이다.

> **경비업법 제2조【정의】** 이 법에서 사용하는 용어의 정의는 다음과 같다.
> 5. "**집단민원현장**"이란 다음 각 목의 장소를 말한다.
> 가. 「노동조합 및 노동관계조정법」에 따라 노동관계 당사자가 **노동쟁의 조정신청**을 한 사업장 또는 **쟁의행위가 발생한 사업장**
> 나. 「도시 및 주거환경정비법」에 따른 **정비사업과 관련하여 이해대립**이 있어 다툼이 있는 장소
> 다. **특정 시설물의 설치**와 관련하여 민원이 있는 장소
> 라. **주주총회**와 관련하여 이해대립이 있어 다툼이 있는 장소
> 마. 건물 · 토지 등 부동산 및 동산에 대한 소유권 · 운영권 · 관리권 · 점유권 등 **법적 권리에 대한 이해대립**이 있어 다툼이 있는 장소
> 바. **100명 이상의 사람**이 모이는 국제 · 문화 · 예술 · 체육 행사장
> 사. 「행정대집행법」에 따라 **대집행**을 하는 장소

②④ [○]

> **경비업법 제4조【경비업의 허가】** ①경비업을 영위하고자 하는 **법인**은 도급받아 행하고자 하는 경비업무를 특정하여 그 법인의 주사무소의 소재지를 관할하는 **시 · 도경찰청장의 허가**를 받아야 한다. 도급받아 행하고자 하는 경비업무를 **변경**하는 경우에도 또한 같다.
> ② 제1항에 따른 허가를 받으려는 법인은 다음 각 호의 요건을 갖추어야 한다.
> 1. 대통령령으로 정하는 1억원 이상의 자본금의 보유
> 2. 다음 각 목의 경비인력 요건
> 가. **시설경비업무**: 경비원 10명 이상 및 경비지도사 1명 이상
> 나. **시설경비업무 외의 경비업무**: 대통령령으로 정하는 경비 인력

제2장 | 수사경찰

주제 1 통신수사

001 통신수사에 대한 설명으로 가장 적절하지 않은 것은? (다툼이 있는 경우 판례에 의함) [2021 승진(실무종합)]

① 「형법」 제283조 제2항의 '존속협박'으로는 통신제한조치허가서를 청구할 수 없다.

② 통신이용자정보에는 이용자의 성명, 주민등록번호, 주소, 가입일 또는 해지일, 전화번호, ID 등이 포함된다.

③ 통신사실확인자료 중 수사를 위한 정보통신기기 관련 실시간 추적자료, 컴퓨터통신 · 인터넷 로그기록자료는 다른 방법으로 범행 저지, 범인의 발견 · 확보, 증거의 수집 · 보전이 어려운 경우에만 해당 자료의 열람이나 제출 요청이 가능하다.

④ 통신제한조치는 당사자의 동의 없이 개봉 등의 방법으로 우편물의 내용을 지득 · 채록 · 유치하는 것을 의미하는 우편물의 검열과 당사자의 동의 없이 전자장치등을 사용하여 전기통신의 음향 · 문언 · 부호 · 영상을 청취 · 공독하여 그 내용을 지득 · 채록하거나 전기통신의 송 · 수신을 방해하는 전기통신의 감청이 있다.

정답 및 해설 | ③

③ [×] 통신사실확인자료 중 '실시간 추적자료', 그리고 '특정 기지국에 대한 통신사실확인자료'만이 다른 방법으로 범죄 실행을 저지하기 어려운 경우 등 보충성 요건이 적용되는 자료이다. 인터넷 로그기록자료는 보충성 요건이 적용되는 통신사실확인자료가 아니다.

> **통신비밀보호법 제2조【정의】** 이 법에서 사용하는 용어의 정의는 다음과 같다.
> 11. "**통신사실확인자료**"라 함은 다음 각목의 어느 하나에 해당하는 전기통신사실에 관한 자료를 말한다.
>   마. 컴퓨터통신 또는 인터넷의 사용자가 전기통신역무를 이용한 사실에 관한 컴퓨터통신 또는 인터넷의 로그기록자료
>
> **통신비밀보호법 제13조【범죄수사를 위한 통신사실 확인자료제공의 절차】** ① 검사 또는 사법경찰관은 수사 또는 형의 집행을 위하여 필요한 경우 전기통신사업법에 의한 전기통신사업자(이하 "전기통신사업자"라 한다)에게 통신사실 확인자료의 열람이나 제출(이하 "통신사실 확인자료제공"이라 한다)을 요청할 수 있다. ➜ 필요성
> ② 검사 또는 사법경찰관은 제1항에도 불구하고 수사를 위하여 통신사실확인자료 중 다음 각 호의 어느 하나에 해당하는 자료가 필요한 경우에는 다른 방법으로는 범죄의 실행을 저지하기 어렵거나 범인의 발견 · 확보 또는 증거의 수집 · 보전이 어려운 경우에만 전기통신사업자에게 해당 자료의 열람이나 제출을 요청할 수 있다. 다만, 제5조 제1항 각 호의 어느 하나에 해당하는 범죄 또는 전기통신을 수단으로 하는 범죄에 대한 통신사실확인자료가 필요한 경우에는 제1항에 따라 열람이나 제출을 요청할 수 있다. ➜ 필요성 + 보충성
> 1. 제2조 제11호 바목 · 사목 중 실시간 추적자료
> 2. 특정한 기지국에 대한 통신사실확인자료

① [○]

> **통신비밀보호법 제5조【범죄수사를 위한 통신제한조치의 허가요건】** ① 통신제한조치는 다음 각호의 범죄를 계획 또는 실행하고 있거나 실행하였다고 의심할만한 충분한 이유가 있고 다른 방법으로는 그 범죄의 실행을 저지하거나 범인의 체포 또는 증거의 수집이 어려운 경우에 한하여 허가할 수 있다.
> 1. 형법 제2편 중 제1장 내란의 죄, 제2장 외환의 죄 … 제32장 강간과 추행의 죄 … 제38장 절도와 강도의 죄 … 제39장 사기와 공갈의 죄 … 제41장 장물에 관한 죄 중 제363조의 죄
> 2. 군형법 제2편 중 제1장 반란의 죄, 제2장 이적의 죄 …
> 3. 국가보안법에 규정된 범죄
> 4. 군사기밀보호법에 규정된 범죄
> 5. 군사기지 및 군사시설 보호법에 규정된 범죄
> 6. 마약류관리에 관한 법률에 규정된 범죄 중 제58조 내지 제62조의 죄
> 12. 「국제상거래에 있어서 외국공무원에 대한 뇌물방지법」에 규정된 범죄 중 제3조 및 제4조의 죄

② [○]

> **전기통신사업법 제83조 【통신비밀의 보호】** ③ 전기통신사업자는 법원, 검사 또는 수사관서의 장 … 재판, 수사 … 형의 집행 또는 국가안전보장에 대한 위해를 방지하기 위한 정보수집을 위하여 다음 각 호의 자료의 열람이나 제출(이하 "**통신이용자정보**"이라 한다)을 요청하면 그 요청에 따를 수 있다.
> 1. 이용자의 성명
> 2. 이용자의 주민등록번호
> 3. 이용자의 주소
> 4. 이용자의 전화번호
> 5. 이용자의 아이디(컴퓨터시스템이나 통신망의 정당한 이용자임을 알아보기 위한 이용자 식별부호를 말한다)
> 6. 이용자의 가입일 또는 해지일

④ [○]

> **통신비밀보호법 제2조 【정의】** 이 법에서 사용하는 용어의 정의는 다음과 같다.
> 6. "**검열**"이라 함은 우편물에 대하여 당사자의 동의없이 이를 개봉하거나 기타의 방법으로 그 내용을 지득 또는 채록하거나 유치하는 것을 말한다.
> 7. "**감청**"이라 함은 전기통신에 대하여 당사자의 동의없이 전자장치 · 기계장치등을 사용하여 통신의 음향 · 문언 · 부호 · 영상을 청취 · 공독하여 그 내용을 지득 또는 채록하거나 전기통신의 송 · 수신을 방해하는 것을 말한다.
>
> **통신비밀보호법 제3조 【통신 및 대화비밀의 보호】** ② 우편물의 검열 또는 전기통신의 감청(이하 "통신제한조치"라 한다)은 범죄수사 또는 국가안전보장을 위하여 보충적인 수단으로 이용되어야 하며, 국민의 통신비밀에 대한 침해가 최소한에 그치도록 노력하여야 한다.

002 통신수사에 대한 설명으로 가장 적절하지 않은 것은? [2022 승진]

① 「전기통신사업법」상 전기통신사업자는 법원, 검사 또는 수사관서의 장, 정보수사기관의 장이 재판, 수사, 형의 집행 또는 국가안전보장에 대한 위해를 방지하기 위한 정보수집을 위하여 통신자료제공을 요청하면 그 요청에 따를 수 있다.

② 「통신비밀보호법」상 검사 또는 사법경찰관은 수사 또는 형의 집행을 위하여 필요한 경우 「전기통신사업법」에 의한 전기통신사업자에게 '통신사실확인자료'의 열람이나 제출을 요청할 수 있다.

③ 「통신비밀보호법」 제3조(통신 및 대화비밀의 보호)의 규정에 위반하여, 불법검열에 의하여 취득한 우편물이나 그 내용 및 불법감청에 의하여 지득 또는 채록된 전기통신의 내용은 재판 또는 징계절차에서 증거로 사용할 수 없다.

④ 「통신비밀보호법」상 발 · 착신 통신번호 등 상대방의 가입자번호는 '통신사실확인자료'에 해당되지 않는다.

정답 및 해설 I ④

④ [×] 「통신비밀보호법」상 발 · 착신 통신번호 등 상대방의 가입자번호는 '통신사실확인자료'에 **해당된다.**

> **통신비밀보호법 제2조 【정의】** 이 법에서 사용하는 용어의 정의는 다음과 같다.
> 11. "**통신사실확인자료**"라 함은 다음 각목의 어느 하나에 해당하는 전기통신사실에 관한 자료를 말한다.
>   다. 발 · 착신 통신번호 등 상대방의 가입자번호

구분	통신이용자정보	통신사실확인자료
관계법령	• **전기통신사업법** 제83조 제3항	• **통신비밀보호법** 제2조 제11호
내용	• 이용자의 성명, 주민등록번호, 주소, 가입 또는 해지일, 전화번호, ID, ※ KICS – 특정시간·특정 유동 IP의 **사용자 정보**	• 가입자의 **전기통신일시**, 전기통신개시·종료시간, 발·착신 통신번호 등 상대방의 가입자번호, 사용도수, 컴퓨터통신·인터넷로그기록자료, 정보통신기기 발신기지국 **위치추적자료 · 접속지 추적자료**

요건 및 절차	• 재판, 수사, 형의 집행 또는 국가안전보장에 대한 위해를 방지하기 위한 정보수집을 위해 필요한 경우 통신자료제공 요청가능	• 수사 또는 형의 집행을 위해 필요한 경우 통신사실확인자료제공을 요청가능 • 요청사유, 해당 가입자와의 연관성 및 필요한 자료의 범위를 기록한 서면으로 관할 지방법원 또는 지원으로부터 허가를 받아, 동 허가장으로 통신사실확인자료제공을 요청함

① [○]

전기통신사업법 제83조【통신비밀의 보호】 ③ 전기통신사업자는 법원, 검사 또는 수사관서의 장 … 재판, 수사 … 형의 집행 또는 국가안전보장에 대한 위해를 방지하기 위한 정보수집을 위하여 다음 각 호의 자료의 열람이나 제출(이하 "**통신이용자정보**"이라 한다)을 요청하면 그 요청에 따를 수 있다.
1. 이용자의 성명
2. 이용자의 주민등록번호
3. 이용자의 주소
4. 이용자의 전화번호
5. 이용자의 아이디(컴퓨터시스템이나 통신망의 정당한 이용자임을 알아보기 위한 이용자 식별부호를 말한다)
6. 이용자의 가입일 또는 해지일

② [○]

통신비밀보호법 제13조【범죄수사를 위한 통신사실 확인자료제공의 절차】 ① 검사 또는 사법경찰관은 수사 또는 형의 집행을 위하여 필요한 경우 전기통신사업법에 의한 전기통신사업자(이하 "전기통신사업자"라 한다)에게 통신사실 확인자료의 열람이나 제출(이하 "통신사실 확인자료제공"이라 한다)을 요청할 수 있다. ➜ 필요성

③ [○]

통신비밀보호법 제4조【불법검열에 의한 우편물의 내용과 불법감청에 의한 전기통신내용의 증거사용 금지】 제3조의 규정에 위반하여, 불법검열에 의하여 취득한 우편물이나 그 내용 및 불법감청에 의하여 지득 또는 채록된 전기통신의 내용은 재판 또는 징계절차에서 증거로 사용할 수 없다.

주제 2 마약범죄수사

003 「마약류 관리에 관한 법률」상 '대마'의 정의에 해당하지 않은 것은? [2023 승진]

① 대마초와 그 수지(樹脂)

② 대마초와 그 수지(樹脂)와 동일한 화학적 합성품으로서 대통령령으로 정하는 것

③ 대마초 또는 그 수지를 원료로 하여 제조된 모든 제품

④ 대마초의 종자(種子) · 뿌리 및 성숙한 대마초의 줄기

정답 및 해설 | ④

④ [×] 대마초의 종자 · 뿌리 및 성숙한 대마초의 줄기와 그 제품은 제외한다.

마약류 관리에 관한 법률 제2조【정의】 이 법에서 사용하는 용어의 뜻은 다음과 같다.
1. "**마약류**"란 마약 · 향정신성의약품 및 대마를 말한다.
4. "**대마**"란 다음 각 목의 어느 하나에 해당하는 것을 말한다. 다만, 대마초[칸나비스 사티바 엘(Cannabis sativa L)을 말한다. 이하 같다]의 종자 · 뿌리 및 성숙한 대마초의 줄기와 그 제품은 제외한다.
가. 대마초와 그 수지 ➜ 수지: 대마 엑기스
나. 대마초 또는 그 수지를 원료로 하여 제조된 모든 제품
다. 가목 또는 나목에 규정된 것과 동일한 화학적 합성품으로서 대통령령으로 정하는 것
라. 가목부터 다목까지에 규정된 것을 함유하는 혼합물질 또는 혼합제제.

004 마약류에 대한 설명으로 가장 적절한 것은? [2020 채용 1차]

① 러미나(덱스트로 메트로판)는 강한 중추신경 억제성 진해작용이 있으며, 의존성과 독성이 강한 특징이 있다.

② 카리소프로돌(일명 S정)은 골격근 이완의 효과가 있는 근골격계 질환 치료제로서 과다복용시 인사불성, 혼수쇼크, 호흡저하, 사망에까지 이르게 할 수 있다.

③ GHB는 무색 · 무취 · 무미의 액체로 소다수 등 음료수에 타서 복용하여 '물 같은 히로뽕'이라는 뜻으로 일명 물뽕으로 불리고 있다.

④ 사일로시빈은 미국의 텍사스나 멕시코 북부지역에서 자생하는 선인장인 페이요트(Peyote)에서 추출 · 합성한 향정신성의약품이다.

정답 및 해설 I ②

② [○]

카리소프로돌 (S정)	• 근골격계 질환을 치료하는 근육이완제이다. • 과다 복용시 환각증상을 일으키고 인사불성, 정신장애, 호흡장애를 유발하며, 위나 간에 심각한 손상을 입혀 사망에 이를 수 있다. • 금단증상으로는 온몸이 뻣뻣해지고 뒤틀리며, 혀꼬부라진 소리 등을 하게 된다.

① [×] 러미나(덱스트로 메트로판)는 의존성과 독성이 없다.

덱스트로 메트로판 (러미나)	• 진해거담제로서 뇌의 기침 중추에 작용하는 억제성 진해작용을 통해 기침을 억제하며 저렴한 가격으로 유통되고, 의사의 처방전으로 약국에서 구입이 가능하다. • 코데인과 화학적 구조가 비슷하나 의존성과 독성이 없어 코데인 대용으로 널리 시판되고 있다. • 과다 복용시 환각증상과 심박 수 증가, 뇌 손상, 발작 등 부작용을 유발한다. • 일부 여성들에게는 살을 빼는 약으로 알려져 유흥업소 종사자, 가정주부 등이 남용하고 있다. • 청소년들이 소주에 타서 마시기도 하는데 이를 '정글쥬스'라고도 한다.

③ [×] GHB(일명 물뽕)는 무색 · 무취 · 짠맛의 액체이다.

GHB(물뽕)	• 1960년 프랑스 생화학자 Laborit에 의해 최초 합성되어, 수면 보조제나 수술용 마취제로 시판되었다. 성범죄에 악용되어 1990년 미국 FDA가 금지약물로 지정하기 전까지 보디빌더 사이에서 아나볼릭 스테로이드 대체재로 매우 큰 인기가 있었다. ➜ 우리나라는 2001년부터 마약류로 규정되었다. • 무색 · 무취 · 짠맛의 액체로 속칭 '물뽕', 유럽 등지에서는 '데이트 강간 약물(date-rape drug)'로 불린다. 복용시 다소 취한 기분이 들고 기분이 좋아지나 알코올에 섞어서 복용할 경우 폭발적 효과 발생으로 의식을 잃을 수도 있어 최근 클럽 등지에서 성범죄에 악용되고 있다. • 통상 복용 15분 후 효과가 발현되어 3시간가량 지속되며, 24시간 이내에 신체를 빠져나가므로 사후 추적이 매우 어렵다.

④ [×] 사일로시빈은 중남미 원산지의 버섯에서 추출한 물질이고, 지문은 메스카린에 대한 설명이다.

메스카린	• 1919년 오스트리아 화학자 Spath에 의해 합성되었다. • 멕시코 북부 및 미국 서부(텍사스주)에 자생하는 페이요트(Peyote) 선인장에서 추출 · 합성한 향정신성의약품이다.
사일로시빈	• 중남미 원산지의 삿갓 모양의 버섯으로, 인디언 원주민들 사이에서 기적의 버섯, 만병통치약으로 사용된다. • 말기암 환자들의 고통과 불안증세를 없애거나 우울증 완화제로 사용된다.

005 「마약류 관리에 관한 법률」상 마약류에 대한 설명으로 가장 적절하지 않은 것은? [2018 승진(경위)]

① GHB는 무색 · 무취의 짠맛이 나는 액체로 소다수 등 음료에 타서 복용하며, 근육강화 호르몬 분비효과가 있다.

② 카리소프로돌(일명 S정)은 내성이나 심리적 의존현상은 있지만 금단증상은 일으키지 않는다고 알려져 있으며, 일부 남용자들은 '플래시백 현상'을 일으키기도 한다.

③ 야바(YABA)는 카페인, 에페드린, 밀가루 등에 필로폰을 혼합한 것으로 원료가 화공약품이기 때문에 보다 안정적인 밀조가 가능하다.

④ 메스카린(Mescaline)은 미국의 텍사스나 멕시코 북부지역에서 자생하는 선인장인 페이요트에서 추출 · 합성한 향정신성의약품이다.

정답 및 해설 I ②

② [×] **L.S.D**는 내성이나 심리적 의존성이 있고 일부 남용자들은 실제로 사용하지 않는데도 환각현상을 경험하는 '플래시백 현상'을 일으키기도 한다. **카리소프로돌(일명 S정)**은 온몸이 뻣뻣해지고 뒤틀리며, 혀꼬부라진 소리 등을 하게 되는 등의 금단증상이 있다.

① [○] **GHB(물뽕)**는 성범죄에 악용되어 1990년 미국 FDA가 금지약물로 지정하기 전까지 보디빌더 사이에서 아나볼릭 스테로이드 대체재로 매우 큰 인기를 끌었다. 무색 · 무취 · 짠맛의 액체로 속칭 '물뽕', 유럽 등지에서는 '데이트 강간 약물(date-rape drug)'로 불리며, 주로 소다수에 타서 복용하며 복용시 다소 취한 기분이 들고 기분이 좋아지나 알코올에 섞어서 복용할 경우 폭발적 효과 발생으로 의식을 잃을 수도 있어 최근 클럽 등지에서 성범죄에 악용된다.

③ [○] **야바(YABA)**는 히로뽕 · 카페인 · 코데인 · 에페드린, 밀가루 등을 섞어 만든 순도가 낮은 신종마약의 일종으로, 화공약품을 원료로 하여 안정적인 밀조가 가능하고, 저렴한 가격으로(1알당 3~5,000원) 인해 유흥업소종사자, 육체노동자, 운전기사 등을 중심으로 급속히 확산되었다.

④ [○] **메스카린**은 멕시코 북부 및 미국 서부(텍사스주)에 자생하는 페이요트(Peyote) 선인장에서 추출한 원료로 1919년 오스트리아 화학자 Spath에 의해 합성된 향정신성의약품이다.

006 마약류에 관한 설명으로 가장 적절하지 않은 것은? (다툼이 있는 경우 판례에 의함) [2024 승진]

① 마약류 매매 여부가 쟁점이 된 사건에서 매도인으로 지목된 피고인이 수수사실을 부인하고 있고 이를 뒷받침할 금융자료 등 객관적 물증이 없는 경우, 마약류를 매수하였다는 사람의 진술만으로 유죄를 인정하기 위해서는 그 사람의 진술이 증거능력이 있어야 함은 물론 합리적인 의심을 배제할 만한 신빙성이 있어야 한다.

② 「마약류 관리에 관한 법률」 제2조에 따르면 '원료물질'이란 마약류가 아닌 물질 중 마약 또는 향정신성의약품의 제조에 사용되는 물질로서 대통령령으로 정하는 것을 말한다.

③ 프로포폴은 페놀계화합물로 흔히 수면마취제라고 불리는 정맥마취제로서 수면내시경 등에 사용되나, 환각제 대용으로 오남용되는 사례가 있으며, 정신적 의존성을 유발하기도 하여 향정신성의약품으로 지정되어 관리되고 있다.

④ GHB는 사용 후 통상적으로 15분 후에 효과가 발현되고 그 효과는 3시간 정도 지속되며 무색, 무취, 무미의 액체로 유럽 등지에서 데이트 강간약물로도 불린다.

정답 및 해설 I ④

④ [×] 전반적으로 옳은 설명이나, GHB는무색 · 무취 · 짠맛의 액체이다.

① [○]

> **요지판례 I**
>
> ■ 마약류 매매 여부가 쟁점이 된 사건에서 매도인으로 지목된 피고인이 수수사실을 부인하고 있고 이를 뒷받침할 금융자료 등 객관적 물증이 없는 경우, 마약류를 매수하였다는 사람의 진술만으로 유죄를 인정하기 위해서는 그 사람의 진술이 증거능력이 있어야 함은 물론 합리적인 의심을 배제할 만한 신빙성이 있어야 한다(대판 2014.4.10, 2014도1779). ➜ 피고인으로부터 메스암페타민을 매수하였다는 매수인의 법정진술은 이를 뒷받침하는 금융거래내역, 통화내역 등 물증이 없고, 그 내용을 보더라도 '피고인을 만난 장소가 대구 서부시외버스터미널인지 대구 소재 다른 시외버스터미널인지 잘 모르겠고, 매수대금을 언제 어떻게 송금하였는지, 메스암페타민을 건네받은 장소가 모텔 몇 층인지, 당시 택시를 타고 다른 곳으로 이동한 적이 있는지 등은 기억이 안 난다.'라고 하는 등 그 내용 자체의 합리성, 객관적 상당성, 전후의 일관성이 없어 합리적인 의심을 배제할 만한 신빙성이 있다고 보기 어렵다고 판단된 사례

② [○]

> **마약류 관리에 관한 법률 제2조 【정의】** 이 법에서 사용하는 용어의 뜻은 다음과 같다.
> 6. "**원료물질**"이란 마약류가 아닌 물질 중 마약 또는 향정신성의약품의 제조에 사용되는 물질로서 대통령령으로 정하는 것을 말한다.

③ [○] 우유주사라고도 불리는 프로포폴에 대한 옳은 설명이다.

007 다음은 마약류에 대한 설명이다. 옳은 것으로 묶인 것은? [2019 채용 1차]

> ㉠ 마약이라 함은 양귀비, 아편, 대마와 이로부터 추출되는 모든 알칼로이드로서 대통령령으로 정하는 것을 말한다.
> ㉡ GHB(일명 물뽕)는 무색 · 무취 · 무미의 액체로 유럽 등지에서 데이트 강간약물로도 불린다.
> ㉢ L.S.D는 곡물의 곰팡이, 보리 맥각에서 추출한 물질을 인공 합성시켜 만든 것으로 무색 · 무취 · 무미하다.
> ㉣ 코카인은 「마약류 관리에 관한 법률」에서 규제하는 향정신성의약품에 해당한다.
> ㉤ 마약성분을 갖고 있으나 다른 약들과 혼합되어 마약으로 다시 제조하거나 제제할 수 없고, 그것에 의하여 신체적 또는 정신적 의존성을 일으키지 아니하는 것으로서 총리령으로 정하는 것을 한외마약이라고 한다.
> ㉥ 한외마약은 코데날, 코데잘, 코데솔, 코데인, 유코데, 세코날 등이 있다.

① ㉠, ㉥ ② ㉡, ㉢

③ ㉢, ㉤ ④ ㉣, ㉤

정답 및 해설 I ③

㉠ [×] 대마는 '**마약류**'에는 포함되나, '**마약**'에는 포함되지 않는다.

> **마약류 관리에 관한 법률 제2조 【정의】** 이 법에서 사용하는 용어의 뜻은 다음과 같다.
> 1. "**마약류**"란 마약 · 향정신성의약품 및 대마를 말한다.
> 2. "**마약**"이란 다음 각 목의 어느 하나에 해당하는 것을 말한다.
> 가. 양귀비: …
> 나. 아편: 양귀비의 액즙이 응결된 것과 이를 가공한 것. 다만, 의약품으로 가공한 것은 제외한다.
> 다. 코카 잎[엽]: 코카 관목 … 의 잎. 다만, 엑고닌 · 코카인 및 엑고닌 알칼로이드 성분이 모두 제거된 잎은 제외한다.
> 라. 양귀비, 아편 또는 코카 잎에서 추출되는 모든 알카로이드 및 그와 동일한 화학적 합성품으로서 대통령령으로 정하는 것
> 마. 가목부터 라목까지에 규정된 것 외에 그와 동일하게 남용되거나 해독 작용을 일으킬 우려가 있는 화학적 합성품으로서 대통령령으로 정하는 것

ⓛ [×] 향정신성의약품인 GHB(일명 물뽕)는 무색 · 무취 · 짠맛의 액체이다.

ⓒ [○]

L.S.D	• 1938년 스위스 화학자 호프만이 호밀 이삭에서 발생하는 맥각병에서 착안하여 곡물의 곰팡이, 보리 맥각에서 추출한 물질 등으로 최초 합성한 환각제로 무색 · 무취 · 무미의 백색 분말이다. • 저렴한 가격으로 청소년 등 젊은 층을 대상으로 많이 확산되며, 알약 형태도 있으나 주로 우표 형태의 종이에 인쇄한 후 혀로 핥는 방법으로 투약한다. • 히로뽕의 약 300배에 달하는, 오감을 왜곡하는 강력한 환각효과를 가지고 있으며, 내성이나 심리적 의존성이 있고 일부 남용자들은 실제로 사용하지 않는데도 환각현상을 경험하는 '플래시백 현상'을 일으키기도 한다. • 뇌손상 · 혈압상승 · 수전증 등 부작용이 다수 보고되었다.

ⓔ [×] 코카인은 「마약류 관리에 관한 법률」상 '마약'에 해당한다(천연마약).

코카인	• 볼리비아, 페루, 콜롬비아 등지의 안데스산맥 고지대에서 자생하는 코카나무의 잎에서 추출한 알카로이드로 중추신경을 자극하여 쾌감을 일으킨다. • 코카 잎은 대부분 남미 정글 내 은폐된 제조시설로 운반되어 코카인 추출작업을 통해 생산된다. • 대부분 남용자들은 분말을 코로 들이마시거나 주사를 통해 투약하며, 강력한 도취감을 일으키는 흥분제로서 과다투약시 호흡곤란으로 사망한다.

ⓜ [○]

> **마약류 관리에 관한 법률 제2조【정의】** 이 법에서 사용하는 용어의 뜻은 다음과 같다.
> 2. "**마약**"이란 다음 각 목의 어느 하나에 해당하는 것을 말한다.
> 바. 가목부터 마목까지에 열거된 것을 함유하는 혼합물질 또는 혼합제제. 다만, 다른 약물이나 물질과 혼합되어 가목부터 마목까지에 열거된 것으로 다시 제조하거나 제제할 수 없고, 그것에 의하여 신체적 또는 정신적 의존성을 일으키지 아니하는 것으로서 총리령으로 정하는 것(이하 "한외마약"이라 한다)은 제외한다.

ⓑ [×] 코데인은 양귀비 · 아편 계열의 천연마약으로 한외마약에 해당하지 않는다.

코데인	• '메틸 모르핀'이라고도 불리는 아편 기반 알카로이드이다. • 모르핀이나 헤로인 중독을 치료하는 대체마약으로도 사용된다. • 최근 코데인 성분이 함유된 복방감초편이 살을 빼는 약으로 알려져 중국으로부터 밀수입되고 있다.

008 다음 중 마약류 관리에 관한 법률상 향정신성의약품에 관한 설명으로 옳지 않은 것은 모두 몇 개인가?

[2014 경간]

> 가. 야바(YABA)는 카페인 · 에페드린 · 밀가루 등에 필로폰을 혼합한 것으로 순도가 높다.
> 나. 덱스트로 메트로판은 강한 중추신경 억제성 진해작용이 있으나, 의존성과 독성은 없어 코데인 대용으로 널리 사용된다.
> 다. L.S.D는 각성제 중 가장 강력한 효과를 나타내며 캡슐 · 정제 · 액체 형태로 사용된다.
> 라. GHB(물뽕)은 무색 · 무취의 짠맛이 나는 액체로써 '데이트 강간 약물'로도 불린다.
> 마. 카리소프로돌(일명 S정)은 중추신경에 작용하여 골격근 이완의 효과가 있는 근골격계 질환 치료제로서 과다복용시 치명적으로 인사불성, 혼수쇼크, 호흡저하를 가져오며 사망까지 이를 수 있다.
> 바. 페이요트(Peyote)는 미국의 텍사스나 멕시코 북부지역에서 자생하는 선인장인 메스카린에서 추출 · 합성한 향정신성의약품이다.

① 2개 ② 3개
③ 4개 ④ 5개

정답 및 해설 I ②

가. [×] YABA는 히로뽕 · 카페인 · 코데인 · 에페드린 · 밀가루 등을 섞어 만든 순도가 낮은 신종마약의 일종이다.

나. [○] **덱스트로 메트로판**(러미나)은 진해거담제로서 뇌의 기침 중추에 작용하는 억제성 진해작용을 통해 기침을 억제하고 저렴한 가격으로 유통되며, 코데인과 화학적 구조가 비슷하나 의존성과 독성이 없어 코데인 대용으로 널리 시판된다.

다. [×] 향정신성의약품은 각성제 · 환각제 · 억제제로 분류할 수 있는데, L.S.D는 각성제가 아닌 환각제에 속한다.

라. [○] GHB(물뽕)는 무색 · 무취 · 짠맛의 액체로 속칭 '물뽕', 유럽 등지에서는 '데이트 강간 약물(date-rape drug)'로 불리며, 복용시 다소 취한 기분이 들고 기분이 좋아지나 알코올에 섞어서 복용할 경우 폭발적 효과 발생으로 의식을 잃을 수도 있어 최근 클럽 등지에서 성범죄에 악용된다.

마. [○] **카리소프로돌**(S정)은 근골격계 질환을 치료하는 근육이 완제로서 과다복용시 환각증상을 일으키고 인사불성, 정신장애, 호흡장애를 유발하며, 위나 간에 심각한 손상을 입혀 사망에 이를 수 있다.

바. [×] '메스카린'을 '페이요트'에서 추출 · 합성한 것이다.

009 향정신성의약품에 대한 다음 설명 중 틀린 것은 모두 몇 개인가? [2016 경간]

㉠ 메스암페타민(히로뽕, 필로폰)은 기분이 좋아지는 약, 포옹마약(Hug drug), 클럽마약, 도리도리 등으로 지칭된다.

㉡ 엑스터시(MDMA)는 곡물의 곰팡이, 보리 맥각에서 추출한 물질을 인공합성시켜 만든 것으로 무색 · 무취 · 무미한 특징이 있다.

㉢ L.S.D.는 카페인, 에페드린, 밀가루 등에 필로폰을 혼합한 것으로 순도가 20~30% 정도로 낮다.

㉣ 덱스트로 메트로판(러미라)은 진해거담제(감기, 만성 기관지염, 폐렴 등 치료제)로서 의사의 처방전으로 약국 구입이 가능하다.

㉤ 카리소프로돌(일명 S정)의 금단증상으로는 온몸이 뻣뻣해지고 뒤틀리며 혀꼬부라지는 소리 등을 하는 것이 특징이다.

① 2개　　② 3개

③ 4개　　④ 5개

정답 및 해설 I ②

㉠ [×] 기분이 좋아지는 약, 포옹마약(Hug drug), 클럽마약, 도리도리 등으로 지칭되는 것은 **MDMA(엑스터시)**에 대한 설명이다.

㉡ [×] **L.S.D**는 1938년 스위스 화학자 호프만이 호밀 이삭에서 발생하는 맥각병에서 착안하여 곡물의 곰팡이, 보리 맥각에서 추출한 물질 등으로 최초 합성한 환각제로 무색 · 무취 · 무미의 백색 분말이다.

㉢ [×] **YABA**는 동남아시아 마약왕 '쿤사'가 히로뽕 · 카페인 · 코데인 · 에페드린 · 밀가루 등을 섞어 만든 순도가 낮은 신종마약의 일종으로, 태국어로 '미친 약'이라는 뜻이다.

㉣ [○] **덱스트로 메트로판**(러미나)은 진해거담제로서 뇌의 기침 중추에 작용하는 억제성 진해작용을 통해 기침을 억제하며 저렴한 가격으로 유통되며, 의사의 처방전으로 약국에서 구입이 가능하다.

㉤ [○] **카리소프로돌**(S정)은 근골격계 질환을 치료하는 근육이완제로서, 금단증상으로는 온몸이 뻣뻣해지고 뒤틀리며, 혀꼬부라진 소리 등을 하게 된다.

010 마약류에 관한 다음 설명 중 옳은 것은 모두 몇 개인가? [2018 경간]

가. MDMA(엑스터시)는 독일에서 식욕감퇴제로 개발된 것으로, 포옹마약으로도 지칭된다.
나. GHB(물뽕)은 미국이나 유럽 등지에서는 성범죄용으로 악용되어 '데이트 강간 약물'이라고도 불린다.
다. 러미나(덱스트로 메트로판)는 청소년들 사이에서 소주에 타서 마시기도 하는데 정글쥬스라고도 한다.
라. S정(카리소프로돌)은 근골격계 질환 치료제이며 과다복용시 사망까지 이를 수 있다.
마. L.S.D는 우편 · 종이 등의 표면에 묻혔다가 뜯어서 입에 넣는 방법으로 복용하기도 한다.
바. 야바(YABA)는 카페인, 에페드린, 밀가루 등에 필로폰을 혼합한 것으로 순도가 낮다.
사. 메스카린은 선인장인 페이요트에서 추출 · 합성한 향정신성의약품이다.

① 4개
② 5개
③ 6개
④ 7개

정답 및 해설 I ④

가. [○] MDMA(엑스터시)는 1914년 독일 의약품회사에서 식욕감퇴제로 최초 개발되어, 1980년대 유럽의 클럽에서 확산되기 시작하였다. 복용시 신체접촉 욕구와 성욕이 증가하고, 고개를 저으며 격렬한 춤을 추게 된다는 점에서 '포옹마약', '도리도리'로 불리기도 한다.
나. [○] GHB는 무색 · 무취 · 짠맛의 액체로 속칭 '물뽕', 유럽 등지에서는 '데이트 강간 약물(date-rape drug)'로 불린다.
다. [○] **덱스트로 메트로판**(러미나)은 일부 여성들에게는 살을 빼는 약으로 알려져 유흥업소 종사자, 가정주부 등이 남용하고 있으며, 청소년들이 소주에 타서 마시기도 하는데 이를 '정글쥬스'라고도 한다.
라. [○] **카리소프로돌**(S정)은 근골격계 질환을 치료하는 근육이완제로서 과다 복용시 환각증상을 일으키고 인사불성, 정신장애, 호흡장애를 유발하며, 위나 간에 심각한 손상을 입혀 사망에 이를 수 있다.
마. [○] L.S.D는 저렴한 가격으로 청소년 등 젊은 층 대상으로 많이 확산되며, 알약 형태도 있으나 주로 우표 형태의 종이에 인쇄 후 혀로 핥는 방법으로 투약한다.
바. [○] YABA는 동남아시아 마약왕 '쿤사'가 히로뽕 · 카페인 · 코데인 · 에페드린, 밀가루 등을 섞어 만든 순도가 낮은 신종마약의 일종으로, 태국어로 '미친 약'이라는 뜻을 가지고 있다.
사. [○] **메스카린**은 멕시코 북부 및 미국 서부(텍사스주)에 자생하는 페이요트(peyote) 선인장에서 추출된 성분으로, 1919년 오스트리아 화학자 Spath에 의해 합성된 향정신성의약품이다.

011 다음은 「마약류 관리에 관한 법률」 및 동법 시행령상 마약류에 관한 설명이다. <보기 1>의 설명과 <보기 2> 마약류의 품명이 가장 적절하게 연결된 것은? [2023 채용 1차]

<보기 1>

㉠ 진해거담제로서 의사의 처방이 있으면 약국에서 구입가능하고, 도취감과 환각작용을 느끼기 위해 사용량의수십배를남용하는 경우도 있다. 청소년들이 소주에 타서 마시기도 하여 흔히 '정글주스'라고도 불린다.
㉡ 골격근 이완의 효과가 있는 근골격계 질환 치료제이며, 과다복용시 인사불성, 혼수쇼크, 호흡저하, 사망에까지 이를 수 있다.
㉢ 곡물의 곰팡이, 보리 맥각에서 추출 · 합성한 무색 · 무취 · 무미의 매우 강력한 환각제로, 내성은 있으나 금단증상은일으키지 않는다고 알려져 있다.
㉣ 페놀계 화합물로 흔히 수면마취제라고 불리는 정맥마취제로서 수면내시경 검사 마취 등에 사용되고, 환각제 대용으로 오남용되는 사례가 있으며, 정신적 의존성을 유발하기도 한다.

<보기 2>

ⓐ 카리소프로돌(S정)　　ⓑ 프로포폴
ⓒ L.S.D　　ⓓ 덱스트로메트로판(러미나)

① ㉠ - ⓓ ㉡ - ⓒ ㉢ - ⓐ ㉣ - ⓑ
② ㉠ - ⓓ ㉡ - ⓐ ㉢ - ⓒ ㉣ - ⓑ
③ ㉠ - ⓒ ㉡ - ⓑ ㉢ - ⓓ ㉣ - ⓐ
④ ㉠ - ⓓ ㉡ - ⓐ ㉢ - ⓑ ㉣ - ⓒ

정답 및 해설 | ②
② [○] ㉠ - 덱스트로메트로판(러미나), ㉡ - 카리소프로돌(S정,) ㉢ - L.S.D, ㉣ - 프로포폴에 해당한다.

주제 3 성범죄수사

01 개설

02 성매매알선 등 행위의 처벌에 관한 법률

012 「성매매알선 등 행위의 처벌에 관한 법률」상 '성매매알선 등 행위'의 태양으로 명시하고 있지 않은 것은? [2018 승진(경위)]

① 성매매의 장소를 제공하는 행위
② 성매매에 이용됨을 알면서 정보통신망을 제공하는 행위
③ 성매매를 알선, 권유, 유인 또는 강요하는 행위
④ 성매매에 제공되는 사실을 알면서 자금, 토지 또는 건물을 제공하는 행위

정답 및 해설 | ②

② [×] 성매매에 이용됨을 알면서 자금, 토지 또는 건물을 제공하는 행위는 성매매알선 등 행위에 해당하나, 정보통신망을 제공하는 행위는 성매매알선 등 행위에 해당하지 않는다.

> **성매매알선 등 행위의 처벌에 관한 법률 제2조【정의】** ① 이 법에서 사용하는 용어의 뜻은 다음과 같다.
> 2. **"성매매알선 등 행위"**란 다음 각 목의 어느 하나에 해당하는 행위를 하는 것을 말한다.
> 가. 성매매를 알선, 권유, 유인 또는 강요하는 행위
> 나. 성매매의 장소를 제공하는 행위
> 다. 성매매에 제공되는 사실을 알면서 자금, 토지 또는 건물을 제공하는 행위

013 「성매매알선 등 행위의 처벌에 관한 법률」에 관한 다음 설명 중 옳은 것은 모두 몇 개인가?

[2015 채용 2차]

> ㉠ '성매매'란 불특정인을 상대로 금품이나 그 밖의 재산상의 이익을 수수하거나 수수하기로 약속하고 성교행위 또는 구강 · 항문 등 신체의 일부 또는 도구를 이용한 유사 성교행위를 하거나 그 상대방이 되는 것을 말한다.
> ㉡ '성매매알선 등 행위'에는 성매매의 장소를 제공하는 것도 포함한다.
> ㉢ 성매매피해자의 성매매는 처벌하지 아니한다.
> ㉣ 이 법에 규정된 죄를 범한 사람이 수사기관에 신고하거나 자수한 경우에는 형을 감경하거나 면제해야 한다.

① 1개

② 2개

③ 3개

④ 4개

정답 및 해설 | ③

㉠ [○]

> **성매매알선 등 행위의 처벌에 관한 법률 제2조【정의】** ① 이 법에서 사용하는 용어의 뜻은 다음과 같다.
> 1. **"성매매"**란 불특정인을 상대로 금품이나 그 밖의 재산상의 이익을 수수하거나 수수하기로 약속하고 다음 각 목의 어느 하나에 해당하는 행위를 하거나 그 상대방이 되는 것을 말한다.
> 가. 성교행위
> 나. 구강, 항문 등 신체의 일부 또는 도구를 이용한 유사 성교행위

㉡ [○]

> **성매매알선 등 행위의 처벌에 관한 법률 제2조【정의】** ① 이 법에서 사용하는 용어의 뜻은 다음과 같다.
> 2. **"성매매알선 등 행위"**란 다음 각 목의 어느 하나에 해당하는 행위를 하는 것을 말한다.
> 나. 성매매의 장소를 제공하는 행위

㉢ [○]

> **성매매알선 등 행위의 처벌에 관한 법률 제6조【성매매피해자에 대한 처벌특례와 보호】** ① 성매매피해자의 성매매는 처벌하지 아니한다.

㉣ [×] 형을 감경하거나 면제할 수 있다.

> **성매매알선 등 행위의 처벌에 관한 법률 제26조【형의 감면】** 이 법에 규정된 죄를 범한 사람이 수사기관에 신고하거나 자수한 경우에는 형을 감경하거나 면제할 수 있다.

03 성폭력범죄의 처벌 등에 관한 특례법

014 「성폭력범죄의 처벌 등에 관한 특례법」에 대한 설명으로 가장 적절한 것은? [2020 채용 2차]

① 수사기관은 「성폭력범죄의 처벌 등에 관한 특례법」 제3조부터 제8조까지, 제10조 및 제14조, 제14조의2, 제14조의3, 및 제15조의2에 따른 범죄의 피해자, 19세 미만 피해자 등에 해당하는 피해자를 증인으로 신문하는 경우에 검사, 피해자 또는 그 법정대리인이 신청할 때에는 재판에 지장을 줄 우려가 있는 등 부득이한 경우가 아니면 피해자와 신뢰관계에 있는 사람을 동석하게 하여야 한다. 이 경우 수사기관은 피해자와 신뢰관계에 있는 사람이 피해자에게 불리하거나 피해자가 원하지 아니하는 경우에는 동석하게 하여서는 아니 된다.

② 모든 성폭력범죄 피해자를 조사하는 경우에 진술 내용과 조사 과정을 비디오녹화기 등 영상물 녹화장치로 촬영 · 보존하여야 한다.

③ 경찰청장은 각 경찰서장으로 하여금 성폭력범죄 전담 사법경찰관을 지정하도록 하여 특별한 사정이 없으면 이들로 하여금 피의자를 조사하게 하여야 한다.

④ 수사기관은 성폭력범죄의 피해자를 조사할 때 피해자가 편안한 상태에서 진술할 수 있는 환경을 조성하여야 하며, 조사 횟수는 1회로 마쳐야 한다.

정답 및 해설 I ①

① [○]

> **성폭력처벌법 제34조 【신뢰관계에 있는 사람의 동석】** ① 법원은 다음 각 호의 어느 하나에 해당하는 피해자를 증인으로 신문하는 경우에 검사, 피해자 또는 그 법정대리인이 신청할 때에는 재판에 지장을 줄 우려가 있는 등 부득이한 경우가 아니면 피해자와 신뢰관계에 있는 사람을 동석하게 하여야 한다.
> 1. 제3조부터 제8조까지, 제10조, 제14조, 제14조의2, 제14조의3, 제15조(제9조의 미수범은 제외한다) 및 제15조의2에 따른 범죄의 피해자 ➜ 특수강도강간, 특수강간, 친족관계에 의한 강간, 장애인에 대한 강간 · 강제추행, 13세 미만 미성년자 강간 · 강제추행, 강간 등 상해 · 치상, 업무상 위력 등에 의한 추행, 카메라 등 이용촬영, 허위영상물반포, 촬영물 등 이용 협박 · 강요 + 상기 범죄에 대한 미수 · 예비 · 음모(단, 미수의 경우 강간 등 살인 · 치사의 미수는 제외
> 2. 19세 미만 피해자 등
>
> ② 제1항은 수사기관이 같은 항 각 호의 피해자를 조사하는 경우에 관하여 준용한다.

② [×] 모든 경우가 아니라 '**19세 미만 피해자 등**' 경우이다. 한편, '**19세 미만 피해자 등**'이라 함은 '(i) 19세 미만인 피해자나 (ii) 신체적인 또는 정신적인 장애로 사물을 변별하거나 의사를 결정할 능력이 미약한 피해자'를 말한다(성폭력처벌법 제26조 제4항).

> **성폭력처벌법 제30조 【19세 미만 피해자 등 진술 내용 등의 영상녹화 및 보존 등】** ① 검사 또는 사법경찰관은 19세 미만 피해자 등의 진술 내용과 조사 과정을 영상녹화장치로 녹화(녹음이 포함된 것을 말하며, 이하 "영상녹화"라 한다)하고, 그 영상녹화물을 보존하여야 한다.

③ [×] 성폭력범죄 전담 사법경찰관으로 하여금 피의자가 아니라 피해자를 조사하게 하여야 한다.

> **성폭력처벌법 제26조 【성폭력범죄의 피해자에 대한 전담조사제】** ② 경찰청장은 각 경찰서장으로 하여금 성폭력범죄 전담 사법경찰관을 지정하도록 하여 특별한 사정이 없으면 이들로 하여금 피해자를 조사하게 하여야 한다.

④ [×] 조사 횟수는 1회가 아니라 필요한 범위에서 최소한으로 하여야 한다.

> **성폭력처벌법 제29조 【수사 및 재판절차에서의 배려】** ② 수사기관과 법원은 성폭력범죄의 피해자를 조사하거나 심리 · 재판할 때 피해자가 편안한 상태에서 진술할 수 있는 환경을 조성하여야 하며, 조사 및 심리 · 재판 횟수는 필요한 범위에서 최소한으로 하여야 한다.

015 「성폭력범죄의 처벌 등에 관한 특례법」에 관한 설명으로 가장 적절하지 않은 것은?

[2015 승진(경감), 2017 승진(경위) 유사]

① 검사 또는 사법경찰관은 19세 미만 피해자 등의 진술 내용과 조사 과정을 영상녹화장치로 녹화(녹음이 포함된 것을 말하며, 이하 "영상녹화"라 한다)하고, 그 영상녹화물을 보존하여야 한다.

② ①에 따른 영상물 녹화는 19세 미만 피해자 등 또는 그 법정대리인(법정대리인이 가해자이거나 가해자의 배우자인 경우는 제외한다)이 이를 원하지 아니하는 의사를 표시하는 경우에는 영상녹화를 하여서는 아니 된다.

③ 촬영한 영상물에 수록된 피해자의 진술은 공판기일에 피해자의 진술에 의하여 그 성립의 진정함이 인정된 경우에만 증거로 할 수 있다.

④ 경찰청장은 각 경찰서장으로 하여금 성폭력범죄 전담 사법경찰관을 지정하도록 하여 특별한 사정이 없으면 이들로 하여금 피해자를 조사하게 하여야 한다.

정답 및 해설 | ③

①② [○]

> 성폭력처벌법 제30조【19세 미만 피해자등 진술 내용 등의 영상녹화 및 보존 등】 ① 검사 또는 사법경찰관은 19세 미만 피해자 등의 진술 내용과 조사 과정을 영상녹화장치로 녹화(녹음이 포함된 것을 말하며, 이하 "영상녹화"라 한다)하고, 그 영상녹화물을 보존하여야 한다.
> ③ 제1항에도 불구하고 19세미만피해자등 또는 그 법정대리인(법정대리인이 가해자이거나 가해자의 배우자인 경우는 제외한다)이 이를 원하지 아니하는 의사를 표시하는 경우에는 영상녹화를 하여서는 아니 된다.

③ [×] 증거보전기일, 공판준비기일 또는 공판기일에 그 내용에 대하여 피의자, 피고인 또는 변호인이 피해자를 신문할 수 있었던 경우에 증거로 할 수 있다. 다만, 증거보전기일에서의 신문의 경우 법원이 피의자나 피고인의 방어권이 보장된 상태에서 피해자에 대한 반대신문이 충분히 이루어졌다고 인정하는 경우로 한정한다.

> 성폭력처벌법 제30조의2【영상녹화물의 증거능력 특례】 ① 제30조 제1항에 따라 19세 미만 피해자 등의 진술이 영상녹화된 영상녹화물은 같은 조 제4항부터 제6항까지에서 정한 절차와 방식에 따라 영상녹화된 것으로서 다음 각 호의 어느 하나의 경우에 증거로 할 수 있다.
> 1. 증거보전기일, 공판준비기일 또는 공판기일에 그 내용에 대하여 피의자, 피고인 또는 변호인이 피해자를 신문할 수 있었던 경우. 다만, 증거보전기일에서의 신문의 경우 법원이 피의자나 피고인의 방어권이 보장된 상태에서 피해자에 대한 반대신문이 충분히 이루어졌다고 인정하는 경우로 한정한다.
> 2. 19세 미만 피해자 등이 다음 각 목의 어느 하나에 해당하는 사유로 공판준비기일 또는 공판기일에 출석하여 진술할 수 없는 경우. 다만, 영상녹화된 진술 및 영상녹화가 특별히 신빙할 수 있는 상태에서 이루어졌음이 증명된 경우로 한정한다.
> 가. 사망 / 나. 외국 거주 / 다. 신체적, 정신적 질병 · 장애 / 라. 소재불명 / 마. 그 밖에 이에 준하는 경우

④ [○]

> 성폭력처벌법 제26조【성폭력범죄의 피해자에 대한 전담조사제】 ① 검찰총장은 각 지방검찰청 검사장으로 하여금 성폭력범죄 전담 검사를 지정하도록 하여 특별한 사정이 없으면 이들로 하여금 피해자를 조사하게 하여야 한다.
> ② 경찰청장은 각 경찰서장으로 하여금 성폭력범죄 전담 사법경찰관을 지정하도록 하여 특별한 사정이 없으면 이들로 하여금 피해자를 조사하게 하여야 한다.

016 「성폭력범죄의 처벌 등에 관한 특례법」상 공소시효 기산에 관한 특례규정 중 가장 적절하지 않은 것은?

[2016 실무 2]

① 13세 미만의 사람에 대하여 강간의 죄를 범한 경우에는 공소시효를 적용하지 아니한다.

② 미성년자에 대한 성폭력범죄의 공소시효는 피해를 당한 미성년자가 성년에 달한 날부터 진행한다.

③ 특정한 성폭력 범죄의 경우 디엔에이(DNA)증거 등 그 죄를 증명할 수 있는 과학적인 증거가 있는 때에는 공소시효가 20년 연장된다.

④ 신체적인 또는 정신적인 장애가 있는 사람에 대하여 강간의 죄를 범한 경우에는 공소시효를 적용하지 아니한다.

정답 및 해설 I ③

③ [×] 10년이 연장된다.

> **성폭력처벌법 제21조 【공소시효에 관한 특례】** ② 제2조 제3호(➜ 강간 · 강제추행 유형) 및 제4호의 죄(➜ 강도강간과 그 미수)와 제3조부터 제9조까지의 죄는 디엔에이(DNA)증거 등 그 죄를 증명할 수 있는 과학적인 증거가 있는 때에는 공소시효가 10년 연장된다.

①④ [○]

> **성폭력처벌법 제21조 【공소시효에 관한 특례】** ③ 13세 미만의 사람 및 신체적인 또는 정신적인 장애가 있는 사람에 대하여 다음 각 호의 죄를 범한 경우에는 제1항과 제2항에도 불구하고 「형사소송법」 제249조부터 제253조까지 및 「군사법원법」 제291조부터 제295조까지에 규정된 공소시효를 적용하지 아니한다.
> 1. 「형법」 제297조(강간), 제298조(강제추행), 제299조(준강간, 준강제추행), 제301조(강간등 상해 · 치상), 제301조의2(강간등 살인 · 치사) 또는 제305조(미성년자에 대한 간음, 추행)의 죄

② [○]

> **성폭력처벌법 제21조 【공소시효에 관한 특례】** ① 미성년자에 대한 성폭력범죄의 공소시효는 「형사소송법」 제252조 제1항 및 군사법원법 제294조 제1항에도 불구하고 해당 성폭력범죄로 피해를 당한 미성년자가 성년에 달한 날부터 진행한다.

017 「성폭력범죄의 처벌 등에 관한 특례법」에 대한 설명으로 옳은 것은?

[2020 경간]

① 등록대상자가 6개월 이상 국외에 체류하기 위하여 출국하는 경우에는 미리 관할경찰관서의 장에게 허가를 받아야 한다.

② 경찰청장은 각 경찰서장으로 하여금 성폭력범죄 전담 사법경찰관을 지정하도록 하여 특별한 사정이 없으면 이들로 하여금 피해자를 조사하게 하여야 한다.

③ 촬영한 영상물에 수록된 피해자의 진술은 공판기일에 피해자의 진술에 의하여 그 성립의 진정함이 인정된 경우에만 증거로 할 수 있다.

④ 13세 미만의 사람 및 신체적인 또는 정신적인 장애가 있는 사람에 대하여 강간죄를 범한 경우에는 공소시효가 10년 연장된다.

정답 및 해설 I ②

② [○]

> **성폭력처벌법 제26조 【성폭력범죄의 피해자에 대한 전담조사제】** ② 경찰청장은 각 경찰서장으로 하여금 성폭력범죄 전담 사법경찰관을 지정하도록 하여 특별한 사정이 없으면 이들로 하여금 피해자를 조사하게 하여야 한다.

① [×] 허가를 받는 것이 아니라 체류국가 및 체류기간 등을 '신고'하여야 한다.

> **성폭력처벌법 제43조의2【출입국 시 신고의무 등】** ① 등록대상자가 6개월 이상 국외에 체류하기 위하여 출국하는 경우에는 미리 관할경찰관서의 장에게 체류국가 및 체류기간 등을 신고하여야 한다.

③ [×] 증거보전기일, 공판준비기일 또는 공판기일에 그 내용에 대하여 피의자, 피고인 또는 변호인이 피해자를 신문할 수 있었던 경우에 증거로 할 수 있다. 다만, 증거보전기일에서의 신문의 경우 법원이 피의자나 피고인의 방어권이 보장된 상태에서 피해자에 대한 반대신문이 충분히 이루어졌다고 인정하는 경우로 한정한다.

> **성폭력처벌법 제30조의2【영상녹화물의 증거능력 특례】** ① 제30조 제1항에 따라 19세 미만 피해자 등의 진술이 영상녹화된 영상녹화물은 같은 조 제4항부터 제6항까지에서 정한 절차와 방식에 따라 영상녹화된 것으로서 다음 각 호의 어느 하나의 경우에 증거로 할 수 있다.
> 1. 증거보전기일, 공판준비기일 또는 공판기일에 그 내용에 대하여 피의자, 피고인 또는 변호인이 피해자를 신문할 수 있었던 경우. 다만, 증거보전기일에서의 신문의 경우 법원이 피의자나 피고인의 방어권이 보장된 상태에서 피해자에 대한 반대신문이 충분히 이루어졌다고 인정하는 경우로 한정한다.
> 2. 19세 미만 피해자 등이 다음 각 목의 어느 하나에 해당하는 사유로 공판준비기일 또는 공판기일에 출석하여 진술할 수 없는 경우. 다만, 영상녹화된 진술 및 영상녹화가 특별히 신빙할 수 있는 상태에서 이루어졌음이 증명된 경우로 한정한다.
>   가. 사망 / 나. 외국 거주 / 다. 신체적, 정신적 질병 · 장애 / 라. 소재불명 / 마. 그 밖에 이에 준하는 경우

④ [×] 공소시효를 적용하지 아니한다.

> **성폭력처벌법 제21조【공소시효에 관한 특례】** ③ 13세 미만의 사람 및 신체적인 또는 정신적인 장애가 있는 사람에 대하여 다음 각 호의 죄를 범한 경우에는 제1항과 제2항에도 불구하고 「형사소송법」 제249조부터 제253조까지 및 「군사법원법」 제291조부터 제295조까지에 규정된 공소시효를 적용하지 아니한다. [2016 실무 2, 2019 승진(경위)]
> 1. 「형법」 제297조(강간), 제298조(강제추행), 제299조(준강간, 준강제추행), 제301조(강간등 상해 · 치상), 제301조의2(강간등 살인 · 치사) 또는 제305조(미성년자에 대한 간음, 추행)의 죄

018 「성폭력범죄의 처벌 등에 관한 특례법」에 대한 설명으로 가장 적절한 것은? [2019 승진(경위)]

① 카메라등이용촬영죄는 디엔에이(DNA)증거 등 그 죄를 증명할 수 있는 과학적인 증거가 있는 때에는 공소시효가 10년 연장된다.

② 경찰청장은 각 경찰서장으로 하여금 성폭력범죄 전담 사법경찰관을 지정하도록 하여 특별한 사정이 없으면 이들로 하여금 피의자를 조사하게 하여야 한다.

③ 13세인 사람에 대하여 강간죄를 범한 경우에는 공소시효를 적용하지 아니한다.

④ 신체적인 장애가 있는 사람에 대하여 강제추행죄를 범한 경우에는 공소시효를 적용하지 아니한다.

정답 및 해설 I ④

④ [○] ③ [×] 13세 미만의 사람에 대하여 강간죄를 범한 경우 공소시효를 적용하지 아니하는 것이므로, 13세인 사람에 대한 경우에는 공소시효가 적용된다(물론 이 경우에도 미성년자에 대한 성폭력범죄이므로 성년에 달한 날부터 공소시효가 진행한다).

> **성폭력처벌법 제21조【공소시효에 관한 특례】** ③ 13세 미만의 사람 및 신체적인 또는 정신적인 장애가 있는 사람에 대하여 다음 각 호의 죄를 범한 경우에는 제1항과 제2항에도 불구하고 「형사소송법」 제249조부터 제253조까지 및 「군사법원법」 제291조부터 제295조까지에 규정된 공소시효를 적용하지 아니한다.
> 1. 「형법」 제297조(강간), 제298조(강제추행), 제299조(준강간, 준강제추행), 제301조(강간등 상해 · 치상), 제301조의2(강간등 살인 · 치사) 또는 제305조(미성년자에 대한 간음, 추행)의 죄
> 2. 제6조 제2항(➔ 장애인에 대한 강간 · 강제추행), 제7조 제2항 및 제5항(➔ 13세 미만 강간 · 강제추행), 제8조(➔ 강간 등 상해 · 치상), 제9조(➔ 강간 등 살인 · 치사)의 죄
> 3. 「아동 · 청소년의 성보호에 관한 법률」 제9조(➔ 강간 등 상해 · 치상) 또는 제10조(➔ 강간 등 살인 · 치사)의 죄

① [×] 카메라등이용촬영죄는 공소시효가 10년 연장되는 범죄에 해당되지 않는다.

> 성폭력처벌법 제21조 【공소시효에 관한 특례】 ② 제2조 제3호(➜ 강간 · 강제추행 유형) 및 제4호의 죄(➜ 강도강간과 그 미수)와 제3조부터 제9조까지의 죄는 디엔에이(DNA)증거 등 그 죄를 증명할 수 있는 과학적인 증거가 있는 때에는 공소시효가 10년 연장된다.

② [×] 피의자를 조사하게 하는 것이 아니라 피해자를 조사하게 하여야 한다.

> 성폭력처벌법 제26조 【성폭력범죄의 피해자에 대한 전담조사제】 ② 경찰청장은 각 경찰서장으로 하여금 성폭력범죄 전담 사법경찰관을 지정하도록 하여 특별한 사정이 없으면 이들로 하여금 피해자를 조사하게 하여야 한다.

019 성폭력범죄와 관련하여 적절한 것으로 연결된 것은? [2017 실무 2]

> ㉠ 「성폭력범죄의 처벌 등에 관한 특례법」상 검사 또는 사법경찰관은 19세 미만 피해자 등의 진술 내용과 조사 과정을 영상녹화장치로 녹화(녹음이 포함된 것을 말하며, 이하 "영상녹화"라 한다)하고, 그 영상녹화물을 보존하여야 한다.
> ㉡ 「성폭력범죄의 처벌 등에 관한 특례법」상 특정한 성폭력 범죄의 경우 디엔에이 증거 등 그 죄를 증명할 수 있는 과학적인 증거가 있는 때에는 공소시효가 10년 연장되고, 13세인 사람 및 신체적인 또는 정신적인 장애가 있는 사람에 대하여 강간의 죄를 범한 경우에는 공소시효를 적용하지 아니한다.
> ㉢ 「성폭력범죄의 성충동 약물치료에 관한 법률」상 법원은 치료명령 청구가 이유 있다고 인정하는 때에는 10년의 범위에서 치료기간을 정하여 판결로 치료명령을 선고하고, 치료명령을 받은 사람은 그 판결이 확정된 후 집행을 받지 아니하고 함께 선고된 피고사건의 형의 시효 또는 치료감호의 시효가 완성되면 그 집행이 면제된다.

① 없음 ② ㉠
③ ㉠, ㉡ ④ ㉠, ㉢

정답 및 해설 | ②

㉠ [○]

> 성폭력처벌법 제30조 【19세 미만 피해자등 진술 내용 등의 영상녹화 및 보존 등】 ① 검사 또는 사법경찰관은 19세 미만 피해자 등의 진술 내용과 조사 과정을 영상녹화장치로 녹화(녹음이 포함된 것을 말하며, 이하 "영상녹화"라 한다)하고, 그 영상녹화물을 보존하여야 한다.
> ③ 제1항에도 불구하고 19세 미만 피해자 등 또는 그 법정대리인(법정대리인이 가해자이거나 가해자의 배우자인 경우는 제외한다)이 이를 원하지 아니하는 의사를 표시하는 경우에는 영상녹화를 하여서는 아니 된다.

㉡ [×] 13세 미만의 사람에 대해서 공소시효를 적용하지 아니하는 것이므로, 13세인 사람이 피해자인 경우에는 공소시효가 적용된다(물론 미성년자에 대한 성폭력 범죄이므로 성년에 달한 날부터 공소시효가 진행될 것이다).

> 성폭력처벌법 제21조 【공소시효에 관한 특례】 ③ 13세 미만의 사람 및 신체적인 또는 정신적인 장애가 있는 사람에 대하여 다음 각 호의 죄를 범한 경우에는 제1항과 제2항에도 불구하고 「형사소송법」 제249조부터 제253조까지 및 「군사법원법」 제291조부터 제295조까지에 규정된 공소시효를 적용하지 아니한다.

㉢ [×] 10년이 아니라 15년의 범위에서 치료명령이 선고된다.

> 성폭력범죄자의 성충동 약물치료에 관한 법률 제8조 【치료명령의 판결 등】 ① 법원은 치료명령 청구가 이유 있다고 인정하는 때에는 15년의 범위에서 치료기간을 정하여 판결로 치료명령을 선고하여야 한다.
>
> 성폭력범죄자의 성충동 약물치료에 관한 법률 제21조 【치료명령의 시효】 ① 치료명령을 받은 사람은 그 판결이 확정된 후 집행을 받지 아니하고 함께 선고된 피고사건의 형의 시효 또는 치료감호의 시효가 완성되면 그 집행이 면제된다.

020 「성폭력범죄의 처벌 등에 관한 특례법」의 신상정보 등록 등에 대한 내용으로 가장 적절하지 않은 것은?

[2018 채용 1차]

① 등록대상자가 6개월 이상 국외에 체류하기 위하여 출국하는 경우에는 미리 관할경찰관서의 장에게 허가를 받아야 한다.

② 신상정보 등록의 원인이 된 성범죄로 형의 선고를 유예받은 사람이 선고유예를 받은 날부터 2년이 경과하여 「형법」 제60조에 따라 면소된 것으로 간주되면 신상정보 등록을 면제한다.

③ 등록대상자의 신상정보의 등록 · 보존 및 관리 업무에 종사하거나 종사하였던 자는 직무상 알게 된 등록정보를 누설하여서는 아니 된다.

④ 등록정보의 공개는 여성가족부장관이 집행하고, 법무부장관은 등록정보의 공개에 필요한 정보를 여성가족부장관에 송부하여야 한다.

정답 및 해설 I ①

① [×] 허가가 아니라 체류국가 및 체류기간 등을 신고하여야 한다.

> **성폭력처벌법 제43조의2【출입국 시 신고의무 등】** ① 등록대상자가 6개월 이상 국외에 체류하기 위하여 출국하는 경우에는 미리 관할경찰관서의 장에게 체류국가 및 체류기간 등을 신고하여야 한다.

② [○]

> **성폭력처벌법 제45조의2【신상정보 등록의 면제】** ① 신상정보 등록의 원인이 된 성범죄로 형의 선고를 유예받은 사람이 선고유예를 받은 날부터 2년이 경과하여 형법 제60조에 따라 면소된 것으로 간주되면 신상정보 등록을 면제한다.

③ [○]

> **성폭력처벌법 제48조【비밀준수】** 등록대상자의 신상정보의 등록 · 보존 및 관리 업무에 종사하거나 종사하였던 자는 직무상 알게 된 등록정보를 누설하여서는 아니 된다.

④ [○]

> **성폭력처벌법 제47조【등록정보의 공개】** ② 등록정보의 공개는 여성가족부장관이 집행한다.
> ③ 법무부장관은 등록정보의 공개에 필요한 정보를 여성가족부장관에게 송부하여야 한다.

021 '성폭력범죄의 처벌 등에 관한 특례법'에 대한 설명 중 옳지 않은 것은 모두 몇 개인가? [2017 경간]

> ㉠ 미성년자에 대한 성폭력범죄의 공소시효는 해당 성폭력범죄로 피해를 당한 미성년자가 성년에 달한 날부터 진행한다.
> ㉡ 13세 미만의 사람 및 신체적인 또는 정신적인 장애가 있는 사람에 대하여 강간죄를 범한 경우에는 공소시효가 10년 연장된다.
> ㉢ 성폭력범죄의 피해자가 21세 미만이거나 신체적인 또는 정신적인 장애로 사물을 변별하거나 의사를 결정할 능력이 미약한 경우에는 피해자의 진술 내용과 조사 과정을 비디오녹화기 등 영상물 녹화장치로 촬영 · 보존하여야 한다.
> ㉣ 개정으로 인한 삭제

① 1개　② 2개
③ 3개　④ 4개

정답 및 해설 I ②

㉠ [○]

> **성폭력처벌법 제21조 【공소시효에 관한 특례】** ① 미성년자에 대한 성폭력범죄의 공소시효는 「형사소송법」 제252조 제1항 및 「군사법원법」 제294조 제1항에도 불구하고 해당 성폭력범죄로 피해를 당한 미성년자가 성년에 달한 날부터 진행한다.

㉡ [×] 공소시효를 적용하지 아니한다.

> **성폭력처벌법 제21조 【공소시효에 관한 특례】** ③ 13세 미만의 사람 및 신체적인 또는 정신적인 장애가 있는 사람에 대하여 다음 각 호의 죄를 범한 경우에는 제1항과 제2항에도 불구하고 「형사소송법」 제249조부터 제253조까지 및 「군사법원법」 제291조부터 제295조까지에 규정된 공소시효를 적용하지 아니한다.
> 1. 「형법」 제297조(강간), 제298조(강제추행), 제299조(준강간, 준강제추행), 제301조(강간등 상해 · 치상), 제301조의2(강간등 살인 · 치사) 또는 제305조(미성년자에 대한 간음, 추행)의 죄
> 2. 제6조 제2항(➜ 장애인에 대한 강간 · 강제추행), 제7조 제2항 및 제5항(➜ 13세 미만 강간 · 강제추행), 제8조(➜ 강간 등 상해 · 치상), 제9조(➜ 강간 등 살인 · 치사)의 죄
> 3. 「아동 · 청소년의 성보호에 관한 법률」 제9조(➜ 강간 등 상해 · 치상) 또는 제10조(➜ 강간 등 살인 · 치사)의 죄

㉢ [×] '19세 미만 피해자등'의 경우 영상녹화물을 보존하여야 한다(성폭력처벌법 제30조 제1항). 여기서 '**19세 미만 피해자 등**'이라 함은 '(i) 19세 미만인 피해자나 (ii) 신체적인 또는 정신적인 장애로 사물을 변별하거나 의사를 결정할 능력이 미약한 피해자'를 말한다(성폭력처벌법 제26조 제4항).

㉣ 개정으로 인한 삭제

022 「성폭력범죄의 수사 및 피해자 보호에 관한 규칙」에 관한 설명 중 가장 적절하지 않은 것은?

[2022 채용 2차]

① 경찰관은 성폭력범죄의 피해자가 13세 미만이거나 신체적인 또는 정신적인 장애로 사물을 변별하거나 의사를 결정할 능력이 미약한 경우에는 통합지원센터나 성폭력 전담의료기관과 연계하여 치료, 상담 및 조사를 병행한다. 다만, 피해자가 원하지 않는 경우에는 그러하지 아니하다.

② 경찰서장은 특별한 사정이 없는 한 성폭력 피해여성을 여성 성폭력범죄 전담조사관이 조사하도록 하여야 한다. 다만, 피해자가 원하는 경우에는 신뢰관계자, 진술조력인 또는 다른 경찰관으로 하여금 입회하게 하고 '피해자 조사 동의서'에 서면으로 동의를 받아 남성 성폭력범죄 전담조사관으로 하여금 조사하게 할 수 있다.

③ 경찰관은 영상녹화를 할 때에는 피해자등에게 영상녹화의 취지 등을 설명하고 동의 여부를 확인하여야 하며, 피해자등이 녹화를 원하지 않는 의사를 표시한 때에는 촬영을 하여서는 아니 된다. 다만, 가해자가 친권자 중 일방인 경우에는 그러하지 아니하다.

④ 경찰관은 성폭력범죄의 피해자가 19세 미만 피해자 등인 경우 진술조력인을 조사과정에 반드시 참여시켜야 한다.

정답 및 해설 I ④

④ [×] 참여하게 할 수 있다.

> 훈령 **성폭력범죄의 수사 및 피해자 보호에 관한 규칙 제28조 【진술조력인의 참여】** ① 경찰관은 성폭력범죄의 피해자가 19세 미만 피해자 등인 경우 직권이나 피해자등 또는 변호사의 신청에 따라 진술조력인이 조사과정에 참여하게 할 수 있다. 다만, 피해자등이 이를 원하지 않을 때는 그러하지 아니하다.

① [○]

> **훈령** **성폭력범죄의 수사 및 피해자 보호에 관한 규칙 제11조【피해자 후송】** ② 경찰관은 성폭력범죄의 피해자가 13세 미만이거나 신체적인 또는 정신적인 장애로 사물을 변별하거나 의사를 결정할 능력이 미약한 경우에는 통합지원센터나 성폭력 전담의료기관과 연계하여 치료, 상담 및 조사를 병행한다. 다만, 피해자가 원하지 않는 경우에는 그러하지 아니하다.

② [○]

> **훈령** **성폭력범죄의 수사 및 피해자 보호에 관한 규칙 제18조【조사 시 유의사항】** ① 지방경찰청장 및 경찰서장은 특별한 사정이 없는 한 성폭력 피해여성을 여성 성폭력범죄 전담조사관이 조사하도록 하여야 한다. 다만, 피해자가 원하는 경우에는 신뢰관계자, 진술조력인 또는 다른 경찰관으로 하여금 입회하게 하고 별지 제1호 서식에 의해 서면으로 동의를 받아 남성 성폭력범죄 전담조사관으로 하여금 조사하게 할 수 있다.

③ [○]

> **훈령** **성폭력범죄의 수사 및 피해자 보호에 관한 규칙 제22조【영상물의 촬영 · 보존】** ① 경찰관은 성폭력범죄의 피해자를 조사할 때에는 진술내용과 조사과정을 영상물 녹화장치로 촬영 · 보존할 수 있다. 다만, 피해자가 19세 미만이거나 신체적인 또는 정신적인 장애로 사물을 변별하거나 의사를 결정할 능력이 미약한 경우에는 반드시 촬영 · 보존하여야 한다.
> ② 경찰관은 영상녹화를 할 때에는 피해자등에게 영상녹화의 취지 등을 설명하고 동의 여부를 확인하여야 하며, 피해자등이 녹화를 원하지 않는 의사를 표시한 때에는 촬영을 하여서는 아니 된다. 다만, 가해자가 친권자 중 일방인 경우에는 그러하지 아니하다.

주제 4 가정폭력수사

023 「가정폭력범죄의 처벌 등에 관한 특례법」상 가정폭력범죄에 해당하지 않은 것은? [2015 승진(경위)]

① 공갈죄　　② 주거 · 신체수색죄
③ 약취 · 유인죄　　④ 명예훼손죄

정답 및 해설 I ③

③ [×] 약취 · 유인죄는 가정폭력범죄에 해당하지 않는다.

가정폭력범죄의 처벌 등에 관한 특례법(이하 '가정폭력처벌법'이라 한다) 제2조【정의】 이 법에서 사용하는 용어의 뜻은 다음과 같다.

3. **"가정폭력범죄"**란 가정폭력으로서 다음 각 목의 어느 하나에 해당하는 죄를 말한다.

보호법익	범죄
생명과 신체	• **상해와 폭행**: 상해, 존속상해, 중상해, 존속중상해, 특수상해, 폭행, 존속폭행, 특수폭행 • **유기와 학대**: 유기, 존속유기, 영아유기, 학대, 존속학대, 아동혹사
자유	• **체포와 감금**: 체포, 감금, 존속체포, 존속감금, 중체포, 중감금, 존속중체포, 존속중감금, 특수체포, 특수감금 • **협박**: 협박, 존속협박, 특수협박 • **강간과 추행**: 강간, 유사강간, 강제추행, 준강간, 준강제추행, 강간등 상해 · 치상, 강간등 살인 · 치사, 미성년자등에 대한 간음, 미성년자에 대한 간음 · 추행
명예와 신용	명예훼손, 사자의 명예훼손, 출판물등에 의한 명예훼손, 모욕
사생활 평온	주거침입, 퇴거불응, 특수주거침입, 주거 · 신체 수색
재산	• 강요 • 공갈, 특수공갈 • **손괴**: 재물손괴, 특수손괴
특별법상	• (성폭력범죄의 처벌 등에 관한 특례법상) 카메라 등을 이용한 촬영 • (정보통신망 이용촉진 및 정보보호 등에 관한 법률상) 공포심이나 불안감을 유발하는 부호 · 문언 · 음향 · 화상 또는 영상 반복전송

* 가정폭력범죄에 해당하지 않는 죄
살인죄, 존속살해죄, 영아살해죄, 상해치사죄, 과실치사죄 / 약취 · 유인죄 / 사기죄, 횡령 · 배임죄, 절도죄, 중손괴죄

024 「가정폭력범죄의 처벌 등에 관한 특례법」에 대한 설명 중 가장 적절한 것은? [2023 승진]

① "가정구성원"이란 배우자(사실상 혼인관계에 있는 사람은 제외한다) 또는 배우자였던 사람을 의미한다.

② 가정폭력범죄의 형사처벌 절차에 관한 특례를 정하고 가정폭력범죄를 범한 사람에 대하여 환경의 조정과 성행(性行)의 교정을 위한 보호처분을 함으로써 가정폭력범죄로 파괴된 가정의 평화와 안정을 회복하고 건강한 가정을 가꾸며 피해자와 가족구성원의 인권을 보호함을 목적으로 한다.

③ "가정폭력행위자"는 가정폭력범죄를 범한 사람만을 의미하고 가정구성원인 공범은 포함되지 않는다.

④ "가정폭력"이란 가정구성원 사이의 신체적, 정신적 피해를 수반하는 행위를 말하며, 재산상 피해를 수반하는 행위는 "가정폭력"에 해당하지 않는다.

정답 및 해설 I ②

② [○]

> **가정폭력처벌법 제1조【목적】** 이 법은 가정폭력범죄의 형사처벌 절차에 관한 특례를 정하고 가정폭력범죄를 범한 사람에 대하여 환경의 조정과 성행(性行)의 교정을 위한 보호처분을 함으로써 가정폭력범죄로 파괴된 가정의 평화와 안정을 회복하고 건강한 가정을 가꾸며 피해자와 가족구성원의 인권을 보호함을 목적으로 한다.

① [×] 사실상 혼인관계에 있는 사람을 포함한다.

> **가정폭력처벌법 제2조【정의】** 이 법에서 사용하는 용어의 뜻은 다음과 같다.
> 2. "**가정구성원**"이란 다음 각 목의 어느 하나에 해당하는 사람을 말한다.
> 가. 배우자(사실상 혼인관계에 있는 사람을 포함한다. 이하 같다) 또는 배우자였던 사람
> 나. 자기 또는 배우자와 직계존비속관계(사실상의 양친자관계를 포함한다. 이하 같다)에 있거나 있었던 사람
> 다. 계부모와 자녀의 관계 또는 적모와 서자의 관계에 있거나 있었던 사람
> 라. 동거하는 친족

③ [×] 공범도 포함된다.

> **가정폭력처벌법 제2조【정의】** 이 법에서 사용하는 용어의 뜻은 다음과 같다.
> 4. "**가정폭력행위자**"란 가정폭력범죄를 범한 사람 및 가정구성원인 공범을 말한다.

④ [×] 재산상 피해를 수반하는 행위도 포함된다.

> **가정폭력처벌법 제2조【정의】** 이 법에서 사용하는 용어의 뜻은 다음과 같다.
> 1. "**가정폭력**"이란 가정구성원 사이의 신체적, 정신적 또는 재산상 피해를 수반하는 행위를 말한다.

025 「가정폭력범죄의 처벌 등에 관한 특례법」상 가정폭력범죄에 해당되지 않는 것은? [2018 승진(경위)]

① 상해치사

② 협박

③ 특수공갈

④ 출판물 등에 의한 명예훼손

정답 및 해설 I ①

① [×] 생명을 해하는 범죄 중 살인죄, 존속살해죄, 영아살해죄, 상해치사죄, 과실치사죄 등은 가정폭력범죄에 해당하지 않는다.

④ [○] 출판물 등에 의한 명예훼손의 경우 일응 가정폭력범죄에 해당함이 의아하게 느껴질 수도 있으나, 가정폭력은 정신적 피해를 수반하는 행위도 포함된다. 예를 들어 가정폭력행위자가 가족구성원의 명예를 심히 훼손하는 전단 등을 배포하는 경우가 있다.

026 「가정폭력범죄의 처벌 등에 관한 특례법」상 가정폭력범죄에 해당하는 것은 모두 몇 개인가?

[2016 채용 1차]

㉠ 살인	㉡ 폭행
㉢ 중상해	㉣ 영아유기
㉤ 특수공갈	

① 1개 ② 2개 ③ 3개 ④ 4개

정답 및 해설 I ④

④ [○] ㉡ 폭행, ㉢ 중상해, ㉣ 영아유기, ㉤ 특수공갈의 4개가 가정폭력범죄에 해당한다. ㉠ 살인은 가정폭력범죄에 해당하지 않는다.

027 다음 중 '가정폭력범죄의 처벌 등에 관한 특례법'상 가정폭력범죄의 유형에 해당하지 <u>않는</u> 죄는 모두 몇 개인가?

[2017 경간]

㉠ 폭행죄	㉡ 체포죄
㉢ 모욕죄	㉣ 유기죄
㉤ 주거침입죄	㉥ 공갈죄
㉦ 재물손괴죄	㉧ 사기죄
㉨ 협박죄	

① 0개 ② 1개 ③ 2개 ④ 3개

정답 및 해설 I ②

① [×] ㉧ 재산에 관한 죄 중 강요죄, 공갈죄, 재물손괴죄 등은 가정폭력범죄에 포함되나, 사기죄는 가정폭력범죄에 해당하지 않는다.

028 「가정폭력범죄의 처벌 등에 관한 특례법」상 가정폭력범죄의 유형에 해당하지 <u>않는</u> 죄는 모두 몇 개인가?

[2020 경간]

가. 공갈죄	나. 퇴거불응죄
다. 주거·신체 수색죄	라. 중손괴죄
마. 재물손괴죄	바. 중감금죄
사. 약취·유인죄	아. 특수감금죄
자. 아동혹사죄	

① 1개 ② 2개 ③ 3개 ④ 4개

정답 및 해설 I ②

② [×] 라. 중손괴죄, 사. 약취 · 유인죄는 가정폭력범죄에 해당하지 않는다.

☑ 가정폭력범죄에 해당하지 않는 죄

살인죄, 존속살해죄, 영아살해죄, 상해치사죄, 과실치사죄 / 약취 · 유인죄 / 사기죄, 횡령 · 배임죄, 절도죄, 중손괴죄

029 다음 중 신고를 받고 출동한 지역경찰관이 「가정폭력범죄의 처벌 등에 관한 특례법」상 가정폭력사건으로 처리할 수 있는 경우는?

[2019 승진(경감)]

① 甲과 사실혼 관계에 있는 사람이 甲에게 사기죄를 범한 경우

② 乙의 시어머니가 乙의 아들을 약취한 경우

③ 丙과 같이 살고 있는 사촌동생이 丙의 명예를 훼손한 경우

④ 丁의 배우자의 지인이 丁의 재물을 손괴한 경우

정답 및 해설 I ③

③ [○] 우선 명예훼손죄는 가정폭력범죄에 해당한다. 또한 동거하는 친족인 丙의 사촌동생에 의한 범죄로서 가정구성원에 해당(제2조 제2호 라목)하므로 가정폭력사건으로 처리할 수 있다.

> **가정폭력처벌법 제2조 【정의】** 이 법에서 사용하는 용어의 뜻은 다음과 같다.
> 2. "**가정구성원**"이란 다음 각 목의 어느 하나에 해당하는 사람을 말한다.
> 가. **배우자**(사실상 혼인관계에 있는 사람을 포함한다. 이하 같다) 또는 **배우자였던** 사람
> 나. 자기 또는 배우자와 **직계존비속관계**(사실상의 양친자관계를 포함한다. 이하 같다)에 있거나 있었던 사람
> 다. **계부모**와 자녀의 관계 또는 **적모**와 **서자**의 관계에 있거나 있었던 사람
> 라. **동거하는 친족**

① [×] 甲과 사실혼 관계에 있는 사람은 제2조 제2호 가목에 따라 가정구성원에는 해당하지만, 사기죄는 가정폭력범죄에 해당하지 않는다.

② [×] 乙의 시어머니는 배우자인 남편의 직계존속으로서 제2조 제2호 나목에 따라 가정구성원에는 해당하지만, 약취죄는 가정폭력범죄에 해당하지 않는다.

④ [×] 손괴죄는 가정폭력범죄에 해당하지만, 丁의 배우자의 지인은 가족구성원에 해당하지 않는다.

030 「가정폭력범죄의 처벌 등에 관한 특례법」상 가정폭력범죄에 해당하지 않는 것은?

[2024 1차 채용]

① 甲의 아버지가 甲의 명예를 훼손한 경우

② 乙의 계모였던 사람이 乙의 재물을 손괴한 경우

③ 丙과 같이 사는 사촌동생이 丙을 약취유인한 경우

④ 丁이 이혼한 전 부인을 강간한 경우

정답 및 해설 I ③

③ [×] 가정폭력범죄에 해당하기 위해서는 (i) 가정구성원 사이의 가정폭력으로서 (ii) 가정폭력처벌법상 열거된 일정 범위의 범죄에 해당하여야 하는데, ③의 경우 현재 동거친족인 丙은 가정구성원에는 해당하나 약취유인은 가정폭력범죄로 열거되어 있지 아니하다.

031 「가정폭력범죄의 처벌 등에 관한 특례법」에 규정된 가정폭력범죄에 대한 설명으로 가장 적절한 것은?

[2017 실무 2]

① 「형법」상 협박과 공갈은 가정폭력범죄에 해당한다.

② 가정폭력의 피해에는 가정구성원간의 신체적 · 정신적 피해만 해당된다.

③ 자기 또는 배우자와 직계존비속관계에 있거나 있었던 사람은 가정구성원에 해당하지 않는다.

④ 가정폭력범죄는 피해와 관련 있는 고소권자만이 신고할 수 있다.

정답 및 해설 I ①

① [○] 협박 · 존속협박 · 특수협박, 공갈 · 특수공갈은 모두 가정폭력범죄에 해당한다.

② [×] 재산상 피해도 포함된다.

> **가정폭력처벌법 제2조 【정의】** 이 법에서 사용하는 용어의 뜻은 다음과 같다.
> 1. "**가정폭력**"이란 가정구성원 사이의 신체적, 정신적 또는 재산상 피해를 수반하는 행위를 말한다.

③ [×] 가족구성원에 해당한다.

> **가정폭력처벌법 제2조 【정의】** 이 법에서 사용하는 용어의 뜻은 다음과 같다.
> 2. "**가정구성원**"이란 다음 각 목의 어느 하나에 해당하는 사람을 말한다.
> 나. 자기 또는 배우자와 직계존비속관계(사실상의 양친자관계를 포함한다. 이하 같다)에 있거나 있었던 사람

④ [×] 누구든지 신고할 수 있다.

> **가정폭력처벌법 제4조 【신고의무 등】** ① 누구든지 가정폭력범죄를 알게 된 경우에는 수사기관에 신고할 수 있다.

032 다음 사례에서 「가정폭력범죄의 처벌 등에 관한 특례법」상 A의 "가정구성원"에 해당하지 않는 자는?

[2023 경간]

> A남은 B녀와 혼인하여 살다가 이혼하였고 C녀는 D남과 혼인하여 살다가 이혼하였다. 그 후 A와 C가 재혼하였다. A에게는 부친 E가 있으며, C에게는 모친 F가 있다. 한편 A의 형제자매로는 남동생 G가 있으며, C의 형제자매로는 여동생 H가 있다. G는 아직 결혼을 하지 않고, 충남 아산에 있는 A와 C의 집에서 같이 살고 있으며, H는 결혼하여 남편과 함께 미국에서 살고 있다.

① B ② F ③ G ④ H

정답 및 해설 I ④

① [○] B: A의 배우자 였던 사람(가목)

② [○] F: A의 현재 배우자의 직계존속(나목)

③ [○] G: A의 동거하는 친족인 남동생(라목)

④ [×] H: H는 A의 처제로 동거하지 않는 친족이라 가정구성원에 해당하지 않는다.

> **가정폭력처벌법 제2조 【정의】** 이 법에서 사용하는 용어의 뜻은 다음과 같다.
> 2. "**가정구성원**"이란 다음 각 목의 어느 하나에 해당하는 사람을 말한다.
> 가. 배우자(사실상 혼인관계에 있는 사람을 포함한다. 이하 같다) 또는 배우자였던 사람
> 나. 자기 또는 배우자와 직계존비속관계(사실상의 양친자관계를 포함한다. 이하 같다)에 있거나 있었던 사람
> 다. 계부모와 자녀의 관계 또는 적모와 서자의 관계에 있거나 있었던 사람
> 라. 동거하는 친족

033 「가정폭력범죄의 처벌 등에 관한 특례법」에 대한 다음 설명 중 가장 옳지 않은 것은? [2016 경간]

① '피해자'란 가정폭력범죄로 인하여 직접적으로 피해를 입은 사람을 말한다.

② '가정구성원' 중 배우자 또는 배우자였던 자에는 사실상 혼인관계에 있는 사람을 포함한다.

③ 명예훼손, 약취 · 유인, 재물손괴, 상해, 공갈은 가정폭력범죄에 해당한다.

④ 사법경찰관은 가정폭력범죄를 신속하게 수사하여 사건을 검사에게 송치하여야 한다. 이 경우 사법경찰관은 해당 사건을 가정보호사건으로 처리하는 것이 적절한지에 관한 의견을 제시할 수 있다.

정답 및 해설 I ③

③ [×] 약취 · 유인은 가정폭력범죄에 해당하지 않는다.

☑ 가정폭력범죄에 해당하지 않는 죄

살인죄, 존속살해죄, 영아살해죄, 상해치사죄, 과실치사죄 / 약취 · 유인죄 / 사기죄, 횡령 · 배임죄, 절도죄, 중손괴죄

①② [○]

가정폭력처벌법 제2조【정의】 이 법에서 사용하는 용어의 뜻은 다음과 같다.
2. "**가정구성원**"이란 다음 각 목의 어느 하나에 해당하는 사람을 말한다.
가. 배우자(사실상 혼인관계에 있는 사람을 포함한다. 이하 같다) 또는 배우자였던 사람 [2014 채용 2차]
나. 자기 또는 배우자와 직계존비속관계(사실상의 양친자관계를 포함한다. 이하 같다)에 있거나 있었던 사람
다. 계부모와 자녀의 관계 또는 적모와 서자의 관계에 있거나 있었던 사람
라. 동거하는 친족
5. "**피해자**"란 가정폭력범죄로 인하여 직접적으로 피해를 입은 사람을 말한다. ➔ 간접적 ×

④ [○]

가정폭력처벌법 제7조【사법경찰관의 사건 송치】 사법경찰관은 가정폭력범죄를 신속히 수사하여 사건을 검사에게 송치하여야 한다. 이 경우 사법경찰관은 해당 사건을 가정보호사건으로 처리하는 것이 적절한지에 관한 의견을 제시할 수 있다.

034 「가정폭력범죄의 처벌 등에 관한 특례법」에 대한 다음 설명 중 가장 적절하지 않은 것은? [2014 채용 2차]

① 사법경찰관은 가정폭력범죄에 대한 응급조치에도 불구하고 재발될 우려가 있고, 긴급을 요하여 검사의 임시조치 결정을 받을 수 없는 경우에도 긴급임시조치를 할 수 있다.

② 누구든지 가정폭력범죄를 알게 된 경우에는 수사기관에 신고할 수 있다.

③ 모욕, 명예훼손, 재물손괴, 강간, 강제추행은 가정폭력범죄에 해당한다.

④ '가정폭력'이란 가정구성원 사이의 신체적 · 정신적 또는 재산상 피해를 수반하는 행위를 말하며, 사실상 혼인관계에 있는 사람도 가정구성원에 해당한다.

정답 및 해설 I ①

① [×] 검사의 임시조치 결정이 아니라 '법원'의 임시조치 결정이다.

가정폭력처벌법 제8조의2【긴급임시조치】 ① 사법경찰관은 제5조에 따른 응급조치에도 불구하고 가정폭력범죄가 재발될 우려가 있고, 긴급을 요하여 법원의 임시조치 결정을 받을 수 없을 때에는 직권 또는 피해자나 그 법정대리인의 신청에 의하여 제29조 제1항 제1호부터 제3호까지의 어느 하나에 해당하는 조치(이하 "긴급임시조치"라 한다)를 할 수 있다.
➔ 가해자 퇴거격리 · 접근금지 · 통신접근금지

② [○]

가정폭력처벌법 제4조【신고의무 등】 ① 누구든지 가정폭력범죄를 알게 된 경우에는 수사기관에 신고할 수 있다.

③ [○] 모두 가정폭력범죄에 해당하는 범죄이다.

④ [○]

> **가정폭력처벌법 제2조【정의】** 이 법에서 사용하는 용어의 뜻은 다음과 같다.
> 1. "**가정폭력**"이란 가정구성원 사이의 신체적, 정신적 또는 재산상 피해를 수반하는 행위를 말한다.
> 2. "**가정구성원**"이란 다음 각 목의 어느 하나에 해당하는 사람을 말한다.
>   가. 배우자(사실상 혼인관계에 있는 사람을 포함한다. 이하 같다) 또는 배우자였던 사람

035 「가정폭력범죄의 처벌 등에 관한 특례법」에 대한 설명으로 가장 적절한 것은? [2018 실무 2]

① 가정구성원 사이의 신체적 · 정신적 또는 재산상 피해를 수반하는 행위로서 「형법」 제257조(상해)의 죄를 범한 자가 피해자와 사실혼관계에 있는 경우 「민법」 소정의 친족이라 할 수 없어 「가정폭력범죄의 처벌 등에 관한 특례법」상 가정구성원에 해당하지 않는다.

② 피해자는 자기 또는 배우자의 직계존속이 가정폭력행위자인 경우 이를 고소할 수 없다. 다만, 피해자의 법정대리인이 가정폭력행위자인 경우 또는 가정폭력행위자와 공동으로 가정폭력범죄를 범한 경우에는 피해자의 친족이 고소할 수 있다.

③ 사법경찰관은 응급조치에도 불구하고 가정폭력범죄가 재발될 우려가 있고, 긴급을 요하여 법원의 임시조치 결정을 받을 수 없을 때에는 직권 또는 피해자나 그 법정대리인의 신청에 의하여 긴급임시조치를 할 수 있다.

④ 이때의 긴급임시조치는 '폭력행위의 제지, 가정폭력행위자 · 피해자의 분리 및 범죄수사', '피해자를 가정폭력 관련 상담소 또는 보호시설로 인도', '긴급치료가 필요한 피해자를 의료기관으로 인도', '폭력행위 재발시 제8조에 따라 임시조치를 신청할 수 있음을 통보' 등을 그 내용으로 한다.

정답 및 해설 | ③

③ [○] ④ [×] 사법경찰관의 긴급임시조치는 가해자 퇴거격리 · 접근금지 · 통신접근금지의 3가지로 한정된다. 지문의 예시는 응급조치에 대한 것들이다.

> **가정폭력처벌법 제8조의2【긴급임시조치】** ① 사법경찰관은 제5조에 따른 응급조치에도 불구하고 가정폭력범죄가 재발될 우려가 있고, 긴급을 요하여 법원의 임시조치 결정을 받을 수 없을 때에는 직권 또는 피해자나 그 법정대리인의 신청에 의하여 제29조 제1항 제1호부터 제3호까지의 어느 하나에 해당하는 조치(이하 "긴급임시조치"라 한다)를 할 수 있다. ➜ 가해자 퇴거격리 · 접근금지 · 통신접근금지
>
> **가정폭력처벌법 제5조【가정폭력범죄에 대한 응급조치】** 진행 중인 가정폭력범죄에 대하여 신고를 받은 사법경찰관리는 즉시 현장에 나가서 다음 각 호의 조치를 하여야 한다.
> 1. 폭력행위의 제지, 가정폭력행위자 · 피해자의 분리
> 1의2. 「형사소송법」 제212조에 따른 현행범인의 체포 등 범죄수사
> 2. 피해자를 가정폭력 관련 상담소 또는 보호시설로 인도(피해자가 동의한 경우만 해당한다)
> 3. 긴급치료가 필요한 피해자를 의료기관으로 인도
> 4. 폭력행위 재발시 제8조에 따라 임시조치를 신청할 수 있음을 통보
> 5. 제55조의2에 따른 피해자보호명령 또는 신변안전조치를 청구할 수 있음을 고지

① [×] 상해죄는 가정폭력범죄에 해당하고, 가정구성원에는 사실혼관계에 있는 사람을 포함한다.

> **가정폭력처벌법 제2조【정의】** 이 법에서 사용하는 용어의 뜻은 다음과 같다.
> 2. "**가정구성원**"이란 다음 각 목의 어느 하나에 해당하는 사람을 말한다.
>   가. 배우자(사실상 혼인관계에 있는 사람을 포함한다. 이하 같다) 또는 배우자였던 사람

② [×] 「형사소송법」상 자기 또는 배우자의 직계존속에 대한 고소는 금지되나(제224조), 가정폭력처벌법은 이에 대한 예외를 인정하고 있다.

> **가정폭력처벌법 제6조 【고소에 관한 특례】** ① 피해자 또는 그 법정대리인은 가정폭력행위자를 고소할 수 있다. 피해자의 법정대리인이 가정폭력행위자인 경우 또는 가정폭력행위자와 공동으로 가정폭력범죄를 범한 경우에는 피해자의 친족이 고소할 수 있다.
> ② 피해자는 형사소송법 제224조에도 불구하고 가정폭력행위자가 자기 또는 배우자의 직계존속인 경우에도 고소할 수 있다. 법정대리인이 고소하는 경우에도 또한 같다.

036 「가정폭력범죄의 처벌 등에 관한 특례법」에 대한 설명으로 가장 적절하지 않은 것은? [2019 승진(경위)]

① 주거침입죄(형법 제319조)는 '가정폭력범죄'에 해당하나, 주거 · 신체 수색죄(형법 제321조)는 '가정폭력범죄'에 해당하지 않는다.

② 진행 중인 가정폭력범죄에 대하여 신고를 받은 사법경찰관리는 즉시 현장에 나가서 폭력행위의 제지, 가정폭력행위자 피해자의 분리 및 범죄수사의 조치를 하여야 한다.

③ 사법경찰관이 긴급임시조치를 한 때에는 지체 없이 검사에게 임시조치를 신청하고, 신청받은 검사는 법원에 임시조치를 청구하여야 한다. 이 경우 임시조치의 청구는 긴급임시조치를 한 때부터 48시간 이내에 청구하여야 하며, 긴급임시조치결정서를 첨부하여야 한다.

④ 자기 또는 배우자와 직계존비속관계(사실상의 양친자관계를 포함)에 있거나 있었던 사람은 '가정구성원'에 해당한다.

정답 및 해설 I ①

① [×] 주거침입죄와 주거 · 신체 수색죄 모두 가정폭력범죄에 해당한다.

② [○]

> **가정폭력처벌법 제5조 【가정폭력범죄에 대한 응급조치】** 진행 중인 가정폭력범죄에 대하여 신고를 받은 사법경찰관리는 즉시 현장에 나가서 다음 각 호의 조치를 하여야 한다.
> 1. 폭력행위의 제지, 가정폭력행위자 · 피해자의 분리
> 1의2. 「형사소송법」 제212조에 따른 현행범인의 체포 등 범죄수사
> 2. 피해자를 가정폭력 관련 상담소 또는 보호시설로 인도(피해자가 동의한 경우만 해당한다)
> 3. 긴급치료가 필요한 피해자를 의료기관으로 인도
> 4. 폭력행위 재발 시 제8조에 따라 임시조치를 신청할 수 있음을 통보
> 5. 제55조의2에 따른 피해자보호명령 또는 신변안전조치를 청구할 수 있음을 고지

③ [○]

> **가정폭력처벌법 제8조의3 【긴급임시조치와 임시조치의 청구】** ① 사법경찰관이 제8조의2 제1항에 따라 긴급임시조치를 한 때에는 지체 없이 검사에게 제8조에 따른 임시조치를 신청하고, 신청받은 검사는 법원에 임시조치를 청구하여야 한다. 이 경우 임시조치의 청구는 긴급임시조치를 한 때부터 48시간 이내에 청구하여야 하며, 제8조의2 제2항에 따른 긴급임시조치결정서를 첨부하여야 한다.

④ [○]

> **가정폭력처벌법 제2조 【정의】** 이 법에서 사용하는 용어의 뜻은 다음과 같다.
> 2. "**가정구성원**"이란 다음 각 목의 어느 하나에 해당하는 사람을 말한다.
> 나. 자기 또는 배우자와 직계존비속관계(사실상의 양친자관계를 포함한다. 이하 같다)에 있거나 있었던 사람

037 '가정폭력범죄의 처벌 등에 관한 특례법'을 설명한 것으로 다음 <보기> 중 옳은 것은 모두 몇 개인가?

[2016 지능범죄]

<보기>

㉠ '가정폭력'이란 가정구성원 사이의 신체적 · 정신적 또는 재산상 피해를 수반하는 행위를 말한다.
㉡ '가정폭력행위자'란 가정폭력범죄를 범한 사람 및 가정구성원인 공범을 말한다.
㉢ '피해자'란 가정폭력범죄로 인하여 직접적 · 간접적으로 피해를 입은 사람을 말한다.
㉣ 동거하는 친족관계에 있었던 사람도 '가정구성원'에 해당한다.
㉤ 「결혼중개업의 관리에 관한 법률」에 따른 국제결혼중개업자와 그 종사자가 직무를 수행하면서 가정폭력범죄를 알게 된 경우에는 정당한 사유가 없으면 수사기관에 신고하여야 한다.

① 2개　　② 3개
③ 4개　　④ 5개

정답 및 해설 | ②

㉠㉡ [○]

가정폭력처벌법 제2조 【정의】 이 법에서 사용하는 용어의 뜻은 다음과 같다.
1. "**가정폭력**"이란 가정구성원 사이의 신체적, 정신적 또는 재산상 피해를 수반하는 행위를 말한다.
4. "**가정폭력행위자**"란 가정폭력범죄를 범한 사람 및 가정구성원인 공범을 말한다.

㉢ [×] 간접적 피해는 포함하지 않는다.

가정폭력처벌법 제2조 【정의】 이 법에서 사용하는 용어의 뜻은 다음과 같다.
5. "**피해자**"란 가정폭력범죄로 인하여 직접적으로 피해를 입은 사람을 말한다. ➜ 간접적 ×

㉣ [×] 배우자나 직계존비속, 계부모 자녀, 적모와 서자의 경우와 달리, 동거하는 친족은 과거에 그러한 관계가 있었던 것만으로는 '가정구성원'에 해당하지 아니하고, 현재 동거하는 친족관계에 있어야 한다.

가정폭력처벌법 제2조 【정의】 이 법에서 사용하는 용어의 뜻은 다음과 같다.
2. "**가정구성원**"이란 다음 각 목의 어느 하나에 해당하는 사람을 말한다.
가. 배우자(사실상 혼인관계에 있는 사람을 포함한다. 이하 같다) 또는 배우자였던 사람
나. 자기 또는 배우자와 직계존비속관계(사실상의 양친자관계를 포함한다. 이하 같다)에 있거나 있었던 사람
다. 계부모와 자녀의 관계 또는 적모와 서자의 관계에 있거나 있었던 사람
라. 동거하는 친족

㉤ [○]

가정폭력처벌법 제4조 【신고의무 등】 ② 다음 각 호의 어느 하나에 해당하는 사람이 직무를 수행하면서 가정폭력범죄를 알게 된 경우에는 정당한 사유가 없으면 즉시 수사기관에 신고하여야 한다.
5. 「결혼중개업의 관리에 관한 법률」에 따른 국제결혼중개업자와 그 종사자

038 「가정폭력범죄의 처벌 등에 관한 특례법」상 가정폭력범죄에 대해 사법경찰관이 취할 수 있는 긴급임시조치로 가장 적절하지 않은 것은?

[2023 채용 1차]

① 국가경찰관서의 유치장 또는 구치소에의 유치
② 피해자 또는 가정구성원이나 그 주거 · 직장 등에서 100미터 이내의 접근금지
③ 피해자 또는 가정구성원의 주거 또는 점유하는 방실로부터의 퇴거 등 격리
④ 피해자 또는 가정구성원에 대한 「전기통신기본법」 제2조 제1호의 전기통신을 이용한 접근금지

정답 및 해설 I ①

① [×] 경찰에서 할 수 있는 긴급임시조치는 가해자 퇴거격리(제1호) · 접근금지(제2호) · 통신접근금지(제3호)의 3가지이다. 제5호의 국가경찰관서의 유치장 또는 구치소에서의 유치는 법원의 임시조치사항이다.

> **가정폭력처벌법 제8조의2 【긴급임시조치】** ① 사법경찰관은 제5조에 따른 응급조치에도 불구하고 가정폭력범죄가 재발될 우려가 있고, 긴급을 요하여 법원의 임시조치 결정을 받을 수 없을 때에는 직권 또는 피해자나 그 법정대리인의 신청에 의하여 제29조 제1항 제1호부터 제3호까지의 어느 하나에 해당하는 조치(이하 "긴급임시조치"라 한다)를 할 수 있다.
> ➜ 가해자 퇴거격리 · 접근금지 · 통신접근금지
>
> **가정폭력처벌법 제29조 【임시조치】** ① 판사는 가정보호사건의 원활한 조사 · 심리 또는 피해자 보호를 위하여 필요하다고 인정하는 경우에는 결정으로 가정폭력행위자에게 다음 각 호의 어느 하나에 해당하는 임시조치를 할 수 있다.
> 1. 피해자 또는 가정구성원의 주거 또는 점유하는 방실로부터의 퇴거 등 격리
> 2. 피해자 또는 가정구성원이나 그 주거 · 직장 등에서 100미터 이내의 접근 금지
> 3. 피해자 또는 가정구성원에 대한 전기통신기본법 제2조 제1호의 전기통신을 이용한 접근 금지
> 4. 의료기관이나 그 밖의 요양소에의 위탁
> 5. 국가경찰관서의 유치장 또는 구치소에의 유치
> 6. 상담소등에의 상담위탁

039 「가정폭력범죄의 처벌 등에 관한 특례법」상 가정폭력과 관련하여 경찰에서 행할 수 있는 긴급임시조치로 가장 적절하지 않은 것은?

[2015 실무 2]

① 피해자 또는 가정구성원의 주거 또는 점유하는 방실로부터의 퇴거 등 격리

② 국가경찰관서의 유치장 또는 구치소에서의 유치

③ 피해자 또는 가정구성원의 주거 · 직장 등에서 100m 이내의 접근 금지

④ 피해자 또는 가정구성원에 대한 전기통신을 이용한 접근 금지

정답 및 해설 I ②

② [×] 경찰에서 할 수 있는 긴급임시조치는 가해자 퇴거격리(제1호), 접근 금지(제2호), 통신접근 금지(제3호)의 3가지이다. 제29조 제1항 제5호의 국가경찰관서의 유치장 또는 구치소에서의 유치는 법원의 임시조치사항이다.

> **가정폭력처벌법 제8조의2 【긴급임시조치】** ① 사법경찰관은 제5조에 따른 응급조치에도 불구하고 가정폭력범죄가 재발될 우려가 있고, 긴급을 요하여 법원의 임시조치 결정을 받을 수 없을 때에는 직권 또는 피해자나 그 법정대리인의 신청에 의하여 제29조 제1항 제1호부터 제3호까지의 어느 하나에 해당하는 조치(이하 "긴급임시조치"라 한다)를 할 수 있다. ➜ 가해자 퇴거격리, 접근 금지, 통신접근 금지
>
> **가정폭력처벌법 제29조 【임시조치】** ① 판사는 가정보호사건의 원활한 조사 · 심리 또는 피해자 보호를 위하여 필요하다고 인정하는 경우에는 결정으로 가정폭력행위자에게 다음 각 호의 어느 하나에 해당하는 임시조치를 할 수 있다.
> 1. 피해자 또는 가정구성원의 주거 또는 점유하는 방실로부터의 퇴거 등 격리
> 2. 피해자 또는 가정구성원이나 그 주거 · 직장 등에서 100미터 이내의 접근 금지
> 3. 피해자 또는 가정구성원에 대한 전기통신기본법 제2조 제1호의 전기통신을 이용한 접근 금지
> 4. 의료기관이나 그 밖의 요양소에의 위탁
> 5. 국가경찰관서의 유치장 또는 구치소에의 유치
> 6. 상담소등에의 상담위탁

040 「가정폭력범죄의 처벌 등에 관한 특례법」상 사법경찰관의 긴급임시조치에 해당하는 것으로 가장 적절하지 않은 것은? [2017 승진(경위)]

① 의료기관이나 그 밖의 요양소에의 위탁
② 피해자 또는 가정구성원의 주거 · 직장 등에서 100미터 이내의 접근 금지
③ 피해자 또는 가정구성원의 주거 또는 점유하는 방실로부터의 퇴거 등 격리
④ 피해자 또는 가정구성원에 대한 유선 · 무선 · 광선 및 기타의 전자적 방식에 의하여 부호 · 문언 · 음향 또는 영상을 송신하거나 수신하는 전기통신을 이용한 접근 금지

정답 및 해설 I ①
① [×] 경찰에서 할 수 있는 긴급임시조치는 가해자 퇴거격리(제1호), 접근 금지(제2호), 통신접근 금지(제3호)의 3가지이다. 제29조 제1항 제4호의 의료기관이나 그 밖의 요양소에의 위탁은 법원의 임시조치사항이다.

041 가정폭력범죄 사건 처리에 대한 다음 설명 중 가장 적절하지 않은 것은? [2014 승진(경위)]

① 긴급임시조치결정서에는 범죄사실의 요지, 긴급임시조치가 필요한 사유 등을 기재하여야 한다.
② 사법경찰관은 응급조치에도 불구하고 재발 우려 및 긴급한 경우에도 법원의 결정 없이는 긴급임시조치를 할 수 없다.
③ 피해자를 가정폭력 관련 상담소 또는 보호시설로 인도한다(피해자가 동의한 경우).
④ 긴급치료가 필요한 피해자를 의료기관에 인도한다.

정답 및 해설 I ②
② [×] 사법경찰관이 현장에서 응급조치를 하였으나 재발우려와 긴급성이 있는 경우에는 사법경찰관이 직권으로(즉, 법원의 결정 없이도) 긴급임시조치를 할 수 있다.

> **가정폭력처벌법 제8조의2 【긴급임시조치】** ① 사법경찰관은 제5조에 따른 응급조치에도 불구하고 가정폭력범죄가 재발될 우려가 있고, 긴급을 요하여 법원의 임시조치 결정을 받을 수 없을 때에는 직권 또는 피해자나 그 법정대리인의 신청에 의하여 제29조 제1항 제1호부터 제3호까지의 어느 하나에 해당하는 조치(이하 "긴급임시조치"라 한다)를 할 수 있다. ➜ 가해자 퇴거격리, 접근 금지, 통신접근 금지

① [○]
> **가정폭력처벌법 제8조의2 【긴급임시조치】** ② 사법경찰관은 제1항에 따라 긴급임시조치를 한 경우에는 즉시 긴급임시조치결정서를 작성하여야 한다.
> ③ 제2항에 따른 긴급임시조치결정서에는 범죄사실의 요지, 긴급임시조치가 필요한 사유 등을 기재하여야 한다.

③④ [○]
> **가정폭력처벌법 제5조 【가정폭력범죄에 대한 응급조치】** 진행 중인 가정폭력범죄에 대하여 신고를 받은 사법경찰관리는 즉시 현장에 나가서 다음 각 호의 조치를 하여야 한다.
> 2. 피해자를 가정폭력 관련 상담소 또는 보호시설로 인도(피해자가 동의한 경우만 해당한다)
> 3. 긴급치료가 필요한 피해자를 의료기관으로 인도

042 「가정폭력범죄의 처벌 등에 관한 특례법」에 대한 설명으로 가장 적절하지 않은 것은? [2016 채용 2차]

① 검사는 가정폭력범죄가 재발될 우려가 있다고 인정하는 경우에는 직권으로 또는 사법경찰관의 신청에 의하여 법원에 피해자 또는 가정구성원의 주거 또는 점유하는 방실로부터의 퇴거 등 격리, 피해자 또는 가정구성원의 주거·직장 등에서 100미터 이내의 접근 금지, 의료기관이나 그 밖의 요양소에 위탁의 임시조치를 청구할 수 있다.

② 사법경찰관은 응급조치에도 불구하고 가정폭력범죄가 재발될 우려가 있고, 긴급을 요하여 법원의 임시조치 결정을 받을 수 없을 때에는 직권 또는 피해자나 그 법정대리인의 신청에 의하여 긴급임시조치를 할 수 있다.

③ 임시조치의 청구는 긴급임시조치를 한 때부터 48시간 이내에 청구하여야 하며, 긴급임시조치결정서를 첨부하여야 한다.

④ 「형법」상 유기죄는 가정폭력범죄에 해당한다.

정답 및 해설 I ①

① [×] 검사가 법원에 청구할 수 있는 임시조치의 종류는 제1호(가해자 퇴거격리)·제2호(접근 금지)·제3호(통신접근 금지)의 3가지이다. 의료기관이나 그 밖의 요양소에 위탁(제4호)은 포함되지 않는다.

KEY POINT I 임시조치 사항별 비교

구분	경찰 긴급임시조치	검사 임시조치청구	법원 결정시 기간
제1호 퇴거격리	대상 ○	대상 ○	2개월, 2회 연장 可 (최대 6개월)
제2호 접근 금지(100m)	대상 ○	대상 ○	
제3호 통신접근 금지	대상 ○	대상 ○	
제4호 의료기관 등 위탁	대상 ×	대상 ×	1개월, 1회 연장 可 (최대 2개월)
제5호 유치장 등 유치	대상 ×	제1·2·3호 위반시 대상 ○	
제6호 상담위탁	대상 ×	대상 ×	

② [○]

> 가정폭력처벌법 제8조의2【긴급임시조치】① 사법경찰관은 제5조에 따른 응급조치에도 불구하고 가정폭력범죄가 재발될 우려가 있고, 긴급을 요하여 법원의 임시조치 결정을 받을 수 없을 때에는 직권 또는 피해자나 그 법정대리인의 신청에 의하여 제29조 제1항 제1호부터 제3호까지의 어느 하나에 해당하는 조치(이하 "긴급임시조치"라 한다)를 할 수 있다. ➜ 가해자 퇴거격리·접근금지·통신접근금지

③ [○]

> 가정폭력처벌법 제8조의3【긴급임시조치와 임시조치의 청구】① 사법경찰관이 제8조의2 제1항에 따라 긴급임시조치를 한 때에는 지체 없이 검사에게 제8조에 따른 임시조치를 신청하고, 신청받은 검사는 법원에 임시조치를 청구하여야 한다. 이 경우 임시조치의 청구는 긴급임시조치를 한 때부터 48시간 이내에 청구하여야 하며, 제8조의2 제2항에 따른 긴급임시조치결정서를 첨부하여야 한다.

④ [○] 유기와 학대에 관한 죄 중 유기, 존속유기, 영아유기, 학대, 존속학대, 아동혹사 모두 가정폭력범죄의 범주에 들어간다.

043 「가정폭력범죄의 처벌 등에 관한 특례법」에 대한 설명으로 가장 적절한 것은? [2020 실무 2]

① 사법경찰관이 응급조치를 한 때에는 지체 없이 검사에게 임시조치를 신청하고, 신청받은 검사는 법원에 임시조치를 청구하여야 한다. 이 경우 임시조치의 청구는 응급조치를 한 때부터 48시간 이내에 청구하여야 하며, 긴급임시조치결정서를 첨부하여야 한다.

② '피해자'란 가정폭력범죄로 인하여 직접적 또는 간접적으로 피해를 입은 사람을 말한다.

③ 긴급임시조치는 사법경찰관이 할 수 있고, 임시조치는 판사가 할 수 있다.

④ 피해자와 같이 살고 있는 사촌동생이 피해자의 명예를 훼손한 경우 가정폭력사건으로 처리할 수 없다.

정답 및 해설 | ③

③ [○] **긴급임시조치**는 가정폭력 현장에 출동한 경찰관이 피해자 보호를 위해 직접 취하는 조치이고, **임시조치**는 법원(판사)이 가정보호사건을 심리하여 보호처분의 결정을 내리기까지 상당한 시일이 소요되므로, 그때까지 임시로 가정폭력행위자를 피해자 등으로부터 격리 등을 하기 위한 제도이다.

① [×] 사법경찰관이 긴급임시조치를 한 때에는 임시조치 신청 및 검사의 법원에 대한 임시조치 청구절차가 이어진다. 반면 응급조치의 경우에는 그렇지 않다. 즉, 지문의 응급조치가 긴급임시조치로 되어야 옳은 내용이 된다.

> **가정폭력처벌법 제8조의3【긴급임시조치와 임시조치의 청구】** ① 사법경찰관이 제8조의2 제1항에 따라 긴급임시조치를 한 때에는 지체 없이 검사에게 제8조에 따른 임시조치를 신청하고, 신청받은 검사는 법원에 임시조치를 청구하여야 한다. 이 경우 임시조치의 청구는 긴급임시조치를 한 때부터 48시간 이내에 청구하여야 하며, 제8조의2 제2항에 따른 긴급임시조치결정서를 첨부하여야 한다.

② [×] 간접적 피해는 포함하지 아니한다.

> **가정폭력처벌법 제2조【정의】** 이 법에서 사용하는 용어의 뜻은 다음과 같다.
> 5. "**피해자**"란 가정폭력범죄로 인하여 직접적으로 피해를 입은 사람을 말한다. ➜ 간접적 ×

④ [×] 명예훼손죄는 가정폭력범죄에 해당하며, 피해자와 동거하는 사촌동생은 가정구성원에 해당(제2조 제2호 라목)하므로 가정폭력사건으로 처리할 수 있다.

> **가정폭력처벌법 제2조【정의】** 이 법에서 사용하는 용어의 뜻은 다음과 같다.
> 2. "**가정구성원**"이란 다음 각 목의 어느 하나에 해당하는 사람을 말한다.
> 라. 동거하는 친족

044 「가정폭력범죄의 처벌 등에 관한 특례법」에 대한 설명으로 가장 적절하지 않은 것은? [2021 채용 1차]

① 가정폭력으로서 출판물 등에 의한 명예훼손, 재물손괴, 유사강간, 주거침입의 죄는 가정폭력범죄에 해당한다.

② 사법경찰관은 「가정폭력범죄의 처벌 등에 관한 특례법」 제5조에 따른 응급조치에 불구하고 가정폭력범죄가 재발될 우려가 있고, 긴급을 요하여 법원의 임시조치를 결정을 받을 수 없을 때에는 직권 또는 피해자나 그 법정대리인의 신청에 의하여 긴급임시조치를 할 수 있다.

③ 법원은 가정폭력행위자에 대하여 유죄판결(선고유예는 제외)을 선고하거나 약식명령을 고지하는 경우에는 200시간의 범위에서 재범예방에 필요한 수강명령(「보호관찰 등에 관한 법률」에 따른 수강명령) 또는 가정폭력 치료프로그램의 이수명령을 병과할 수 있다.

④ 가정폭력범죄 중 아동학대범죄에 대해서는 「청소년 보호법」을 우선 적용한다.

정답 및 해설 | ④

④ [×] 「청소년 보호법」이 아닌 「아동학대범죄의 처벌 등에 관한 특례법」을 우선 적용한다.

> 가정폭력처벌법 제3조 【다른 법률과의 관계】 가정폭력범죄에 대하여는 이 법을 우선 적용한다. 다만, 아동학대범죄에 대하여는 「아동학대범죄의 처벌 등에 관한 특례법」을 우선 적용한다.

① [○] 모두 가정폭력범죄에 해당하는 범죄들이다.

② [○]

> 가정폭력처벌법 제8조의2 【긴급임시조치】 ① 사법경찰관은 제5조에 따른 응급조치에도 불구하고 가정폭력범죄가 재발될 우려가 있고, 긴급을 요하여 법원의 임시조치 결정을 받을 수 없을 때에는 직권 또는 피해자나 그 법정대리인의 신청에 의하여 제29조 제1항 제1호부터 제3호까지의 어느 하나에 해당하는 조치(이하 "긴급임시조치"라 한다)를 할 수 있다. ➜ 가해자 퇴거격리, 접근 금지, 통신접근 금지

③ [○]

> 가정폭력처벌법 제3조의2 【형벌과 수강명령 등의 병과】 ① 법원은 가정폭력행위자에 대하여 유죄판결(선고유예는 제외한다)을 선고하거나 약식명령을 고지하는 경우에는 200시간의 범위에서 재범예방에 필요한 수강명령(「보호관찰 등에 관한 법률」에 따른 수강명령을 말한다. 이하 같다) 또는 가정폭력 치료프로그램의 이수명령(이하 "이수명령"이라 한다)을 병과할 수 있다.

045 「가정폭력범죄의 처벌 등에 관한 특례법」상 가정폭력범죄에 대해 사법경찰관이 취할 수 있는 조치에 대한 설명으로 틀린 것은 모두 몇 개인가? [2015 채용 1차]

> ㉠ 긴급치료가 필요한 피해자를 의료기관으로 인도하여야 한다.
> ㉡ 피해자의 동의 없이도 피해자를 가정폭력 관련 상담소 또는 보호시설로 인도할 수 있다.
> ㉢ 가정폭력범죄가 재발될 우려가 있다고 인정하는 경우에는 사법경찰관의 직권으로 법원에 임시조치를 청구할 수 있다.
> ㉣ 사법경찰관은 가정폭력범죄를 신속히 수사하여 사건을 검사에게 송치하여야 한다. 이 경우 사법경찰관은 해당 사건을 가정보호사건으로 처리하는 것이 적절한지에 관한 의견을 제시할 수 있다.

① 1개　　② 2개
③ 3개　　④ 4개

정답 및 해설 | ②

㉠ [○]

> 가정폭력처벌법 제5조 【가정폭력범죄에 대한 응급조치】 진행 중인 가정폭력범죄에 대하여 신고를 받은 사법경찰관리는 즉시 현장에 나가서 다음 각 호의 조치를 하여야 한다.
> 3. 긴급치료가 필요한 피해자를 의료기관으로 인도

㉡ [×] 응급조치로서 상담소 · 보호시설로 인도는 피해자가 동의한 경우만 가능하다.

> 가정폭력처벌법 제5조 【가정폭력범죄에 대한 응급조치】 진행 중인 가정폭력범죄에 대하여 신고를 받은 사법경찰관리는 즉시 현장에 나가서 다음 각 호의 조치를 하여야 한다.
> 2. 피해자를 가정폭력 관련 상담소 또는 보호시설로 인도(피해자가 동의한 경우만 해당한다)

㉢ [×] '긴급임시조치'는 사법경찰관이 직권으로 할 수 있으나, '임시조치'는 사법경찰관이 검사에게 신청하여 검사가 법원에 청구할 수 있는 것으로 규정되어 있음을 주의하여야 한다.

> 가정폭력처벌법 제8조 【임시조치의 청구 등】 ① 검사는 가정폭력범죄가 재발될 우려가 있다고 인정하는 경우에는 직권으로 또는 사법경찰관의 신청에 의하여 법원에 제29조 제1항 제1호 · 제2호 또는 제3호의 임시조치를 청구할 수 있다. ➜ 가해자 퇴거격리, 접근 금지, 통신접근 금지

㉣ [○]

> **가정폭력처벌법 제7조【사법경찰관의 사건 송치】** 사법경찰관은 가정폭력범죄를 신속히 수사하여 사건을 검사에게 송치하여야 한다. 이 경우 사법경찰관은 해당 사건을 가정보호사건으로 처리하는 것이 적절한지에 관한 의견을 제시할 수 있다.

046 「가정폭력범죄의 처벌 등에 관한 특례법」에 대한 설명으로 옳은 것은 모두 몇 개인가? [2015 채용 3차]

> ㉠ 피해자 또는 그 법정대리인은 가정폭력행위자를 고소할 수 있다. 피해자의 법정대리인이 가정폭력행위자인 경우 또는 가정폭력행위자와 공동으로 가정폭력범죄를 범한 경우에는 피해자의 친족이 고소할 수 없다.
> ㉡ 동거하는 친족관계에 있었던 자는 가정구성원에 해당되지 않는다.
> ㉢ 사법경찰관은 가정폭력범죄를 신속히 수사하여 사건을 검사에게 송치하여야 한다. 이 경우 사법경찰관은 해당 사건을 가정보호사건으로 처리하는 것이 적절한지에 관한 의견을 제시할 수 있다.
> ㉣ 피해자에게 고소할 법정대리인이나 친족이 없는 경우에 이해관계인이 신청하면 검사는 10일 이내에 고소할 수 있는 사람을 지정하여야 한다.

① 없음
② 1개
③ 2개
④ 3개

정답 및 해설 | ④

㉠ [×] 법정대리인이 가정폭력행위자이거나 공동으로 가정폭력범죄를 범한 경우 피해자의 친족이 고소할 수 있다. / ㉣ [○] 제6조 제3항

> **가정폭력처벌법 제6조【고소에 관한 특례】** ① 피해자 또는 그 법정대리인은 가정폭력행위자를 고소할 수 있다. 피해자의 법정대리인이 가정폭력행위자인 경우 또는 가정폭력행위자와 공동으로 가정폭력범죄를 범한 경우에는 피해자의 친족이 고소할 수 있다.
> ② 피해자는 형사소송법 제224조에도 불구하고 가정폭력행위자가 자기 또는 배우자의 직계존속인 경우에도 고소할 수 있다. 법정대리인이 고소하는 경우에도 또한 같다.
> ③ 피해자에게 고소할 법정대리인이나 친족이 없는 경우에 이해관계인이 신청하면 검사는 10일 이내에 고소할 수 있는 사람을 지정하여야 한다.

㉡ [○] 제2조 제2호 가목 · 나목 · 다목과 달리, 라목의 '동거하는 친족'은 현재 동거하여야 하고 과거 동거관계에 있었던 경우는 해당하지 않는다.

> **가정폭력처벌법 제2조【정의】** 이 법에서 사용하는 용어의 뜻은 다음과 같다.
> 2. "**가정구성원**"이란 다음 각 목의 어느 하나에 해당하는 사람을 말한다.
> 가. 배우자(사실상 혼인관계에 있는 사람을 포함한다. 이하 같다) 또는 배우자였던 사람
> 나. 자기 또는 배우자와 직계존비속관계(사실상의 양친자관계를 포함한다. 이하 같다)에 있거나 있었던 사람
> 다. 계부모와 자녀의 관계 또는 적모와 서자의 관계에 있거나 있었던 사람
> 라. 동거하는 친족

㉢ [○]

> **가정폭력처벌법 제7조【사법경찰관의 사건 송치】** 사법경찰관은 가정폭력범죄를 신속히 수사하여 사건을 검사에게 송치하여야 한다. 이 경우 사법경찰관은 해당 사건을 가정보호사건으로 처리하는 것이 적절한지에 관한 의견을 제시할 수 있다.

047 「가정폭력범죄의 처벌 등에 관한 특례법」에 대한 설명으로 가장 적절하지 않은 것은? [2022 승진]

① 사법경찰관은 가정폭력범죄에 대한 응급조치에도 불구하고 가정폭력범죄가 재발될 우려가 있고, 긴급을 요하여 법원의 임시조치 결정을 받을 수 없을 때에는 직권 또는 피해자나 그 법정대리인의 신청에 의하여 긴급임시조치를 할 수 있다.

② 진행 중인 가정폭력범죄에 대하여 신고를 받은 사법경찰관리는 즉시 현장에 나가서 폭력행위의 제지, 가정폭력행위자 · 피해자의 분리, 현행범인의 체포 등 범죄수사, 피해자를 가정폭력 관련 상담소 또는 보호시설로 인도(피해자가 동의한 경우만 해당), 긴급치료가 필요한 피해자를 의료기관으로 인도, 폭력행위 재발 시 제8조에 따라 임시조치를 신청할 수 있음을 통보, 제55조의2에 따른 피해자보호명령 또는 신변안전조치를 청구할 수 있음을 고지해야 한다.

③ 甲의 배우자였던 乙이 甲에게 폭행을 당한 것을 이유로 112치안종합상황실에 가정폭력으로 신고하여 순찰 중이던 경찰관이 출동한 경우, 그 경찰관은 해당 사건에 대해 가정폭력범죄 사건으로 처리할 수 없다.

④ 피해자 또는 그 법정대리인은 가정폭력행위자를 고소할 수 있고, 피해자의 법정대리인이 가정폭력행위자인 경우 또는 가정폭력행위자와 공동으로 가정폭력범죄를 범한 경우에는 피해자의 친족이 고소할 수 있다.

정답 및 해설 | ③

③ [×] 가정폭력범죄의 처벌 등에 관한 특례법상 가족구성원 범위에는 배우자(사실혼 포함) 또는 **배우자였던 사람이** 포함되기 때문에 가정폭력범죄사건으로 처리할 수 있다.

> **가정폭력처벌법 제2조【정의】** 이 법에서 사용하는 용어의 뜻은 다음과 같다.
> 2. "**가정구성원**"이란 다음 각 목의 어느 하나에 해당하는 사람을 말한다.
> 가. 배우자(사실상 혼인관계에 있는 사람을 포함한다. 이하 같다) 또는 **배우자였던 사람**

① [○]

> **가정폭력처벌법 제8조의2【긴급임시조치】** ① 사법경찰관은 제5조에 따른 응급조치에도 불구하고 가정폭력범죄가 재발될 우려가 있고, 긴급을 요하여 법원의 임시조치 결정을 받을 수 없을 때에는 직권 또는 피해자나 그 법정대리인의 신청에 의하여 제29조 제1항 제1호부터 제3호까지의 어느 하나에 해당하는 조치(이하 "긴급임시조치"라 한다)를 할 수 있다. ➜ 가해자 퇴거격리 · 접근금지 · 통신접근금지

② [○]

> **가정폭력처벌법 제5조【가정폭력범죄에 대한 응급조치】** 진행 중인 가정폭력범죄에 대하여 신고를 받은 사법경찰관리는 즉시 현장에 나가서 다음 각 호의 조치를 하여야 한다.
> 1. 폭력행위의 제지, 가정폭력행위자 · 피해자의 분리
> 1의2. 「형사소송법」 제212조에 따른 현행범인의 체포 등 범죄수사
> 2. 피해자를 가정폭력 관련 상담소 또는 보호시설로 인도(피해자가 동의한 경우만 해당한다)
> 3. 긴급치료가 필요한 피해자를 의료기관으로 인도
> 4. 폭력행위 재발 시 제8조에 따라 임시조치를 신청할 수 있음을 통보
> 5. 제55조의2에 따른 피해자보호명령 또는 신변안전조치를 청구할 수 있음을 고지

④ [○]

> **가정폭력처벌법 제6조【고소에 관한 특례】** ① 피해자 또는 그 법정대리인은 가정폭력행위자를 고소할 수 있다. 피해자의 법정대리인이 가정폭력행위자인 경우 또는 가정폭력행위자와 공동으로 가정폭력범죄를 범한 경우에는 피해자의 친족이 고소할 수 있다.

주제 5 아동학대수사

048 「아동학대범죄의 처벌 등에 관한 특례법」에 대한 설명으로 가장 적절하지 않은 것은? [2022 승진]

① 아동학대범죄 신고를 접수한 사법경찰관리나 아동학대전담공무원이 동행하여 현장출동하지 아니한 경우, 수사기관의 장이나 시 · 도지사 또는 시장 · 군수 · 구청장은 현장출동에 따른 조사 등의 결과를 서로에게 통지할 수 있다.

② 사법경찰관은 피해아동 등에 대한 응급조치에도 불구하고, 아동학대범죄가 재발될 우려가 있고 긴급을 요하여 법원의 임시조치 결정을 받을 수 없을 때에는 직권으로 아동학대행위자에 대한 긴급임시조치를 할 수 있다.

③ 검사는 아동학대범죄사건의 증인이 피고인 또는 그 밖의 사람으로부터 생명 · 신체에 해를 입거나 입을 염려가 있다고 인정될 때에는 관할 경찰서장에게 증인의 신변안전을 위하여 필요한 조치를 할 것을 요청하여야 한다.

④ 판사가 아동학대범죄의 원활한 조사 · 심리 또는 피해아동등의 보호를 위하여 필요하다고 인정하는 경우에는 결정으로 아동학대행위자에게 경찰관서의 유치장 또는 구치소에 유치하는 조치를 할 수 있다.

정답 및 해설 I ①

① [×] 서로에게 통지하여야 한다.

> **아동학대처벌법 제11조【현장출동】** ⑦ 제1항에 따른 현장출동이 동행하여 이루어지지 아니한 경우 수사기관의 장이나 시 · 도지사 또는 시장 · 군수 · 구청장은 현장출동에 따른 조사 등의 결과를 서로에게 통지하여야 한다.

② [○]

> **아동학대처벌법 제13조【아동학대행위자에 대한 긴급임시조치】** ① 사법경찰관은 제12조 제1항에 따른 응급조치에도 불구하고 아동학대범죄가 재발될 우려가 있고, 긴급을 요하여 제19조 제1항에 따른 법원의 임시조치 결정을 받을 수 없을 때에는 직권이나 피해아동등, 그 법정대리인(아동학대행위자를 제외한다. 이하 같다), 변호사(제16조에 따른 변호사를 말한다. 제48조 및 제49조를 제외하고는 이하 같다), 시 · 도지사, 시장 · 군수 · 구청장 또는 아동보호전문기관의 장의 신청에 따라 제19조 제1항 제1호부터 제3호까지의 어느 하나에 해당하는 조치를 할 수 있다.

③ [○]

> **아동학대처벌법 제17조의2【증인에 대한 신변안전조치】** ① 검사는 아동학대범죄사건의 증인이 피고인 또는 그 밖의 사람으로부터 생명·신체에 해를 입거나 입을 염려가 있다고 인정될 때에는 관할 경찰서장에게 증인의 신변안전을 위하여 필요한 조치를 할 것을 요청하여야 한다.
> ② 증인은 검사에게 제1항의 조치를 하도록 청구할 수 있다.

④ [○] 아동학대범죄의 처벌 등에 관한 특례법 제19조 제1항 제7호

> **아동학대처벌법 제19조【아동학대행위자에 대한 임시조치】** ① 판사는 아동학대범죄의 원활한 조사 · 심리 또는 피해아동등의 보호를 위하여 필요하다고 인정하는 경우에는 결정으로 아동학대행위자에게 다음 각 호의 어느 하나에 해당하는 조치(이하 "임시조치"라 한다)를 할 수 있다.
> 7. 경찰관서의 유치장 또는 구치소에의 유치

049 「아동학대범죄의 처벌 등에 관한 특례법」에 대한 설명으로 가장 적절하지 않은 것은? [2018 승진(경감)]

① 피해아동이 보호자의 학대를 당연하게 받아들이고 이를 학대로 인식하지 못하는 은폐성 때문에 「아동학대범죄의 처벌 등에 관한 특례법」은 아동학대 신고의무자를 광범위하게 규정하고 있다.

② 응급조치상의 격리란 아동학대행위자를 72시간(다만, 본문의 기간에 공휴일이나 토요일이 포함되는 경우로서 피해아동등의 보호를 위하여 필요하다고 인정되는 경우에는 48시간의 범위에서 그 기간을 연장할 수 있다)을 기한으로 하여 피해아동으로부터 장소적으로 분리하는 조치를 의미한다.

③ 응급조치에도 불구하고 아동학대범죄가 재발될 우려가 있고, 긴급을 요하여 법원의 임시조치 결정을 받을 수 없을 때 사법경찰관은 직권이나 피해아동등의 신청에 따라 긴급임시조치를 할 수 있다.

④ 임시조치는 아동학대범죄의 원활한 조사 · 심리 또는 피해아동 보호를 위하여 필요하다고 인정되는 경우 판사의 결정으로 아동학대행위자의 권한 또는 자유를 일정기간동안 제한하는 조치이다.

정답 및 해설 I ①

① [×] 아동학대의 특성으로서 은폐성이란 '외부에서 인지하기 어려운 가정 등에서 일어나 발견되기 쉽지 않다'는 특성을 말하며, 지문은 '**미인지성**'에 대한 설명이다.

② [○]

> **아동학대범죄의 처벌 등에 관한 특례법(이하 '아동학대처벌법'이라 한다) 제12조【피해아동 등에 대한 응급조치】** ③ 제1항 제2호부터 제4호까지의 규정에 따른 응급조치(➜ 격리, 보호시설 인도, 의료기관 인도)는 72시간을 넘을 수 없다. 다만, 본문의 기간에 공휴일이나 토요일이 포함되는 경우로서 피해아동등의 보호를 위하여 필요하다고 인정되는 경우에는 48시간의 범위에서 그 기간을 연장할 수 있다.

③ [○]

> **아동학대처벌법 제13조【아동학대행위자에 대한 긴급임시조치】** ① 사법경찰관은 제12조 제1항에 따른 응급조치에도 불구하고 아동학대범죄가 재발될 우려가 있고, 긴급을 요하여 제19조 제1항에 따른 법원의 임시조치 결정을 받을 수 없을 때에는 직권이나 피해아동등, 그 법정대리인(아동학대행위자를 제외한다. 이하 같다), 변호사(제16조에 따른 변호사를 말한다. 제48조 및 제49조를 제외하고는 이하 같다), 시 · 도지사, 시장 · 군수 · 구청장 또는 아동보호전문기관의 장의 신청에 따라 제19조 제1항 제1호부터 제3호까지의 어느 하나에 해당하는 조치를 할 수 있다.

④ [○]

> **아동학대처벌법 제19조【아동학대행위자에 대한 임시조치】** ① 판사는 아동학대범죄의 원활한 조사 · 심리 또는 피해아동등의 보호를 위하여 필요하다고 인정하는 경우에는 결정으로 아동학대행위자에게 다음 각 호의 어느 하나에 해당하는 조치(이하 "임시조치"라 한다)를 할 수 있다.
> 1. 피해아동등 또는 가정구성원(「가정폭력범죄의 처벌 등에 관한 특례법」 제2조 제2호에 따른 가정구성원을 말한다. 이하 같다)의 주거로부터 퇴거 등 격리
> 2. 피해아동등 또는 가정구성원의 주거, 학교 또는 보호시설 등에서 100미터 이내의 접근 금지
> 3. 피해아동등 또는 가정구성원에 대한 「전기통신기본법」 제2조 제1호의 전기통신을 이용한 접근 금지
> 4. 친권 또는 후견인 권한 행사의 제한 또는 정지
> 5. 아동보호전문기관 등에의 상담 및 교육 위탁
> 6. 의료기관이나 그 밖의 요양시설에의 위탁
> 7. 경찰관서의 유치장 또는 구치소에의 유치

050 「아동학대범죄의 처벌 등에 관한 특례법」에 대한 설명으로 가장 적절하지 않은 것은? [2018 실무 2]

① 이 법에서 '아동'이란 18세 미만인 사람을 말한다.

② 아동학대범죄에 대하여는 이 법을 우선 적용한다. 다만, 「성폭력범죄의 처벌 등에 관한 특례법」, 「아동 · 청소년의 성보호에 관한 법률」에서 가중처벌되는 경우에는 그 법에서 정한 바에 따른다.

③ 사법경찰관은 아동학대범죄의 피해아동 보호를 위하여 필요하다고 인정되는 경우에는 직권으로 아동학대행위자에게 임시조치를 할 수 있다.

④ 사법경찰관은 긴급임시조치를 한 경우에는 즉시 긴급임시조치결정서를 작성하여야 한다. 이 경우 긴급임시조치결정서에는 범죄사실의 요지, 긴급임시조치가 필요한 사유, 긴급임시조치의 내용 등을 기재하여야 한다.

정답 및 해설 | ③

③ [×] 사법경찰관이 직권으로 할 수 있는 것은 '긴급임시조치'이고, 임시조치는 법원(판사)의 결정으로 하는 것이다.

> **아동학대처벌법 제19조 【아동학대행위자에 대한 임시조치】** ① 판사는 아동학대범죄의 원활한 조사 · 심리 또는 피해아동등의 보호를 위하여 필요하다고 인정하는 경우에는 결정으로 아동학대행위자에게 다음 각 호의 어느 하나에 해당하는 조치(이하 "임시조치"라 한다)를 할 수 있다.

① [○]

> **아동학대처벌법 제2조 【정의】** 이 법에서 사용하는 용어의 뜻은 다음과 같다.
> 1. "**아동**"이란 「아동복지법」 제3조 제1호에 따른 아동을 말한다.
>
> **아동복지법 제3조 【정의】** 이 법에서 사용하는 용어의 뜻은 다음과 같다.
> 1. "**아동**"이란 18세 미만인 사람을 말한다.

② [○]

> **아동학대처벌법 제3조 【다른 법률과의 관계】** 아동학대범죄에 대하여는 이 법을 우선 적용한다. 다만, 「성폭력범죄의 처벌 등에 관한 특례법」, 「아동 · 청소년의 성보호에 관한 법률」에서 가중처벌되는 경우에는 그 법에서 정한 바에 따른다.

④ [○]

> **아동학대처벌법 제13조 【아동학대행위자에 대한 긴급임시조치】** ② 사법경찰관은 제1항에 따른 조치(이하 "긴급임시조치"라 한다)를 한 경우에는 즉시 긴급임시조치결정서를 작성하여야 하고, 그 내용을 시 · 도지사 또는 시장 · 군수 · 구청장에게 지체 없이 통지하여야 한다.
> ③ 제2항에 따른 긴급임시조치결정서에는 범죄사실의 요지, 긴급임시조치가 필요한 사유, 긴급임시조치의 내용 등을 기재하여야 한다.

051 다음은 「아동학대범죄의 처벌 등에 관한 특례법」에 대한 설명이다. 가장 적절하지 않은 것은?

[2015 채용 3차]

① 아동이란 19세 미만인 사람을 말한다.

② 아동학대범죄에 대하여는 이 법을 우선 적용한다. 다만, 「성폭력범죄의 처벌 등에 관한 특례법」, 「아동 · 청소년의 성보호에 관한 법률」에서 가중처벌되는 경우에는 그 법에서 정한 바에 따른다.

③ 이 법은 아동학대범죄의 처벌 및 그 절차에 관한 특례와 피해아동에 대한 보호절차 및 아동학대행위자에 대한 보호처분을 규정함으로써 아동을 보호하여 아동이 건강한 사회 구성원으로 성장하도록 함을 목적으로 한다.

④ 아동학대범죄 신고를 접수한 사법경찰관리나 아동학대전담공무원은 지체 없이 아동학대범죄의 현장에 출동하여야 한다.

정답 및 해설 I ①

① [×] 18세 미만인 사람을 말한다

> **아동학대처벌법 제2조 【정의】** 이 법에서 사용하는 용어의 뜻은 다음과 같다.
> 1. "아동"이란 「아동복지법」 제3조 제1호에 따른 아동을 말한다.
>
> **아동복지법 제3조 【정의】** 이 법에서 사용하는 용어의 뜻은 다음과 같다.
> 1. "아동"이란 18세 미만인 사람을 말한다.

② [○]

> **아동학대처벌법 제3조 【다른 법률과의 관계】** 아동학대범죄에 대하여는 이 법을 우선 적용한다. 다만, 「성폭력범죄의 처벌 등에 관한 특례법」, 「아동 · 청소년의 성보호에 관한 법률」에서 가중처벌되는 경우에는 그 법에서 정한 바에 따른다.

③ [○]

> **아동학대처벌법 제1조 【목적】** 이 법은 아동학대범죄의 처벌 및 그 절차에 관한 특례와 피해아동에 대한 보호절차 및 아동학대행위자에 대한 보호처분을 규정함으로써 아동을 보호하여 아동이 건강한 사회 구성원으로 성장하도록 함을 목적으로 한다.

④ [○]

> **아동학대처벌법 제11조 【현장출동】** ① 아동학대범죄 신고를 접수한 사법경찰관리나 「아동복지법」 제22조 제4항에 따른 아동학대전담공무원(이하 "아동학대전담공무원"이라 한다)은 지체 없이 아동학대범죄의 현장에 출동하여야 한다. 이 경우 수사기관의 장이나 시 · 도지사 또는 시장 · 군수 · 구청장은 서로 동행하여 줄 것을 요청할 수 있으며, 그 요청을 받은 수사기관의 장이나 시 · 도지사 또는 시장 · 군수 · 구청장은 정당한 사유가 없으면 사법경찰관리나 아동학대전담공무원이 아동학대범죄 현장에 동행하도록 조치하여야 한다.

052 「아동학대범죄의 처벌 등에 관한 특례법」에 대한 설명으로 가장 적절한 것은? [2023 경간]

① 피해아동에게 고소할 법정대리인이나 친족이 없는 경우에 이해관계인이 신청하면 검사는 20일 이내에 고소할 수 있는 사람을 지정하여야 한다.

② 아동학대범죄 신고를 접수한 사법경찰관리는 아동학대범죄가 행하여지고 있는 것으로 신고된 현장 또는 피해아동을 보호하기 위하여 필요한 장소에 출입하여 아동 또는 아동학대행위자 등 관계인에 대하여 조사를 하거나 질문을 할 수 있다. 이 경우 사법경찰관리는 피해아동의 보호 및 「아동복지법」 제22조의4의 사례관리계획에 따른 사례관리를 위한 범위에서만 아동학대행위자 등 관계인에 대하여 조사해야 한다.

③ 법원은 아동학대행위자에대하여 유죄판결(선고유예를 포함한다)을 선고하면서 200시간의 범위에서 재범예방에 필요한 수강명령 또는 아동학대 치료프로그램의 이수명령을 병과할 수 있다.

④ 사법경찰관은 아동학대행위자에 대한 긴급임시조치를 한 경우에는 즉시 긴급임시조치결정서를 작성하여야 하고, 그 내용을 시 · 도지사 또는 시장 · 군수 · 구청장에게 지체 없이 통지하여야 한다.

정답 및 해설 I ④

④ [○]

> **아동학대처벌법 제13조 【아동학대행위자에 대한 긴급임시조치】** ② 사법경찰관은 제1항에 따른 조치(이하 "긴급임시조치"라 한다)를 한 경우에는 즉시 긴급임시조치결정서를 작성하여야 하고, 그 내용을 시 · 도지사 또는 시장 · 군수 · 구청장에게 지체 없이 통지하여야 한다.

① [×] **10일 이내**에 고소할 수 있는 사람을 지정

> **아동학대처벌법 제10조의4 【고소에 대한 특례】** ③ 피해아동에게 고소할 법정대리인이나 친족이 없는 경우에 이해관계인이 신청하면 검사는 10일 이내에 고소할 수 있는 사람을 지정하여야 한다.

② [×] 사례관리계획에 따른 사례관리를 위한 범위에서만 아동학대행위자 등 관계인에 대하여 조사할 수 있는 사람은 **아동학대전담 공무원**이다.

> **아동학대처벌법 제11조【현장출동】** ② 아동학대범죄 신고를 접수한 사법경찰관리나 아동학대전담공무원은 아동학대범죄가 행하여지고 있는 것으로 신고된 현장 또는 피해아동을 보호하기 위하여 필요한 장소에 출입하여 아동 또는 아동학대행위자 등 관계인에 대하여 조사를 하거나 질문을 할 수 있다. 다만, 아동학대전담공무원은 다음 각 호를 위한 범위에서만 아동학대행위자 등 관계인에 대하여 조사 또는 질문을 할 수 있다.
> 1. 피해아동의 보호
> 2. 「아동복지법」 제22조의4의 사례관리계획에 따른 사례관리(이하 "사례관리"라 한다)

③ [×] 선고유예를 **제외**한다.

> **아동학대처벌법 제8조【형벌과 수강명령 등의 병과】** ① 법원은 아동학대행위자에 대하여 유죄판결(선고유예는 제외한다)을 선고하면서 200시간의 범위에서 재범예방에 필요한 수강명령(「보호관찰 등에 관한 법률」에 따른 수강명령을 말한다. 이하 같다) 또는 아동학대 치료프로그램의 이수명령(이하 "이수명령"이라 한다)을 병과할 수 있다.

053 아동학대 사건에 대한 설명으로 가장 적절한 것은? [2020 승진(경감)]

① 아동학대범죄의 신고를 받아 현장에 출동하거나 아동학대범죄 현장을 발견한 사법경찰관리가 피해아동의 보호를 위하여 즉시 행하는 조치를 임시조치라 한다.

② 응급조치상 격리란 학대행위자를 48시간을 기한으로 피해아동으로부터 공간적으로 분리하는 조치를 의미한다.

③ 임시조치는 아동학대범죄의 원활한 조사·심리 또는 피해아동 보호를 위하여 필요하다고 인정되어 판사의 결정으로 학대행위자의 권한 또는 자유를 일정기간동안 제한하는 조치이다.

④ 긴급임시조치에는 피해아동 또는 가정구성원의 주거로부터 퇴거 등 격리, 피해아동 또는 가정구성원의 주거, 학교 또는 보호시설 등에서 100미터 이내의 접근 금지, 경찰관서의 유치장 또는 구치소에의 유치 등이 있다.

정답 및 해설 | ③

③ [○]

> **아동학대처벌법 제19조【아동학대행위자에 대한 임시조치】** ① 판사는 아동학대범죄의 원활한 조사·심리 또는 피해아동 등의 보호를 위하여 필요하다고 인정하는 경우에는 결정으로 아동학대행위자에게 다음 각 호의 어느 하나에 해당하는 조치(이하 "임시조치"라 한다)를 할 수 있다.
> 1. 피해아동등 또는 가정구성원(「가정폭력범죄의 처벌 등에 관한 특례법」 제2조 제2호에 따른 가정구성원을 말한다. 이하 같다)의 주거로부터 퇴거 등 격리
> 2. 피해아동등 또는 가정구성원의 주거, 학교 또는 보호시설 등에서 100미터 이내의 접근 금지
> 3. 피해아동등 또는 가정구성원에 대한 「전기통신기본법」 제2조 제1호의 전기통신을 이용한 접근 금지
> 4. 친권 또는 후견인 권한 행사의 제한 또는 정지
> 5. 아동보호전문기관 등에의 상담 및 교육 위탁
> 6. 의료기관이나 그 밖의 요양시설에의 위탁
> 7. 경찰관서의 유치장 또는 구치소에의 유치

① [×] 이를 '응급조치'라 한다.

> **아동학대처벌법 제12조【피해아동 등에 대한 응급조치】** ① 제11조 제1항에 따라 현장에 출동하거나 아동학대범죄 현장을 발견한 경우 또는 학대현장 이외의 장소에서 학대피해가 확인되고 재학대의 위험이 급박·현저한 경우, 사법경찰관리 또는 아동학대전담공무원은 피해아동, 피해아동의 형제자매인 아동 및 피해아동과 동거하는 아동(이하 "피해아동등"이라 한다)의 보호를 위하여 즉시 다음 각 호의 조치(이하 "응급조치"라 한다)를 하여야 한다.

② [×] 응급조치상 격리의 기한은 72시간이다.

> **아동학대처벌법 제12조 【피해아동 등에 대한 응급조치】** ③ 제1항 제2호부터 제4호까지의 규정에 따른 응급조치(➜ 격리, 보호시설 인도, 의료기관 인도)는 72시간을 넘을 수 없다. 다만, 본문의 기간에 공휴일이나 토요일이 포함되는 경우로서 피해아동등의 보호를 위하여 필요하다고 인정되는 경우에는 48시간의 범위에서 그 기간을 연장할 수 있다.

④ [×] 긴급임시조치로 가능한 것은 퇴거격리(제1호), 접근 금지(제2호), 통신 금지(제3호)의 3가지이다. 유치장 또는 구치소 유치(제7호)는 법원(판사)의 임시조치를 통해서 가능한 수단이다.

> **아동학대처벌법 제13조 【아동학대행위자에 대한 긴급임시조치】** ① 사법경찰관은 제12조 제1항에 따른 응급조치에도 불구하고 아동학대범죄가 재발될 우려가 있고, 긴급을 요하여 제19조 제1항에 따른 법원의 임시조치 결정을 받을 수 없을 때에는 직권이나 피해아동등, 그 법정대리인(아동학대행위자를 제외한다. 이하 같다), 변호사(제16조에 따른 변호사를 말한다. 제48조 및 제49조를 제외하고는 이하 같다), 시 · 도지사, 시장 · 군수 · 구청장 또는 아동보호전문기관의 장의 신청에 따라 제19조 제1항 제1호부터 제3호까지의 어느 하나에 해당하는 조치를 할 수 있다. ➜ 퇴거격리, 접근 금지, 통신 금지

054 「아동학대범죄의 처벌 등에 관한 특례법」에 대한 설명으로 가장 적절하지 않은 것은? [2021 승진(실무종합)]

① 동법 제12조 제1항에 따라 응급조치상 아동학대행위자를 피해아동등으로부터 격리할 경우 48시간을 넘을 수 없으나, 다만 본문의 기간에 공휴일이나 토요일이 포함되는 경우로서 피해아동등의 보호를 위하여 필요하다고 인정되는 경우에는 48시간의 범위에서 그 기간을 연장할 수 있다.

② 응급조치에도 불구하고 아동학대범죄의 재발이 우려되고, 긴급을 요하여 법원의 임시조치 결정을 받을 수 없을 때에는 사법경찰관의 직권으로 긴급임시조치를 할 수 있다.

③ 판사는 아동학대범죄의 원활한 조사 · 심리 또는 피해아동등의 보호를 위하여 필요하다고 인정하는 경우에는 결정으로 아동학대행위자에게 임시조치를 할 수 있다.

④ 임시조치 결정을 통해 아동학대행위자를 경찰관서의 유치장 또는 구치소에의 유치 등을 할 수 있다.

정답 및 해설 | ①

① [×] 72시간을 넘을 수 없으나, 공휴일 등이 포함된 경우 48시간 범위에서 연장할 수 있다.

> **아동학대처벌법 제12조 【피해아동 등에 대한 응급조치】** ③ 제1항 제2호부터 제4호까지의 규정에 따른 응급조치(➜ 격리, 보호시설 인도, 의료기관 인도)는 72시간을 넘을 수 없다. 다만, 본문의 기간에 공휴일이나 토요일이 포함되는 경우로서 피해아동등의 보호를 위하여 필요하다고 인정되는 경우에는 48시간의 범위에서 그 기간을 연장할 수 있다.

② [○]

> **아동학대처벌법 제13조 【아동학대행위자에 대한 긴급임시조치】** ① 사법경찰관은 제12조 제1항에 따른 응급조치에도 불구하고 아동학대범죄가 재발될 우려가 있고, 긴급을 요하여 제19조 제1항에 따른 법원의 임시조치 결정을 받을 수 없을 때에는 직권이나 피해아동등, 그 법정대리인(아동학대행위자를 제외한다. 이하 같다), 변호사(제16조에 따른 변호사를 말한다. 제48조 및 제49조를 제외하고는 이하 같다), 시 · 도지사, 시장 · 군수 · 구청장 또는 아동보호전문기관의 장의 신청에 따라 제19조 제1항 제1호부터 제3호까지의 어느 하나에 해당하는 조치를 할 수 있다. ➜ 퇴거격리, 접근 금지, 통신 금지

③④ [○]

> **아동학대처벌법 제19조 【아동학대행위자에 대한 임시조치】** ① 판사는 아동학대범죄의 원활한 조사 · 심리 또는 피해아동등의 보호를 위하여 필요하다고 인정하는 경우에는 결정으로 아동학대행위자에게 다음 각 호의 어느 하나에 해당하는 조치(이하 "임시조치"라 한다)를 할 수 있다.
> 7. 경찰관서의 유치장 또는 구치소에의 유치

055 「아동학대범죄의 처벌 등에 관한 특례법」에 대한 설명 중 가장 적절하지 않은 것은? [2020 승진(경위)]

① 아동학대범죄에 대하여는 이 법을 우선 적용한다. 다만, 「성폭력범죄의 처벌 등에 관한 특례법」, 「아동 · 청소년의 성보호에 관한 법률」에서 가중처벌되는 경우에는 그 법에서 정한 바에 따른다.

② 아동학대범죄 신고를 접수한 사법경찰관리나 아동학대전담공무원은 지체 없이 아동학대범죄의 현장에 출동하여야 한다.

③ 현장에 출동하거나 아동학대범죄 현장을 발견한 사법경찰관리 또는 아동학대전담공무원은 피해아동 보호를 위하여 즉시 응급조치를 하여야 한다.

④ 피해아동에 대한 응급조치의 내용 중 '피해아동을 아동학대 관련 보호시설로 인도'하는 조치를 하는 때에는 피해아동 및 보호자의 동의를 받아야 한다.

정답 및 해설 I ④

④ [×] 피해아동등의 이익을 최우선으로 고려하여야 하며, 피해아동등의 의사를 존중하여야 하는 것이지 피해아동 및 보호자의 동의를 받아야 하는 것은 아니다. / ③ [○]

> **아동학대처벌법 제12조【피해아동 등에 대한 응급조치】** ① 제11조 제1항에 따라 현장에 출동하거나 아동학대범죄 현장을 발견한 경우 또는 학대현장 이외의 장소에서 학대피해가 확인되고 재학대의 위험이 급박 · 현저한 경우, 사법경찰관리 또는 아동학대전담공무원은 피해아동, 피해아동의 형제자매인 아동 및 피해아동과 동거하는 아동(이하 "피해아동등"이라 한다)의 보호를 위하여 즉시 다음 각 호의 조치(이하 "응급조치"라 한다)를 하여야 한다. 이 경우 제3호의 조치(➜ 보호시설 인도)를 하는 때에는 피해아동등의 이익을 최우선으로 고려하여야 하며, 피해아동등을 보호하여야 할 필요가 있는 등 특별한 사정이 있는 경우를 제외하고는 피해아동등의 의사를 존중하여야 한다.

① [○]

> **아동학대처벌법 제3조【다른 법률과의 관계】** 아동학대범죄에 대하여는 이 법을 우선 적용한다. 다만, 「성폭력범죄의 처벌 등에 관한 특례법」, 「아동 · 청소년의 성보호에 관한 법률」에서 가중처벌되는 경우에는 그 법에서 정한 바에 따른다.

② [○]

> **아동학대처벌법 제11조【현장출동】** ① 아동학대범죄 신고를 접수한 사법경찰관리나 「아동복지법」 제22조 제4항에 따른 아동학대전담공무원(이하 "아동학대전담공무원"이라 한다)은 지체 없이 아동학대범죄의 현장에 출동하여야 한다.

056 「아동학대범죄의 처벌 등에 관한 특례법」상 응급조치에 대한 설명으로 가장 적절하지 않은 것은?

[2015 채용 1차]

① 현장에 출동하거나 아동학대범죄 현장을 발견한 사법경찰관리 또는 아동학대전담공무원은 피해아동등 보호를 위하여 즉시 응급조치를 하여야 한다.

② 사법경찰관리나 아동학대전담공무원은 피해아동을 분리 · 인도하여 보호하는 경우 지체 없이 피해아동을 인도받은 보호시설 · 의료시설을 관할하는 시 · 도지사 또는 시장 · 군수 · 구청장에게 그 사실을 통보하여야 한다.

③ 응급조치는 48시간을 넘을 수 없다.

④ 사법경찰관리 또는 아동학대전담공무원이 응급조치를 한 경우에는 즉시 응급조치결과보고서를 작성하여야 하며, 아동학대전담공무원이 응급조치를 한 경우 소속 시 · 도지사 또는 시장 · 군수 · 구청장이 관할 경찰관서의 장에게 작성된 응급조치결과보고서를 지체 없이 송부하여야 한다.

정답 및 해설 I ③

③ [×] 72시간을 넘을 수 없다.

> **아동학대처벌법 제12조 【피해아동 등에 대한 응급조치】** ③ 제1항 제2호부터 제4호까지의 규정에 따른 응급조치는 72시간을 넘을 수 없다. 다만, 본문의 기간에 공휴일이나 토요일이 포함되는 경우로서 피해아동등의 보호를 위하여 필요하다고 인정되는 경우에는 48시간의 범위에서 그 기간을 연장할 수 있다.

①②④ [○]

> **아동학대처벌법 제12조 【피해아동 등에 대한 응급조치】** ① 제11조 제1항에 따라 현장에 출동하거나 아동학대범죄 현장을 발견한 경우 또는 학대현장 이외의 장소에서 학대피해가 확인되고 재학대의 위험이 급박 · 현저한 경우, 사법경찰관리 또는 아동학대전담공무원은 피해아동, 피해아동의 형제자매인 아동 및 피해아동과 동거하는 아동(이하 "피해아동등"이라 한다)의 보호를 위하여 즉시 다음 각 호의 조치(이하 "응급조치"라 한다)를 하여야 한다. 이 경우 제3호의 조치(➜ 보호시설 인도)를 하는 때에는 피해아동등의 이익을 최우선으로 고려하여야 하며, 피해아동등을 보호하여야 할 필요가 있는 등 특별한 사정이 있는 경우를 제외하고는 피해아동등의 의사를 존중하여야 한다.
> 1. 아동학대범죄 행위의 제지
> 2. 아동학대행위자를 피해아동등으로부터 격리
> 3. 피해아동등을 아동학대 관련 보호시설로 인도
> 4. 긴급치료가 필요한 피해아동을 의료기관으로 인도
>
> ② 사법경찰관리나 아동학대전담공무원은 제1항 제3호 및 제4호 규정에 따라 피해아동등을 분리 · 인도하여 보호하는 경우 지체 없이 피해아동등을 인도받은 보호시설 · 의료시설을 관할하는 시 · 도지사 또는 시장 · 군수 · 구청장에게 그 사실을 통보하여야 한다.
>
> ⑤ 사법경찰관리 또는 아동학대전담공무원이 제1항에 따라 응급조치를 한 경우에는 즉시 응급조치결과보고서를 작성하여야 한다. 이 경우 사법경찰관리가 응급조치를 한 경우에는 관할 경찰관서의 장이 시 · 도지사 또는 시장 · 군수 · 구청장에게, 아동학대전담공무원이 응급조치를 한 경우에는 소속 시 · 도지사 또는 시장 · 군수 · 구청장이 관할 경찰관서의 장에게 작성된 응급조치결과보고서를 지체 없이 송부하여야 한다.

057 「아동학대범죄의 처벌 등에 관한 특례법」상 사법경찰관의 긴급임시조치로 가장 적절하지 않은 것은?

[2023 채용 2차]

① 피해아동등 또는 가정구성원의 주거로부터 퇴거 등 격리

② 경찰관서의 유치장 또는 구치소에의 유치

③ 피해아동등 또는 가정구성원의 주거, 학교 또는 보호시설 등에서 100미터 이내의 접근 금지

④ 피해아동등 또는 가정구성원에 대한 「전기통신기본법」 제2조 제1호의 전기통신을 이용한 접근 금지

정답 및 해설 | ②

② [×] 임시조치에 해당한다.

응급조치	긴급임시조치	임시조치
1. 아동학대범죄 행위의 제지 2. 피해아동등으로부터 격리 3. 보호시설 인도(피해아동등 의사 존중) 4. 의료기관으로 인도	1. 주거로부터 퇴거 등 격리 2. 100미터 이내 접근 금지 3. 전기통신을 이용한 접근금지	1. 주거로부터 퇴거 등 격리 2. 100미터 이내의 접근금지 3. 전기통신을 이용한 접근금지 4. 친권 또는 후견인 권한 행사 제한 또는 정지 5. 아동보호전문기관 등 상담 및 교육 위탁 6. 의료기간이나 그 밖의 요양시설 위탁 7. 경찰관서의 유치장 또는 구치소에의 유치

058 「아동학대범죄의 처벌 등에 관한 특례법」상 아동학대행위자에 대한 임시조치로 가장 적절하지 않은 것은?

[2019 승진(경감)]

① 피해아동 또는 가정구성원의 주거, 학교 또는 보호시설 등에서 100미터 이내의 접근 금지

② 피해아동등을 아동학대 관련 보호시설로 인도

③ 아동보호전문기관 등에의 상담 및 교육 위탁

④ 친권 또는 후견인 권한 행사의 제한 또는 정지

정답 및 해설 | ②

② [×] 피해아동등을 아동학대 관련 보호시설로 인도하는 것은 '응급조치'에 해당한다.

> **아동학대처벌법 제19조 【아동학대행위자에 대한 임시조치】** ① 판사는 아동학대범죄의 원활한 조사 · 심리 또는 피해아동등의 보호를 위하여 필요하다고 인정하는 경우에는 결정으로 아동학대행위자에게 다음 각 호의 어느 하나에 해당하는 조치(이하 "임시조치"라 한다)를 할 수 있다.
> 1. 피해아동등 또는 가정구성원(「가정폭력범죄의 처벌 등에 관한 특례법」 제2조 제2호에 따른 가징구싱원을 말한다. 이하 같다)의 주거로부터 퇴거 등 격리
> 2. 피해아동등 또는 가정구성원의 주거, 학교 또는 보호시설 등에서 100미터 이내의 접근 금지
> 3. 피해아동등 또는 가정구성원에 대한 「전기통신기본법」 제2조 제1호의 전기통신을 이용한 접근 금지
> 4. 친권 또는 후견인 권한 행사의 제한 또는 정지
> 5. 아동보호전문기관 등에의 상담 및 교육 위탁
> 6. 의료기관이나 그 밖의 요양시설에의 위탁
> 7. 경찰관서의 유치장 또는 구치소에의 유치
>
> ② 제1항 각 호의 처분은 병과할 수 있다.

059 '아동학대범죄의 처벌 등에 관한 특례법'에 대한 설명 중 옳은 것은 모두 몇 개인가? [2017 경간]

> ㉠ 아동이란 19세 미만인 사람을 말한다.
> ㉡ 아동학대범죄 신고를 접수한 사법경찰관리나 아동학대전담공무원은 지체 없이 아동학대범죄의 현장에 출동하여야 한다.
> ㉢ 현장에 출동하거나 아동학대범죄의 현장을 발견한 사법경찰관리 또는 아동학대전담공무원은 피해아동 등의 보호를 위하여 즉시 응급조치를 하여야 한다.
> ㉣ 응급조치의 유형에는 아동학대범죄 행위의 제지, 아동학대행위자를 피해아동으로부터 격리, 피해아동을 아동학대 관련 보호시설로 인도, 아동보호전문기관에의 상담 및 교육 위탁이 있다.
> ㉤ 아동학대행위자를 피해아동으로부터 격리하는 응급조치는 48시간을 넘을 수 없다.

① 1개 ② 2개

③ 3개 ④ 4개

정답 및 해설 I ②

㉠ [×] 아동이란 18세 미만인 사람을 말한다.

> **아동학대처벌법 제2조 【정의】** 이 법에서 사용하는 용어의 뜻은 다음과 같다.
> 1. "**아동**"이란 「아동복지법」 제3조 제1호에 따른 아동을 말한다.
>
> **아동복지법 제3조 【정의】** 이 법에서 사용하는 용어의 뜻은 다음과 같다.
> 1. "**아동**"이란 18세 미만인 사람을 말한다.

㉡ [○]

> **아동학대처벌법 제11조 【현장출동】** ① 아동학대범죄 신고를 접수한 사법경찰관리나 「아동복지법」 제22조 제4항에 따른 아동학대전담공무원(이하 "아동학대전담공무원"이라 한다)은 지체 없이 아동학대범죄의 현장에 출동하여야 한다. 이 경우 제3호의 조치(➜ 보호시설 인도)를 하는 때에는 피해아동등의 이익을 최우선으로 고려하여야 하며, 피해아동등을 보호하여야 할 필요가 있는 등 특별한 사정이 있는 경우를 제외하고는 피해아동등의 의사를 존중하여야 한다.
> 1. 아동학대범죄 행위의 제지
> 2. 아동학대행위자를 피해아동등으로부터 격리
> 3. 피해아동등을 아동학대 관련 보호시설로 인도
> 4. 긴급치료가 필요한 피해아동을 의료기관으로 인도

㉢ [○]

> **아동학대처벌법 제12조 【피해아동 등에 대한 응급조치】** ① 제11조 제1항에 따라 현장에 출동하거나 아동학대범죄 현장을 발견한 경우 또는 학대현장 이외의 장소에서 학대피해가 확인되고 재학대의 위험이 급박 · 현저한 경우, 사법경찰관리 또는 아동학대전담공무원은 피해아동, 피해아동의 형제자매인 아동 및 피해아동과 동거하는 아동(이하 "피해아동등"이라 한다)의 보호를 위하여 즉시 다음 각 호의 조치(이하 "응급조치"라 한다)를 하여야 한다.

㉣ [×] 제지 · 격리 · 인도는 응급조치에 해당하나, 아동보호전문기관에의 상담 및 교육 위탁은 임시조치에 해당한다.

> **아동학대처벌법 제19조 【아동학대행위자에 대한 임시조치】** ① 판사는 아동학대범죄의 원활한 조사 · 심리 또는 피해아동등의 보호를 위하여 필요하다고 인정하는 경우에는 결정으로 아동학대행위자에게 다음 각 호의 어느 하나에 해당하는 조치(이하 "임시조치"라 한다)를 할 수 있다.
> 5. 아동보호전문기관 등에의 상담 및 교육 위탁

㉤ [×] 72시간을 넘을 수 없다.

> **아동학대처벌법 제12조 【피해아동 등에 대한 응급조치】** ③ 제1항 제2호부터 제4호까지의 규정에 따른 응급조치(➜ 격리, 보호시설 인도, 의료기관 인도)는 72시간을 넘을 수 없다. 다만, 본문의 기간에 공휴일이나 토요일이 포함되는 경우로서 피해아동등의 보호를 위하여 필요하다고 인정되는 경우에는 48시간의 범위에서 그 기간을 연장할 수 있다.

제3장 | 경비경찰

주제 1 경비경찰의 기초

001 경비경찰의 대상에 대한 설명으로 가장 적절하지 않은 것은? [2017 실무 1]

① 경비경찰의 대상은 크게 개인적 · 단체적 불법행위와 자연적 · 인위적 재난으로 나뉜다.
② 행사안전경비의 대상은 조직화되지 않은 군중을 대상으로 한다.
③ 피경호자의 신변을 보호하는 호위와 경비활동도 경비경찰의 대상이다.
④ 자연적 · 인위적 재난은 치안경비와 재난경비로 구성된다.

정답 및 해설 | ④

④ [×] 자연적 · 인위적 재난(재해)을 대상으로 하는 경비는 행사안전경비와 재난경비가 있다. / ①② [○]

대상	종류	내용
인위적 · 자연적 재해	행사안전경비	기념행사 · 경기대회 · 제례의식 등에 참여하는 미조직 군중에 의하여 발생하는 자연적 · 인위적인 혼란상태를 경계 · 예방 · 진압하는 활동
	재난경비	천재지변 · 화재 등의 자연적 · 인위적 돌발사태로 인하여 인명 또는 재산상 피해가 야기될 경우 이를 예방 · 진압하는 활동
개인적 · 단체적 불법행위	중요시설경비	공공기관, 공항 · 항만, 주요 산업시설 등 적에 의하여 점령 또는 파괴되거나 기능이 마비될 경우 국가안보 및 국민생활에 중대한 영향을 미치는 시설을 방호하기 위한 경비활동
	치안경비	공안을 해하는 다중범죄 등 집단적인 범죄사태가 발생하거나 발생할 우려가 있는 경우에 이를 예방 · 경계 · 진압하기 위한 경비활동 예 불법집회
	경호경비	피경호자의 신변을 보호하는 경비활동
	특수경비(대테러)	총포 · 도검 · 폭발물 등에 의한 인질난동 · 살상 등 사회이목을 집중시키는 중요 사건을 예방 · 경계 · 진압하는 경비활동

③ [○] **경호**는 경비와 호위를 종합한 개념으로, ㉠ **경비**는 생명 · 신체를 보호하기 위하여 **특정한 지역**을 경계 · 순찰 · 방비하는 활동을 말하고, ㉡ **호위**는 **신체에** 대하여 직접적으로 가해자는 위해를 근접에서 방지 또는 제거하는 활동을 말한다.

002 경비경찰의 종류 및 특징에 대한 설명으로 가장 적절하지 않은 것은? [2021 승진(실무종합)]

① 경비경찰의 종류 중 치안경비란 공안을 해하는 다중범죄 등 집단적인 범죄사태가 발생하거나 발생할 우려가 있는 경우 적절한 조치로 사태를 예방 · 경계 · 진압하는 경찰을 내용으로 한다.

② 경비경찰의 종류 중 혼잡경비란 기념행사 · 경기대회 · 경축 · 제례 등에 수반하는 조직화되지 않은 군중에 의하여 발생하는 자연적 · 인위적 혼란상태를 예방 · 경계 · 진압하는 경찰을 내용으로 한다.

③ 경비경찰은 다중범죄, 테러, 경호상 위해나 경찰작전상황 등이 발생하였을 경우 즉시 출동하여 신속하게 조기진압해야 하는 복합기능적인 활동이라는 특징을 갖는다.

④ 경비경찰은 지휘관의 하향적 명령에 의한 활동으로 부대원의 재량은 상대적으로 적고, 활동 결과에 대한 책임은 지휘관이 지는 경우가 많다는 특징을 갖는다.

정답 및 해설 I ③

③ [×] 경비사태는 **기한을 정하여 진압할 수 없으며** 즉시 출동하여 신속하게 조기제압을 하여야 한다는 것은 경비경찰의 '**즉응적 활동**'에 관한 설명이다. '복합기능적 활동'이란 경비경찰활동은 사태가 발생한 후에 진압하는 **사후진압적 측면**과, 사태의 발생을 미연에 방지하기 위한 **사전예방적 측면**이 복합되어 있다는 것이다.

④ [○] 경비경찰의 특성 중 **하향적 명령에 따른 활동**에 대한 옳은 설명이다.

003 경비경찰의 특징에 대한 설명으로 가장 적절하지 않은 것은? [2015 실무 1]

① 사회전반적 안녕목적의 활동 – 공공의 안녕과 질서를 유지하는 것을 목적으로 하므로 결과적으로 사회전체의 질서를 파괴하는 범죄를 대상으로 작용한다는 점에서 경비경찰의 임무는 국가목적적 치안의 수행이다.

② 조직적 부대활동 – 경비경찰은 경비사태가 발생한 때 조직적이고 집단적인 대응이 요구되므로 조직적 부대활동에 중점을 둔 체계적인 부대편성 · 관리 · 운영이 필요하다.

③ 즉시적(즉응적) 활동 – 경비사태가 발생한 후에 진압뿐만 아니라 특정한 사태가 발생하기 전에 경계 · 예방의 역할을 수행하는 활동이다.

④ 현상유지적 활동 – 경비활동은 기본적으로 현재의 질서상태를 보존하는 것에 가치를 둔다고 할 수 있다.

정답 및 해설 I ③

③ [×] 지문은 복합기능적 활동에 대한 설명이다. **즉응적 활동**이란 경비경찰활동은 신속한 처리가 필요한 '즉응적(즉시적) 활동'으로 경비사태에 대해 **기한을 정하여 진압할 수 없으며** 즉시 출동하여 신속하게 조기제압을 하여야 하고, 사태가 종료되면 동시에 해당 업무도 종료된다는 것이다.

② [○] **조직적인 부대활동**이란 경비경찰활동은 개인 단위 활동보다는 **부대 단위**로 지휘관, 부하, 장비, 보급체계를 갖춘 조직적이고 집단적이며 물리적인 힘으로 대처하는 것을 그 특징으로 한다. ➜ 체계적인 부대편성 · 관리 · 운영이 필요하다.

④ [○] 다만, 여기에 한정되지 않고 새로운 변화와 발전을 보장하기 위한 기초를 다진다는 의미에서 **동태적 · 적극적인 의미까지 포함**된 현상유지 작용이라고 볼 수 있다.

004 경비경찰의 특징에 대한 설명으로 가장 옳지 않은 것은? [2016 경간]

① 복합기능적 활동 – 경비사태가 발생한 후의 진압뿐만 아니라 특정한 사태가 발생하기 전의 경계 · 예방 역할을 수행한다.

② 현상유지적 활동 – 경비활동은 기본적으로 현재의 질서상태를 보존하는 것에 가치를 둔다고 할 수 있다. 따라서, 동태적 · 적극적 질서유지가 아닌 새로운 변화와 발전을 보장하기 위한 정태적 · 소극적 의미의 유지작용이다.

③ 즉시적(즉응적) 활동 – 경비상황은 국가적으로나 사회적으로 중대한 영향을 미치므로 신속한 처리가 요구된다. 따라서 경비상태에 대한 기한을 정하여 진압할 수 없으며 즉시 출동하여 신속하게 조기에 제압한다.

④ 하향적 명령에 의한 활동 – 경비활동은 주로 계선조직의 지휘관이 내리는 지시나 명령에 의하여 움직이므로 활동의 결과에 대해서도 지휘관이 지휘책임을 지는 것이 일반적이다.

정답 및 해설 I ②

② [×] **현상유지적 활동**의 개념에는 새로운 변화와 발전을 보장하기 위한 기초를 다진다는 의미에서 동태적 · 적극적인 의미까지 포함된다.

① [○] **복합기능적 활동**이란 경비경찰활동은 사태가 발생한 후에 진압하는 **사후진압적** 측면과, 사태의 발생을 미연에 방지하기 위한 사전예방적 측면이 복합되어 있다는 것이다.

005 경비경찰의 특징에 대한 설명으로 가장 적절하지 않은 것은? [2019 승진(경감)]

① 복합기능적 활동 – 경비사태가 발생한 후의 진압뿐만 아니라 특정한 사태가 발생하기 전의 경계예방의 역할을 수행한다.

② 현상유지적 활동 – 경비활동은 기본적으로 현재의 질서상태를 보존하는 것에 가치를 둔다고 할 수 있고, 여기서 질서상태를 보존한다는 것은 정태적 · 소극적 질서유지뿐만 아니라 새로운 변화와 발전을 보장하기 위한 기초를 다진다는 의미에서 동태적 · 적극적 의미의 유지작용까지 포함된 현상유지 작용이라고 볼 수 있다.

③ 즉시적(즉응적) 활동 – 경비상황은 국가적으로나 사회적으로 중대한 영향을 미치므로 신속한 처리가 요구된다. 따라서 경비사태에 대한 기한을 정하여 진압할 수 없으며 즉시 출동하여 신속하게 조기에 제압한다.

④ 하향적 명령에 의한 활동 – 긴급하고 신속한 경비업무의 효율적인 처리를 위하여 지휘관을 한 사람만 두어야 한다는 의미로 폭동의 진압과 같은 긴급한 상황에서는 지휘관의 신속한 결단과 명확한 지침이 필요하다.

정답 및 해설 I ④

④ [×] **하향적 명령에 따른 활동**이란 경비경찰활동은 지휘관이 내리는 하향적인 지시 · 명령에 의해 일사불란한 움직임이 필요하므로 **부대원의 재량은 상대적으로 적고** 수명사항에 대한 책임, 즉 **결과책임은 지휘관**이 지는 경우가 보통이라는 것이다. 지문은 경비경찰의 조직운영에 관한 원칙 중 **지휘관 단일성의 원칙**에 대한 설명으로 이는 긴급성과 신속성을 요하는 경비업무의 효율적인 수행을 위하여, **지휘관은 한 사람만** 두어 신속한 결단과 통일성 있는 지휘가 이루어질 수 있도록 해야 한다는 원칙을 말한다.

② [○] 해당 지문은 출제 당시에는 "정태적 · 소극적 질서유지가 아닌 동태적 · 적극적 질서유지작용"이라고 표현되어 있었고 논란이 있었음에도 옳은 지문으로 처리되었으나, 현재는 정태적 · 소극적 질서유지와 동태적 · 적극적 질서유지를 모두 포함하는 것으로 입장이 정리되었다.

006 경비경찰 활동의 특징에 관한 설명으로 가장 적절하지 않은 것은? [2024 승진]

① 경비사태에 대해 기한을 정하여 진압할 수 없고 즉시 출동하여 신속하게 조기대응해야 한다는 점에서 즉시적(즉응적) 활동이다.

② 현재의 질서상태를 유지하는 것에 가치를 두는 현상유지적 활동으로 정태적이고 소극적인 특성을 가지나 질서유지를 통해 새로운 변화와 발전을 보장하기 위한 동태적이고 적극적인 특성은 갖지 않는다.

③ 경비사태가 발생한 후의 진압뿐만 아니라 특정한 사태가 발생하기 전의 경계 · 예방의 역할을 수행한다는 점에서 복합기능적 활동이다.

④ 경비사태가 발생할 때 조직적이고 집단적인 대응이 요구되므로 조직적 부대 활동에 중점을 둔 체계적인 부대편성과 관리 및 운영이 필요하다.

정답 및 해설 I ②

② [×] **현상유지적 활동**: 경비경찰활동은 현재의 소극적 질서상태 유지 · 보존에 가치를 둔다. 여기서 소극적인 질서상태를 유지 · 보존한다는 것은 정태적 · 소극적인 개념뿐만이 아니라 새로운 변화와 발전을 보장하기 위한 기초를 다진다는 의미에서 동태적 · 적극적인 의미까지 포함된 현상유지작용이라고 볼 수 있다.

007 경비경찰 조직운영의 원칙에 관한 설명으로 가장 적절하지 않은 것은? [2023 승진]

① 치안협력성 원칙: 경비경찰이 업무수행과정에서 국민의 협력을 구해야 하고, 국민이 스스로 협조를 할 때 효과적인 업무수행이 가능하다.

② 지휘관단일성 원칙: 지시는 한 사람에 의해서 행해져야 하고, 보고도 한 사람을 통해서 이루어져야 한다.

③ 부대단위활동 원칙: 부대에는 지휘관, 직원 및 대원, 지휘권과 장비가 편성되며 임무수행을 위한 보급지원체제를 갖추고 있어야 한다.

④ 체계통일성 원칙: 경비업무를 효과적으로 수행하기 위해 복수의 지휘관을 두어야 한다.

정답 및 해설 I ④

④ [×] **체계통일성의 원칙**은 조직의 정점으로부터 말단에 이르는 계선을 통하여 상하계급간 일정한 관계가 형성되고 책임과 임무의 분담이 명확히 이루어지고 명령과 복종의 체계가 통일되어야 한다는 것으로 경찰조직간에 체계가 확립되어야만 각 부대간 효율적인 협조와 타 기관과도 상호응원이 가능하게 된다.

☑ **KEY POINT I 경비경찰 조직운영의 원리**

부대단위활동의 원칙	① 경비경찰은 부대단위 활동으로 이루어지는 경우가 대부분으로, 반드시 지휘관이 있어야 하며 하급부대원을 관리하기 위한 지휘권과 장비가 편성되며 임무수행을 위한 보급지원체계를 갖추고 있어야 함 ② 부대단위로 업무가 수행되므로 주로 하명에 의하여 임무가 이루어지고 부대활동의 성패는 지휘관에 의하여 좌우됨
지휘관 단일성의 원칙	① 긴급하고 신속한 경비업무의 효율적인 처리를 위하여 지휘관을 한 사람만 두어야 한다는 의미로 폭동의 진압과 같은 긴급한 상황에서는 지휘관의 신속한 결단과 명확한 지침이 필요함 ② 지휘관 단일성 원칙은 하나의 기관에 하나의 지휘관이란 의미 외에도 하급조직원은 하나의 상급조직에 대하여만 책임을 진다는 의미도 내포하고 있음 ③ 지휘관 단일성의 원칙에 의하면 의사결정은 다수에 의하여 신중히 검토한 후에 가장 합리적으로 결정하는 것도 가능하나, 그 집행에 있어서는 한 사람의 지휘관에 의하여 움직여야 한다. ➜ 의사결정과정에서까지 단일해야 한다는 의미는 아님

체계통일성의 원칙	① 조직의 정점으로부터 말단에 이르는 계선을 통하여 상하계급간 일정한 관계가 형성되고 책임과 임무의 분담이 명확히 이루어지고 명령과 복종의 체계가 통일되어야 한다는 것으로 경찰조직간에 체계가 확립되어야만 각 부대간 효율적인 협조와 타 기관과도 상호응원이 가능하게 됨 ② '임무를 중복 부여하여 최악의 경우를 대비한다'는 것은 체계통일성의 원칙에 반함
치안협력성의 원칙	업무수행 과정에서 국민과 협력을 이루어야 하고 국민이 스스로 협조해 줄 때 효과적으로 목적달성이 가능함

008 경비경찰권 행사의 근거가 될 수 있는 헌법 제37조 제2항(국민의 자유와 권리의 존중 · 제한)에 관한 설명으로 가장 적절하지 않은 것은? [2014 승진(경위)]

① 국민의 모든 자유와 권리는 국가안전보장, 질서유지, 공공의 복리를 위하여 필요한 경우에 제한할 수 있다.
② 필요에 의해 제한할 경우 반드시 법령으로 제한하여야 한다.
③ 위와 같은 헌법의 규정은 경비경찰의 활동을 제한하는 성격도 아울러 가졌다.
④ 필요에 의해 제한할 때에도 자유와 권리의 본질적인 내용은 침해할 수 없다.

정답 및 해설 | ②
② [×] '법률'로써 제한할 수 있다.

> **헌법 제37조** ② 국민의 모든 자유와 권리는 국가안전보장 · 질서유지 또는 공공복리를 위하여 필요한 경우에 한하여 법률로써 제한할 수 있으며, 제한하는 경우에도 자유와 권리의 본질적인 내용을 침해할 수 없다.

009 경비경찰의 경비수단 종류 및 원칙에 관한 설명으로 가장 적절하지 않은 것은? [2023 승진]

① 경고와 제지는 간접적 실력행사로서 「경찰관 직무직행법」에 근거를 두고 있다.
② 위치의 원칙이란 사태 진압시의 실력행사에 있어서 가장 유리한 지형 · 지물 · 위치 등을 확보하여 작전수행이나 진압을 용이하게 한다는 원칙이다.
③ 균형의 원칙이란 주력부대와 예비대를 적절하게 활용하여 한정된 경력으로 최대의 효과를 얻도록 해야 한다는 원칙이다.
④ 안전의 원칙이란 작전 때의 변수 발생은 사회적으로 큰 파장을 미칠 수 있으므로 사고 없는 안전한 진압을 실시해야 한다는 원칙이다.

정답 및 해설 I ①

① [×] **경고**는 간접적 실력행사로 「경찰관 직무집행법」 제5조(위험발생의 방지) 내지 제6조(범죄의 예방과 제지)에 근거를 두고 있으며, **제지**는 직접적 실력행사로 「경찰관 직무집행법」 제6조(범죄의 예방과 제지)에 근거를 두고 있다.

KEY POINT I 경비수단의 원칙

시점의 원칙	실력행사시에는 상대의 허약한 시점을 포착하여 적절한 실력행사를 해야 한다는 원칙 → 적시의 원칙이라고도 함
위치의 원칙	실력행사를 하는 경우 상대하는 군중보다 유리한 지점과 위치를 확보해야 한다는 원칙
안전의 원칙	경비사태 발생시 진압과정에서 경찰이나 군중의 사고가 없어야 한다는 원칙
균형의 원칙	균형 있는 경력운영으로 상황에 따라 주력부대와 예비부대를 적절하게 활용하여 한정된 경력으로 최대의 성과를 올려야 한다는 원칙

010 경비경찰의 경비수단에 대한 설명으로 가장 적절한 것은? [2014 실무 1]

① '경고와 제지'는 간접적 실력행사로 「경찰관 직무집행법」에 근거하고, '체포'는 직접적 실력행사로 「형사소송법」에 근거를 두고 있다.

② 일반적 경비수단의 원칙에는 균형의 원칙, 위치의 원칙, 적시의 원칙, 보충의 원칙이 있다.

③ 균형의 원칙이란, 필요최소한도 내에서의 경찰권 행사를 말한다.

④ 「경찰관 직무집행법」에 근거한 '제지'는 대인적 즉시강제수단으로 의무불이행을 전제로 하는 행정상 강제집행과는 구별된다.

정답 및 해설 I ④

④ [○] 경찰관 직무집행법 제6조(범죄의 예방과 제지)에 근거한 '**제지**'는 경비사태를 예방 · 진압하기 위하여 행해지는 세력분산 · 통제파괴 · 주동자 및 주모자의 격리 등의 직접적 실력행사를 말하는 것으로서, 강제력이나 유형력을 수반하는 대인적 즉시강제이자 강제처분의 성격을 가진다.

① [×] '**경고**'는 간접적 실력행사, '**제지**'는 직접적 실력행사로서 모두 「경찰관 직무집행법」에 그 근거를 두고 있다. 반면 '**체포**'는 직접적 실력행사로서 「형사소송법」에 근거를 두고 있다.

② [×] 일반적 경비수단의 원칙에는 **시점의 원칙, 위치의 원칙, 안전의 원칙, 균형의 원칙**이 있다.

③ [×] **균형의 원칙**은 균형 있는 경력운영으로 상황에 따라 주력부대와 예비부대를 적절하게 활용하여 한정된 경력으로 최대의 성과를 올려야 한다는 원칙을 말한다.

011 경비경찰의 경비수단에 대한 설명으로 가장 적절하지 않은 것은? [2017 실무 1]

① 경비수단 중 경고는 간접적 실력행사이고, 제지와 체포는 직접적 실력행사이다.

② 실력의 행사는 반드시 경고, 제지, 체포의 순서로 행사되어야 한다.

③ 균형의 원칙은 예비와 주력부대를 적절하게 활용하여 최대한의 성과를 거양하는 것을 말한다.

④ 적시의 원칙은 가장 적절한 시기에 실력행사를 하는 것으로 상대의 허약한 시점을 포착하여 실력행사를 하는 것을 말한다.

정답 및 해설 I ②

② [×] 통상 '경고 ➜ 제지 ➜ 체포'의 순서를 따르기는 하지만, 경비수단의 실력행사가 반드시 순서대로 이루어질 필요는 없다. 예컨대 이미 불법시위의 정도가 일정 수준을 넘어 다른 국민의 생명 · 신체 등을 침해하는 정도에 이르고 있는 경우에는 경고와 제지를 생략하고 바로 체포를 할 수도 있다고 본다.

012 경비수단에 대한 설명 중 가장 적절한 것은? [2021 승진(실무종합)]

① 경비부대를 전면에 배치 또는 진출시켜 위력을 과시하거나 경고하여 범죄실행의 의사를 자발적으로 포기하도록 하는 '경고'는 「경찰관 직무집행법」 제5조에 근거를 두고 있다.

② 경비수단의 원칙 중 '위치의 원칙'은 상대방의 저항력이 가장 허약한 시점을 포착하여 집중적이고 강력한 실력행사를 하여야 한다는 원칙이다.

③ 직접적 실력행사인 '제지'와 '체포'는 경비사태를 예방 · 진압하거나 상대방의 신체를 구속하는 강제처분으로서 모두 「경찰관 직무집행법」 제6조에 근거를 두고 있다.

④ 경비수단의 원칙 중 '균형의 원칙'은 작전시의 변수의 발생은 사회적으로 큰 파장을 미칠 수 있으므로 경찰 병력이나 군중들을 사고 없이 안전하게 진압하여야 한다는 원칙이다.

정답 및 해설 I ①

① [○] 경비부대를 전면에 배치 또는 진출시켜 위력을 과시하거나 경고하여 범죄실행의 의사를 자발적으로 포기하도록 하는 간접적 실력행사를 말하는 **경고**는, 「경찰관 직무집행법」 제5조(위험발생의 방지 등) 제1호에 근거하며, 제6조(범죄의 예방과 제지)도 일부 근거가 될 수 있다.

② [×] **위치의 원칙**은 실력행사를 하는 경우 상대하는 군중보다 **유리한 지점과 위치를 확보**해야 한다는 원칙을 말한다. 지문은 **시점의 원칙**에 대한 설명이다.

③ [×] 제지는 「경찰관 직무집행법」 제6조, 체포는 「형사소송법」 제212조에 근거를 두고 있다.

④ [×] **균형의 원칙**은 균형 있는 경력운영으로 상황에 따라 주력부대와 예비부대를 적절하게 활용하여 **한정된 경력으로 최대의 성과**를 올려야 한다는 원칙을 말한다. 지문은 **안전의 원칙**에 대한 설명이다.

013 경비경찰의 수단에 대한 설명 중 가장 적절하지 않은 것은? [2014 승진(경위)]

① 안전의 원칙 – 작전할 때 변수의 발생은 사회적으로 큰 파장을 미칠 수 있으므로 사고 없는 안전한 진압을 하는 것이다.

② 적시의 원칙 – 가장 적절한 시기에 실력행사를 하는 것으로 상대의 허약한 시점을 포착하여 실력행사를 하는 것이다.

③ 위치의 원칙 – 실력행사 때 상대하는 군중보다 유리한 지점과 위치를 확보하여 작전수행이나 진압을 실시하는 것이다.

④ 한정의 원칙 – 상황과 대상에 따라 주력부대와 예비부대를 적절하게 활용하여 한정된 경력으로 최대한의 성과를 거양하는 것이다.

정답 및 해설 I ④

④ [×] 균형의 원칙에 대한 설명이다.

시점의 원칙	실력행사시에는 상대의 허약한 시점을 포착하여 적절한 실력행사를 해야 한다는 원칙 ➜ 적시의 원칙이라고도 함
위치의 원칙	실력행사를 하는 경우 상대하는 군중보다 유리한 지점과 위치를 확보해야 한다는 원칙
안전의 원칙	경비사태 발생시 진압과정에서 경찰이나 군중의 사고가 없어야 한다는 원칙
균형의 원칙	균형 있는 경력운영으로 상황에 따라 주력부대와 예비부대를 적절하게 활용하여 한정된 경력으로 최대의 성과를 올려야 한다는 원칙

014 경비수단의 원칙에 대한 설명으로 가장 적절하지 않은 것은?

[2018 실무 1]

① '균형의 원칙'이란 균형 있는 경력운영으로 상황에 따라 주력부대와 예비대를 적절하게 활용하는 원칙을 말한다.

② '위치의 원칙'이란 실력행사시 상대하는 군중보다 유리한 지점과 위치를 확보하여 작전수행이나 진압을 용이하게 하는 것으로, 한정된 경력으로 최대의 성과를 거양하는 원칙을 말한다.

③ '적시의 원칙'이란 가장 적절한 시기에 실력행사를 하는 것으로 상대의 허약한 시점을 포착하여 실력행사를 하는 원칙을 말한다.

④ '안전의 원칙'이란 작전 때의 변수발생은 사회적으로 큰 파장을 미칠 수 있으므로 사고 없는 안전한 진압을 실시해야 한다는 원칙을 말한다.

정답 및 해설 I ②

② [×] **위치의 원칙**이란 실력행사를 하는 경우 상대하는 군중보다 유리한 지점과 위치를 확보해야 한다는 원칙을 말하며, 한정된 경력으로 최대의 성과를 거양하는 원칙은 **균형의 원칙**을 말한다.

015 경비경찰에 대한 설명으로 가장 적절하지 않은 것은?

[2022 경간]

① 경비경찰활동은 하향적 명령체계가 확보되어야 하므로 부대원의 재량은 상대적으로 적고, 활동의 결과에 대해서는 지휘관이 책임을 지는 것이 일반적이다.

② 경비수단의 종류 중 체포는 상대방의 신체를 구속하는 강제처분이며 직접적 실력행사로서 「경찰관 직무집행법」에 근거를 두고 있다.

③ 경비경찰은 실력행사시 상대의 저항력이 약한 시점을 포착하여 가장 적절한 시기에 강력하고 집중적인 실력행사를 하여야 한다.

④ 경비경찰 활동은 현재의 질서상태를 보존하는 것에 중점을 두는 현상유지적 활동 수행의 특성을 가진다.

정답 및 해설 I ②

② [×] 경비수단의 종류 중 **체포**는 상대방의 신체를 구속하는 강제처분이며 직접적 실력행사로서 「형사소송법」에 근거를 두고 있다.

① [○] 경비경찰의 특성 중 **하향적 명령에 따른 활동**이란 경비경찰활동은 지휘관이 내리는 하향적인 지시 · 명령에 의해 일사불란한 움직임이 필요하므로 부대원의 재량은 상대적으로 적고 수명사항에 대한 책임, 즉 결과책임은 지휘관이 지는 경우가 보통이라는 것이다.

③ [○] 경비수단의 원칙 중 **시점의 원칙**(실력행사시에는 상대의 허약한 시점을 포착하여 적절한 실력행사를 해야 한다는 원칙)에 대한 옳은 설명이다.

④ [○] 경비경찰의 특성 중 **현상유지적 활동**(경비경찰활동은 현재의 소극적 질서상태 유지 · 보존에 가치를 둔다)에 대한 옳은 설명이다.

경비경찰의 특성	복합기능적 활동, 현상유지적 활동, 즉응적 활동, 조직적인 부대활동, 하향적 명령에 따른 활동, 국가목적적 · 사회전반적 안녕목적 활동
경비경찰 조직운영 원칙	부대단위 활동, 지휘관 단일성, 체계통일성, 치안협력성
경비수단 원칙	시점의 원칙, 위치의 원칙, 안전의 원칙, 균형의 원칙

016 다음 내용이 설명하는 경비경찰의 원칙 중 가장 옳게 연결된 것은 모두 몇 개인가? [2016 경간]

가. 경비상황에 대비하여 경력을 운용할 경우에 상황에 따라 균형 있는 경력운용을 해야 하며 주력부대와 예비대를 적절하게 활용하여 한정된 경력으로 최대의 성과를 올려야 한다. - 균형의 원칙

나. 경력을 동원하여 실력으로 상대방을 제압해야 하는 경우에는 부대 위치와 지형지물의 이용 등 유리한 지점과 위치를 확보해야 한다. - 위치의 원칙

다. 경력을 동원하여 물리력으로 상대방을 제압할 경우에는 상대의 허약한 시점을 포함하여 적절한 실력행사를 해야 한다. - 안전의 원칙

라. 경비사태 발생시에 진압과정에서 경찰이나 시민의 사고가 없어야 하며, 경찰작전시 새로운 변수의 발생을 방지해야 한다. - 적시의 원칙

① 1개

② 2개

③ 3개

④ 4개

정답 및 해설 I ②

가.나. [○] 옳은 설명이다.

다. [×] 시점의 원칙에 대한 설명이다.

라. [×] 안전의 원칙에 대한 설명이다.

주제 2 행사안전경비(혼잡경비)

017 행사안전경비에서 군중정리의 원칙에 관한 설명 중 가장 적절하지 않은 것은? [2022 채용 2차]

① 밀도의 희박화 - 제한된 면적의 특정한 지역에 사람이 많이 모이면 상호간에 충돌현상이 나타나고 혼잡이 야기되므로, 차분한 목소리로 안내방송을 진행함으로써 사전에 혼잡상황을 대비하여 사고를 방지할 수 있다.

② 이동의 일정화 - 군중은 현재의 자기 위치와 갈 곳을 잘 몰라 불안감과 초조감을 갖게 되므로 일정방향과 속도로 이동을 시켜 주위의 상황을 파악할 수 있는 여건을 조성시킴으로써 심리적 안정감을 갖도록 하는 것이다.

③ 경쟁적 사태의 해소 - 다른 사람보다 먼저 가려는 심리상태를 억제시켜 질서 있게 행동하면 모든 일이 잘 될 수 있다는 것을 납득시키는 것이다. 이 경우 질서를 지키면 오히려 손해를 본다는 심리상태가 형성되지 않도록 주의하여야 한다.

④ 지시의 철저 - 분명하고 자세한 안내방송을 계속함으로써 혼잡한 사태를 회피하고 사고를 방지할 수 있다.

정답 및 해설 I ①

① [×] 차분한 목소리로 안내방송을 진행함으로써 사전에 혼잡상황을 대비하여 사고를 방지할 수 있는 것은 **경쟁적 사태의 해소(경쟁행동의 지양)**에 대한 설명이다.

KEY POINT I 군중정리의 원칙

이동의 일정화	• 군중은 자기의 위치와 갈 곳을 모르면 불안감을 가진다. • 따라서 군중 불안감 해소를 위하여 **일정한 방향과 속도로 이동시켜** 주위상황을 파악할 수 있는 여건을 조성하고, 이를 통해 **심리적 안정감**을 가지도록 한다.
지시의 철저	• 분명하고 자세한 안내방송을 계속함으로써 혼잡사태와 사고를 방지한다.
경쟁행동의 지양	• 다른 사람보다 먼저 가려는 **심리상태를 억제시켜**, 질서 있게 행동하면 모든 일이 잘 될 수 있다는 것을 납득시킨다. • **차분한 목소리로 안내방송**을 하는 등, 질서를 지키면 오히려 손해를 본다는 심리상태가 형성되지 않도록 주의해야 한다.
밀도의 희박화	• 제한된 지역에 많은 군중이 모이면 상호충돌 및 혼잡을 야기하므로 **가급적 다수인이 모이는 상황**을 회피한다. • 대규모 군중이 모이는 장소는 **사전에 블록화**한다.

018 군중정리의 원칙에 대한 설명 중 가장 적절하지 않은 것은? [2015 채용 2차]

① 밀도의 희박화 - 많은 사람이 모이면 충돌과 혼잡이 야기되므로 제한된 장소에 가급적 많은 사람이 모이는 것을 회피하게 한다.

② 이동의 일정화 - 대규모 군중이 모이는 장소는 사전에 블록화하고, 일정 방향과 속도로 이동시켜 주위의 상황을 파악할 수 있는 여건을 조성한다.

③ 경쟁적 사태의 해소 - 남보다 먼저 가려는 심리상태를 억제하는 것으로 차분한 목소리로 안내방송을 하는 것도 한 방법이다.

④ 지시의 철저 - 사태가 혼잡할 경우 계속적이고도 자세한 안내방송으로 지시를 철저히 해서 혼잡한 사태를 정리하고 사고를 미연에 방지할 수 있다.

정답 및 해설 I ②

② [×] **이동의 일정화**란 군중은 자기의 위치와 갈 곳을 모르면 불안감을 가지므로 군중의 불안감 해소를 위하여 일정한 방향과 속도로 이동시켜 주위상황을 파악할 수 있는 여건을 조성하고, 이를 통해 심리적 안정감을 가지도록 한다는 것이다. 지문 중 사전 블록화에 대한 부분은 **밀도의 희박화**에 대한 설명이다.

이동의 일정화	• 군중은 자기의 위치와 갈 곳을 모르면 불안감을 가진다. • 따라서 군중의 불안감 해소를 위하여 일정한 방향과 속도로 이동시켜 주위상황을 파악할 수 있는 여건을 조성하고, 이를 통해 심리적 안정감을 가지도록 한다.
지시의 철저	분명하고 자세한 안내방송을 계속함으로써 혼잡사태와 사고를 방지한다.
경쟁행동의 지양	• 다른 사람보다 먼저 가려는 심리상태를 억제시켜, 질서 있게 행동하면 모든 일이 잘 될 수 있다는 것을 납득시킨다. • 질서를 지키면 오히려 손해를 본다는 심리상태가 형성되지 않도록 주의해야 한다.
밀도의 희박화	• 제한된 지역에 많은 군중이 모이면 상호충돌 및 혼잡을 야기하므로 가급적 다수인이 모이는 상황을 회피한다. • 대규모 군중이 모이는 장소는 사전에 블록화한다.

019 군중정리의 원칙에 대한 설명 중 옳고 그름의 표시(○, ×)가 바르게 된 것은? [2018 실무 1]

> ㉠ 밀도의 희박화 - 제한된 면적에 사람이 많이 모이면 충돌과 혼잡이 야기되어 거리감과 방향감각을 잃고 혼란한 상태에 이르므로 가급적 많은 사람이 모이는 것을 회피하게 하는 것을 말한다.
> ㉡ 지시의 철저 - 사태가 혼잡할 경우 계속적이고 자세한 안내방송으로 지시를 철저히 해서 혼잡한 사태를 정리하고 사고를 미연에 방지할 수 있는 것을 말한다.
> ㉢ 경쟁적 사태의 해소 - 경쟁적 사태는 남보다 먼저 가려고 하는 군중의 심리상태로 순서에 의하여 움직일 때 순조롭게 모든 일이 잘 될 수 있다는 것을 납득시켜야 한다. 차분한 목소리로 안내방송을 하는 것도 한 방법이다.
> ㉣ 이동의 일정화 - 군중은 현재의 자기 위치와 갈 곳을 잘 알지 못해 불안감과 초조감을 갖게 되므로 일정 방향으로 이동시켜 주위의 상황을 파악할 수 있는 여건을 조성하는 것을 말한다.

① ㉠(○) ㉡(×) ㉢(○) ㉣(○)
② ㉠(○) ㉡(○) ㉢(×) ㉣(○)
③ ㉠(×) ㉡(×) ㉢(○) ㉣(×)
④ ㉠(○) ㉡(○) ㉢(○) ㉣(○)

정답 및 해설 I ④

④ [○] 모두 군중정리의 원칙에 대한 옳은 설명이다.

020 열린 음악회에 인기 아이돌 가수들이 대거 출연하여 많은 관객들이 입장할 것으로 예상된다. 안전사고 등을 미연에 방지하고자 하는 경비유형으로 가장 적절한 것은? [2014 채용 2차]

① 치안경비 ② 특수경비

③ 경호경비 ④ 행사안전경비(혼잡경비)

정답 및 해설 I ④

④ [○] **행사안전경비**(혼잡경비)는 공연 · 기념행사 · 경기대회 · 제례행사 등 각종 행사로 모인 미조직된 군중에 의하여 발생되는 자연적인 혼란상태를 사전에 예방하거나 경계하고, 위험한 사태가 발생한 경우에는 신속히 조치하여 확대되는 것을 방지하는 경비경찰활동을 말한다.

① [×] **치안경비**는 공안을 해하는 다중범죄 등 집단적인 범죄사태가 발생하거나 발생할 우려가 있는 경우에 이를 예방 · 경계 · 진압하기 위한 경비활동을 말한다. 예 불법집회

② [×] **특수경비**(대테러)는 총포 · 도검 · 폭발물 등에 의한 인질난동 · 살상 등 사회이목을 집중시키는 중요 사건을 예방 · 경계 · 진압하는 경비활동을 말한다.

③ [×] **경호경비**는 피경호자의 신변을 보호하는 경비활동을 말한다.

021 행사안전경비에 대한 설명으로 가장 적절하지 않은 것은? [2017 실무 1]

① 행사주최 측과의 협조를 통해 행사의 진행이 이루어지도록 한다.

② 「공연법」 제11조(재해예방조치)에 의하면 공연운영자는 재해대처계획을 수립하여 매년 관할 특별자치시장 · 특별자치도지사 · 시장 · 군수 · 구청장에게 신고하여야 한다.

③ 군중들은 현재의 자기 위치와 갈 곳을 잘 알지 못함으로써 불안감과 초조감을 갖게 되므로 일정방향으로 이동시켜 주위의 상황을 파악할 수 있는 여건을 조성해야 한다는 원칙은 '이동의 일정화' 원칙이다.

④ 「공연법」상 재해대처계획을 신고하지 아니한 자는 2천만원 이하의 벌금에 처한다.

정답 및 해설 I ④

④ [×] 2천만원 이하의 '과태료'에 처한다.

> **공연법 제43조 【과태료】** ① 다음 각 호의 어느 하나에 해당하는 자에게는 2천만원 이하의 과태료를 부과한다.
> 1. 제11조 제1항 전단, 같은 조 제3항 또는 제4항을 위반하여 재해대처계획을 수립, 신고 또는 보완하지 아니한 자
> 2. 제11조에 따른 재해대처계획에 따라 필요한 재해예방조치를 취하지 아니한 자

① [○] 행사안전의 1차 책임은 행사주최 측에 있고 경찰은 최소한도로 개입하되, 개입하는 경우 주최 측과 상호 협조를 통해 행사를 진행하는 것이 바람직하다.

② [○]

> **공연법 제11조 【재해예방조치】** ① 공연장운영자는 화재나 그 밖의 재해를 예방하기 위하여 그 공연장 종업원의 임무 · 배치 등 재해대처계획을 수립하여 매년 관할 특별자치시장 · 특별자치도지사 · 시장 · 군수 · 구청장에게 신고하여야 한다. 이 경우 특별자치시장 · 특별자치도지사 · 시장 · 군수 · 구청장은 신고받은 재해대처계획을 관할 소방서장에게 통보하여야 한다.

③ [○] 군중정리의 원칙 중 **이동의 일정화**는 군중은 자기의 위치와 갈 곳을 모르면 불안감을 가지므로 군중의 불안감 해소를 위하여 일정한 방향과 속도로 이동시켜 주위상황을 파악할 수 있는 여건을 조성하고, 이를 통해 심리적 안정감을 가지도록 한다는 것이다.

022 「공연법」 및 동법 시행령의 내용으로 가장 적절하지 않은 것은? [2018 승진(경위)]

① 공연장운영자는 화재나 그 밖의 재해를 예방하기 위하여 그 공연장 종업원의 임무 · 배치 등 재해대처계획을 수립하여 매년 관할 특별자치시장 · 특별자치도지사 · 시장 · 군수 · 구청장에게 신고하여야 한다. 이 경우 특별자치시장 · 특별자치도지사 · 시장 · 군수 · 구청장은 신고받은 재해대처계획을 관할 소방서장에게 통보하여야 한다.

② 재해대처계획에는 비상시에 하여야 할 조치 및 연락처에 관한 사항이 포함되어야 한다.

③ 공연장 외의 시설이나 장소에서 1천명 이상의 관람이 예상되는 공연을 하려는 자가 신고한 재해대처계획의 사항을 변경하려는 경우에는 해당 공연 7일 전까지 변경신고를 하여야 한다.

④ 재해대처계획을 신고하지 아니한 자는 1천만원 이하의 과태료를 부과한다.

정답 및 해설 I ④

④ [×] 2천만원 이하의 과태료를 부과한다.

> **공연법 제43조【과태료】** ① 다음 각 호의 어느 하나에 해당하는 자에게는 2천만원 이하의 과태료를 부과한다.
> 1. 제11조 제1항 전단, 같은 조 제3항 또는 제4항을 위반하여 재해대처계획을 수립, 신고 또는 보완하지 아니한 자
> 2. 제11조에 따른 재해대처계획에 따라 필요한 재해예방조치를 취하지 아니한 자

① [○]

> **공연법 제11조【재해예방조치】** ① 공연장운영자는 화재나 그 밖의 재해를 예방하기 위하여 그 공연장 종업원의 임무 · 배치 등 재해대처계획을 수립하여 매년 관할 특별자치시장 · 특별자치도지사 · 시장 · 군수 · 구청장에게 신고하여야 한다. 이 경우 특별자치시장 · 특별자치도지사 · 시장 · 군수 · 구청장은 신고받은 재해대처계획을 관할 소방서장에게 통보하여야 한다.

② [○]

> 대통령령 **공연법 시행령 제9조【재해대처계획의 신고 등】** ① 법 제11조 제1항에 따른 재해대처계획에는 다음 각 호의 사항이 모두 포함되어야 한다.
> 1. 공연장 시설 등을 관리하는 자의 임무 및 관리 조직에 관한 사항
> 2. 비상시에 하여야 할 조치 및 연락처에 관한 사항
> 3. 화재예방 및 인명피해 방지조치에 관한 사항

③ [○]

> 대통령령 **공연법 시행령 제9조【재해대처계획의 신고 등】** ③ 공연장 외의 시설이나 장소에서 1천명 이상의 관람이 예상되는 공연을 하려는 자는 법 제11조 제3항에 따라 해당 시설이나 장소 운영자와 공동으로 공연 개시 14일 전까지 제1항 각 호의 사항과 안전관리인력의 확보 · 배치계획 및 공연계획서가 포함된 재해대처계획을 관할 특별자치시장 · 특별자치도지사 · 시장 · 군수 또는 구청장에게 신고하여야 하며, 신고한 사항을 변경하려는 경우에는 해당 공연 7일 전까지 변경신고를 하여야 한다.

023 행사안전경비에 관한 다음 설명 중 가장 옳은 것은? [2019 경간]

① 「공연법」 제11조에 의하면 공연장 운영자는 재해대처계획을 수립하여 매년 관할 시 · 도경찰청장에게 신고하여야 한다. 이 경우 시 · 도경찰청장은 신고받은 재해대처계획을 관할 소방서장에게 통보하여야 한다.

② 「경비업법 시행령」 제30조에 의하면 시 · 도경찰청장은 행사장 그 밖에 많은 사람이 모이는 시설 또는 장소에서 혼잡 등으로 인한 위험의 발생을 방지하기 위하여 경비원에 의한 경비가 필요하다고 인정되는 때에는 행사개최일 전에 당해 행사의 주최자에게 경비원에 의한 경비를 실시하거나 부득이한 사유로 그것을 실시할 수 없는 경우에는 행사개최 36시간 전까지 시 · 도경찰청장에게 그 사실을 통지하여 줄 것을 요청해야 한다.

③ 「경찰관 직무집행법」 제5조(위험 발생의 방지 등)에 따라 경찰관은 행사경비를 실시함에 있어 매우 긴급한 경우 위해를 입을 우려가 있는 사람을 필요한 한도 내에서 억류할 수 있다.

④ 행사안전경비는 공연, 경기대회 등 미조직된 군중에 의하여 발생되는 자연적인 혼란상태를 사전에 예방 · 경계 · 진압하는 경비경찰활동으로 개인이나 단체의 불법행위를 전제로 한다.

정답 및 해설 I ③

③ [○] 경찰관 직무집행법 제5조에 근거할 경우, 경고조치뿐만 아니라 상황에 따라 억류 · 피난조치도 가능할 수 있다.

> **경찰관 직무집행법 제5조【위험 발생의 방지 등】** ① 경찰관은 사람의 생명 또는 신체에 위해를 끼치거나 재산에 중대한 손해를 끼칠 우려가 있는 천재, 사변, 인공구조물의 파손이나 붕괴, 교통사고, 위험물의 폭발, 위험한 동물 등의 출현, 극도의 혼잡, 그 밖의 위험한 사태가 있을 때에는 다음 각 호의 조치를 할 수 있다.
> 1. 그 장소에 모인 사람, 사물의 관리자, 그 밖의 관계인에게 필요한 경고를 하는 것
> 2. 매우 긴급한 경우에는 위해를 입을 우려가 있는 사람을 필요한 한도에서 억류하거나 피난시키는 것
> 3. 그 장소에 있는 사람, 사물의 관리자, 그 밖의 관계인에게 위해를 방지하기 위하여 필요하다고 인정되는 조치를 하게 하거나 직접 그 조치를 하는 것

① [×] 관할 특별자치시장 · 특별자치도지사 · 시장 · 군수 · 구청장에게 신고하여야 한다.

> **공연법 제11조【재해예방조치】** ① 공연장운영자는 화재나 그 밖의 재해를 예방하기 위하여 그 공연장 종업원의 임무 · 배치 등 재해대처계획을 수립하여 매년 관할 특별자치시장 · 특별자치도지사 · 시장 · 군수 · 구청장에게 신고하여야 한다. 이 경우 특별자치시장 · 특별자치도지사 · 시장 · 군수 · 구청장은 신고받은 재해대처계획을 관할 소방서장에게 통보하여야 한다.

② [×] 36시간이 아닌 24시간이고, 요청해야 하는 것이 아니라 요청할 수 있다는 것이다.

> 대통령령 **경비업법 시행령 제30조【경비가 필요한 시설 등에 대한 경비의 요청】** 시 · 도경찰청장은 행사장 그밖에 많은 사람이 모이는 시설 또는 장소에서 혼잡 등으로 인한 위험의 발생을 방지하기 위하여 법 제2조 제3호의 규정에 의한 경비원에 의한 경비가 필요하다고 인정되는 때에는 행사개최일 전에 당해 행사의 주최자에게 경비원에 의한 경비를 실시하거나 부득이한 사유로 그것을 실시할 수 없는 경우에는 행사개최 24시간 전까지 시 · 도경찰청장에게 그 사실을 통지하여 줄 것을 요청할 수 있다.

④ [×] 행사안전경비는 개인이나 단체의 불법행위를 전제로 하는 것이 아니라는 점에서, 이를 전제로 하는 다중범죄 진압경비(치안경비)와 구분된다.

024 행사안전경비에 대한 설명으로 가장 적절하지 않은 것은? [2019 승진(경위)]

① 행사안전경비의 근거법령으로는 국가경찰과 자치경찰의 조직 및 운영에 관한 법률, 경찰관 직무집행법, 경비업법 시행령 등이 있다.

② 공연법 제11조에 의하면 공연장운영자는 재해대처계획을 관할 소방서장에게 신고하여야 한다.

③ 공연법에는 공연장운영자가 재해대처계획을 신고하지 않는 경우 과태료를 부과하는 규정이 있다.

④ 관중석에 배치되는 예비대는 통로 주변에 배치하는 것이 효과적이다.

정답 및 해설 | ②

② [×] 신고는 관할 특별자치시장 · 특별자치도지사 · 시장 · 군수 · 구청장에게 하고, 관한 특별자치시장 등은 신고받은 재해대처계획을 관할 소방서장에게 통보하여야 한다.

> **공연법 제11조【재해예방조치】** ① 공연장운영자는 화재나 그 밖의 재해를 예방하기 위하여 그 공연장 종업원의 임무 · 배치 등 재해대처계획을 수립하여 매년 관할 특별자치시장 · 특별자치도지사 · 시장 · 군수 · 구청장에게 신고하여야 한다. 이 경우 특별자치시장 · 특별자치도지사 · 시장 · 군수 · 구청장은 신고받은 재해대처계획을 관할 소방서장에게 통보하여야 한다.

① [○] 공연법이나 경비업법 시행령은 물론, 경찰관 직무집행법이나 국가경찰과 자치경찰의 조직 및 운영에 관한 법률과 같은 경찰에 관한 일반법도 당연히 근거가 될 수 있다.

③ [○]

> **공연법 제43조【과태료】** ① 다음 각 호의 어느 하나에 해당하는 자에게는 2천만원 이하의 과태료를 부과한다.
> 1. 제11조 제1항 전단, 같은 조 제3항 또는 제4항을 위반하여 재해대처계획을 수립, 신고 또는 보완하지 아니한 자
> 2. 제11조에 따른 재해대처계획에 따라 필요한 재해예방조치를 취하지 아니한 자

④ [○] 우발사태에 대비하여 예비대를 행사장 주변 및 통로에 배치하는 것이 효율적이다.

025 행사안전경비 중 부대의 편성과 배치에 대한 설명으로 적절한 것을 모두 고른 것은? [2018 승진(경감)]

> ㉠ 경력은 단계별로 탄력적으로 운영한다.
> ㉡ 경력배치는 항상 군중이 집결되기 전부터 사전배치함을 원칙으로 한다.
> ㉢ 예비대의 운용 여부 판단은 주최 측과 협조하여 실시한다.
> ㉣ 예비대가 관중석에 배치될 경우 관중이 잘 보이도록 행사장 앞쪽에 배치하는 것이 효과적이다.

① ㉠, ㉡ ② ㉠, ㉢

③ ㉠, ㉣ ④ ㉢, ㉣

정답 및 해설 | ①

㉠ [○] 치안상 문제가 없는 행사는 가급적 경찰 배치를 지양하고, 치안상 문제가 있는 행사는 1차로 정보 · 교통요원 등 최소 경력을 배치하고, 2차로 우발사태에 대비하여 예비대를 행사장 주변 및 통로에 배치하며, 3차로 행사장 내부 등에 적정한 경력을 배치하는 등, 단계별로 탄력적으로 운용한다.

㉡ [○] 행사안전경비는 초기 대응이 중요하므로 초기 단계부터 적절한 통제가 필요하다. → 행사진행 과정 파악, 자율적 질서유지 요청, 용역경비원의 활용권고 등

㉢ [×] 경찰의 예비대 운용 여부는 경찰의 재량판단사항이지, 협조사항은 아니다.

㉣ [×] 예비대는 행사장 앞쪽이 아닌, 행사장 주변 및 통로에 배치하여 상황 발생시 신속한 대응이 이루어질 수 있도록 하여야 한다.

주제 3 다중범죄진압경비(치안경비)

026 다중범죄의 특징 중 확신적 행동성에 관한 설명으로 가장 적절한 것은? [2016 승진(경감)]

① 다중범죄를 발생시키는 주동자나 참여하는 자들은 자신의 사고가 정의라는 확신을 가지고 행동하므로 과감하고 전투적인 경우가 많다. 점거농성 때 투신이나 분신자살 등이 그 대표적인 예이다.

② 다중범죄의 발생은 군중심리의 영향을 많이 받아 일단 발생하면 부화뇌동으로 인하여 갑자기 확대될 수도 있다. 조직도 상호 연계되어 있으므로 어느 한 곳에서 시위사태가 발생하면 같은 상황이 전국으로 파급되기 쉽다.

③ 시위군중은 행동에 대한 의혹이나 불안을 갖지 않고 과격 · 단순하게 행동하며 비이성적인 경우가 많아 주장 내용이 편협하고 타협 · 설득이 어렵다.

④ 현대사회의 문제는 전국적으로 공통성이 있으며 조직도 전국적으로 연계된 경우가 많다. 다중범죄는 특정한 조직에 기반을 두고 뚜렷한 목적의식을 가지고 있으므로 소속되어 있는 단체의 설치목적이나 활동방침을 분명하게 파악하는 것이 사태의 진상파악에 도움이 된다.

정답 및 해설 I ①

① [○] 다중범죄 군중의 특징 중 **확신적 행동성**에 대한 설명이다.
② [×] 다중범죄 군중의 특징 중 **부화뇌동적 파급성**에 대한 설명이다.
③ [×] 다중범죄 군중의 특징 중 **비이성적 단순성**에 대한 설명이다.
④ [×] 다중범죄 군중의 특징 중 **조직적 연계성**에 대한 설명이다.

027 다중범죄에 대한 설명으로 가장 적절한 것은? [2017 실무 1]

① 정책적 치료법 중 '경쟁행위법'은 특정 사안의 불만집단에 대한 정보활동을 강화하여 사전에 불만 및 분쟁요인을 찾아내어 해소해 주는 방법이다.

② 다중범죄의 특징 중 '조직적 연계성'이란 다중범죄를 발생시키는 주동자나 참여하는 자들은 자신의 사고가 정의라는 확신을 가지고 행동하므로 과감하고 전투적인 경우가 많고, 점거농성할 때 투신이나 분신자살 등이 그 대표적인 예이다.

③ 다중범죄의 특징 중 '비이성적 단순성'이란 다중범죄의 발생은 군중심리의 영향을 많이 받아 일단 발생하면 갑자기 확대될 수도 있고, 조직도 상호 연계되어 있으므로 어느 한 곳에서 시위사태가 발생하면 같은 상황이 전국적으로 파급되기 쉽다는 것이다.

④ 정책적 치료법 중 '전이법'이란 다중범죄의 발생 징후나 이슈가 있을 때 집단이나 국민들의 관심을 집중시킬 수 있는 경이적인 사건을 폭로하거나 규모가 큰 행사를 개최함으로써 원래의 이슈가 상대적으로 약화되도록 하는 방법이다.

정답 및 해설 | ④

④ [○] 다중범죄에 대한 정책적 해결방법(치료법) 중 **전이법**에 대한 옳은 설명이다.

① [×] 다중범죄에 대한 정책적 해결방법(치료법) 중 **경쟁행위법**은 불만집단과 반대되는 대중의견을 크게 부각시켜 불만집단이 위압되어 스스로 해산 및 분산되도록 하는 방법을 말한다. 지문은 **선수승화법**에 대한 설명이다.

② [×] 다중범죄 군중의 특징 중 **조직적 연계성**이란 중범죄는 특정한 조직에 기반을 두고 뚜렷한 목적의식을 가지고 감행되는 경우가 많으므로, 소속단체의 설립목적이나 활동방침 파악을 통해 원활한 사태해결을 도모할 수 있다는 것이다. 지문은 **확신적 행동성**에 대한 설명이다.

③ [×] 다중범죄 군중의 특징 중 **비이성적 단순성**이란 시위군중은 이성적인 판단능력을 상실하여 과격 · 단순 · 편협하여 행태 예측이나 타협 · 설득이 어려운 경우가 많다는 것이다. 지문은 **부화뇌동적 파급성**에 대한 설명이다.

028 다중범죄의 정책적 치료법 및 진압의 기본원칙에 대한 설명으로 가장 적절하지 않은 것은?

[2016 · 2018 · 2022 승진]

① 전이법은 불만집단과 이에 반대하는 대중의견을 크게 부각시켜 불만집단이 자진해산 및 분산하게 하는 정책적 치료법이다.

② 봉쇄 · 방어는 군중이 중요시설이나 기관 등 보호대상물의 점거를 기도할 경우, 사전에 부대가 선점하여 바리케이트 등으로 봉쇄하는 방어조치로 충돌없이 효과적으로 무산시키는 진압의 기본원칙이다.

③ 세력분산은 일단 시위대가 집단을 형성한 이후에 부대가 대형으로 진입하거나 장비를 사용하여 시위집단의 지휘 · 통제력을 차단하며, 수개의 소집단으로 분할시켜 시위의사를 약화시키는 진압의 기본원칙이다.

④ 지연정화법은 시간을 지연시킴으로써 불만집단의 고조된 주장을 이성적으로 사고할 기회를 부여하고 정서적으로 감정을 둔화시켜서 흥분을 가라앉게 하는 정책적 치료법이다.

정답 및 해설 | ①

① [×] 불만집단과 반대되는 대중의견을 크게 부각시켜 불만집단이 위압되어 스스로 해산 및 분산되도록 하는 방법은 다중범죄에 대한 정책적 해결방법(치료법) 중 **경쟁행위법**이다. **전이법**은 다른 이슈를 터트려 원래 이슈를 약화시키는 방법을 말한다.

②③ [○] 해당 지문들은 다중범죄에 대한 물리적 진압방법(다중범죄진압 기본원칙) 중 **봉쇄 · 방어**, **세력분산**에 대한 옳은 설명이다. 이외 다른 물리적 진압방법은 **차단배제**와 **주동자 격리**가 있다.

029 다중범죄의 정책적 치료법에 대한 설명으로 가장 적절하지 않은 것은?

[2017 승진(경감)]

① 지연정화법 - 시간을 지연시킴으로써 불만집단의 고조된 주장을 이성적으로 사고할 기회를 부여하고 정서적으로 감정을 둔화시켜서 흥분을 가라앉게 하는 방법이다.

② 선수승화법 - 특정 사안의 불만집단에 대한 정보활동을 강화하여 사전에 불만 및 분쟁요인을 해소하는 방법이다.

③ 세력분산법 - 불만집단과 이에 반대하는 대중의견을 크게 부각시켜 불만집단이 위압되어 자진해산 및 분산하게 하는 방법이다.

④ 전이법 - 다중범죄의 발생 징후나 이슈가 있을 때 집단이나 국민들의 관심을 집중시킬 수 있는 경이적인 사건을 폭로하거나 규모가 큰 행사를 개최함으로써 원래의 이슈가 약화되도록 유도하는 방법이다.

정답 및 해설 I ③

③ [×] 지문은 '**경쟁행위법**'에 대한 설명이다. **세력분산**이란 물리적 진압방법(다중범죄진압 기본원칙) 중 하나로서 일단 결집한 군중에 대해서는 진압대형을 통한 공격이나 가스탄 등으로 혼란시켜 시위집단의 지휘통제력을 약화시키고, 수 개의 소집단으로 분할됨으로써 그 세력을 분산시키는 방법을 말한다.

030 다중범죄의 정책적 치료법과 그에 대한 내용으로 가장 적절한 것은?

[2018 채용 1차]

① 선수승화법 – 불만집단의 고조된 주장을 시간을 끌어 이성적으로 사고할 기회를 부여하고 정서적으로 감정을 둔화시켜 흥분을 가라앉게 하는 방법

② 전이법 – 다중범죄의 발생 징후나 이슈가 있을 때 집단이나 국민들의 관심을 집중시킬 수 있는 경이적인 사건을 폭로하거나 규모가 큰 행사를 개최하여 그 발생 징후나 이슈가 상대적으로 약화되도록 하는 방법

③ 지연정화법 – 불만집단에 반대하는 대중의견을 크게 부각시켜 불만집단이 위압되어 자진해산 및 분산되도록 하는 방법

④ 경쟁행위법 – 특정한 불만집단에 대한 정보활동을 강화하여 사전에 불만 및 분쟁요인을 찾아내어 해소시켜 주는 방법

정답 및 해설 I ②

② [○] **전이법**(다른 이슈의 제기)에 대한 옳은 설명이다.

① [×] **선수승화법**(사전해결): 특정한 불만집단에 대한 정보활동을 강화하여, **사전에 불만 및 분쟁요인을 찾아내어 해소시키는 방법**을 말한다. 지문은 **지연정화법**에 대한 내용이다.

③ [×] **지연정화법**(시간지연): 시간을 끌어 불만집단이 이성적으로 생각할 기회를 부여하고 정서적으로 감정을 둔화시켜 흥분을 가라앉게 하는 방법을 말한다. 지문은 **경쟁행위법**에 대한 내용이다.

④ [×] **경쟁행위법**(반대의견의 부각): 불만집단과 **반대되는 대중의견을 크게** 부각시켜 불만집단이 위압되어 스스로 해산 및 분산되도록 하는 방법을 말한다. 지문은 **선수승화법**에 대한 내용이다.

031 다음은 다중범죄 진압경비에 대한 설명이다. 가장 적절하지 않은 것은?

[2014 채용 1차]

① 다중범죄의 특성으로는 부화뇌동적 파급성, 비이성적 단순성, 확신적 행동성, 조직적 연계성이 있다.

② 진압의 3대 원칙으로는 신속한 해산, 주모자 체포, 재집결 방지가 있다.

③ 진압의 기본원칙 중 군중의 목적지에 집결하기 이전에 중간에서 차단하여 집합을 하지 못하게 하는 방법은 차단 · 배제이다.

④ 다중범죄의 정책적 치료법 중 불만집단과 반대되는 대중의견을 크게 부각시켜 불만집단이 위압되어 스스로 해산 및 분산되도록 하는 방법은 전이법이다.

정답 및 해설 I ④

④ [×] 반대의견을 부각시켜 자진해산 · 분산을 유도하는 것은 **경쟁행위법**에 대한 설명이다. **전이법**이란 다중범죄의 발생 징후나 이슈가 있을 때 집단이나 국민들의 관심을 집중시킬 수 있는 경이적인 사건을 폭로하거나 대규모 행사를 개최하여 원래의 이슈가 상대적으로 약화되도록 하는 방법을 말한다.

① [○] 옳은 설명이다.

② [○] (물리적) 진압의 3대 원칙은 다음과 같다.

신속한 해산	시위군중은 군중심리의 영향으로 격화 · 확대되기 쉽고 파급성이 강하므로 초기 단계에서 신속 · 철저히 해산시켜야 한다.
주모자 체포	시위군중은 주모자를 잃으면 무기력해져 쉽게 해산되는 것이 보통이므로 그들 가운데서 주동적으로 행동하는 자부터 체포 · 분리시켜야 한다.
재집결 방지	시위군중은 일단 해산 후 다시 집결하기 쉬우므로 재집결할 만한 곳에 경력을 배치하고 순찰과 검문검색을 강화하여 재집결을 방지한다.

③ [○] **차단 · 배제**: 다중범죄는 특정 장소에서만 목적을 달성할 수 있는 경우가 많으므로, 군중이 목적지에 집결하기 전 중간차단하여 집합을 못하게 하는 방법이다. 예 검문검색을 통하여 불법시위 가담자의 사전색출 · 검거 또는 귀가조치

032 다음 중 '진압의 3대 원칙'으로 가장 적절하지 않은 것은? [2015 실무 1]

① 재집결 방지 ② 주모자 체포

③ 신속한 해산 ④ 집결자 전원 검거

정답 및 해설 I ④

④ [×] 진압의 3대원칙으로는 신속한 해산, 주모자 체포, 재집결 방지가 있다.

033 다중범죄에 대한 진압의 기본원칙 중 다음은 무엇에 관한 설명인가? [2017 경간, 2018 경채]

> 군중이 목적지에 집결하기 전에 중간에서 차단하여 집합을 못하게 하는 방법으로, 중요 목지점에 경력을 배치하고 검문검색을 실시하여 불법시위 가담자를 사전에 색출 · 검거하거나 귀가시킨다.

① 봉쇄 · 방어 ② 차단 · 배제

③ 세력분산 ④ 주동자 격리

정답 및 해설 I ②

② [○] 다중범죄진압의 기본원칙(물리적 진압방법) 중 **차단 · 배제**에 대한 설명이다.

① [×] **봉쇄 · 방어**: 군중들이 중요시설이나 기관 등 보호대상물의 점거를 기도할 경우 사전에 진압부대가 점령하거나 바리케이드 등으로 봉쇄하여 방어조치를 취하는 방법이다.

③ [×] **세력분산**: 일단 결집한 군중에 대해서는 진압대형을 통한 공격이나 가스탄 등으로 혼란시켜 시위집단의 지휘통제력을 약화시키고, 수 개의 소집단으로 분할됨으로써 그 세력을 분산시키는 방법이다.

④ [×] **주동자 격리**: 다중범죄는 특정 주동자의 선동에 의한 경우가 많으므로 주동자를 사전에 검거하거나 군중과 격리시킴으로써 군중의 집단적 결속력을 약화시켜 진압하는 방법이다.

주제 4 대테러경비(특수경비)

01 테러와 테러리즘

034 인질사건이 발생한 때 나타날 수 있는 스톡홀름 신드롬(Stockholm Syndrome)이란?

[2017 실무 1, 2018 승진(경감)]

① 인질범이 인질에 동화되는 현상

② 인질이 인질범에 동화되는 현상

③ 인질범이 인질에 대해 적개심을 갖는 현상

④ 인질이 인질범에 대해 적개심을 갖는 현상

정답 및 해설 | ②

② [○] **스톡홀름 증후군**은 인질이 인질범에게 동화되는 현상이다. 반면 **리마증후군**은 인질범이 인질에게 동화되는 현상이다.

035 다음 빈칸에 들어갈 알맞은 단어끼리 짝지은 것은? [2017 경간]

> • 1972년 뮌헨 올림픽 당시 검은 9월단에 의한 이스라엘 선수단 테러사건을 계기로 독일에서는 연방경찰 소속으로 (㉠)이 설립되었다.
> • (㉡)은 인질사건 발생시 인질이 인질범에 동화되는 현상을 의미하며, 심리학에서 오귀인 효과라고도 한다.

	㉠	㉡
①	GSG-9	스톡홀름 증후군
②	GIPN	스톡홀름 증후군
③	GSG-9	리마 증후군
④	GIPN	리마 증후군

정답 및 해설 | ①

① [○] ㉠: 독일의 GSG-9, ㉡: 스톡홀름 증후군

02 국민보호와 공공안전을 위한 테러방지법

036 국민보호와 공공안전을 위한 테러방지법 제2조 정의에 관한 설명 중 가장 적절하지 않은 것은?

[2022 채용 1차]

① '테러위험인물'이란 테러를 실행 · 계획 · 준비하거나 테러에 참가할 목적으로 국적국이 아닌 국가의 테러단체에 가입하거나 가입하기 위하여 이동 또는 이동을 시도하는 외국인을 말한다.

② '대테러활동'이란 제1호의 테러 관련 정보의 수집, 테러위험인물의 관리, 테러에 이용될 수 있는 위험물질 등 테러수단의 안전관리, 인원 · 시설 · 장비의 보호, 국제행사의 안전확보, 테러위협에의 대응 및 무력진압 등 테러 예방과 대응에 관한 제반 활동을 말한다.

③ '테러단체'란 국제연합(UN)이 지정한 테러단체를 말한다.

④ '대테러조사'란 대테러활동에 필요한 정보나 자료를 수집하기 위하여 현장조사 · 문서열람 · 시료채취 등을 하거나 조사대상자에게 자료제출 및 진술을 요구하는 활동을 말한다.

정답 및 해설 | ①

① [×] 지문은 외국인테러전투원에 대한 설명이다.

> 국민보호와 공공안전을 위한 테러방지법(이하 '테러방지법'이라 한다) 제2조 **【정의】** 이 법에서 사용하는 용어의 뜻은 다음과 같다.
> 3. "**테러위험인물**"이란 테러단체의 조직원이거나 테러단체 선전, 테러자금 모금 · 기부, 그 밖에 테러 예비 · 음모 · 선전 · 선동을 하였거나 하였다고 의심할 상당한 이유가 있는 사람을 말한다.
> 4. "**외국인테러전투원**"이란 테러를 실행 · 계획 · 준비하거나 테러에 참가할 목적으로 국적국이 아닌 국가의 테러단체에 가입하거나 가입하기 위하여 이동 또는 이동을 시도하는 내국인 · 외국인을 말한다. 예 IS에 가입하기 위해 시리아로 출국하려는 한국인 / IS에 가입하기 위해 한국을 경유하여 시리아로 출국하려는 일본인

②③④ [○]

> 테러방지법 제2조 **【정의】** 이 법에서 사용하는 용어의 뜻은 다음과 같다.
> 2. "**테러단체**"란 국제연합(UN)이 지정한 테러단체를 말한다.
> 6. "**대테러활동**"이란 제1호의 테러 관련 정보의 수집, 테러위험인물의 관리, 테러에 이용될 수 있는 위험물질 등 테러수단의 안전관리, 인원 · 시설 · 장비의 보호, 국제행사의 안전확보, 테러위협에의 대응 및 무력진압 등 테러 예방과 대응에 관한 제반 활동을 말한다.
> 8. "**대테러조사**"란 대테러활동에 필요한 정보나 자료를 수집하기 위하여 현장조사 · 문서열람 · 시료채취 등을 하거나 조사대상자에게 자료제출 및 진술을 요구하는 활동을 말한다.

037 「국민보호와 공공안전을 위한 테러방지법」에 대한 설명으로 가장 적절한 것은?

[2017 채용 1차]

① 국가테러대책위원회 위원장은 대통령으로 한다.

② '테러단체'란 국제연합(UN)이 지정한 테러단체를 말한다.

③ '테러위험인물'이란 테러를 실행 · 계획 · 준비하거나 테러에 참가할 목적으로 국적국이 아닌 국가의 테러단체에 가입하거나 가입하기 위하여 이동 또는 이동을 시도하는 내국인 · 외국인을 말한다.

④ 국가정보원장은 테러위험인물에 대하여 출입국 · 금융거래 및 통신이용 등 관련 정보를 수집하여야 한다.

정답 및 해설 I ②

② [○]

> 테러방지법 제2조 【정의】 이 법에서 사용하는 용어의 뜻은 다음과 같다.
> 2. "테러단체"란 국제연합(UN)이 지정한 테러단체를 말한다.

① [×]

> 테러방지법 제5조 【국가테러대책위원회】 ① 대테러활동에 관한 정책의 중요사항을 심의 · 의결하기 위하여 국가테러대책위원회(이하 "대책위원회"라 한다)를 둔다.
> ② 대책위원회는 국무총리 및 관계기관의 장 중 대통령령으로 정하는 사람으로 구성하고 위원장은 국무총리로 한다.

③ [×] 지문은 '외국인테러전투원'에 대한 설명이다.

> 테러방지법 제2조 【정의】 이 법에서 사용하는 용어의 뜻은 다음과 같다.
> 3. "테러위험인물"이란 테러단체의 조직원이거나 테러단체 선전, 테러자금 모금 · 기부, 그 밖에 테러 예비 · 음모 · 선전 · 선동을 하였거나 하였다고 의심할 상당한 이유가 있는 사람을 말한다.
> 4. "외국인테러전투원"이란 테러를 실행 · 계획 · 준비하거나 테러에 참가할 목적으로 국적국이 아닌 국가의 테러단체에 가입하거나 가입하기 위하여 이동 또는 이동을 시도하는 내국인 · 외국인을 말한다. 예 IS에 가입하기 위해 시리아로 출국하려는 한국인 / IS에 가입하기 위해 한국을 경유하여 시리아로 출국하려는 일본인

④ [×] 수집하여야 하는 것이 아니라 수집'할 수 있다'.

> 테러방지법 제9조 【테러위험인물에 대한 정보 수집 등】 ① 국가정보원장은 테러위험인물에 대하여 출입국 · 금융거래 및 통신이용 등 관련 정보를 수집할 수 있다. 이 경우 출입국 · 금융거래 및 통신이용 등 관련 정보의 수집은 「출입국관리법」, 「관세법」, 「특정 금융거래정보의 보고 및 이용 등에 관한 법률」, 「통신비밀보호법」의 절차에 따른다.

038 「국민보호와 공공안전을 위한 테러방지법」에 관한 다음 설명 중 가장 옳지 않은 것은? [2018 경간]

① 테러단체란 국가테러대책위원회가 지정한 테러단체를 말한다.

② 타국의 외국인테러전투원으로 가입한 사람을 처벌하는 규정이 있다.

③ 국가정보원장은 테러위험인물에 대한 추적을 할 경우 국가테러대책위원회 위원장에게 사전 또는 사후에 보고하여야 한다.

④ 테러단체 구성죄는 대한민국 영역 밖에서 범한 외국인에게도 적용한다.

정답 및 해설 I ①

① [×] UN이 지정한다.

> 테러방지법 제2조 【정의】 이 법에서 사용하는 용어의 뜻은 다음과 같다.
> 2. "테러단체"란 국제연합(UN)이 지정한 테러단체를 말한다.

② [○]

> 테러방지법 제17조 【테러단체 구성죄 등】 ① 테러단체를 구성하거나 구성원으로 가입한 사람은 다음 각 호의 구분에 따라 처벌한다.
> 3. 타국의 외국인테러전투원으로 가입한 사람은 5년 이상의 징역

③ [○]

> 테러방지법 제9조 【테러위험인물에 대한 정보 수집 등】 ④ 국가정보원장은 대테러활동에 필요한 정보나 자료를 수집하기 위하여 대테러조사 및 테러위험인물에 대한 추적을 할 수 있다. 이 경우 사전 또는 사후에 대책위원회 위원장에게 보고하여야 한다.

④ [○]

> 테러방지법 제19조 【세계주의】 제17조의 죄는 대한민국 영역 밖에서 저지른 외국인에게도 국내법을 적용한다.

039 「국민보호와 공공안전을 위한 테러방지법」에 대한 설명으로 가장 적절하지 않은 것은? [2018 승진(경위)]

① '테러단체'란 국가정보원이 지정한 테러단체를 말한다.

② 관계기관의 장은 외국인테러전투원으로 출국하려 한다고 의심할 만한 상당한 이유가 있는 내국인 · 외국인에 대하여 일시 출국금지를 법무부장관에게 요청할 수 있다.

③ 위 '②'에 따른 일시 출국금지 기간은 90일로 한다. 다만, 출국금지를 계속할 필요가 있다고 판단할 상당한 이유가 있는 경우에 관계기관의 장은 그 사유를 명시하여 연장을 요청할 수 있다.

④ 국가정보원장은 대테러활동에 필요한 정보나 자료를 수집하기 위하여 대테러조사 및 테러위험인물에 대한 추적을 할 수 있다. 이 경우 사전 또는 사후에 국가테러대책위원회 위원장에게 보고하여야 한다.

정답 및 해설 | ①

① [×] 국제연합(UN)이 지정한다.

> **테러방지법 제2조【정의】** 이 법에서 사용하는 용어의 뜻은 다음과 같다.
> 2. "**테러단체**"란 국제연합(UN)이 지정한 테러단체를 말한다.

②③ [○]

> **테러방지법 제13조【외국인테러전투원에 대한 규제】** ① 관계기관의 장은 외국인테러전투원으로 출국하려 한다고 의심할 만한 상당한 이유가 있는 내국인 · 외국인에 대하여 일시 출국금지를 법무부장관에게 요청할 수 있다.
> ② 제1항에 따른 일시 출국금지 기간은 90일로 한다. 다만, 출국금지를 계속할 필요가 있다고 판단할 상당한 이유가 있는 경우에 관계기관의 장은 그 사유를 명시하여 연장을 요청할 수 있다.
> ③ 관계기관의 장은 외국인테러전투원으로 가담한 사람에 대하여 「여권법」 제13조에 따른 여권의 효력정지 및 같은 법 제12조 제3항에 따른 재발급 거부를 외교부장관에게 요청할 수 있다.

④ [○]

> **테러방지법 제9조【테러위험인물에 대한 정보 수집 등】** ④ 국가정보원장은 대테러활동에 필요한 정보나 자료를 수집하기 위하여 대테러조사 및 테러위험인물에 대한 추적을 할 수 있다. 이 경우 사전 또는 사후에 대책위원회 위원장에게 보고하여야 한다.

040 「국민보호와 공공안전을 위한 테러방지법」에 관한 설명으로 가장 적절한 것은? [2023 채용 2차]

① 「여권법」 제17조 제1항 단서에 따른 외교부장관의 허가를 받지 아니하고 방문 및 체류가 금지된 국가 또는 지역을 방문 · 체류한 사람이 테러로 인해 생명의 피해를 입은 경우, 그 사람의 유족에 대해 특별위로금을 지급할 수 있다.

② 「국민보호와 공공안전을 위한 테러방지법」에서 말하는 "테러 단체"란 국제형사경찰기구(ICPO)가 지정한 테러단체를 말한다.

③ 대테러활동을 수행하는 국가기관, 지방자치단체, 그 밖에 대통령령 으로 정하는 기관의 대테러활동으로 인한 국민의 기본권 침해 방지를 위하여 국가테러대책위원회 소속으로 대테러 인권보호관 1명을 둔다.

④ 테러로 인하여 신체 · 재산 · 명예의 피해를 입은 국민은 관계기관에 즉시 신고하여야 한다. 다만, 인질 등 부득이한 사유로 신고 할 수 없을 때에는 법률관계 또는 계약관계에 의하여 보호 의무가 있는 사람이 이를 알게 된 때에 즉시 신고하여야 한다.

정답 및 해설 I ③

③ [○]

> **테러방지법 제7조【대테러 인권보호관】** ① 관계기관의 대테러활동으로 인한 국민의 기본권 침해 방지를 위하여 대책위원회 소속으로 대테러 인권보호관(이하 "인권보호관"이라 한다) 1명을 둔다.

① [×] 외교부장관의 허가를 받지 아니하고 방문 및 체류가 금지된 국가 또는 지역을 방문 · 체류한 사람은 **특별위로금** 지급대상에서 제외된다.

> **테러방지법 제16조【특별위로금】** ① 테러로 인하여 생명의 피해를 입은 사람의 유족 또는 신체상의 장애 및 장기치료가 필요한 피해를 입은 사람에 대해서는 그 피해의 정도에 따라 등급을 정하여 특별위로금을 지급할 수 있다. 다만, 「여권법」 제17조 제1항 단서에 따른 외교부장관의 허가를 받지 아니하고 방문 및 체류가 금지된 국가 또는 지역을 방문 · 체류한 사람에 대해서는 그러하지 아니하다.

② [×] "테러단체"란 **국제연합(UN)**이 지정한 테러단체를 말한다.

> **테러방지법 제2조【정의】** 이 법에서 사용하는 용어의 뜻은 다음과 같다.
> 2. "**테러단체**"란 국제연합(UN)이 지정한 테러단체를 말한다.

④ [×] 테러로 인하여 **신체 또는 재산**(명예 ×)의 피해를 입은 국민

> **테러방지법 제15조【테러피해의 지원】** ① 테러로 인하여 신체 또는 재산의 피해를 입은 국민은 관계기관에 즉시 신고하여야 한다. 다만, 인질 등 부득이한 사유로 신고할 수 없을 때에는 법률관계 또는 계약관계에 의하여 보호의무가 있는 사람이 이를 알게 된 때에 즉시 신고하여야 한다.

041 「국민보호와 공공안전을 위한 테러방지법」에서 규정하는 내용 중 적절한 것은 모두 몇 개인가?

[2023 승진]

> ㉠ "테러위험인물"이란 테러를 실행 · 계획 · 준비하거나 테러에 참가할 목적으로 국적국이 아닌 국가의 테러단체에 가입하거나 가입하기 위하여 이동 또는 이동을 시도하는 내국인 · 외국인을 말한다.
> ㉡ 대테러활동에 관한 정책의 중요사항을 심의 · 의결하기 위하여 국가테러대책위원회를 두고 위원장은 국가정보원장으로 한다.
> ㉢ 관계기관의 장은 테러의 계획 또는 실행에 관한 사실을 관계기관에 신고하여 테러를 사전에 예방할 수 있게 하였거나, 테러에 가담 또는 지원한 사람을 신고하거나 체포한 사람에 대하여 대통령령으로 정하는 바에 따라 포상금을 지급하여야 한다.
> ㉣ 국가정보원장은 대테러활동에 필요한 정보나 자료를 수집하기 위하여 대테러조사 및 테러위험인물에 대한 추적을 할 수 있다. 이 경우 사전 또는 사후에 대책위원회 위원장에게 보고하여야 한다.

① 1개　　② 2개
③ 3개　　④ 4개

정답 및 해설 I ①

㉠ [×] "외국인테러전투원"에 대한 설명이다.

> **테러방지법 제2조【정의】** 이 법에서 사용하는 용어의 뜻은 다음과 같다.
> 3. "**테러위험인물**"이란 테러단체의 조직원이거나 테러단체 선전, 테러자금 모금 · 기부, 그 밖에 테러 예비 · 음모 · 선전 · 선동을 하였거나 하였다고 의심할 상당한 이유가 있는 사람을 말한다.
> 4. "**외국인테러전투원**"이란 테러를 실행·계획·준비하거나 테러에 참가할 목적으로 **국적국이 아닌** 국가의 테러단체에 가입하거나 가입하기 위하여 이동 또는 이동을 시도하는 **내국인 · 외국인**을 말한다. 예 IS에 가입하기 위해 시리아로 출국하려는 한국인 / IS에 가입하기 위해 한국을 경유하여 시리아로 출국하려는 일본인

ⓒ [×] 위원장은 국무총리로 한다.

> 테러방지법 제5조【국가테러대책위원회】① 대테러활동에 관한 정책의 중요사항을 심의·의결하기 위하여 국가테러대책위원회(이하 "대책위원회"라 한다)를 둔다.
> ② 대책위원회는 국무총리 및 관계기관의 장 중 대통령령으로 정하는 사람으로 구성하고 위원장은 국무총리로 한다.

ⓒ [×] 포상금을 지급할 수 있다.

> 테러방지법 제14조【신고자 보호 및 포상금】② 관계기관의 장은 테러의 계획 또는 실행에 관한 사실을 관계기관에 신고하여 테러를 사전에 예방할 수 있게 하였거나, 테러에 가담 또는 지원한 사람을 신고하거나 체포한 사람에 대하여 대통령령으로 정하는 바에 따라 포상금을 지급할 수 있다.

ⓓ [○]

> 테러방지법 제9조【테러위험인물에 대한 정보 수집 등】④ 국가정보원장은 대테러활동에 필요한 정보나 자료를 수집하기 위하여 대테러조사 및 테러위험인물에 대한 추적을 할 수 있다. 이 경우 사전 또는 사후에 대책위원회 위원장에게 보고하여야 한다.

042 경찰의 대테러 업무에 대한 설명 중 옳지 않은 것은? [2020 경간]

① 한국의 대테러 부대인 KNP868은 대테러 예방 및 대응을 위해 1983년 창설된 경찰특수부대로 현재 서울시·도경찰청 직할부대이다.

② 외국의 대테러조직으로 영국의 SAS, 미국의 SWAT, 독일의 GSG-9, 프랑스의 GIGN 등이 있다.

③ 「테러취약시설 안전활동에 관한 규칙」상 경찰서장은 관할 내에 있는 B급 다중이용건축물 등에 대하여 분기 1회 이상 지도·점검을 실시하여야 한다.

④ 「국민보호와 공공안전을 위한 테러방지법」상 '테러단체'란 국제연합(UN)이 지정한 테러단체를 말한다.

정답 및 해설 I ③

③ [×] 반기 1회 이상 지도·점검을 실시하여야 한다.

> 훈령 테러취약시설 안전활동에 관한 규칙(이하 '테러취약시설규칙'이라 한다) 제22조【다중이용건축물등 지도·점검】① 경찰서장은 관할 내에 있는 다중이용건축물등 전체에 대해 해당 시설 관리자의 동의를 받아 다음 각 호와 같이 지도·점검을 실시하여야 한다.
> 1. A급: 분기 1회 이상
> 2. B급, C급: 반기 1회 이상

①② [○]

우리나라	1983년에 86아시안 게임과 88올림픽을 대비하여 KNP868(경찰특공대, KNP SWAT) 창설 ➜ KNP868은 서울시·도경찰청 직할부대
영국	독일 뮌헨올림픽 선수촌의 검은 구월단 사건을 계기로 대테러 진압부대인 SAS(Special Air Service) 창설
미국	• 9·11테러를 계기로 국토안보부, DHS(Department of Homeland Security)를 설치, 대테러 총괄 • 경찰 특수부대로서 SWAT
독일	독일 뮌헨올림픽에서의 검은 구월단에 의한 이스라엘 선수 테러사건을 계기로 GSG-9 창설
프랑스	GIPN(경찰특공대), GIGN(군인경찰특공대)
이스라엘	Sayeret Mat'Kal(사렛트 매트칼)

④ [○]

> 테러방지법 제2조【정의】이 법에서 사용하는 용어의 뜻은 다음과 같다.
> 2. "테러단체"란 국제연합(UN)이 지정한 테러단체를 말한다.

043 「테러취약시설 안전활동에 관한 규칙」에 대한 설명으로 가장 적절하지 않은 것은? [2020 실무 1]

① '테러취약시설'이라 함은 테러 예방 및 대응을 위해 경찰이 관리하는 국가중요시설, 다중이용건축물 등, 공관지역, 미군 관련 시설 등 중 경찰청장이 지정하는 시설 · 건축물 등을 말한다.

② 테러취약시설 심의위원회 위원장은 경찰청 경비국장이다.

③ 시 · 도경찰청장은 관할 내 국가중요시설 중 선별하여 연 1회 이상 지도 · 점검을 실시한다.

④ 테러에 의하여 파괴되거나 기능 마비시 광범위한 지역의 대테러진압작전이 요구되고, 국민생활에 결정적인 영향을 미칠 수 있는 건축물 또는 시설에 대하여 관할 경찰서장은 반기 1회 이상 지도 · 점검을 실시하여야 한다.

정답 및 해설 I ④

④ [×] 광범위한 지역의 대테러진압작전이 요구되고, 국민생활에 결정적인 영향을 미칠 수 있는 건축물 또는 시설은 A급 다중이용건축물등을 말하고, 이는 분기 1회 이상 지도 · 점검을 실시하여야 한다.

> 훈령 **테러취약시설규칙 제22조【다중이용건축물등 지도 · 점검】** ① 경찰서장은 관할 내에 있는 다중이용건축물등 전체에 대해 해당 시설 관리자의 동의를 받아 다음 각 호와 같이 지도 · 점검을 실시하여야 한다.
> 1. A급: 분기 1회 이상

① [○]

> 훈령 **테러취약시설규칙 제2조【정의】** 이 규칙에서 사용하는 용어의 뜻은 다음 각 호와 같다.
> 1. "**테러취약시설**"이란 테러 예방 및 대응을 위해 **경찰이 관리**하는 다음 각 목의 시설 · 건축물 등 중 **경찰청장이** 지정하는 것을 말한다.
> 가. 국가중요시설
> 나. 다중이용건축물등
> 다. 공관지역
> 라. 미군 관련 시설
> 마. 그 밖에 특별한 관리가 필요하다고 제14조의 테러취약시설 심의위원회(이하 '심의위원회'라고 한다)에서 결정한 시설

② [○]

> 훈령 **테러취약시설규칙 제14조【심의위원회 구성 및 운영】** ① 심의위원회는 위기관리센터에 **비상설**로 두며, 다음 각 호와 같이 구성한다
> 1. 위원장: 경찰청 경비국장
> 2. 부위원장: 위기관리센터장

③ [○]

> 훈령 **테러취약시설규칙 제21조【국가중요시설 지도 · 점검】** ② 시 · 도경찰청장은 관할 내 국가중요시설 중 **선별**하여 연 1회 이상 지도 · 점검을 실시한다.

044 테러취약시설 중 다중이용건축물등에 대한 설명으로 가장 적절하지 않은 것은? [2016 실무 1]

① 다중이용건축물등은 시설의 기능 · 역할의 중요성과 가치의 정도에 따라 A급 · B급 · C급으로 구분한다.
② 경찰관서장은 경보등급 및 해당 시설의 특성을 고려한 맞춤형 지도 · 점검 계획을 수립하여 시행하여야 한다.
③ 경찰서장은 관할지역의 C급 다중이용건축물등에 대한 지도 · 점검을 연 5회 이상 실시하여야 한다.
④ 경찰관서장은 대상 시설의 상징성, 중요성, 정세 등을 감안하여 지도 · 점검을 실시하여야 한다.

정답 및 해설 I ③

③ [×] C급 다중이용건축물등의 경우 반기 1회 이상 지도 · 점검을 실시하여야 한다.

훈령 **테러취약시설규칙 제22조【다중이용건축물등 지도 · 점검】** ① 경찰서장은 관할 내에 있는 다중이용건축물등 전체에 대해 해당 시설 관리자의 동의를 받아 다음 각 호와 같이 지도 · 점검을 실시하여야 한다.
2. B급, C급: 반기 1회 이상

① [○]

훈령 **테러취약시설규칙 제9조【다중이용건축물등의 분류】** ① 다중이용건축물등은 기능 · 역할의 중요성과 가치의 정도에 따라 "A"등급, "B"등급, "C"등급(이하 각 "A급", "B급", "C급"이라 한다)으로 구분하며, 그 기준은 다음 각 호와 같다.

구분	공통사항	테러진압작전 수행요구지역	국민생활 영향 정도
A급	테러에 의하여 파괴되거나 기능 마비시	광범위한 지역의 대테러진압작전이 요구되고,	국민생활에 결정적인 영향을 미칠 수 있는 건축물 또는 시설
B급		일부 지역의 대테러진압작전이 요구되고,	국민생활에 중대한 영향을 미칠 수 있는 건축물 또는 시설
C급		제한된 지역에서 단기간 대테러진압작전이 요구되고,	국민생활에 상당한 영향을 미칠 수 있는 건축물 또는 시설

②④ [○]

훈령 **테러취약시설규칙 제18조【지도 · 점검 기본방침】** ① 경찰관서장은 경보 · 등급 및 해당 시설의 특성을 고려한 맞춤형 지도 · 점검 계획을 수립하여 시행하여야 한다.
② 경찰관서장은 대상 시설의 상징성, 중요성, 정세 등을 감안하여 지도 · 점검을 실시하여야 한다.

045 최근 국제사회 내 테러단체의 위험성이 증대됨에 따라 대테러 업무의 중요성이 더욱 강조되고 있다. 「테러취약시설 안전활동에 관한 규칙」상 다중이용건축물등의 분류와 지도 · 점검에 관한 내용으로 가장 적절하지 않은 것은? (단, 테러경보 상향이 없는 것으로 간주) [2016 승진(경위)]

① 다중이용건축물등은 시설의 기능 · 역할의 중요성과 가치의 정도에 따라 A급 · B급 · C급으로 구분한다.
② A급 다중이용건축물등의 경우 관할 경찰서장은 분기 1회 이상 지도 · 점검을 실시하여야 한다.
③ B급 다중이용건축물등의 경우 관할 경찰서장은 반기 1회 이상 지도 · 점검을 실시하여야 한다.
④ C급 다중이용건축물등의 경우 관할 경찰서장은 연 1회 이상 지도 · 점검을 실시하여야 한다.

정답 및 해설 I ④

④ [×] C급 다중이용건축물등의 경우 반기 1회 이상 지도 · 점검을 실시하여야 한다. / ②③ [○]

훈령 **테러취약시설규칙 제22조【다중이용건축물등 지도 · 점검】** ① 경찰서장은 관할 내에 있는 다중이용건축물등 전체에 대해 해당 시설 관리자의 동의를 받아 다음 각 호와 같이 지도 · 점검을 실시하여야 한다.
1. A급: 분기 1회 이상
2. B급, C급: 반기 1회 이상

046 「테러취약시설 안전활동에 관한 규칙」에 대한 설명으로 가장 적절하지 않은 것은? [2017 승진(경위)]

① 경찰서장은 관할 내에 있는 A급 다중이용건축물등에 대하여 반기 1회 이상 지도 · 점검을 실시하여야 한다.

② B급 다중이용건축물등이란 테러에 의하여 파괴되거나 기능 마비시 일부 지역의 대테러진압작전이 요구되고, 국민생활에 중대한 영향을 미칠 수 있는 시설을 말한다.

③ C급 다중이용건축물등이란 테러에 의하여 파괴되거나 기능 마비시 제한된 지역에서 단기간 대테러진압작전이 요구되고, 국민생활에 상당한 영향을 미칠 수 있는 시설을 말한다.

④ 테러취약시설 심의위원회는 위기관리센터에 비상설로 두며 위원장은 경찰청 경비국장으로 한다.

정답 및 해설 I ①

① [×] A급 다중이용건축물등의 경우 분기 1회 이상 지도 · 점검을 실시하여야 한다.

> 훈령 **테러취약시설규칙 제22조【다중이용건축물등 지도 · 점검】** ① 경찰서장은 관할 내에 있는 다중이용건축물등 전체에 대해 해당 시설 관리자의 동의를 받아 다음 각 호와 같이 지도 · 점검을 실시하여야 한다.
> 1. A급: 분기 1회 이상

②③ [○]

구분	공통사항	테러진압작전 수행요구지역	국민생활 영향 정도
A급	테러에 의하여 파괴되거나 기능 마비시	광범위한 지역의 대테러진압작전이 요구되고,	국민생활에 결정적인 영향을 미칠 수 있는 건축물 또는 시설
B급		일부 지역의 대테러진압작전이 요구되고,	국민생활에 중대한 영향을 미칠 수 있는 건축물 또는 시설
C급		제한된 지역에서 단기간 대테러진압작전이 요구되고,	국민생활에 상당한 영향을 미칠 수 있는 건축물 또는 시설

④ [○]

> 훈령 **테러취약시설규칙 제14조【심의위원회 구성 및 운영】** ① 심의위원회는 위기관리센터에 비상설로 두며, 다음 각 호와 같이 구성한다.
> 1. 위원장: 경찰청 경비국장
> 2. 부위원장: 위기관리센터장

047 「테러취약시설 안전활동에 관한 규칙」상 테러취약시설 중 다중이용건축물등에 대한 설명으로 가장 적절하지 않은 것은? [2017 실무 1]

① A급 다중이용건축물등은 테러에 의하여 파괴되거나 기능 마비시 광범위한 지역의 대테러진압작전이 요구되고, 국민생활에 결정적인 영향을 미칠 수 있는 시설을 말한다.

② B급 다중이용건축물등은 테러에 의하여 파괴되거나 기능 마비시 제한된 지역에서 단기간 대테러진압작전이 요구되고, 국민 생활에 상당한 영향을 미칠 수 있는 시설을 말한다.

③ C급 다중이용건축물등의 관할 경찰서장은 반기 1회 이상 지도 · 점검을 실시하여야 한다.

④ 다중이용건축물등의 기능 · 역할의 중요성과 가치의 정도에 따라 A급 · B급 · C급으로 구분한다.

정답 및 해설 I ②

② [×] C급 다중이용건축물등에 대한 설명이다. B급은 '일부지역', '중대한 영향'에 관한 것이고, C급은 '제한된 지역', '단기간', '상당한 영향'에 관한 것이다. / ①④ [○]

> 훈령 테러취약시설규칙 제9조 【다중이용건축물등의 분류】 ① 다중이용건축물등은 기능 · 역할의 중요성과 가치의 정도에 따라 "A"등급, "B"등급, "C"등급(이하 각 "A급", "B급", "C급"이라 한다)으로 구분하며, 그 기준은 다음 각 호와 같다.

구분	공통사항	테러진압작전 수행요구지역	국민생활 영향 정도
A급	테러에 의하여 파괴되거나 기능 마비시	광범위한 지역의 대테러진압작전이 요구되고,	국민생활에 결정적인 영향을 미칠 수 있는 건축물 또는 시설
B급		일부 지역의 대테러진압작전이 요구되고,	국민생활에 중대한 영향을 미칠 수 있는 건축물 또는 시설
C급		제한된 지역에서 단기간 대테러진압작전이 요구되고,	국민생활에 상당한 영향을 미칠 수 있는 건축물 또는 시설

③ [○]

> 훈령 테러취약시설규칙 제22조 【다중이용건축물등 지도 · 점검】 ① 경찰서장은 관할 내에 있는 다중이용건축물등 전체에 대해 해당 시설 관리자의 동의를 받아 다음 각 호와 같이 지도 · 점검을 실시하여야 한다.
> 2. B급, C급: 반기 1회 이상

048 다음 ( ) 안에 들어갈 말로 옳게 연결된 것은? [2018 경간]

> 「테러취약시설 안전활동에 관한 규칙」에 따르면, 테러취약시설 중 다중이용건축물등은 시설의 기능 · 역할의 중요성과 가치의 정도에 따라 A급 · B급 · C급으로 구분한다.
> 이 중에서 (㉠)급은 테러에 의하여 파괴되거나 가능 마비시 일부 지역의 대테러진압작전이 요구되고, 국민생활에 중대한 영향을 미칠 수 있는 시설로서 관할 경찰서장은 (㉡)에 (㉢)회 이상 지도 · 점검을 실시하여야 한다.

	㉠	㉡	㉢
①	B	반기	1
②	B	분기	1
③	C	반기	1
④	C	분기	2

정답 및 해설 I ①

① [○]

> 훈령 테러취약시설규칙 제9조 【다중이용건축물등의 분류】 ① 다중이용건축물등은 기능 · 역할의 중요성과 가치의 정도에 따라 "A"등급, "B"등급, "C"등급(이하 각 "A급", "B급", "C급"이라 한다)으로 구분하며, 그 기준은 다음 각 호와 같다.
> 2. (㉠ B)급: 테러에 의하여 파괴되거나 기능 마비시 일부 지역의 대테러진압작전이 요구되고, 국민생활에 중대한 영향을 미칠 수 있는 건축물 또는 시설
>
> 훈령 테러취약시설규칙 제22조 【다중이용건축물등 지도 · 점검】 ① 경찰서장은 관할 내에 있는 다중이용건축물등 전체에 대해 해당 시설 관리자의 동의를 받아 다음 각 호와 같이 지도 · 점검을 실시하여야 한다.
> 1. A급: 분기 1회 이상
> 2. B급, C급: (㉡ 반기) (㉢ 1)회 이상

049 경찰의 대테러 업무에 대한 설명 중 옳은 것을 모두 고른 것은? [2020 승진(경위)]

> ㉠ 「테러취약시설 안전활동에 관한 규칙」에 의하면 'B'급 다중이용건축물등의 경우 테러에 의해 파괴되거나 기능 마비시 일부 지역의 대테러진압작전이 요구되고, 국민생활에 중대한 영향을 미칠 수 있는 건축물 또는 시설이며, 관할 경찰서장은 분기 1회 이상 지도 · 점검을 실시해야 한다.
> ㉡ 「테러취약시설 안전활동에 관한 규칙」에 의하면 'C'급 다중이용건축물등의 경우 테러에 의하여 파괴되거나 기능 마비시 제한된 지역의 대테러진압작전이 요구되고, 국민생활에 상당한 영향을 미칠 수 있는 건축물 또는 시설이며, 관할 경찰서장은 반기 1회 이상 지도 · 점검을 실시해야 한다.
> ㉢ '리마 증후군'이란 인질범이 인질에게 일체감을 느끼게 되고 인질의 입장을 이해하여 호의를 베푸는 등 인질범이 인질에게 동화되는 현상이다.
> ㉣ 테러단체 구성죄는 미수범, 예비 · 음모 모두 처벌한다.

① ㉠, ㉢
② ㉡, ㉢
③ ㉡, ㉢, ㉣
④ ㉠, ㉡, ㉣

정답 및 해설 I ③

㉠ [×] 반기 1회 이상이다. / ㉡ [○]

> 훈령 **테러취약시설규칙 제9조【다중이용건축물등의 분류】** ① 다중이용건축물등은 기능 · 역할의 중요성과 가치의 정도에 따라 "A"등급, "B"등급, "C"등급(이하 각 "A급", "B급", "C급"이라 한다)으로 구분하며, 그 기준은 다음 각 호와 같다.

구분	공통사항	테러진압작전 수행요구지역	국민생활 영향 정도
A급	테러에 의하여 파괴되거나 기능 마비시	광범위한 지역의 대테러진압작전이 요구되고,	국민생활에 결정적인 영향을 미칠 수 있는 건축물 또는 시설
B급		일부 지역의 대테러진압작전이 요구되고,	국민생활에 중대한 영향을 미칠 수 있는 건축물 또는 시설
C급		제한된 지역에서 단기간 대테러진압작전이 요구되고,	국민생활에 상당한 영향을 미칠 수 있는 건축물 또는 시설

> 훈령 **테러취약시설규칙 제22조【다중이용건축물등 지도 · 점검】** ① 경찰서장은 관할 내에 있는 다중이용건축물등 전체에 대해 해당 시설 관리자의 동의를 받아 다음 각 호와 같이 지도 · 점검을 실시하여야 한다.
> 1. **A급**: 분기 1회 이상
> 2. **B급, C급**: 반기 1회 이상

㉢ [○] **리마증후군**이란 시간경과에 따라 인질범이 인질에게 일체감을 느끼게 되고 인질의 입장을 이해하여 호의를 베푸는 등 인질범이 인질에게 동화되어 인질에게 본인의 신상을 털어놓는 등 폭력성이 저하되는 현상이다.

㉣ [○]

> **테러방지법 제17조【테러단체 구성죄 등】** ① 테러단체를 구성하거나 구성원으로 가입한 사람은 다음 각 호의 구분에 따라 처벌한다.
> ② 테러자금임을 알면서도 자금을 조달 · 알선 · 보관하거나 그 취득 및 발생원인에 관한 사실을 가장하는 등 테러단체를 지원한 사람은 10년 이하의 징역 또는 1억원 이하의 벌금에 처한다.
> ④ 제1항 및 제2항의 미수범은 처벌한다.
> ⑤ 제1항 및 제2항에서 정한 죄를 저지를 목적으로 **예비** 또는 음모한 사람은 3년 이하의 징역에 처한다.

주제 5 선거경비

050 공직선거법에 대한 설명으로 가장 적절하지 않은 것은? [2018 실무 1]

① 선거운동은 원칙적으로 선거기간개시일부터 선거일 전일까지에 한하여 할 수 있다.

② 국회의원선거와 지방자치단체의 의회의원 및 장의 선거의 선거기간은 14일이다.

③ 대통령선거의 선거기간은 후보자등록마감일의 다음 날부터 선거일까지이다.

④ 국회의원선거와 지방자치단체의 의회의원 및 장의 선거의 선거기간은 후보자등록마감일 전 6일부터 선거일까지이다.

정답 및 해설 I ④

④ [×] 후보자등록마감일 '전' 6일부터 선거일까지가 아닌, 후보자등록마감일 '후' 6일부터 선거일까지이다. / ③ [○]

> 공직선거법 제33조【선거기간】③ "선거기간"이란 다음 각 호의 기간을 말한다.
> 1. **대통령선거**: 후보자등록마감일의 다음 날부터 선거일까지
> 2. **국회의원선거와 지방자치단체의 의회의원 및 장의 선거**: 후보자등록마감일 후 6일부터 선거일까지

① [○]

> 공직선거법 제59조【선거운동기간】선거운동은 선거기간개시일부터 선거일 전일까지에 한하여 할 수 있다.

② [○]

> 공직선거법 제33조【선거기간】① 선거별 선거기간은 다음 각호와 같다.
> 1. 대통령선거는 23일
> 2. 국회의원선거와 지방자치단체의 의회의원 및 장의 선거는 14일

051 선거경비에 대한 설명으로 가장 적절하지 않은 것은? [2015 실무 1]

① 개표소 내에서는 무기나 흉기 또는 폭발물을 지닐 수 없으므로, 원조요구를 받은 경찰관은 절대 무기를 휴대할 수 없다.

② 투표함 운송경비는 선거관리위원회 직원과 합동으로 한다.

③ 개표소 경비 관련 3선 개념에 의하면 제1선은 개표소 내부, 제2선은 울타리 내곽, 제3선은 울타리 외곽으로 구분한다.

④ 선거경비는 후보자의 자유로운 선거운동과 민주적 절차에 의한 선거를 보장하는 데 역점을 둔다.

정답 및 해설 I ①

① [×] 공직선거법 제183조 제6항은 '제3항의 경우를 제외하고' 무기 등을 지닐 수 없다고 규정하고 있다. 따라서 제3항의 경우, 즉 선거관리위원회 위원장이나 위원의 원조요구에 따라 경찰이 투입되는 경우에는 무기 등을 휴대할 수도 있다.

> 공직선거법 제183조【개표소의 출입제한과 질서유지】③ 구·시·군선거관리위원회위원장이나 위원은 개표소의 질서가 심히 문란하여 공정한 개표가 진행될 수 없다고 인정하는 때에는 개표소의 질서유지를 위하여 정복을 한 경찰공무원 또는 경찰관서장에게 원조를 요구할 수 있다.
> ⑥ 제3항의 경우를 제외하고는 누구든지 개표소안에서 무기나 흉기 또는 폭발물을 지닐 수 없다.

② [○] 투표함 운송은 선거관리위원회 자체 경비가 원칙이나 정복 경찰공무원을 2인에 한하여 동반할 수 있다. 반면, 지문은 반드시 경찰이 동반하여야만 하는 것으로 읽힐 수 있어 논란이 있을 수 있으나, 실무적으로는 선거관리위원회와 경찰이 합동으로 운송하는 것이 일반적이며 확실히 틀린 지문은 ①이므로 옳은 지문으로 처리되었다.

> **공직선거법 제170조【투표함 등의 송부】** ② 제1항의 규정에 의하여 투표함을 송부하는 때에는 후보자별로 투표참관인 1인과 호송에 필요한 정복을 한 경찰공무원을 2인에 한하여 동반할 수 있다.

③ [○] 개표소 3선 경비의 구분에 관한 옳은 설명이다.

④ [○] 선거경비는 각종 선거시 후보자에 대한 완벽한 신변보호와 투 · 개표장에서의 선거와 관련한 폭력 · 난동 · 테러 등 선거방해 요소를 사전예방 · 제거함으로써 평온한 가운데 선거가 실시될 수 있도록 치안질서를 확립하는 것을 말하는 것으로서, 후보자의 자유로운 선거운동과 민주적 절차에 의한 선거를 보장하는 데 역점을 둔다.

052 선거경비에 대한 설명으로 가장 적절하지 않은 것은?

[2015 승진(경위)]

① 개표소 경비 관련 3선 개념에 의하면 제1선은 개표소 내부, 제2선은 울타리 내곽, 제3선은 울타리 외곽으로 구분한다.

② 제1선 개표소 내부에서 질서문란행위가 발생한 경우 선거관리위원회 위원장 또는 선거관리위원회 위원의 요청이 없더라도 경찰 자체판단으로 경찰력을 투입하여야 한다.

③ 제3선 울타리 외곽은 검문조 · 순찰조를 운영하여 위해(危害) 기도자 접근을 차단한다.

④ 개표소별로 충분한 예비대를 확보 · 운영한다.

정답 및 해설 I ②

② [×] **개표소 내부(제1선)** 경비의 경우 경찰 자체판단으로 경찰력을 투입할 수는 없고 선거관리위원회 위원장 · 위원의 요청이 있는 경우에만 정복경찰관을 투입하는 것이 가능하다.

① [○] 개표소 3선 경비의 구분에 관한 옳은 설명이다.

③ [○] **울타리 외곽(제3선)** 경비에 관한 옳은 설명이다.

④ [○] 경찰은 우발사태에 대비하여 개표소별로 예비대를 확보하고 소방 · 전력 등 관계요원을 대기시켜 자가발전시설이나 예비조명기구를 확보하여 화재 · 정전사고 등에 대비한다.

053 선거경비와 관련된 설명으로 가장 적절한 것은?

[2017 실무 1]

① 대통령선거, 국회의원선거, 지방선거 모두 선거일 06:00부터 개표 종료시까지 을호비상이 원칙이다.

② 대통령선거, 국회의원선거, 지방선거에 있어서 선거운동기간은 후보자등록 마감일의 다음 날부터 선거일 전일까지 한하여 할 수 있다.

③ 투표소경비는 위해를 차단하기 위한 예방으로 무장 정복경찰 2명을 고정배치한다.

④ 개표소 경비 관련 3선 개념에 의하면 제1선은 개표소 내부, 제2선은 울타리 내곽, 제3선은 울타리 외곽으로 구분한다.

정답 및 해설 I ④

④ [○] 개표소 3선 경비의 구분에 관한 옳은 설명이다.

① [×] 선거일 당일의 06시부터 개표 종료시까지는 '갑호비상'상태를 유지한다.

② [×] 대통령선거의 경우에는 옳은 설명이나, 국회의원선거와 지방선거의 경우에는 '후보자등록 마감일 후 6일부터 선거일 전일'까지이다.

> **공직선거법 제59조【선거운동기간】** 선거운동은 선거기간개시일부터 선거일 전일까지에 한하여 할 수 있다.
>
> **공직선거법 제33조【선거기간】** ③ "선거기간"이란 다음 각 호의 기간을 말한다.
>
> 1. **대통령선거**: 후보자등록마감일의 다음 날부터 선거일까지
> 2. **국회의원선거와 지방자치단체의 의회의원 및 장의 선거**: 후보자등록마감일 후 6일부터 선거일까지

③ [×] 고정배치가 아니라 투표관리관 또는 투표사무원의 원조요청이 있는 경우 배치된다.

> **공직선거법 제164조【투표소 등의 질서유지】** ① 투표관리관 또는 투표사무원은 투표소의 질서가 심히 문란하여 공정한 투표가 실시될 수 없다고 인정하는 때에는 투표소의 질서를 유지하기 위하여 정복을 한 경찰공무원 또는 경찰관서장에게 원조를 요구할 수 있다.
>
> ② 제1항의 규정에 의하여 원조요구를 받은 경찰공무원 또는 경찰관서장은 즉시 이에 따라야 한다.
>
> ③ 제1항의 요구에 의하여 투표소안에 들어간 경찰공무원 또는 경찰관서장은 투표관리관의 지시를 받아야 하며, 질서가 회복되거나 투표관리관의 요구가 있는 때에는 즉시 투표소안에서 퇴거하여야 한다.

054 선거경비 중 개표소경비에 대한 설명으로 가장 적절하지 않은 것은? [2014 실무 1]

① 제1선(개표소 내부)은 선거관리위원회 위원장의 책임하에 질서를 유지한다. 개표소 내부에 질서문란행위가 발생한 경우 선거관리위원회 위원장 또는 선거관리위원의 요청이 있는 경우에만 경찰력을 투입하고 개표소 내부의 질서가 회복되거나 선거관리위원회 위원장의 요구가 있을 때는 퇴거한다.

② 제2선(울타리 내곽)은 경찰이 단독으로 출입자를 통제하며 2선의 출입문은 되도록 정문만을 사용하고 기타 출입문은 시정한다.

③ 제3선(울타리 외곽)은 검문조 · 순찰조를 운영하여 위해 기도자 접근을 차단한다.

④ 선거관리위원회와 협조하여 경찰에서 보안안전팀을 운영함으로써 개표소 내 · 외곽에 대한 사전 안전검측을 실시, 안전을 유지하고 채증요원을 배치하여 운용한다.

정답 및 해설 I ②

② [×] **울타리 내곽(제2선)**은 선거관리위원회 직원과 **합동으로 출입자를 통제**하며, 2선(울타리 내곽) 출입문은 되도록 정문만 사용하고 기타 출입문은 시정한다.

① [○] **개표소 내부(제1선)**는 선거관리위원회 **위원장의 책임하**에 개표 당일 내부 질서를 유지하고, 사태발생시 개표소 내부에는 선거관리위원회 위원장 · 위원의 요청이 있는 경우에만 **정복경찰관 투입**이 가능하다. 원조요구를 받은 경찰관은 **위원장의 지시**를 받아야 하고, 질서가 회복된 경우 또는 위원장의 퇴거요구가 있는 경우 즉시 **퇴거**하여야 한다.

③ [○] **울타리 외곽(제3선)**은 검문조 · 순찰조를 운용하여 위해 기도자 접근을 차단한다.

④ [○] 경찰은 우발사태에 대비하여 개표소별로 예비대를 확보하고 소방 · 전력 등 관계요원을 대기시켜 자가발전시설이나 예비조명 기구를 확보하여 화재 · 정전사고 등에 대비하며, 선거관리위원회와 협조하여 경찰에서 보안안전팀을 운영함으로써 개표소 내 · 외곽에 대한 사전 안전검측을 실시, 안전을 유지하고 채증요원을 배치하여 운용한다.

055 선거경비에 대한 설명으로 가장 적절하지 않은 것은? [2022 승진]

① 개표소 경비에 대한 3선 개념 중 제3선은 울타리 외곽으로, 검문조 · 순찰조를 운영하여 위해 기도자의 접근을 차단한다.

② 「공직선거법」상 구 · 시 · 군선거관리위원회위원장이나 위원이 개표소의 질서유지를 위하여 정복을 한 경찰공무원 또는 경찰관서장에게 원조를 요구할 수 있으며, 이와 같은 요구에 의해 개표소 안에 들어간 경찰공무원 또는 경찰관서장은 질서가 회복되거나 위원장의 요구시 개표소에서 퇴거할 수 있다.

③ 「공직선거법」상 투표소 안에서 또는 투표소로부터 100미터 안에서 소란한 언동을 하거나 특정 정당이나 후보자를 지지 또는 반대하는 언동을 하는 자가 있는 때에는 투표관리관 또는 투표사무원은 이를 제지하고, 그 명령에 불응하는 때에는 투표소 또는 그 제한거리 밖으로 퇴거하게 할 수 있다.

④ 「공직선거법」상 투표관리관 또는 투표사무원은 투표소의 질서가 심히 문란하여 공정한 투표가 실시될 수 없다고 인정하는 때에는 투표소의 질서를 유지하기 위하여 정복을 한 경찰공무원 또는 경찰관서장에게 원조를 요구할 수 있다.

정답 및 해설 I ②

② [×] 위원장의 요구시 개표소에서 퇴거하여야 한다.

> **공직선거법 제183조 【개표소의 출입제한과 질서유지】** ③ 구 · 시 · 군선거관리위원회위원장이나 위원은 개표소의 질서가 심히 문란하여 공정한 개표가 진행될 수 없다고 인정하는 때에는 개표소의 질서유지를 위하여 정복을 한 경찰공무원 또는 경찰관서장에게 원조를 요구할 수 있다.
> ⑤ 제3항의 요구에 의하여 개표소 안에 들어간 경찰공무원 또는 경찰관서장은 구 · 시 · 군선거관리위원회위원장의 지시를 받아야 하며, 질서가 회복되거나 위원장의 요구가 있는 때에는 즉시 개표소에서 퇴거하여야 한다.

① [○] **울타리 외곽(제3선)**은 검문조 · 순찰조를 운용하여 위해 기도자 접근을 차단한다.

③ [○]

> **공직선거법 제166조 【투표소내외에서의 소란언동금지 등】** ① 투표소 안에서 또는 투표소로부터 100미터 안에서 소란한 언동을 하거나 특정 정당이나 후보자를 지지 또는 반대하는 언동을 하는 자가 있는 때에는 투표관리관 또는 투표사무원은 이를 제지하고, 그 명령에 불응하는 때에는 투표소 또는 그 제한거리 밖으로 퇴거하게 할 수 있다. 이 경우 투표관리관 또는 투표사무원은 필요하다고 인정하는 때에는 정복을 한 경찰공무원 또는 경찰관서장에게 원조를 요구할 수 있다.

④ [○]

> **공직선거법 제164조 【투표소 등의 질서유지】** ① 투표관리관 또는 투표사무원은 투표소의 질서가 심히 문란하여 공정한 투표가 실시될 수 없다고 인정하는 때에는 투표소의 질서를 유지하기 위하여 정복을 한 경찰공무원 또는 경찰관서장에게 원조를 요구할 수 있다.
> ② 제1항의 규정에 의하여 원조요구를 받은 경찰공무원 또는 경찰관서장은 즉시 이에 따라야 한다.
> ③ 제1항의 요구에 의하여 투표소안에 들어간 경찰공무원 또는 경찰관서장은 투표관리관의 지시를 받아야 하며, 질서가 회복되거나 투표관리관의 요구가 있는 때에는 즉시 투표소안에서 퇴거하여야 한다.

056 A경찰서 경비계장은 지방선거를 앞두고 개표소 경비대책을 수립하였다. ㉠부터 ㉣까지의 내용 중 적절하지 않은 것을 모두 고른 것은? [2018 승진(경감)]

> ㉠ 제1선(개표소 내부)은 선거관리위원회 위원장의 책임하에 질서를 유지한다.
> ㉡ 「공직선거법」상 누구든지 개표소 안에서 무기 등을 지닐 수 없으므로 선거관리위원회 위원장의 원조요구가 있더라도 개표소 안으로 투입되는 경찰관에게 무기를 휴대할 수 없도록 한다.
> ㉢ 제2선(울타리 내곽)에서는 선거관리위원회와 합동으로 출입자를 통제하며, 2선의 출입문은 수개로 하는 것이 원칙이므로 정문과 후문을 개방한다.
> ㉣ 우발사태에 대비하여 개표소별로 예비대를 확보하고 소방 · 한전 등 관계요원을 대기시켜 자가발전시설이나 예비조명기구를 확보하여 화재 · 정전사고 등에 대비한다.

① ㉠, ㉡
② ㉠, ㉢
③ ㉡, ㉢
④ ㉢, ㉣

정답 및 해설 I ③

㉠ [○] **개표소 내부(제1선)**: 선거관리위원회 위원장의 책임하에 개표 당일 내부 질서를 유지하고, 사태발생시 개표소 내부에는 선거관리위원회 위원장 · 위원의 요청이 있는 경우에만 정복경찰관 투입이 가능하다.

㉡ [×] 공직선거법 제183조 제6항은 '제3항의 경우를 제외하고' 무기 등을 지닐 수 없다고 규정하고 있다. 제3항의 경우, 즉 선거관리위원회 위원장이나 위원의 원조요구에 따라 경찰이 투입되는 경우에는 무기 등을 휴대할 수도 있다.

> 공직선거법 제183조 【개표소의 출입제한과 질서유지】 ③ 구 · 시 · 군선거관리위원회위원장이나 위원은 개표소의 질서가 심히 문란하여 공정한 개표가 진행될 수 없다고 인정하는 때에는 개표소의 질서유지를 위하여 정복을 한 경찰공무원 또는 경찰관서장에게 원조를 요구할 수 있다.
> ⑥ 제3항의 경우를 제외하고는 누구든지 개표소안에서 무기나 흉기 또는 폭발물을 지닐 수 없다.

㉢ [×] **울타리 내곽(제2선)**: 선거관리위원회 직원과 합동으로 출입자를 통제하며, 2선(울타리 내곽) 출입문은 되도록 정문만 사용하고 기타 출입문은 시정한다.

㉣ [○] 경찰은 우발사태에 대비하여 개표소별로 예비대를 확보하고 소방 · 전력 등 관계요원을 대기시켜 자가발전시설이나 예비조명기구를 확보하여 화재 · 정전사고 등에 대비하며, 선거관리위원회와 협조하여 경찰에서 보안안전팀을 운영함으로써 개표소 내 · 외곽에 대한 사전 안전검측을 실시, 안전을 유지하고 채증요원을 배치하여 운용한다.

주제 6 재난경비

057 「재난 및 안전관리 기본법」에 관한 설명으로 가장 적절하지 않은 것은? [2023 채용 1차]

① "재난"이란 국민의 생명 · 신체 · 재산과 국가에 피해를 주거나 줄 수 있는 것으로서 사회재난과 자연재난으로 구분한다.

② "재난관리"란 재난의 예방 · 대비 · 대응 및 복구를 위하여 하는 모든 활동을 말한다.

③ 경찰청장은 국가 및 지방자치단체가 행하는 재난 및 안전관리업무를 총괄 · 조정한다.

④ 대통령령으로 정하는 대규모 재난의 대응 · 복구 등에 관한 사항을 총괄 · 조정하고, 필요한 조치를 하기 위하여 행정안전부에 중앙재난안전대책본부를 둔다.

정답 및 해설 I ③

③ [×] 재난 및 안전관리의 총괄 · 조정기관은 경찰청장이 아닌 행정안전부장관이다.

> **재난 및 안전관리 기본법 제6조【재난 및 안전관리 업무의 총괄 · 조정】** 행정안전부장관은 국가 및 지방자치단체가 행하는 재난 및 안전관리 업무를 총괄 · 조정한다.

① [○]

> **재난 및 안전관리 기본법 제3조【정의】** 이 법에서 사용하는 용어의 뜻은 다음과 같다.
> 1. "재난"이란 국민의 생명 · 신체 · 재산과 국가에 피해를 주거나 줄 수 있는 것으로서 다음 각 목의 것을 말한다.
>   가. **자연재난**: 태풍, 홍수, 호우, 강풍, 풍랑, 해일, 대설, 한파, 낙뢰, 가뭄, 폭염, 지진, 황사, 조류 대발생, 조수, 화산활동, 「우주개발 진흥법」에 따른 자연우주물체의 추락 · 충돌, 그 밖에 이에 준하는 자연현상으로 인하여 발생하는 재해
>   나. **사회재난**: 화재 · 붕괴 · 폭발 · 교통사고(항공사고 및 해상사고를 포함한다) · 화생방사고 · 환경오염사고 · 다중운집인파사고 등으로 인하여 발생하는 대통령령으로 정하는 규모 이상의 피해와 국가핵심기반의 마비, 「감염병의 예방 및 관리에 관한 법률」에 따른 감염병 또는 「가축전염병예방법」에 따른 가축전염병의 확산, 「미세먼지 저감 및 관리에 관한 특별법」에 따른 미세먼지, 「우주개발 진흥법」에 따른 인공우주물체의 추락 · 충돌 등으로 인한 피해

② [○]

> **재난 및 안전관리 기본법 제3조【정의】** 이 법에서 사용하는 용어의 뜻은 다음과 같다.
> 3. "**재난관리**"란 재난의 예방 · 대비 · 대응 및 복구를 위하여 하는 모든 활동을 말한다.

④ [○]

> **재난 및 안전관리 기본법 제14조【중앙재난안전대책본부 등】** ① 대통령령으로 정하는 대규모 재난(이하 "대규모재난"이라 한다)의 대응 · 복구(이하 "수습"이라 한다) 등에 관한 사항을 총괄 · 조정하고 필요한 조치를 하기 위하여 행정안전부에 중앙재난안전대책본부(이하 "중앙대책본부"라 한다)를 둔다. 항을 총괄·조정하고 필요한 조치를 하기 위하여 행정안전부에 중앙재난안전대책본부(이하 "중앙대책본부"라 한다)를 둔다.

058 「재난 및 안전관리 기본법」에 대한 설명으로 가장 적절한 것은? [2020 채용 2차]

① '재난'이란 국민의 생명 · 신체 · 재산과 국가에 피해를 주거나 줄 수 있는 것으로서 자연재난과 인적 재난으로 구분된다.

② '재난관리'란 재난의 예방 · 대응 · 복구 및 평가를 위하여 하는 모든 활동을 말한다.

③ 「재난 및 안전관리 기본법」상 대통령령으로 정하는 대규모 재난의 대응 · 복구 등에 관한 사항을 총괄 · 조정하고 필요한 조치를 하기 위하여 국무조정실에 중앙재난안전대책본부를 둔다.

④ 해외재난의 경우 외교부장관이 중앙대책본부장의 권한을 행사한다.

정답 및 해설 | ④

④ [○]

> 재난 및 안전관리 기본법 제14조 【중앙재난안전대책본부 등】 ③ 중앙대책본부의 본부장(이하 "중앙대책본부장"이라 한다)은 행정안전부장관이 되며, 중앙대책본부장은 중앙대책본부의 업무를 총괄하고 필요하다고 인정하면 중앙재난안전대책본부회의를 소집할 수 있다. 다만, 해외재난의 경우에는 외교부장관이, 「원자력시설 등의 방호 및 방사능 방재대책법」 제2조 제1항 제8호에 따른 방사능재난의 경우에는 같은 법 제25조에 따른 중앙방사능방재대책본부의 장이 각각 중앙대책본부장의 권한을 행사한다.

① [×] 자연재난과 사회재난으로 구분된다.

> 재난 및 안전관리 기본법 제3조 【정의】 이 법에서 사용하는 용어의 뜻은 다음과 같다.
> 1. "재난"이란 국민의 생명 · 신체 · 재산과 국가에 피해를 주거나 줄 수 있는 것으로서 다음 각 목의 것을 말한다.
> 가. 자연재난: 태풍, 홍수, 호우, 강풍, 풍랑, 해일, 대설, 한파, 낙뢰, 가뭄, 폭염, 지진, 황사, 조류 대발생, 조수, 화산활동, 「우주개발 진흥법」에 따른 자연우주물체의 추락 · 충돌, 그 밖에 이에 준하는 자연현상으로 인하여 발생하는 재해
> 나. 사회재난: 화재 · 붕괴 · 폭발 · 교통사고(항공사고 및 해상사고를 포함한다) · 화생방사고 · 환경오염사고 · 다중운집인파사고 등으로 인하여 발생하는 대통령령으로 정하는 규모 이상의 피해와 국가핵심기반의 마비, 「감염병의 예방 및 관리에 관한 법률」에 따른 감염병 또는 「가축전염병예방법」에 따른 가축전염병의 확산, 「미세먼지 저감 및 관리에 관한 특별법」에 따른 미세먼지, 「우주개발 진흥법」에 따른 인공우주물체의 추락 · 충돌 등으로 인한 피해관한 특별법」에 따른 미세먼지, 「우주개발 진흥법」에 따른 인공우주물체의 추락 · 충돌 등으로 인한 피해

② [×] 재난관리에 '평가'는 포함되지 않는다.

> 재난 및 안전관리 기본법 제3조 【정의】 이 법에서 사용하는 용어의 뜻은 다음과 같다.
> 3. "재난관리"란 재난의 예방 · 대비 · 대응 및 복구를 위하여 하는 모든 활동을 말한다.

③ [×] 행정안전부에 둔다.

> 재난 및 안전관리 기본법 제14조 【중앙재난안전대책본부 등】 ① 대통령령으로 정하는 대규모 재난(이하 "대규모재난"이라 한다)의 대응 · 복구(이하 "수습"이라 한다) 등에 관한 사항을 총괄 · 조정하고 필요한 조치를 하기 위하여 행정안전부에 중앙재난안전대책본부(이하 "중앙대책본부"라 한다)를 둔다.

059 「재난 및 안전관리 기본법」에 관한 설명으로 가장 적절하지 않은 것은? [2024 승진]

① 특별재난지역의 선포는 재난관리 체계상 대응단계에 해당한다.

② 행정안전부장관은 국가 및 지방자치단체가 행하는 재난 및 안전관리 업무를 총괄 · 조정한다.

③ '재난관리'란 재난의 예방 · 대비 · 대응 및 복구를 위하여 하는 모든 활동을 말한다.

④ '재난'이란 국민의 생명 · 신체 · 재산과 국가에 피해를 주거나 줄 수있는 것이며, 화재 · 붕괴 · 폭발 · 교통사고는 '사회재난'으로 구분한다.

정답 및 해설 | ①

① [×] 특별재난지역 선포는 복구단계의 활동이고, 재난사태의 선포는 대응단계의 활동이다.

② [○]

> 재난안전법 제6조 【재난 및 안전관리 업무의 총괄 · 조정】 행정안전부장관은 국가 및 지방자치단체가 행하는 재난 및 안전관리 업무를 총괄 · 조정한다.

③④ [○]

> **재난안전법 제3조【정의】** 이 법에서 사용하는 용어의 뜻은 다음과 같다.
> 1. "**재난**"이란 국민의 생명 · 신체 · 재산과 국가에 피해를 주거나 줄 수 있는 것으로서 다음 각 목의 것을 말한다.
>   가. **자연재난**: 태풍, 홍수, 호우(豪雨), 강풍, 풍랑, 해일(海溢), 대설, 한파, 낙뢰, 가뭄, 폭염, 지진, 황사(黃砂), 조류(藻類) 대발생, 조수(潮水), 화산활동, 소행성 · 유성체 등 자연우주물체의 추락 · 충돌, 그 밖에 이에 준하는 자연현상으로 인하여 발생하는 재해
>   나. **사회재난**: 화재 · 붕괴 · 폭발 · **교통사고**(항공사고 및 해상사고를 포함한다) · 화생방사고 · 환경오염사고 · 다중운집인파사고 등으로 인하여 발생하는 대통령령으로 정하는 규모 이상의 피해와 국가핵심기반의 마비, 「감염병의 예방 및 관리에 관한 법률」에 따른 **감염병** 또는 「가축전염병예방법」에 따른 가축전염병의 확산, 「미세먼지 저감 및 관리에 관한 특별법」에 따른 **미세먼지**, 「우주개발 진흥법」에 따른 인공우주물체의 추락 · 충돌 등으로 인한 피해
> 3. "**재난관리**"란 재난의 **예방 · 대비 · 대응** 및 **복구**를 위하여 하는 모든 활동을 말한다.

060 「재난 및 안전관리 기본법」에 대한 설명으로 가장 적절한 것은? [2023 경간]

① 재난관리란 재난이나 그 밖의 각종 사고로부터 사람의 생명 · 신체 및 재산의 안전을 확보하기 위하여 하는 모든 활동을 말한다.

② 시장 · 군수 · 구청장과 지역통제단장(대통령령으로 정하는 권한을 행사하는 경우에만 해당한다)은 재난이 발생하거나 발생할 우려가 있는 경우에 사람의 생명 또는 신체나 재산에 대한 위해를 방지하기 위하여 필요하면 해당 지역 주민이나 그 지역 안에 있는 사람에게 대피하도록 명하거나 선박 · 자동차 등을 그 소유자 · 관리자 또는 점유자에게 대피시킬 것을 명할 수 있다. 이 경우 미리 대피장소를 지정할 수 있다.

③ 긴급구조기관이란 경찰청, 시 · 도경찰청 및 경찰서를 말한다. 다만, 해양에서 발생한 재난의 경우에는 해양경찰청 · 지방해양경찰청 및 해양경찰서를 말한다.

④ 국무총리는 대통령령으로 정하는 재난이 발생하거나 발생할 우려가 있는 경우 사람의 생명 · 신체 및 재산에 미치는 중대한 영향이나 피해를 줄이기 위하여 긴급한 조치가 필요하다고 인정하면 중앙안전관리위원회의 심의를 거쳐 재난사태를 선포할 수 있다. 다만, 국무총리는 재난상황이 긴급하여 중앙안전관리위원회의 심의를 거칠 시간적 여유가 없다고 인정하는 경우에는 중앙안전관리위원회의 심의를 거치지 아니하고 재난사태를 선포할 수 있다.

정답 및 해설 | ②

② [○]

> **재난안전법 제40조【대피명령】** ① 시장 · 군수 · 구청장과 지역통제단장(대통령령으로 정하는 권한을 행사하는 경우에만 해당한다. 이하 이 조에서 같다)은 재난이 발생하거나 발생할 우려가 있는 경우에 사람의 생명 또는 신체나 재산에 대한 위해를 방지하기 위하여 필요하면 해당 지역 주민이나 그 지역 안에 있는 사람에게 대피하도록 명하거나 선박 · 자동차 등을 그 소유자 · 관리자 또는 점유자에게 대피시킬 것을 명할 수 있다. 이 경우 미리 대피장소를 지정할 수 있다

① [×] 안전관리에 대한 설명이다.

> **재난안전법 제3조【정의】** 이 법에서 사용하는 용어의 뜻은 다음과 같다.
> 3. "**재난관리**"란 재난의 예방 · 대비 · 대응 및 복구를 위하여 하는 모든 활동을 말한다.
> 4. "**안전관리**"란 재난이나 그 밖의 각종 사고로부터 사람의 생명 · 신체 및 재산의 안전을 확보하기 위하여 하는 모든 활동을 말한다.

③ [×] 긴급구조기관이란 **소방청 · 소방본부 및 소방서를 말한다.**

> **재난안전법 제3조【정의】** 이 법에서 사용하는 용어의 뜻은 다음과 같다.
> 7. "**긴급구조기관**"이란 소방청 · 소방본부 및 소방서를 말한다. 다만, 해양에서 발생한 재난의 경우에는 해양경찰청 · 지방해양경찰청 및 해양경찰서를 말한다.

④ [×] 재난사태 선포권자는 **행정안전부장관이다.**

> **재난안전법 제36조【재난사태 선포】** ① 행정안전부장관은 대통령령으로 정하는 재난이 발생하거나 발생할 우려가 있는 경우 사람의 생명 · 신체 및 재산에 미치는 중대한 영향이나 피해를 줄이기 위하여 긴급한 조치가 필요하다고 인정하면 중앙위원회의 심의를 거쳐 재난사태를 선포할 수 있다. 다만, 행정안전부장관은 재난상황이 긴급하여 중앙위원회의 심의를 거칠 시간적 여유가 없다고 인정하는 경우에는 중앙위원회의 심의를 거치지 아니하고 재난사태를 선포할 수 있다.

061 「재난 및 안전관리 기본법」상 중앙재난안전대책본부(이하 '중앙대책본부'라 한다)에 대한 설명으로 가장 적절한 것은?

[2018 경채]

① 행정안전부령으로 정하는 대규모 재난의 대응 · 복구 등에 관한 사항을 총괄 · 조정하고 필요한 조치를 하기 위하여 행정안전부에 중앙대책본부를 둔다.

② 중앙대책본부의 본부장은 대통령이 되며, 중앙대책본부장은 필요하다고 인정하면 중앙대책본부회의를 소집할 수 있다.

③ 예외적으로 해외재난의 경우 법무부장관이 중앙대책본부장의 권한을 행사한다.

④ 재난의 효과적인 수습을 위하여 국무총리가 범정부적 차원의 통합 대응이 필요하다고 인정하는 경우에는 국무총리가 중앙대책본부장의 권한을 행사할 수 있다.

정답 및 해설 | ④

④ [○]

> **재난 및 안전관리 기본법 제14조【중앙재난안전대책본부 등】** ④ 제3항에도 불구하고 재난의 효과적인 수습을 위하여 다음 각 호의 어느 하나에 해당하는 경우에는 국무총리가 중앙대책본부장의 권한을 행사할 수 있다. 이 경우 행정안전부장관, 외교부장관(해외재난의 경우에 한정한다) 또는 원자력안전위원회 위원장(방사능 재난의 경우에 한정한다)이 차장이 된다.
> 1. 국무총리가 범정부적 차원의 통합 대응이 필요하다고 인정하는 경우
> 2. 행정안전부장관이 국무총리에게 건의하거나 제15조의2 제2항에 따른 수습본부장의 요청을 받아 행정안전부장관이 국무총리에게 건의하는 경우

① [×] 행정안전부령이 아닌 대통령령으로 정하는 대규모 재난이다.

> **재난 및 안전관리 기본법 제14조【중앙재난안전대책본부 등】** ① 대통령령으로 정하는 대규모 재난(이하 "대규모재난"이라 한다)의 대응 · 복구(이하 "수습"이라 한다) 등에 관한 사항을 총괄 · 조정하고 필요한 조치를 하기 위하여 행정안전부에 중앙재난안전대책본부(이하 "중앙대책본부"라 한다)를 둔다.

②③ [×] 중앙대책본부의 본부장은 행정안전부장관이 되고, 해외재난의 경우 외교부장관이 권한을 행사한다.

> **재난 및 안전관리 기본법 제14조【중앙재난안전대책본부 등】** ③ 중앙대책본부의 본부장(이하 "중앙대책본부장"이라 한다)은 행정안전부장관이 되며, 중앙대책본부장은 중앙대책본부의 업무를 총괄하고 필요하다고 인정하면 중앙재난안전대책본부회의를 소집할 수 있다. 다만, 해외재난의 경우에는 외교부장관이, 「원자력시설 등의 방호 및 방사능 방재 대책법」 제2조 제1항 제8호에 따른 방사능재난의 경우에는 같은 법 제25조에 따른 중앙방사능방재대책본부의 장이 각각 중앙대책본부장의 권한을 행사한다.

062 재난상황실의 설치 및 운용에 관한 설명으로 가장 적절하지 않은 것은? [2015 승진(경위)]

① 재난은 발생 가능 정도에 따라 관심 · 주의 · 경계 · 심각 4단계로 구분하여 관리한다.

② 치안상황관리관은 재난이 발생하였거나 재난이 발생할 우려가 있는 경우에는 위기관리센터 또는 치안종합상황실에 재난상황실을 설치 · 운영할 수 있다. 다만, '심각' 단계의 위기경보가 발령된 경우에는 재난상황실을 설치 · 운영하여야 한다.

③ 주의단계는 전국적 기상특보 발령 등 재난발생 징후의 활동이 비교적 활발하여 재난으로 발전할 수 있는 일정수준의 경향이 나타나는 상태를 말한다.

④ 관심단계는 재난이 발생하였거나 재난의 발생이 확실시되는 상태를 말한다.

정답 및 해설 I ④

④ [×] 관심단계는 활동수준이 낮고 국가위기 발전가능성도 비교적 낮은 상태를 말한다. / ①③ [○]

☑ 위기경보 4단계

- **관심**(Blue): 징후가 있으나 그 활동수준이 낮으며 가까운 기간 내에 국가 위기로 발전할 가능성도 비교적 낮은 상태
- **주의**(Yellow): 징후활동이 비교적 활발하고 국가 위기로 발전할 수 있는 일정수준의 경향성이 나타나는 상태
- **경계**(Orange): 징후활동이 매우 활발하고 전개속도, 경향성 등이 현저한 수준으로서 국가위기로의 발전가능성이 농후한 상태
- **심각**(Red): 징후 활동이 매우 활발하고 전개속도, 경향성 등이 심각한 수준으로서 위기발생이 확실시되는 상태

② [○]

훈령 **경찰 재난관리 규칙 제4조【경찰청 재난상황실의 설치】** 치안상황관리관은 재난이 발생하였거나 재난이 발생할 우려가 있는 경우에는 위기관리센터 또는 치안종합상황실에 재난상황실을 설치 · 운영할 수 있다. 다만, 제11조의 재난대책본부가 설치되었거나 「재난 및 안전관리 기본법」(이하 "법"이라 한다) 제38조에 따라 '심각' 단계의 위기경보가 발령된 경우에는 재난상황실을 설치 · 운영하여야 한다.

063 「경찰 재난관리 규칙」에 대한 설명으로 가장 적절하지 않은 것은? [2017 승진(경위)]

① 재난의 발생 가능 정도에 따라 재난관리 단계를 4단계로 구분하여 관리하되, 치안상황관리관은 재난이 발생하였거나 재난이 발생할 우려가 있는 경우에는 위기관리센터 또는 치안종합상황실에 재난상황실을 설치 · 운영할 수 있다. 다만, 재난대책본부가 설치되었거나 '심각' 단계의 위기경보가 발령된 경우에는 재난상황실을 설치 · 운영하여야 한다.

② '주의단계'는 일부지역 기상특보 발령 등 재난발생 징후와 관련된 현상이 나타나고 있으나 그 활동수준이 낮아서 재난으로 발전할 가능성이 적은 상태를 말한다.

③ '경계단계'는 전국적 기상특보 발령 등 재난발생 징후의 활동이 활발하여 재난으로 발전할 가능성이 농후한 상태를 말한다.

④ '심각단계'는 재난이 발생하였거나 재난의 발생이 확실시되는 상태를 말한다.

정답 및 해설 | ②

② [×] **주의**(Yellow): 징후활동이 비교적 활발하고 국가 위기로 발전할 수 있는 일정수준의 경향성이 나타나는 상태를 말한다. 지문은 **관심**(Blue) 단계에 대한 설명이다.

① [○]

> **훈령** **경찰 재난관리 규칙 제4조【경찰청 재난상황실의 설치】** 치안상황관리관은 재난이 발생하였거나 재난이 발생할 우려가 있는 경우에는 위기관리센터 또는 치안종합상황실에 재난상황실을 설치 · 운영할 수 있다. 다만, 제11조의 재난대책본부가 설치되었거나 「재난 및 안전관리 기본법」(이하 "법"이라 한다) 제38조에 따라 '심각' 단계의 위기경보가 발령된 경우에는 재난상황실을 설치 · 운영하여야 한다.

064 「경찰 재난관리 규칙」에 대한 설명으로 가장 적절한 것은? [2019 승진(경감)]

① 경찰관 · 경찰관서의 피해 예방 및 피해 발생시 대응 · 복구는 경비국의 업무이다.

② 재난의 발생 가능 정도에 따라 재난관리 단계를 관심단계 · 주의단계 · 경계단계 · 심각단계로 구분하여 관리하며, 경계단계부터는 반드시 재난상황실을 설치 · 운영한다.

③ 치안상황관리관은 재난이 발생하였거나 재난이 발생할 우려가 있는 경우에는 위기관리센터 또는 치안종합상황실에 재난상황실을 설치 · 운영할 수 있다.

④ '주의단계'는 전국적 기상특보 발령 등 재난발생 징후의 활동이 활발하여 재난으로 발전할 가능성이 농후한 상태를 말한다.

정답 및 해설 | ③

③ [○] ② [×] 경계가 아니라 심각단계부터 반드시 설치 · 운영하여야 한다.

> **훈령** **경찰 재난관리 규칙 제4조【경찰청 재난상황실의 설치】** 치안상황관리관은 재난이 발생하였거나 재난이 발생할 우려가 있는 경우에는 위기관리센터 또는 치안종합상황실에 재난상황실을 설치 · 운영할 수 있다. 다만, 제11조의 재난대책본부가 설치되었거나 「재난 및 안전관리 기본법」(이하 "법"이라 한다) 제38조에 따라 '심각' 단계의 위기경보가 발령된 경우에는 재난상황실을 설치 · 운영하여야 한다.

① [×] 이는 경무인사기획관의 임무이다. 경비국의 임무는 재난관리를 위한 경찰부대 및 장비의 동원, 재난관리 필수시설의 안전관리이다.

④ [×] **주의**(Yellow): 징후활동이 비교적 활발하고 국가 위기로 발전할 수 있는 일정수준의 경향성이 나타나는 상태를 말한다. 지문은 경계단계에 대한 설명이다.

065 재난 및 대테러경비활동에 대한 설명으로 가장 적절하지 않은 것은? [2022 승진]

① 「재난 및 안전관리 기본법」상 '재난'은 '자연재난'과 '사회재난'으로 구분된다.

② 「테러취약시설 안전활동에 관한 규칙」상 C급 다중이용건축물 등은 테러에 의하여 파괴되거나 기능 마비시 제한된 지역에서 단기간 대테러진압작전이 요구되고, 국민생활에 상당한 영향을 미칠 수 있는 건축물 또는 시설을 말한다.

③ 「국민보호와 공공안전을 위한 테러방지법」상 '테러위험인물'이란 테러단체의 조직원이거나 테러단체 선전, 테러자금 모금 · 기부, 그 밖에 테러 예비 · 음모 · 선전 · 선동을 하였거나 하였다고 의심할 상당한 이유가 있는 사람을 말한다.

④ 「경찰 재난관리 규칙」상 시 · 도경찰청 등의 장은 관할 지역 내에서 재난이 발생하였거나 발생할 우려가 있는 경우 재난상황실을 설치 · 운영할 수 있으나, 시 · 도경찰청 등에 재난대책본부가 설치되었거나, 「재난 및 안전관리 기본법」상 '경계' 단계의 위기경보가 발령된 경우에는 재난상황실을 설치 · 운영하여야 한다.

정답 및 해설 | ④

④ [×] '경계' 단계가 아닌 '심각' 단계의 위기경보가 발령된 경우에는 재난상황실을 설치 · 운영하여야 한다.

> 훈령 **경찰 재난관리 규칙 제9조【시 · 도경찰청 등 재난상황실 설치 및 운영】** ① 시 · 도경찰청 등의 장은 관할 지역 내에서 재난이 발생하였거나 발생할 우려가 있는 경우 **재난상황실을** 설치 · 운영할 수 있다. 다만, 시 · 도경찰청 등에 **재난대책본부가 설치되었거나**, 법 제38조에 따라 **'심각' 단계의 위기경보가 발령된** 경우에는 재난상황실을 설치 · 운영하여야 한다.

① [○]

> **재난 및 안전관리 기본법 제3조【정의】** 이 법에서 사용하는 용어의 뜻은 다음과 같다.
> 1. **"재난"**이란 국민의 생명 · 신체 · 재산과 국가에 피해를 주거나 줄 수 있는 것으로서 다음 각 목의 것을 말한다.
>   가. **자연재난**: 태풍, 홍수, 호우, 강풍, 풍랑, 해일, 대설, 한파, 낙뢰, 가뭄, 폭염, 지진, 황사, 조류 대발생, 조수, 화산활동, 소행성·유성체 등 자연우주물체의 추락·충돌, 그 밖에 이에 준하는 자연현상으로 인하여 발생하는 재해
>   나. **사회재난**: 화재 · 붕괴 · 폭발 · **교통사고**(항공사고 및 해상사고를 포함한다) · 화생방사고 · 환경오염사고 등으로 인하여 발생하는 대통령령으로 정하는 규모 이상의 피해와 국가핵심기반의 마비, 「감염병의 예방 및 관리에 관한 법률」에 따른 **감염병** 또는 「가축전염병예방법」에 따른 **가축전염병**의 확산, 「미세먼지 저감 및 관리에 관한 특별법」에 따른 **미세먼지** 등으로 인한 피해

② [○]

> 훈령 **테러취약시설규칙 제9조【다중이용건축물 등의 분류】** ① 다중이용건축물 등은 기능·역할의 **중요성**과 **가치**의 정도에 따라 "A"등급, "B"등급, "C"등급(이하 각 "A급", "B급", "C급"이라 한다)으로 구분하며, 그 기준은 다음 각 호와 같다.

	공통사항	테러진압작전 수행요구지역	국민생활 영향정도
A급	테러에 의하여 파괴되거나 기능 마비시	광범위한 지역의 대테러진압작전이 요구되고,	국민생활에 결정적인 영향을 미칠 수 있는 건축물 또는 시설
B급		일부 지역의 대테러진압작전이 요구되고,	국민생활에 중대한 영향을 미칠 수 있는 건축물 또는 시설
C급		제한된 지역에서 단기간 대테러진압작전이 요구되고,	국민생활에 상당한 영향을 미칠 수 있는 건축물 또는 시설

③ [○]

> **테러방지법 제2조【정의】** 이 법에서 사용하는 용어의 뜻은 다음과 같다.
> 3. **"테러위험인물"**이란 테러단체의 조직원이거나 테러단체 선전, 테러자금 모금 · 기부, 그 밖에 테러 예비 · 음모 · 선전 · 선동을 하였거나 하였다고 의심할 상당한 이유가 있는 사람을 말한다.

066 「재난 및 안전관리 기본법」상 재난관리체계에 대한 설명으로 옳은 것은? [2019 채용 1차]

① 특별재난지역 선포는 대응단계에서의 활동이다.

② 재난분야 위기관리 매뉴얼 작성은 예방단계에서의 활동이다.

③ 재난관리체계 등의 평가는 대비단계에서의 활동이다.

④ 재난피해조사는 복구단계에서의 활동이다.

정답 및 해설 I ④

④ [○] **재난피해 신고 및 조사**는 재난 이전의 정상상태로 회복시키기 위한 활동 중 하나로 복구단계에 속한다.

① [×] **특별재난지역 선포**는 복구단계에 속한다.

② [×] **재난분야 위기관리 매뉴얼 작성 · 운용은** 피해를 최소화하고, 원활한 대응을 위한 준비를 수행하는 대비단계의 활동에 속한다.

③ [×] **재난관리체계 등의 평가**는 재난요인을 사전에 제거하고, 피해가능성을 최소화하거나 그 피해를 분산시키는 예방단계의 활동에 속한다.

067 「재난 및 안전관리 기본법」에 관한 설명으로 가장 적절하지 않은 것은? [2019 채용 2차]

① '재난'이란 국민의 생명 · 신체 · 재산과 국가에 피해를 주거나 줄 수 있는 것으로서 자연재난과 사회재난으로 구분된다.

② '재난관리'란 재난의 예방 · 대비 · 대응 및 복구를 위하여 하는 모든 활동을 말한다.

③ 국무총리는 국가 및 지방자치단체가 행하는 재난 및 안전관리 업무를 총괄 · 조정한다.

④ 특별재난지역 선포는 재난관리체계상 복구단계에서의 활동에 해당된다.

정답 및 해설 I ③

③ [×] 행정안전부장관이 총괄 · 조정한다.

> **재난 및 안전관리 기본법 제6조【재난 및 안전관리 업무의 총괄 · 조정】** 행정안전부장관은 국가 및 지방자치단체가 행하는 재난 및 안전관리 업무를 총괄 · 조정한다

① [○]

> **재난 및 안전관리 기본법 제3조【정의】** 이 법에서 사용하는 용어의 뜻은 다음과 같다.
> 1. "**재난**"이란 국민의 생명 · 신체 · 재산과 국가에 피해를 주거나 줄 수 있는 것으로서 다음 각 목의 것을 말한다.
>   가. **자연재난**: 태풍, 홍수, 호우, …
>   나. **사회재난**: 화재 · 붕괴 · 폭발 · 교통사고 …

② [○]

> **재난 및 안전관리 기본법 제3조【정의】** 이 법에서 사용하는 용어의 뜻은 다음과 같다.
> 3. "**재난관리**"란 재난의 예방 · 대비 · 대응 및 복구를 위하여 하는 모든 활동을 말한다.

④ [○]

예방단계	재난요인 사전 제거, 피해가능성 최소화, 피해 분산 관련 행위 예 정부합동안전점검, 재난관리체계 등의 평가활동
대비단계	• 재난발생의 완전 제거 불가능 인정 • 재난발생을 예상하여 그 피해를 최소화하고, 원활한 대응을 하기 위한 준비수행 과정 예 각 기능별 재난대응활동계획 작성, 재난분야 위기관리 매뉴얼 작성, 재난대비훈련 등
대응단계	실제 재난 발생시 수행해야 할 활동 예 응급조치, 긴급구조 등
복구단계	재난으로 인한 혼란상태가 상당히 안정되고 응급한 인명구조와 재산보호활동이 이루어진 후 재난 전의 정상상태로 회복시키기 위한 활동 예 재난피해조사, 특별재난지역 선포 등

068 재난경비에 대한 설명으로 옳지 않은 것은? [2020 경간]

① 「경찰 재난관리 규칙」상 재난의 발생 가능 정도에 따라 재난관리단계를 관심 · 주의 · 경계 · 심각 4단계로 구분하여 관리한다.

② 재난지역 주민대피 지원은 치안상황관리관이 수행한다.

③ 「재난 및 안전관리 기본법」상 '재난'이란 국민의 생명 · 신체 · 재산과 국가의 피해를 주거나 줄 수 있는 것으로서 자연재난, 인적 재난으로 구분된다.

④ 「재난 및 안전관리 기본법」상 대통령령으로 정하는 대규모 재난의 대응 · 복구 등에 관한 사항을 총괄 · 조정하고 필요한 조치를 하기 위하여 행정안전부에 중앙재난안전대책본부를 둔다.

정답 및 해설 I ③

③ [×] 자연재난과 사회재난으로 구분된다.

> **재난 및 안전관리 기본법 제3조 【정의】** 이 법에서 사용하는 용어의 뜻은 다음과 같다.
> 1. "**재난**"이란 국민의 생명 · 신체 · 재산과 국가에 피해를 주거나 줄 수 있는 것으로서 다음 각 목의 것을 말한다.
>   가. **자연재난**: 태풍, 홍수, 호우, 강풍, 풍랑, 해일, 대설, 한파, 낙뢰, 가뭄, 폭염, 지진, 황사, 조류 대발생, 조수, 화산활동, 「우주개발 진흥법」에 따른 자연우주물체의 추락 · 충돌, 그 밖에 이에 준하는 자연현상으로 인하여 발생하는 재해
>   나. **사회재난**: 화재 · 붕괴 · 폭발 · 교통사고(항공사고 및 해상사고를 포함한다) · 화생방사고 · 환경오염사고 · 다중운집인파사고 등으로 인하여 발생하는 대통령령으로 정하는 규모 이상의 피해와 국가핵심기반의 마비, 「감염병의 예방 및 관리에 관한 법률」에 따른 감염병 또는 「가축전염병예방법」에 따른 가축전염병의 확산, 「미세먼지 저감 및 관리에 관한 특별법」에 따른 미세먼지, 「우주개발 진흥법」에 따른 인공우주물체의 추락 · 충돌 등으로 인한 피해관한 특별법」에 따른 미세먼지, 「우주개발 진흥법」에 따른 인공우주물체의 추락 · 충돌 등으로 인한 피해

② [○] 치안상황관리관의 임무는 다음과 같다.

치안상황관리관	• 재난대책본부 및 재난상황실의 운영 • 재난관리를 위한 관계기관과의 협력 • 재난피해우려지역의 예방 순찰 및 재난취약요소 발견시 초동조치 • 재난지역 주민대피 지원

④ [○]

> **재난 및 안전관리 기본법 제14조 【중앙재난안전대책본부 등】** ① 대통령령으로 정하는 대규모 재난(이하 "대규모재난"이라 한다)의 대응 · 복구(이하 "수습"이라 한다) 등에 관한 사항을 총괄 · 조정하고 필요한 조치를 하기 위하여 행정안전부에 중앙재난안전대책본부(이하 "중앙대책본부"라 한다)를 둔다.

주제 7 국가중요시설경비

069 「통합방위법」상 국가중요시설에 대한 설명으로 가장 적절하지 않은 것은? [2021 경간]

① 국가중요시설의 관리자는 경비 · 보안 및 방호책임을 지며, 통합방위사태에 대비하여 자체방호계획을 수립하여야 한다. 이 경우 국가중요시설의 관리자는 자체방호계획을 수립하기 위하여 시 · 도경찰청장 또는 지역군사령관에게 협조를 요청하여야 한다.

② 시 · 도경찰청장 또는 지역군사령관은 통합방위사태에 대비하여 국가중요시설에 대한 방호지원계획을 수립 · 시행하여야 한다.

③ 국가중요시설의 평시 경비 · 보안활동에 대한 지도 · 감독은 관계 행정기관의 장과 국가정보원장이 수행한다.

④ 국가중요시설은 국방부장관이 관계 행정기관의 장 및 국가정보원장과 협의하여 지정한다.

정답 및 해설 | ①

① [×] 국가중요시설의 관리자는 시 · 도경찰청장 또는 지역군사령관에게 협조를 요청할 수 있다.

> **통합방위법 제21조【국가중요시설의 경비 · 보안 및 방호】** ① 국가중요시설의 관리자(소유자를 포함한다. 이하 같다)는 경비 · 보안 및 방호책임을 지며, 통합방위사태에 대비하여 자체방호계획을 수립하여야 한다. 이 경우 국가중요시설의 관리자는 자체방호계획을 수립하기 위하여 필요하면 시 · 도경찰청장 또는 지역군사령관에게 협조를 요청할 수 있다.

② [○] **국가중요시설의 관리자**는 자체방호계획을 수립하여야 하고, **시도청장과 지역군사령관**은 방호지원계획을 수립 · 시행해야 한다.

> **통합방위법 제21조【국가중요시설의 경비 · 보안 및 방호】** ② 시 · 도경찰청장 또는 지역군사령관은 통합방위사태에 대비하여 국가중요시설에 대한 방호지원계획을 수립 · 시행하여야 한다.

③④ [○] 국방부장관이 국가중요시설을 지정할 때 협의의 상대방이었던 관계 행정기관의 장 · 국가정보원장이 지도감독권자가 된다.

> **통합방위법 제21조【국가중요시설의 경비 · 보안 및 방호】** ③ 국가중요시설의 평시 경비 · 보안활동에 대한 지도 · 감독은 관계 행정기관의 장과 국가정보원장이 수행한다.
> ④ 국가중요시설은 국방부장관이 관계 행정기관의 장 및 국가정보원장과 협의하여 지정한다.

070 국가중요시설에 대한 설명으로 가장 적절한 것은? [2020 실무 1]

① 국가중요시설은 국가정보원장이 관계 행정기관의 장 및 국방부장관과 협의하여 지정한다.

② 적에 의하여 점령 또는 파괴되거나 기능이 마비된 때 광범위한 지역의 통합방위작전 수행이 요구되고 국민생활에 결정적인 영향을 미칠 수 있는 시설은 '가'급에 해당한다.

③ 적에 의하여 점령 또는 파괴되거나 기능이 마비된 때 제한된 지역에서 단기간 통합방위작전 수행이 요구되고 국민생활에 상당한 영향을 미칠 수 있는 시설은 '나'급에 해당한다.

④ 적에 의하여 점령 또는 파괴되거나 기능이 마비된 때 일부 지역의 통합방위작전 수행이 요구되고 국민생활에 중대한 영향을 미칠 수 있는 시설은 '다'급에 해당한다.

정답 및 해설 | ②

② [○] / ③ [×] '다'급에 해당한다. / ④ [×] '나'급에 해당한다.

구분	공통사항	통합방위작전 수행요구지역	국민생활의 영향 정도
가급	적에 의하여 점령 또는 파괴되거나, 기능 마비시	광범위한 지역의 통합방위작전수행이 요구되고,	국민생활에 결정적인 영향을 미칠 수 있는 시설
나급		일부 지역의 통합방위작전수행이 요구되고,	국민생활에 중대한 영향을 미칠 수 있는 시설
다급		제한된 지역에서 단기간 통합방위작전수행이 요구되고,	국민생활에 상당한 영향을 미칠 수 있는 시설

① [×] 국방부장관이 관계 행정기관의 장 및 국가정보원장과 협의하여 지정한다.

> **통합방위법 제21조【국가중요시설의 경비 · 보안 및 방호】** ④ 국가중요시설은 국방부장관이 관계 행정기관의 장 및 국가정보원장과 협의하여 지정한다.

071 「통합방위법」상 국가중요시설에 관한 다음 설명 중 가장 적절하지 않은 것은? [2016 채용 1차]

① 국가중요시설의 관리자(소유자를 포함한다. 이하 같다)는 경비 · 보안 및 방호책임을 지며, 통합방위사태에 대비하여 자체방호계획을 수립하여야 한다. 이 경우 국가중요시설의 관리자는 자체방호계획을 수립하기 위하여 필요하면 시 · 도경찰청장 또는 지역군사령관에게 협조를 요청할 수 있다.

② 시 · 도경찰청장 또는 지역군사령관은 통합방위사태에 대비하여 국가중요시설에 대한 방호지원계획을 수립 · 시행하여야 한다.

③ 국가중요시설의 평시 경비 · 보안활동에 대한 지도 · 감독은 관계 행정기관의 장과 국가정보원장이 수행한다.

④ 국가중요시설은 경찰청장이 관계 행정기관의 장 및 국가정보원장과 협의하여 지정한다.

정답 및 해설 I ④

④ [×] 국방부장관이 관계 행정기관의 장 및 국가정보원장과 협의하여 지정한다.

> **통합방위법 제21조【국가중요시설의 경비 · 보안 및 방호】** ④ 국가중요시설은 국방부장관이 관계 행정기관의 장 및 국가정보원장과 협의하여 지정한다.

①② [○]

> **통합방위법 제21조【국가중요시설의 경비 · 보안 및 방호】** ① 국가중요시설의 관리자(소유자를 포함한다. 이하 같다)는 경비 · 보안 및 방호책임을 지며, 통합방위사태에 대비하여 자체방호계획을 수립하여야 한다. 이 경우 국가중요시설의 관리자는 자체방호계획을 수립하기 위하여 필요하면 시 · 도경찰청장 또는 지역군사령관에게 협조를 요청할 수 있다.
> ② 시 · 도경찰청장 또는 지역군사령관은 통합방위사태에 대비하여 국가중요시설에 대한 방호지원계획을 수립 · 시행하여야 한다.

③ [○]

> **통합방위법 제21조【국가중요시설의 경비 · 보안 및 방호】** ③ 국가중요시설의 평시 경비 · 보안활동에 대한 지도 · 감독은 관계 행정기관의 장과 국가정보원장이 수행한다.

072 「통합방위법」상 국가중요시설 경비에 대한 내용이다. 다음 중 옳고 그름의 표시(○, ×)가 바르게 된 것은? [2017 실무 1]

> ㉠ 국가중요시설의 관리자(소유자 포함)는 경비 · 보안 및 방호책임을 지며, 통합방위사태에 대비하여 자체방호계획을 수립하여야 한다.
> ㉡ 국가중요시설 방호는 평상시에는 산업발전으로 국력신장을 도모하고 전시에는 전쟁수행능력을 뒷받침하는 국가방호의 중요한 점이 된다는 점에서 재해에 의한 중요시설 침해의 방지도 중요시설 경비의 범주에 포함된다.
> ㉢ '국가중요시설'이란 공공기관, 공항 · 항만, 주요 산업시설 등 적에 의하여 점령 또는 파괴되거나 기능이 마비될 경우 국가안보와 국민생활에 심각한 영향을 주게 되는 시설을 말한다.
> ㉣ 국가중요시설은 국가정보원장이 관계 행정기관의 장 및 국방부장관과 협의하여 지정한다.

① ㉠(○) ㉡(○) ㉢(○) ㉣(○)
② ㉠(○) ㉡(○) ㉢(○) ㉣(×)
③ ㉠(○) ㉡(×) ㉢(×) ㉣(○)
④ ㉠(×) ㉡(○) ㉢(×) ㉣(×)

정답 및 해설 I ②

㉠ [○]

> **통합방위법 제21조【국가중요시설의 경비 · 보안 및 방호】** ① 국가중요시설의 관리자(소유자를 포함한다. 이하 같다)는 경비 · 보안 및 방호책임을 지며, 통합방위사태에 대비하여 자체방호계획을 수립하여야 한다. 이 경우 국가중요시설의 관리자는 자체방호계획을 수립하기 위하여 필요하면 시 · 도경찰청장 또는 지역군사령관에게 협조를 요청할 수 있다.

㉡ [○] 국가중요시설에 대한 경비 · 방호에는 인위적인 시설 침해는 물론 재해에 의한 중요시설 침해의 방지도 중요시설 경비의 범주에 포함된다. 평상시에는 산업발전으로 국력신장을 도모하고 전시에는 전쟁수행능력을 뒷받침하는 국가방호의 중요한 역할을 하기 때문이다.

㉢ [○]

> **통합방위법 제2조【정의】** 이 법에서 사용하는 용어의 뜻은 다음과 같다.
> 13. "**국가중요시설**"이란 공공기관, 공항 · 항만, 주요 산업시설 등 적에 의하여 점령 또는 파괴되거나 기능이 마비될 경우 국가안보와 국민생활에 심각한 영향을 주게 되는 시설을 말한다.

㉣ [×] 국방부장관이 관계 행정기관의 장 및 국가정보원장과 협의하여 지정한다.

> **통합방위법 제21조【국가중요시설의 경비 · 보안 및 방호】** ④ 국가중요시설은 국방부장관이 관계 행정기관의 장 및 국가정보원장과 협의하여 지정한다.

073 국가중요시설 경비에 대한 설명으로 가장 적절하지 않은 것은? [2016 실무 1]

① 국가중요시설은 국방부장관이 관계 행정기관의 장 및 국가정보원장과 협의하여 지정한다.

② '국가중요시설'이란 공공기관, 공항 · 항만, 주요 산업시설 등 적에 의하여 점령 또는 파괴되거나 기능이 마비될 경우 국가안보와 국민생활에 심각한 영향을 주게 되는 시설을 말한다.

③ 국가중요시설의 관리자(소유자 포함)는 경비 · 보안 및 방호책임을 지며, 통합방위사태에 대비하여 자체방호계획을 수립하여야 한다.

④ 국가중요시설의 평시 경비 · 보안활동에 대한 지도 · 감독은 시 · 도경찰청장과 지역군사령관이 수행한다.

정답 및 해설 I ④

④ [×] 관계 행정기관의 장과 국가정보원장이 수행한다.

> **통합방위법 제21조【국가중요시설의 경비 · 보안 및 방호】** ③ 국가중요시설의 평시 경비 · 보안활동에 대한 지도 · 감독은 관계 행정기관의 장과 국가정보원장이 수행한다.

① [○]

> **통합방위법 제21조【국가중요시설의 경비 · 보안 및 방호】** ④ 국가중요시설은 국방부장관이 관계 행정기관의 장 및 국가정보원장과 협의하여 지정한다.

② [○]

> **통합방위법 제2조【정의】** 이 법에서 사용하는 용어의 뜻은 다음과 같다.
> 13. "**국가중요시설**"이란 공공기관, 공항 · 항만, 주요 산업시설 등 적에 의하여 점령 또는 파괴되거나 기능이 마비될 경우 국가안보와 국민생활에 심각한 영향을 주게 되는 시설을 말한다.

③ [○]

> **통합방위법 제21조【국가중요시설의 경비 · 보안 및 방호】** ① 국가중요시설의 관리자(소유자를 포함한다. 이하 같다)는 경비 · 보안 및 방호책임을 지며, 통합방위사태에 대비하여 자체방호계획을 수립하여야 한다. 이 경우 국가중요시설의 관리자는 자체방호계획을 수립하기 위하여 필요하면 시 · 도경찰청장 또는 지역군사령관에게 협조를 요청할 수 있다.

074 「통합방위법」 제21조(국가중요시설의 경비 · 보안 및 방호)에 대한 설명으로 가장 적절하지 않은 것은? [2018 실무 1]

① 국가중요시설의 관리자(소유자를 제외한다)는 경비 · 보안 및 방호책임을 지며, 통합방위사태에 대비하여 자체방호계획을 수립하여야 한다.

② 국가중요시설의 관리자는 자체방호계획을 수립하기 위하여 필요하면 시 · 도경찰청장 또는 지역군사령관에게 협조를 요청할 수 있다.

③ 시 · 도경찰청장 또는 지역군사령관은 통합방위사태에 대비하여 국가중요시설에 대한 방호지원계획을 수립 · 시행하여야 한다.

④ 국가중요시설의 자체방호, 방호지원계획, 그 밖에 필요한 사항은 대통령령으로 정한다.

정답 및 해설 | ①

① [×] 소유자를 포함한다. / ② [○]

> **통합방위법 제21조【국가중요시설의 경비 · 보안 및 방호】** ① 국가중요시설의 관리자(소유자를 포함한다. 이하 같다)는 경비 · 보안 및 방호책임을 지며, 통합방위사태에 대비하여 자체방호계획을 수립하여야 한다. 이 경우 국가중요시설의 관리자는 자체방호계획을 수립하기 위하여 필요하면 시 · 도경찰청장 또는 지역군사령관에게 협조를 요청할 수 있다.

③ [○]

> **통합방위법 제21조【국가중요시설의 경비 · 보안 및 방호】** ② 시 · 도경찰청장 또는 지역군사령관은 통합방위사태에 대비하여 국가중요시설에 대한 방호지원계획을 수립 · 시행하여야 한다.

④ [○]

> **통합방위법 제21조【국가중요시설의 경비 · 보안 및 방호】** ⑤ 국가중요시설의 자체방호, 방호지원계획, 그 밖에 필요한 사항은 대통령령으로 정한다.

주제 8 경찰작전

01 경찰작전 개설

02 통합방위사태와 통합방위작전

075 「통합방위법」에 관한 설명 중 가장 적절하지 않은 것은? [2023 승진]

① "갑종사태"란 일정한 조직체계를 갖춘 적의 대규모 병력 침투 또는 대량살상무기 공격 등의 도발로 발생한 비상사태로서 통합방위본부장 또는 지역군사령관의 지휘 · 통제하에 통합방위작전을 수행하여야 할 사태를 말한다.

② '을종사태"란 적의 침투 · 도발 위협이 예상되거나 소규모의 적이 침투하였을 때에 시 · 도경찰청장, 지역군사령관 또는 함대사령관의 지휘 · 통제하에 통합방위작전을 수행하여 단기간 내에 치안이 회복될 수 있는 사태를 말한다.

③ 국무총리 소속으로 중앙 통합방위협의회를 둔다.

④ 국가중요시설은 국방부장관이 관계 행정기관의 장 및 국가정보원장과 협의하여 지정한다.

정답 및 해설 I ②

② [×] 지문의 내용은 "병종사태"에 대한 설명이다.

> **통합방위법 제2조【정의】** 이 법에서 사용하는 용어의 뜻은 다음과 같다.
> 7. "**을종사태**"란 일부 또는 여러 지역에서 적이 침투 · 도발하여 단기간 내에 치안이 회복되기 어려워 지역군사령관의 지휘 · 통제 하에 통합방위작전을 수행하여야 할 사태를 말한다.
> 8. "**병종사태**"란 적의 침투·도발 위협이 예상되거나 소규모의 적이 침투하였을 때에 시 · 도경찰청장, 지역군사령관 또는 함대사령관의 지휘 · 통제 하에 통합방위작전을 수행하여 단기간 내에 치안이 회복될 수 있는 사태를 말한다.

① [○]

> **통합방위법 제2조【정의】** 이 법에서 사용하는 용어의 뜻은 다음과 같다.
> 6. "**갑종사태**"란 일정한 조직체계를 갖춘 적의 대규모 병력 침투 또는 대량살상무기 공격 등의 도발로 발생한 비상사태로서 통합방위본부장 또는 지역군사령관의 지휘 · 통제 하에 통합방위작전을 수행하여야 할 사태를 말한다.

③ [○]

> **통합방위법 제4조【중앙 통합방위협의회】** ① 국무총리 소속으로 중앙 통합방위협의회(이하 "중앙협의회"라 한다)를 둔다.

④ [○]

> **통합방위법 제21조【국가중요시설의 경비 · 보안 및 방호】** ④ 국가중요시설은 국방부장관이 관계 행정기관의 장 및 국가정보원장과 협의하여 지정한다.

076 「통합방위법」상 통합방위사태 및 국가중요시설에 관한 설명 중 가장 적절하지 않은 것은?

[2014 승진(경감)]

① '국가중요시설'이란 공공기관, 공항 · 항만, 주요 산업시설 등 적에 의하여 점령 또는 파괴되거나 기능이 마비될 경우 국가안보와 국민생활에 심각한 영향을 주게 되는 시설을 말한다.

② 국가중요시설은 국가정보원장이 관계 행정기관의 장 및 국방부장관과 협의하여 지정한다.

③ '을종사태'란 일부 또는 여러 지역에서 적이 침투 · 도발하여 단기간 내에 치안이 회복되기 어려워 지역군사령관의 지휘 · 통제 하에 통합방위작전을 수행하여야 할 사태를 말한다.

④ '병종사태'란 적의 침투 · 도발 위협이 예상되거나 소규모의 적이 침투하였을 때에 시 · 도경찰청장, 지역군사령관 또는 함대사령관의 지휘 · 통제하에 통합방위작전을 수행하여 단기간 내에 치안이 회복될 수 있는 사태를 말한다.

정답 및 해설 I ②

② [×] 국방부장관이 관계 행정기관의 장 및 국가정보원장과 협의하여 지정한다.

> **통합방위법 제21조【국가중요시설의 경비 · 보안 및 방호】** ④ 국가중요시설은 국방부장관이 관계 행정기관의 장 및 국가정보원장과 협의하여 지정한다.

① [○]

> **통합방위법 제2조【정의】** 이 법에서 사용하는 용어의 뜻은 다음과 같다.
> 13. "**국가중요시설**"이란 공공기관, 공항 · 항만, 주요 산업시설 등 적에 의하여 점령 또는 파괴되거나 기능이 마비될 경우 국가안보와 국민생활에 심각한 영향을 주게 되는 시설을 말한다.

③④ [○] ☑ 통합방위사태 유형 정리

유형	적침상황	치안상황	작전지휘 · 통제
갑종사태	• 대규모 병력 침투 • 대량살상무기	-	• 통합방위본부장 • 지역군사령관
을종사태	일부 · 여러 지역 적의 침투	단기간 내 회복 불가	지역군사령관
병종사태	• 적의 침투 등 예상 • 소규모 적의 침투	단기간 내 회복 가능	• 시 · 도경찰청장 • 지역군사령관 • 함대사령관

077 「통합방위법」상 통합방위작전 및 경찰작전에 대한 설명으로 가장 적절한 것은? [2017 채용 2차]

① 대통령 소속으로 중앙 통합방위협의회를 둔다.

② '갑종사태'란 일정한 조직체계를 갖춘 적의 대규모 병력 침투 또는 대량살상무기(大量殺傷武器) 공격 등의 도발로 발생한 비상사태로서 통합방위본부장 또는 지역군사령관의 지휘 · 통제하에 통합방위작전을 수행하여야 할 사태를 말한다.

③ 시 · 도경찰청장 또는 경찰서장은 통합방위사태가 선포된 때에는 인명 · 신체에 대한 위해를 방지하기 위하여 즉시 작전지역에 있는 주민이나 체류 중인 사람에게 대피할 것을 명하여야 한다.

④ '을종사태'란 일부 또는 여러 지역에서 적이 침투 · 도발하여 단기간 내에 치안이 회복되기 어려워 시 · 도경찰청장의 지휘 · 통제하에 통합방위작전을 수행하여야 할 사태를 말한다.

정답 및 해설 | ②

② [○]

> **통합방위법 제2조 【정의】** 이 법에서 사용하는 용어의 뜻은 다음과 같다.
> 6. "**갑종사태**"란 일정한 조직체계를 갖춘 적의 **대규모 병력 침투** 또는 **대량살상무기** 공격 등의 도발로 발생한 비상사태로서 통합방위본부장 또는 지역군사령관의 지휘 · 통제 하에 통합방위작전을 수행하여야 할 사태를 말한다.

① [×] 국무총리 소속이다.

> **통합방위법 제4조 【중앙 통합방위협의회】** ① 국무총리 소속으로 중앙 통합방위협의회(이하 "중앙협의회"라 한다)를 둔다.

③ [×] 대피명령의 주체는 지방자치단체의 장이고, 명령을 하여야 하는 것이 아니라 할 수 있는 것이다.

> **통합방위법 제17조 【대피명령】** ① 시 · 도지사 또는 시장 · 군수 · 구청장은 통합방위사태가 선포된 때에는 인명 · 신체에 대한 위해를 방지하기 위하여 즉시 작전지역에 있는 주민이나 체류 중인 사람에게 대피할 것을 명할 수 있다.

④ [×] '을종사태'의 지휘 · 통제권자는 지역군사령관이다.

> **통합방위법 제2조 【정의】** 이 법에서 사용하는 용어의 뜻은 다음과 같다.
> 7. "**을종사태**"란 일부 또는 여러 지역에서 **적이 침투** · 도발하여 단기간 내에 치안이 회복되기 어려워 지역군사령관의 지휘 · 통제 하에 통합방위작전을 수행하여야 할 사태를 말한다.

078 '통합방위법'에 대하여 설명한 것으로 가장 적절하지 않은 것은? [2016 지능범죄]

① '갑종사태'란 일정한 조직체계를 갖춘 적의 대규모 병력 침투 또는 대량살상무기(大量殺傷武器) 공격 등의 도발로 발생한 비상사태로서 통합방위본부장 또는 지역군사령관의 지휘 · 통제하에 통합방위작전을 수행하여야 할 사태를 말한다.

② '을종사태'란 일부 또는 여러 지역에서 적이 침투 · 도발하여 단기간 내에 치안이 회복되기 어려워 지역군사령관의 지휘 · 통제하에 통합방위작전을 수행하여야 할 사태를 말한다.

③ 국가중요시설은 국가정보원장이 관계 행정기관의 장 및 국방부장관과 협의하여 지정한다.

④ 시 · 도경찰청장, 지역군사령관 또는 함대사령관은 을종사태나 병종사태에 해당하는 상황이 발생한 때에는 즉시 시 · 도지사에게 통합방위사태의 선포를 건의하여야 한다.

정답 및 해설 I ③

③ [×] 국방부장관이 관계 행정기관의 장 및 국가정보원장과 협의하여 지정한다.

> **통합방위법 제21조【국가중요시설의 경비 · 보안 및 방호】** ④ 국가중요시설은 국방부장관이 관계 행정기관의 장 및 국가정보원장과 협의하여 지정한다.

①② [○]

> **통합방위법 제2조【정의】** 이 법에서 사용하는 용어의 뜻은 다음과 같다.
> 6. "**갑종사태**"란 일정한 조직체계를 갖춘 적의 대규모 병력 침투 또는 대량살상무기 공격 등의 도발로 발생한 비상사태로서 통합방위본부장 또는 지역군사령관의 지휘 · 통제하에 통합방위작전을 수행하여야 할 사태를 말한다.
> 7. "**을종사태**"란 일부 또는 여러 지역에서 적이 침투 · 도발하여 단기간 내에 치안이 회복되기 어려워 지역군사령관의 지휘 · 통제하에 통합방위작전을 수행하여야 할 사태를 말한다.

④ [○] **통합방위사태 건의권자 · 선포권자 정리**

1 단수지역

유형	건의권자	선포권자
갑종사태	국방부장관이, 국무총리를 거쳐 대통령에게	대통령이, 중앙협의회와 국무회의 심의를 거쳐서
을종사태 병종사태	시 · 도경찰청장, 지역군사령관 또는 함대사령관이, 시 · 도지사에게	• 시 · 도지사가, 시 · 도협의회 심의를 거쳐서 • 행정안전부장관 · 국방부장관 · 국무총리를 거쳐서 대통령 보고

2 복수지역(둘 이상의 시 · 도)

유형	건의권자	선포권자
을종사태	국방부장관이, 국무총리를 거쳐 대통령에게	대통령이, 중앙협의회와 국무회의 심의를 거쳐서
병종사태	행전안전부장관 또는 국방부장관이, 국무총리를 거쳐 대통령에게	

079 「통합방위법」상 통합방위사태에 대한 설명으로 가장 적절하지 않은 것은? [2018 실무 1]

① 국방부장관은 갑종사태에 해당하는 상황이 발생하였을 때 즉시 국무총리를 거쳐 대통령에게 통합방위사태의 선포를 건의하여야 한다.

② 행정안전부장관은 둘 이상의 시 · 도에 걸쳐 을종사태에 해당하는 상황이 발생하였을 때 즉시 국무총리를 거쳐 대통령에게 통합방위사태의 선포를 건의하여야 한다.

③ 시 · 도경찰청장, 지역군사령관 또는 함대사령관은 을종사태나 병종사태에 해당하는 상황이 발생한 때에는 즉시 시 · 도지사에게 통합방위사태의 선포를 건의하여야 한다.

④ 통합방위본부는 합동참모본부에 두며, 통합방위본부장은 합동참모의장이 되고 부본부장은 합동참모본부에서 군사작전에 대한 기획 등 작전 업무를 총괄하는 참모부서의 장이 된다.

정답 및 해설 I ②

② [×] 둘 이상의 시 · 도에 걸쳐 을종사태에 해당하는 상황이 발생하였을 때 건의권자는 국방부장관이 된다. / ① [○] 갑종사태의 경우 또한 같다.

> **통합방위법 제12조 【통합방위사태의 선포】** ① 통합방위사태는 갑종사태, 을종사태 또는 병종사태로 구분하여 선포한다.
> ② 제1항의 사태에 해당하는 상황이 발생하면 다음 각 호의 구분에 따라 해당하는 사람은 즉시 국무총리를 거쳐 대통령에게 통합방위사태의 선포를 건의하여야 한다.
> 1. 갑종사태에 해당하는 상황이 발생하였을 때 또는 둘 이상의 특별시 · 광역시 · 특별자치시 · 도 · 특별자치도(이하 "시 · 도"라 한다)에 걸쳐 을종사태에 해당하는 상황이 발생하였을 때: 국방부장관
> 2. 둘 이상의 시 · 도에 걸쳐 병종사태에 해당하는 상황이 발생하였을 때: 행정안전부장관 또는 국방부장관

③ [○]

> **통합방위법 제12조 【통합방위사태의 선포】** ④ 시 · 도경찰청장, 지역군사령관 또는 함대사령관은 을종사태나 병종사태에 해당하는 상황이 발생한 때에는 즉시 시 · 도지사에게 통합방위사태의 선포를 건의하여야 한다.

④ [○]

> **통합방위법 제8조 【통합방위본부】** ① 합동참모본부에 통합방위본부를 둔다.
> ② 통합방위본부에는 본부장과 부본부장 1명씩을 두되, 통합방위본부장은 합동참모의장이 되고 부본부장은 합동참모본부에서 군사작전에 대한 기획 등 작전 업무를 총괄하는 참모부서의 장이 된다.

080 「통합방위법」에 관한 다음 설명 중 가장 적절하지 않은 것은? [2014 채용 2차]

① '갑종사태'란 일정한 조직체계를 갖춘 적의 대규모 병력 침투 또는 대량살상무기 공격 등의 도발로 발생한 비상사태로서 통합방위본부장 또는 지역군사령관의 지휘 · 통제하에 통합방위작전을 수행하여야 할 사태를 말한다.

② '국가중요시설'이란 공공기관, 공항 · 항만, 주요 산업시설 등 적에 의하여 점령 또는 파괴되거나 기능이 마비될 경우 국가안보와 국민생활에 심각한 영향을 주게 되는 시설을 말한다.

③ 국가중요시설은 국방부장관이 관계 행정기관의 장 및 국가정보원장과 협의하여 지정한다.

④ 시 · 도경찰청장, 지역군사령관 또는 함대사령관은 둘 이상의 시 · 도에 걸쳐 병종사태에 해당하는 상황이 발생하였을 때 즉시 국방부장관에게 통합방위사태의 선포를 건의하여야 한다.

정답 및 해설 | ④

④ [×] 행정안전부장관 또는 국방부장관이 국무총리를 거쳐 대통령에게 건의한다.

> **통합방위법 제12조【통합방위사태의 선포】** ① 통합방위사태는 갑종사태, 을종사태 또는 병종사태로 구분하여 선포한다.
> ② 제1항의 사태에 해당하는 상황이 발생하면 다음 각 호의 구분에 따라 해당하는 사람은 즉시 국무총리를 거쳐 대통령에게 통합방위사태의 선포를 건의하여야 한다.
> 2. 둘 이상의 시 · 도에 걸쳐 병종사태에 해당하는 상황이 발생하였을 때: 행정안전부장관 또는 국방부장관

① [○]

> **통합방위법 제2조【정의】** 이 법에서 사용하는 용어의 뜻은 다음과 같다.
> 6. "**갑종사태**"란 일정한 조직체계를 갖춘 적의 대규모 병력 침투 또는 대량살상무기 공격 등의 도발로 발생한 비상사태로서 통합방위본부장 또는 지역군사령관의 지휘 · 통제하에 통합방위작전을 수행하여야 할 사태를 말한다.

② [○]

> **통합방위법 제2조【정의】** 이 법에서 사용하는 용어의 뜻은 다음과 같다.
> 13. "**국가중요시설**"이란 공공기관, 공항 · 항만, 주요 산업시설 등 적에 의하여 점령 또는 파괴되거나 기능이 마비될 경우 국가안보와 국민생활에 심각한 영향을 주게 되는 시설을 말한다.

③ [○]

> **통합방위법 제21조【국가중요시설의 경비 · 보안 및 방호】** ④ 국가중요시설은 국방부장관이 관계 행정기관의 장 및 국가정보원장과 협의하여 지정한다.

081 통합방위사태가 선포된 때에는 「통합방위법」의 규정에 따라 통합방위작전을 신속하게 수행하여야 한다. 지역별 통합방위작전 수행 담당자로 가장 적절한 것은? [2021 경간]

① 갑종사태가 선포된 경우 경찰관할지역: 경찰청장

② 을종사태가 선포된 경우 특정경비지역: 통합방위본부장

③ 을종사태가 선포된 경우 경찰관할지역: 시 · 도경찰청장

④ 병종사태가 선포된 경우 특정경비지역: 지역군사령관

정답 및 해설 | ④

④ [○]

> **통합방위법 제15조【통합방위작전】** ② 시 · 도경찰청장, 지역군사령관 또는 함대사령관은 통합방위사태가 선포된 때에는 즉시 다음 각 호의 구분에 따라 통합방위작전(공군작전사령관의 경우에는 통합방위 지원작전)을 신속하게 수행하여야 한다. 다만, 을종사태가 선포된 경우에는 **지역군사령관**이 통합방위작전을 수행하고, 갑종사태가 선포된 경우에는 **통합방위본부장** 또는 **지역군사령관**이 통합방위작전을 수행한다. ➜ 즉, 아래 각 호는 병종사태만 해당(단, 제4호는 통합방위 지원작전)
> 1. **경찰관할지역**: 시 · 도경찰청장
> 2. 특정경비지역 및 군관할지역: 지역군사령관
> 3. 특정경비해역 및 일반경비해역: 함대사령관
> 4. 비행금지공역 및 일반공역: 공군작전사령관

① [×] 갑종사태가 선포된 경우 경찰관할지역: **통합방위본부장 또는 지역군사령관**

② [×] 을종사태가 선포된 경우 특정경비지역: **지역군사령관**

③ [×] 을종사태가 선포된 경우 경찰관할지역: **지역군사령관**

082 「통합방위법」에 대한 설명으로 가장 적절하지 않은 것은?

[2019 승진(경감)]

① '갑종사태'란 일정한 조직체계를 갖춘 적의 대규모 병력 침투 또는 대량살상무기 공격 등의 도발로 발생한 비상사태로서 통합방위본부장 또는 지역군사령관의 지휘 · 통제하에 통합방위작전을 수행하여야 할 사태를 말한다.

② 행정안전부장관 또는 국방부장관은 을종사태에 해당하는 상황이 발생하였을 때 즉시 국무총리를 거쳐 대통령에게 통합방위사태의 선포를 건의하여야 한다.

③ 중앙 통합방위협의회의 의장은 국무총리가 되고, 통합방위본부장은 합동참모의장이 된다.

④ 시 · 도지사 또는 시장 · 군수 · 구청장은 통합방위사태가 선포된 때에는 인명 · 신체에 대한 위해를 방지하기 위하여 즉시 작전지역에 있는 주민이나 체류 중인 사람에게 대피할 것을 명할 수 있다.

정답 및 해설 | ②

② [×] 을종사태의 경우 시 · 도경찰청장, 지역군사령관 또는 함대사령관이 시 · 도지사에게 건의하여야 한다.

> **통합방위법 제12조【통합방위사태의 선포】** ④ 시 · 도경찰청장, 지역군사령관 또는 함대사령관은 을종사태나 병종사태에 해당하는 상황이 발생한 때에는 즉시 시 · 도지사에게 통합방위사태의 선포를 건의하여야 한다.

① [○]

> **통합방위법 제2조【정의】** 이 법에서 사용하는 용어의 뜻은 다음과 같다.
> 6. "**갑종사태**"란 일정한 조직체계를 갖춘 적의 **대규모 병력 침투 또는 대량살상무기** 공격 등의 도발로 발생한 비상사태로서 통합방위본부장 또는 지역군사령관의 지휘 · 통제 하에 통합방위작전을 수행하여야 할 사태를 말한다.

③ [○]

> **통합방위법 제4조【중앙 통합방위협의회】** ① 국무총리 소속으로 중앙 통합방위협의회(이하 "중앙협의회"라 한다)를 둔다.
> ② 중앙협의회의 의장은 국무총리가 되고, 위원은 … (행정각부 장관들) … 국무조정실장, 국가보훈처장, 법제처장, 식품의약품안전처장, 국가정보원장 및 통합방위본부장과 그 밖에 대통령령으로 정하는 사람이 된다.
> **통합방위법 제8조【통합방위본부】** ② 통합방위본부에는 본부장과 부본부장 1명씩을 두되, 통합방위본부장은 합동참모의장이 되고 부본부장은 합동참모본부 합동작전본부장이 된다.

④ [○]

> **통합방위법 제17조【대피명령】** ① 시 · 도지사 또는 시장 · 군수 · 구청장은 통합방위사태가 선포된 때에는 인명 · 신체에 대한 위해를 방지하기 위하여 즉시 작전지역에 있는 주민이나 체류 중인 사람에게 대피할 것을 명할 수 있다.

083 「통합방위법」에 대한 설명으로 가장 적절하지 않은 것은?

[2020 승진(경감)]

① 시 · 도경찰청장, 지역군사령관 또는 함대사령관은 을종사태나 병종사태에 해당하는 상황이 발생한 때에는 즉시 시 · 도지사에게 통합방위사태의 선포를 건의하여야 한다.

② 시 · 도지사는 위 ①에 따른 건의를 받은 때에는 중앙협의회의 심의를 거쳐 을종사태 또는 병종사태를 선포할 수 있다.

③ 「통합방위법」상 통합방위본부장은 합동참모의장, 부본부장은 합동참모본부 합동작전본부장이 되고, 지역 통합방위협의회 의장은 시 · 도지사이며, 중앙 통합방위협의회 의장은 국무총리이다.

④ 국방부장관은 둘 이상의 시 · 도에 걸쳐 을종사태에 해당하는 상황이 발생하였을 때 즉시 국무총리를 거쳐 대통령에게 통합방위사태의 선포를 건의하여야 한다.

정답 및 해설 | ②

② [×] 시 · 도 협의회의 심의를 거친다. / ① [○]

> **통합방위법 제12조【통합방위사태의 선포】** ④ 시 · 도경찰청장, 지역군사령관 또는 함대사령관은 을종사태나 병종사태에 해당하는 상황이 발생한 때에는 즉시 시 · 도지사에게 통합방위사태의 선포를 건의하여야 한다.
> ⑤ 시 · 도지사는 제4항에 따른 건의를 받은 때에는 시 · 도 협의회의 심의를 거쳐 을종사태 또는 병종사태를 선포할 수 있다.

③ [○]

> **통합방위법 제8조【통합방위본부】** ① 합동참모본부에 통합방위본부를 둔다.
> ② 통합방위본부에는 본부장과 부본부장 1명씩을 두되, 통합방위본부장은 합동참모의장이 되고 부본부장은 합동참모본부에서 군사작전에 대한 기획 등 작전 업무를 총괄하는 참모부서의 장이 된다.
> **통합방위법 제4조【중앙 통합방위협의회】** ① 국무총리 소속으로 중앙 통합방위협의회(이하 "중앙협의회"라 한다)를 둔다.
> ② 중앙협의회의 의장은 국무총리가 되고, 위원은 … (행정각부 장관들) … 국무조정실장, 국가보훈부장관, 법제처장, 식품의약품안전처장, 국가정보원장 및 통합방위본부장과 그 밖에 대통령령으로 정하는 사람이 된다.
> **통합방위법 제5조【지역 통합방위협의회】** ① 특별시장 · 광역시장 · 특별자치시장 · 도지사 · 특별자치도지사(이하 "시 · 도지사"라 한다) 소속으로 특별시 · 광역시 · 특별자치시 · 도 · 특별자치도 통합방위협의회(이하 "시 · 도 협의회"라 한다)를 두고, 그 의장은 시 · 도지사가 된다.

④ [○]

> **통합방위법 제12조【통합방위사태의 선포】** ② 제1항의 사태에 해당하는 상황이 발생하면 다음 각 호의 구분에 따라 해당하는 사람은 즉시 국무총리를 거쳐 대통령에게 통합방위사태의 선포를 건의하여야 한다.
> 1. 갑종사태에 해당하는 상황이 발생하였을 때 또는 둘 이상의 특별시 · 광역시 · 특별자치시 · 도 · 특별자치도(이하 "시 · 도"라 한다)에 걸쳐 을종사태에 해당하는 상황이 발생하였을 때: 국방부장관

084 「통합방위법」에 대한 설명으로 가장 적절한 것은? [2020 실무 1]

① 중앙 통합방위협의회의 의장은 국무총리, 지역 통합방위협의회의 의장은 시 · 도지사, 통합방위본부장은 합동참모의장이다.

② 을종사태란 적의 침투 · 도발 위협이 예상되거나 소규모의 적이 침투하였을 때에 시 · 도경찰청장, 지역군사령관 또는 함대사령관의 지휘 · 통제 하에 통합방위작전을 수행하여 단기간 내에 치안이 회복될 수 있는 사태를 의미한다.

③ 시 · 도경찰청장, 지역군사령관 또는 함대사령관은 통합방위사태가 선포된 때에는 인명 · 신체에 대한 위해를 방지하기 위하여 즉시 작전지역에 있는 주민이나 체류 중인 사람에게 대피할 것을 명할 수 있다.

④ 행정안전부장관 또는 국방부장관은 둘 이상의 시 · 도에 걸쳐 을종사태에 해당하는 상황이 발생하였을 때 즉시 국무총리를 거쳐 대통령에게 통합방위사태의 선포를 건의하여야 한다.

정답 및 해설 | ①

① [○]

> **통합방위법 제8조【통합방위본부】** ① 합동참모본부에 통합방위본부를 둔다.
> ② 통합방위본부에는 본부장과 부본부장 1명씩을 두되, 통합방위본부장은 합동참모의장이 되고 부본부장은 합동참모본부에서 군사작전에 대한 기획 등 작전 업무를 총괄하는 참모부서의 장이 된다.
> **통합방위법 제4조【중앙 통합방위협의회】** ① 국무총리 소속으로 중앙 통합방위협의회(이하 "중앙협의회"라 한다)를 둔다.
> ② 중앙협의회의 의장은 국무총리가 되고, 위원은 … (행정각부 장관들) … 국무조정실장, 국가보훈부장관, 법제처장, 식품의약품안전처장, 국가정보원장 및 통합방위본부장과 그 밖에 대통령령으로 정하는 사람이 된다.
> **통합방위법 제5조【지역 통합방위협의회】** ① 특별시장 · 광역시장 · 특별자치시장 · 도지사 · 특별자치도지사(이하 "시 · 도지사"라 한다) 소속으로 특별시 · 광역시 · 특별자치시 · 도 · 특별자치도 통합방위협의회(이하 "시 · 도 협의회"라 한다)를 두고, 그 의장은 시 · 도지사가 된다.

② [×] 지문은 병종사태에 대한 설명이다.

> **통합방위법 제2조【정의】** 이 법에서 사용하는 용어의 뜻은 다음과 같다.
> 7. "**을종사태**"란 일부 또는 여러 지역에서 적이 침투 · 도발하여 단기간 내에 치안이 회복되기 어려워 지역군사령관의 지휘 · 통제 하에 통합방위작전을 수행하여야 할 사태를 말한다.
> 8. "**병종사태**"란 적의 침투 · 도발 위협이 예상되거나 소규모의 적이 침투하였을 때에 시 · 도경찰청장, 지역군사령관 또는 함대사령관의 지휘 · 통제 하에 통합방위작전을 수행하여 단기간 내에 치안이 회복될 수 있는 사태를 말한다.

③ [×] 대피명령의 주체는 시 · 도지사 또는 시장 · 군수 · 구청장이다.

> **통합방위법 제17조【대피명령】** ① 시 · 도지사 또는 시장 · 군수 · 구청장은 통합방위사태가 선포된 때에는 인명 · 신체에 대한 위해를 방지하기 위하여 즉시 작전지역에 있는 주민이나 체류 중인 사람에게 대피할 것을 명할 수 있다.

④ [×] 복수지역(둘 이상의 시 · 도)의 경우 통합방위사태의 건의권자 및 선포권자는 다음과 같다. 지문과 같은 복수지역의 을종사태 건의권자는 국방부장관 단독이다(행정안전부장관을 포함하지 않는다).

유형	건의권자	선포권자
을종사태	국방부장관이, 국무총리를 거쳐 대통령에게	대통령이, 중앙협의회와 국무회의 심의를 거쳐서
병종사태	행정안전부장관 또는 국방부장관이, 국무총리를 거쳐 대통령에게	

085 통합방위사태 선포시 대응활동에 관한 설명 중 옳지 않은 것은 모두 몇 개인가? [2018 경간]

> 가. 서울특별시와 경기도에 걸친 병종사태에 해당하는 상황이 발생하였을 때는 대통령이 선포권자가 된다.
> 나. 통합방위작전의 관할구역 중 경찰관할지역은 경찰청장이 작전을 수행한다.
> 다. 시장 · 군수 · 구청장도 통제구역을 설정하여 출입을 금지 · 제한하거나 퇴거명령을 할 수 있다.
> 라. 을종사태는 적이 침투 · 도발이 예상되거나 소규모의 적이 침투하여 단기간 내에 치안이 회복될 수 있는 사태를 말한다.
> 마. 「통합방위법」에 따른 대피명령을 위반하는 경우 300만원 이하의 벌금에 처한다.

① 0개 ② 1개 ③ 2개 ④ 3개

정답 및 해설 I ③

가. [○]

> **통합방위법 제12조【통합방위사태의 선포】** ② 제1항의 사태에 해당하는 상황이 발생하면 다음 각 호의 구분에 따라 해당하는 사람은 즉시 국무총리를 거쳐 대통령에게 통합방위사태의 선포를 건의하여야 한다.
> 2. 둘 이상의 시 · 도에 걸쳐 병종사태에 해당하는 상황이 발생하였을 때: 행정안전부장관 또는 국방부장관
> ③ 대통령은 제2항에 따른 건의를 받았을 때에는 중앙협의회와 국무회의의 심의를 거쳐 통합방위사태를 선포할 수 있다.

나. [×] 경찰청장이 아니라 시 · 도경찰청장이 작전을 수행한다.

> **통합방위법 제15조【통합방위작전】** ② 시 · 도경찰청장, 지역군사령관 또는 함대사령관은 통합방위사태가 선포된 때에는 즉시 다음 각 호의 구분에 따라 통합방위작전(공군작전사령관의 경우에는 통합방위 지원작전)을 신속하게 수행하여야 한다. 다만, 을종사태가 선포된 경우에는 지역군사령관이 통합방위작전을 수행하고, 갑종사태가 선포된 경우에는 통합방위본부장 또는 지역군사령관이 통합방위작전을 수행한다. ➜ 즉, 아래 각 호는 병종사태만 해당(단, 제4호는 통합방위 지원작전)
> 1. **경찰관할지역**: 시 · 도경찰청장
> 2. 특정경비지역 및 군관할지역: 지역군사령관
> 3. 특정경비해역 및 일반경비해역: 함대사령관
> 4. 비행금지공역 및 일반공역: 공군작전사령관

다. [○]

> **통합방위법 제16조 【통제구역 등】** ① 시 · 도지사 또는 시장 · 군수 · 구청장은 다음 각 호의 어느 하나에 해당하면 대통령령으로 정하는 바에 따라 인명 · 신체에 대한 위해를 방지하기 위하여 필요한 통제구역을 설정하고, 통합방위작전 또는 경계태세 발령에 따른 군 · 경 합동작전에 관련되지 아니한 사람에 대하여는 출입을 금지 · 제한하거나 그 통제구역으로부터 퇴거할 것을 명할 수 있다.
> 1. 통합방위사태가 선포된 경우
> 2. 적의 침투 · 도발 징후가 확실하여 경계태세 1급이 발령된 경우

라. [×] 지문은 병종사태에 대한 설명이다.

> **통합방위법 제2조 【정의】** 이 법에서 사용하는 용어의 뜻은 다음과 같다.
> 7. **"을종사태"**란 일부 또는 여러 지역에서 적이 침투 · 도발하여 단기간 내에 치안이 회복되기 어려워 지역군사령관의 지휘 · 통제 하에 통합방위작전을 수행하여야 할 사태를 말한다.
> 8. **"병종사태"**란 적의 침투 · 도발 위협이 예상되거나 소규모의 적이 침투하였을 때에 시 · 도경찰청장, 지역군사령관 또는 함대사령관의 지휘 · 통제 하에 통합방위작전을 수행하여 단기간 내에 치안이 회복될 수 있는 사태를 말한다.

마. [○]

> **통합방위법 제24조 【벌칙】** ② 제17조 제1항의 대피명령을 위반한 사람은 300만원 이하의 벌금에 처한다.

03 경찰 비상업무 규칙

086 「경찰 비상업무 규칙」상 용어의 정의에 대한 설명으로 가장 적절하지 않은 것은? [2015 실무 1]

① 비상상황이라 함은 대간첩 · 테러, 대규모 재난 등의 긴급 상황이 발생하거나 발생할 우려가 있는 경우를 말한다.

② 지휘선상 위치 근무라 함은 비상연락체계를 유지하며 유사시 5시간 이내에 현장지휘 및 현장근무가 가능한 장소에 위치하는 것을 말한다.

③ 가용경력이라 함은 총원에서 휴가 · 출장 · 교육 · 파견 등을 제외하고 실제 동원될 수 있는 모든 인원을 말한다.

④ 정위치 근무라 함은 감독순시 · 현장근무 및 사무실 대기 등 관할구역 내에 위치하는 것을 말한다.

정답 및 해설 I ②

② [×] 5시간이 아니라 1시간 이내이다.

> 훈령 **경찰 비상업무 규칙 제2조 【정의】** 이 훈령에서 사용하는 용어의 정의는 다음과 같다.
> 2. **"지휘선상 위치 근무"**라 함은 비상연락체계를 유지하며 유사시 1시간 이내에 현장지휘 및 현장근무가 가능한 장소에 위치하는 것을 말한다.

①③④ [○]

> 훈령 **경찰 비상업무 규칙 제2조 【정의】** 이 훈령에서 사용하는 용어의 정의는 다음과 같다.
> 1. **"비상상황"**이라 함은 대간첩 · 테러, 대규모 재난 등의 긴급 상황이 발생하거나 발생할 우려가 있는 경우 또는 다수의 경력을 동원해야 할 치안수요가 발생하여 치안활동을 강화할 필요가 있는 때를 말한다.
> 7. **"가용경력"**이라 함은 총원에서 휴가 · 출장 · 교육 · 파견 등을 제외하고 실제 동원될 수 있는 모든 인원을 말한다.
> 3. **"정위치 근무"**라 함은 감독순시 · 현장근무 및 사무실 대기 등 관할구역 내에 위치하는 것을 말한다.

087 「경찰 비상업무 규칙」상 용어의 정의로 가장 적절하지 않은 것은? [2018 채용 2차]

① '가용경력'이라 함은 총원에서 휴가 · 출장 · 교육 · 파견 등을 제외하고 실제 동원될 수 있는 모든 인원을 말한다.

② '정위치 근무'라 함은 감독순시 · 현장근무 및 사무실 대기 등 관할구역 내에 위치하는 것을 말한다.

③ '정착근무'라 함은 사무실 또는 상황과 관련된 현장에 위치하는 것을 말한다.

④ '작전준비태세'라 함은 '경계강화'단계를 발령하기 이전에 별도의 경력을 동원하여 경찰작전부대의 출동태세 점검, 지휘관 및 참모의 비상연락망 구축 및 신속한 응소체제를 유지하며, 작전상황반을 운영하는 등 필요한 작전 사항을 미리 조치하는 것을 말한다.

정답 및 해설 I ④

④ [×] 별도의 경력동원이 없다.

> **훈령** **경찰 비상업무 규칙 제2조【정의】** 이 훈령에서 사용하는 용어의 정의는 다음과 같다.
> 9. "**작전준비태세**"라 함은 '경계강화'단계를 발령하기 이전에 별도의 경력동원 없이 경찰작전부대의 출동태세 점검, 지휘관 및 참모의 비상연락망 구축 및 신속한 응소체제를 유지하며, 작전상황반을 운영하는 등 필요한 작전 사항을 미리 조치하는 것을 말한다.

①②③ [○]

> **훈령** **경찰 비상업무 규칙 제2조【정의】** 이 훈령에서 사용하는 용어의 정의는 다음과 같다.
> 7. "**가용경력**"이라 함은 총원에서 휴가 · 출장 · 교육 · 파견 등을 **제외**하고 **실제 동원될 수 있는 모든 인원**을 말한다.
> 3. "**정위치 근무**"라 함은 감독순시 · 현장근무 및 사무실 대기 등 **관할구역 내에 위치**하는 것을 말한다.
> 4. "**정착근무**"라 함은 사무실 또는 상황과 관련된 **현장에 위치하는** 것을 말한다.

088 「경찰 비상업무 규칙」상 용어의 정의로 가장 적절하지 않은 것은? [2019 승진(경위)]

① '가용경력'이라 함은 총원에서 휴가 · 출장 · 교육 · 파견 등을 제외하고 실제 동원될 수 있는 모든 인원을 말한다.

② '지휘선상 위치 근무'라 함은 비상연락체계를 유지하며 유사시 1시간 이내에 현장지휘 및 현장근무가 가능한 장소에 위치하는 것을 말한다.

③ '필수요원이라' 함은 전 경찰공무원 및 일반직공무원 중 경찰기관의 장이 지정한 자로 비상소집시 1시간 이내에 응소하여야 할 자를 말한다.

④ '작전준비태세'라 함은 '경계강화'단계를 발령하기 이전에 별도의 경력을 동원하여 경찰작전부대의 출동태세 점검, 지휘관 및 참모의 비상연락망 구축 및 신속한 응소체제를 유지하며, 작전상황반을 운영하는 등 필요한 작전 사항을 미리 조치하는 것을 말한다.

정답 및 해설 I ④

④ [×] 별도의 경력동원이 없다.

> **훈령** **경찰 비상업무 규칙 제2조【정의】** 이 훈령에서 사용하는 용어의 정의는 다음과 같다.
> 9. "**작전준비태세**"라 함은 '경계강화'단계를 발령하기 이전에 별도의 경력동원 없이 경찰작전부대의 출동태세 점검, 지휘관 및 참모의 비상연락망 구축 및 신속한 응소체제를 유지하며, 작전상황반을 운영하는 등 필요한 작전 사항을 미리 조치하는 것을 말한다.

①②③ [○]

> 훈령 경찰 비상업무 규칙 제2조【정의】이 훈령에서 사용하는 용어의 정의는 다음과 같다.
> 7. "**가용경력**"이라 함은 총원에서 휴가 · 출장 · 교육 · 파견 등을 제외하고 실제 동원될 수 있는 모든 인원을 말한다.
> 2. "**지휘선상 위치 근무**"라 함은 비상연락체계를 유지하며 유사시 1시간 이내에 현장지휘 및 현장근무가 가능한 장소에 위치하는 것을 말한다.
> 5. "**필수요원**"이라 함은 전 경찰공무원 및 일반직공무원(이하 "경찰관 등"이라 한다) 중 경찰기관의 장이 지정한 자로 비상소집 시 1시간 이내에 응소하여야 할 자를 말한다.

089 「경찰 비상업무 규칙」에 대한 설명으로 가장 적절하지 않은 것은? [2021 승진(실무종합)]

① '지휘선상 위치 근무'란 비상연락체계를 유지하며 유사시 1시간 이내에 현장지휘 및 현장근무가 가능한 장소에 위치하는 것을 말한다.

② '정착근무'란 사무실 또는 상황과 관련된 현장에 위치하는 것을 말한다.

③ '일반요원'이란 필수요원을 포함한 경찰관 등으로 비상소집시 2시간 이내에 응소하여야 할 자를 말한다.

④ '가용경력'이란 총원에서 휴가 · 출장 · 교육 · 파견 등을 제외하고 실제 동원될 수 있는 모든 인원을 말한다.

정답 및 해설 I ③

③ [×] 필수요원을 제외한 경찰관 등이다.

> 훈령 경찰 비상업무 규칙 제2조【정의】이 훈령에서 사용하는 용어의 정의는 다음과 같다.
> 6. "**일반요원**"이라 함은 필수요원을 제외한 경찰관 등으로 비상소집 시 2시간 이내에 응소하여야 할 자를 말한다.

①②④ [○]

> 훈령 경찰 비상업무 규칙 제2조【정의】이 훈령에서 사용하는 용어의 정의는 다음과 같다.
> 2. "**지휘선상 위치 근무**"라 함은 비상연락체계를 유지하며 유사시 1시간 이내에 현장지휘 및 현장근무가 가능한 장소에 위치하는 것을 말한다.
> 4. "**정착근무**"라 함은 사무실 또는 상황과 관련된 현장에 위치하는 것을 말한다.
> 7. "**가용경력**"이라 함은 총원에서 휴가 · 출장 · 교육 · 파견 등을 제외하고 실제 동원될 수 있는 모든 인원을 말한다.

090 「경찰 비상업무 규칙」에 대한 설명으로 가장 적절한 것은? [2018 채용 3차]

① '필수요원'이라 함은 전 경찰공무원 및 일반직공무원 중 경찰기관의 장이 지정한 자로 비상소집시 1시간 이내에 응소하여야 할 자를 말한다.

② '지휘선상 위치 근무'라 함은 감독순시 · 현장근무 및 사무실 대기 등 관할구역 내에 위치하는 것을 말한다.

③ 지휘관과 참모는 을호비상시 정위치 근무 또는 지휘선상 위치 근무를 원칙으로, 병호비상시 지휘선상 위치 근무를 원칙으로 한다.

④ 비상근무를 발령할 경우에는 정황의 특수성을 감안하여 비상근무의 목적이 원활히 달성될 수 있도록 가용경력을 최대한 동원하여야 한다.

정답 및 해설 I ①

① [○]

> 훈령 경찰 비상업무 규칙 제2조 【정의】 이 훈령에서 사용하는 용어의 정의는 다음과 같다.
> 5. "**필수요원**"이라 함은 전 경찰공무원 및 일반직공무원(이하 "경찰관 등"이라 한다) 중 경찰기관의 장이 지정한 자로 비상소집 시 1시간 이내에 응소하여야 할 자를 말한다.

② [×] 지문은 정위치 근무에 대한 설명이다.

> 훈령 경찰 비상업무 규칙 제2조 【정의】 이 훈령에서 사용하는 용어의 정의는 다음과 같다.
> 2. "**지휘선상 위치 근무**"라 함은 비상연락체계를 유지하며 유사시 1시간 이내에 현장지휘 및 현장근무가 가능한 장소에 위치하는 것을 말한다.
> 3. "**정위치 근무**"라 함은 감독순시 · 현장근무 및 사무실 대기 등 관할구역 내에 위치하는 것을 말한다.

③ [×] **을호비상**시 지휘관과 참모는 정위치 근무를 원칙으로 한다. 반면, **병호비상**시에 지휘관과 참모는 정위치 근무 또는 지휘선상 위치 근무를 원칙으로 한다.

등급	경력동원	근무기준
갑호비상	• 연가를 중지하고, • 가용경력 100%까지 동원할 수 있다.	지휘관과 참모는 정착근무 원칙
을호비상	• 연가를 중지하고, • 가용경력 50%까지 동원할 수 있다.	지휘관과 참모는 정위치 근무 원칙
병호비상	• 부득이한 경우를 제외하고 연가를 억제하고, • 가용경력 30%까지 동원할 수 있다.	지휘관과 참모는 정위치 근무 또는 지휘선상 위치 근무 원칙

④ [×] 적정한 인원을 동원하여 불필요한 동원이 없도록 하여야 한다.

> 훈령 경찰 비상업무 규칙 제5조 【발령】 ⑥ 비상근무를 발령할 경우에는 정황의 특수성을 감안하여 비상근무의 목적이 원활히 달성될 수 있도록 적정한 인원, 계급, 부서를 동원하여 불필요한 동원이 없도록 하여야 한다.

091 「경찰 비상업무 규칙」에 관한 설명으로 가장 적절하지 않은 것은? [2015 승진(경감)]

① 가용경력이라 함은 휴가 · 출장 · 교육 · 파견 등을 포함한 총원을 의미한다.

② 정위치 근무는 감독순시 · 현장근무 및 사무실 대기 등 관할구역 내에 위치하는 것을 말한다.

③ 지휘선상 위치 근무라 함은 비상연락체계를 유지하며 유사시 1시간 이내에 현장지휘 및 현장근무가 가능한 장소에 위치하는 것을 말한다.

④ 두 종류 이상의 비상상황이 동시에 발생한 경우에는 긴급성 또는 중요도가 상대적으로 더 큰 비상상황(주된 비상상황)의 비상근무로 통합 · 실시한다.

정답 및 해설 I ①

① [×] 휴가 등을 제외하고 실제 동원될 수 있는 모든 인원을 말한다.

> 훈령 경찰 비상업무 규칙 제2조 【정의】 이 훈령에서 사용하는 용어의 정의는 다음과 같다.
> 7. "**가용경력**"이라 함은 총원에서 휴가 · 출장 · 교육 · 파견 등을 제외하고 실제 동원될 수 있는 모든 인원을 말한다.

②③ [○]

> 훈령 경찰 비상업무 규칙 제2조 【정의】 이 훈령에서 사용하는 용어의 정의는 다음과 같다.
> 2. "**지휘선상 위치 근무**"라 함은 비상연락체계를 유지하며 유사시 1시간 이내에 현장지휘 및 현장근무가 가능한 장소에 위치하는 것을 말한다.
> 3. "**정위치 근무**"라 함은 감독순시 · 현장근무 및 사무실 대기 등 관할구역 내에 위치하는 것을 말한다.

④ [○]

> 훈령 경찰 비상업무 규칙 제3조【근무방침】② 비상근무 대상은 경비 · 작전 · 안보 · 수사 · 교통 또는 재난관리 업무와 관련한 비상상황에 국한한다. 다만, 두 종류 이상의 비상상황이 동시에 발생한 경우에는 긴급성 또는 중요도가 상대적으로 더 큰 비상상황(이하 "주된 비상상황"이라 한다)의 비상근무로 통합 · 실시한다.

092 「경찰 비상업무 규칙」에 대한 설명 중 가장 적절한 것은? [2020 승진(경위)]

① 병호비상시 연가를 중지하고 가용경력 30%까지 동원할 수 있다.

② 경계강화시 지휘관과 참모는 비상연락망을 구축하고 신속한 응소체제를 유지한다.

③ '가용경력'이라 함은 총원에서 휴가 · 출장 · 교육 · 파견 등을 포함한 실제 동원될 수 있는 모든 인원을 말한다.

④ 비상근무 유형에 따른 분류에는 경비비상, 작전비상, 안보비상, 수사비상, 교통비상, 재난비상이 있다.

정답 및 해설 | ④

④ [○]

> 훈령 경찰 비상업무 규칙 제3조【근무방침】② 비상근무 대상은 경비 · 작전 · 안보 · 수사 · 교통 또는 재난관리 업무와 관련한 비상상황에 국한한다. 다만, 두 종류 이상의 비상상황이 동시에 발생한 경우에는 긴급성 또는 중요도가 상대적으로 더 큰 비상상황(이하 "주된 비상상황"이라 한다)의 비상근무로 통합 · 실시한다

① [×] **병호비상**시 연가를 중지하는 것이 아니라 연가를 억제한다.

등급	경력동원	근무기준
병호비상	• 부득이한 경우를 제외하고 연가를 억제하고, • 가용경력 30%까지 동원할 수 있다.	지휘관과 참모는 정위치 근무 또는 지휘선상 위치 근무 원칙

② [×] **경계강화**시 지휘관과 참모는 지휘선상 위치 근무가 원칙이다. 지문은 **작전준비태세**에서 지휘관과 참모의 근무기준(비상연락망 구축, 신속한 응소체계 유지)에 대한 설명이다.

등급	경력동원	근무기준
경계강화	별도의 경력동원 없이 특정분야의 근무를 강화	• 지휘관과 참모는 지휘선상 위치 근무 원칙 • 경찰관 등은 비상연락체계를 유지 • 경찰작전부대는 상황발생시 즉각 출동이 가능하도록 출동대기태세를 유지

③ [×] 휴가 등을 제외하고 실제 동원될 수 있는 모든 인원을 말한다.

> 훈령 경찰 비상업무 규칙 제2조【정의】이 훈령에서 사용하는 용어의 정의는 다음과 같다.
> 7. "**가용경력**"이라 함은 총원에서 휴가 · 출장 · 교육 · 파견 등을 제외하고 실제 동원될 수 있는 모든 인원을 말한다.

093 「경찰 비상업무 규칙」에 대한 설명으로 가장 적절한 것은? [2018 실무 1, 2018 승진(경위)]

① '지휘선상 위치 근무'라 함은 비상연락체계를 유지하며 유사시 2시간 이내에 현장지휘 및 현장근무가 가능한 장소에 위치하는 것을 말한다.

② '정착근무'라 함은 감독순시 · 현장근무 및 사무실 대기 등 관할구역 내에 위치하는 것을 말한다.

③ '가용경력'이라 함은 총원에서 휴가 · 출장 · 교육 · 파견 등을 포함한 실제 동원될 수 있는 모든 인원을 말한다.

④ 비상근무의 종류에는 경비비상, 작전비상, 안보비상, 수사비상, 교통비상, 재난비상이 있다.

정답 및 해설 | ④

④ [○]

> 훈령 **경찰 비상업무 규칙 제3조【근무방침】** ② 비상근무 대상은 경비 · 작전 · 안보 · 수사 · 교통 또는 재난관리 업무와 관련한 비상상황에 국한한다. 다만, 두 종류 이상의 비상상황이 동시에 발생한 경우에는 긴급성 또는 중요도가 상대적으로 더 큰 비상상황(이하 "주된 비상상황"이라 한다)의 비상근무로 통합 · 실시한다.

① [×] 2시간이 아닌 1시간이다.

> 훈령 **경찰 비상업무 규칙 제2조【정의】** 이 훈령에서 사용하는 용어의 정의는 다음과 같다.
> 2. "**지휘선상 위치 근무**"라 함은 비상연락체계를 유지하며 유사시 1시간 이내에 현장지휘 및 현장근무가 가능한 장소에 위치하는 것을 말한다.

② [×] '정착근무'라 함은 사무실 또는 상황과 관련된 현장에 위치하는 것을 말한다. 지문은 정위치 근무에 대한 설명이다.

> 훈령 **경찰 비상업무 규칙 제2조【정의】** 이 훈령에서 사용하는 용어의 정의는 다음과 같다.
> 3. "**정위치 근무**"라 함은 감독순시 · 현장근무 및 사무실 대기 등 관할구역 내에 위치하는 것을 말한다.
> 4. "**정착근무**"라 함은 사무실 또는 상황과 관련된 현장에 위치하는 것을 말한다.

③ [×] 휴가 등을 제외하고 실제 동원될 수 있는 모든 인원을 말한다.

> 훈령 **경찰 비상업무 규칙 제2조【정의】** 이 훈령에서 사용하는 용어의 정의는 다음과 같다.
> 7. "**가용경력**"이라 함은 총원에서 휴가 · 출장 · 교육 · 파견 등을 제외하고 실제 동원될 수 있는 모든 인원을 말한다.

094 경찰비상업무는 치안상 비상상황에 대하여 정황에 따른 지역별 · 기능별 경찰력의 운용과 활동체계를 규정하여 비상상황에 효율적으로 대응하기 위해 「경찰 비상업무 규칙」을 제정하고 있다. 이에 대한 설명으로 가장 적절하지 않은 것은? [2017 실무 1]

① 비상근무의 종류에는 경비비상, 작전비상, 안보비상, 수사비상, 교통비상, 재난비상이 있다.

② 지휘선상 위치 근무는 비상연락체계를 유지하면서 유사시 2시간 이내에 현장지휘 및 현장근무가 가능한 장소에 위치하는 것이다.

③ 갑호비상시 지휘관과 참모는 정착근무를 원칙으로 한다.

④ 정착근무란 사무실 또는 상황과 관련된 현장에 위치하는 것을 말한다.

정답 및 해설 | ②

② [×] 2시간이 아니라 1시간이다. / ④ [○]

> 훈령 **경찰 비상업무 규칙 제2조【정의】** 이 훈령에서 사용하는 용어의 정의는 다음과 같다.
> 2. "**지휘선상 위치 근무**"라 함은 비상연락체계를 유지하며 유사시 1시간 이내에 현장지휘 및 현장근무가 가능한 장소에 위치하는 것을 말한다.
> 4. "**정착근무**"라 함은 사무실 또는 상황과 관련된 현장에 위치하는 것을 말한다.

① [○]

> 훈령 **경찰 비상업무 규칙 제3조【근무방침】** ② 비상근무 대상은 경비 · 작전 · 안보 · 수사 · 교통 또는 재난관리 업무와 관련한 비상상황에 국한한다. 다만, 두 종류 이상의 비상상황이 동시에 발생한 경우에는 긴급성 또는 중요도가 상대적으로 더 큰 비상상황(이하 "주된 비상상황"이라 한다)의 비상근무로 통합 · 실시한다.

③ [○]

등급	경력동원	근무기준
갑호비상	• 연가를 중지하고, • 가용경력 100%까지 동원할 수 있다.	지휘관과 참모는 정착근무 원칙

095 「경찰 비상업무 규칙」상 비상근무에 관한 설명으로 가장 적절하지 않은 것은? [2016 승진(경감)]

① 기능별 상황의 긴급성 및 중요도에 따라 비상등급은 갑호비상, 을호비상, 병호비상, 경계강화, 작전준비태세(작전비상시 적용)가 있다.

② 갑호비상시 지휘관과 참모는 정착근무를 원칙으로 한다.

③ 을호비상시 연가를 중지하고 가용경력 100%까지 동원해야 한다.

④ 경계강화시 지휘관과 참모는 지휘선상 위치 근무를 원칙으로 한다.

정답 및 해설 I ③

③ [×] 을호비상시 연가를 중지하고 가용경력 50%까지 동원할 수 있다.

①②④ [○]

등급	경력동원	근무기준
갑호비상	• 연가를 중지하고, • 가용경력 100%까지 동원할 수 있다.	지휘관과 참모는 정착근무 원칙
을호비상	• 연가를 중지하고, • 가용경력 50%까지 동원할 수 있다.	지휘관과 참모는 정위치 근무 원칙
병호비상	• 부득이한 경우를 제외하고 연가를 억제하고, • 가용경력 30%까지 동원할 수 있다.	지휘관과 참모는 정위치 근무 또는 지휘선상 위치 근무 원칙
경계강화	별도의 경력동원 없이 특정분야의 근무를 강화	• 지휘관과 참모는 지휘선상 위치 근무 원칙 • 경찰관 등은 비상연락체계를 유지 • 경찰작전부대는 상황발생시 즉각 출동이 가능하도록 출동대기태세를 유지
작전준비태세	별도의 경력동원 없이	• 경찰관서 지휘관 및 참모의 비상연락망을 구축하고 신속한 응소체제를 유지 • 경찰작전부대는 상황발생시 즉각 출동이 가능하도록 출동태세 점검을 실시 • 유관기관과의 긴밀한 연락체계를 유지하고, 필요시 작전상황반을 유지

096 「경찰 비상업무 규칙」에 대한 설명으로 가장 적절하지 않은 것은? [2021 채용 1차]

① 필수요원이라 함은 전 경찰공무원 및 일반직공무원(이하 '경찰관 등'이라 한다) 중 경찰기관 장이 지정한 자로 비상소집시 1시간 이내에 응소하여야 할 자를 말하며, 일반요원이라 함은 필수요원을 제외한 경찰관 등으로 비상소집시 2시간 이내에 응소하여야 할 자를 말한다.

② 비상근무는 경비 소관의 경비 · 작전비상, 안보 소관의 안보비상, 수사 소관의 수사비상, 교통 소관의 교통비상, 생활안전 소관의 생활안전비상으로 구분하여 발령한다.

③ 비상근무 갑호가 발령된 때에는 연가를 중지하고 가용경력 100%까지 동원할 수 있고, 비상근무 을호가 발령된 때에는 연가를 중지하고 가용경력 50%까지 동원할 수 있으며, 비상근무 병호가 발령된 때에는 부득이한 경우를 제외하고는 연가를 억제하고 가용경력 30%까지 동원할 수 있다.

④ 작전준비태세가 발령된 때에는 별도의 경력동원 없이 경찰관서 지휘관 및 참모의 비상연락망을 구축하고 신속한 응소체제를 유지하며, 경찰작전부대는 상황발생시 즉각 출동이 가능하도록 출동태세 점검을 실시하는 등의 비상근무를 한다.

정답 및 해설 | ②

② [×] 생활안전 소관의 생활안전비상이라는 것은 존재하지 않는다.

> **훈령** **경찰 비상업무 규칙 제4조【비상근무의 종류 및 등급】** ① 비상근무는 비상상황의 유형에 따라 다음 각 호와 같이 구분하여 발령한다.
> 1. 경비 소관: 경비, 작전비상
> 2. 안보 소관: 안보비상
> 3. 수사 소관: 수사비상
> 4. 교통 소관: 교통비상
> 5. 치안상황 소관: 재난비상

① [○]

> **훈령** **경찰 비상업무 규칙 제2조【정의】** 이 훈령에서 사용하는 용어의 정의는 다음과 같다.
> 5. "**필수요원**"이라 함은 전 경찰공무원 및 일반직공무원(이하 "경찰관 등"이라 한다) 중 경찰기관의 장이 지정한 자로 비상소집시 1시간 이내에 응소하여야 할 자를 말한다.
> 6. "**일반요원**"이라 함은 필수요원을 제외한 경찰관 등으로 비상소집시 2시간 이내에 응소하여야 할 자를 말한다.

③④ [○]

등급	경력동원	근무기준
갑호비상	• 연가를 중지하고, • 가용경력 100%까지 동원할 수 있다.	지휘관과 참모는 정착근무 원칙
을호비상	• 연가를 중지하고, • 가용경력 50%까지 동원할 수 있다.	지휘관과 참모는 정위치 근무 원칙
병호비상	• 부득이한 경우를 제외하고 연가를 억제하고, • 가용경력 30%까지 동원할 수 있다.	지휘관과 참모는 정위치 근무 또는 지휘선상 위치 근무 원칙
경계강화	별도의 경력동원 없이 특정분야의 근무 강화	• 지휘관과 참모는 지휘선상 위치 근무 원칙 • 경찰관 등은 비상연락체계를 유지 • 경찰작전부대는 상황발생시 즉각 출동이 가능하도록 출동대기태세를 유지
작전준비태세	별도의 경력동원 없이	• 경찰관서 지휘관 및 참모의 비상연락망을 구축하고 신속한 응소체제를 유지 • 경찰작전부대는 상황발생시 즉각 출동이 가능하도록 출동태세 점검을 실시 • 유관기관과의 긴밀한 연락체계를 유지하고, 필요시 작전상황반을 유지

097 「경찰 비상업무 규칙」에 대한 설명으로 가장 적절한 것은? [2023 경간]

① 필수요원이라 함은 전 경찰공무원 및 일반직공무원 중 경찰기관의 장이 지정한 자로 비상소집시 2시간 이내에 응소하여야 할 자를 말한다.

② 비상근무는 비상상황의 유형에 따라 경비소관의 경비, 작전비상, 수사소관의 수사비상, 안보소관의 안보비상, 치안상황소관의 교통, 재난비상으로 구분하여 발령한다.

③ 경계강화 발령시 별도의 경력동원 없이 특정분야의 근무를 강화하며 지휘관과 참모는 정위치 근무를 원칙으로 한다.

④ 비상근무의 발령권자는 비상상황이 발생하여 비상근무를 실시하고자 할 경우에는 비상근무의 목적, 지역, 기간 및 동원대상 등을 특정하여 별지 제1호 서식의 비상근무발령서에 의하여 비상근무를 발령한다.

정답 및 해설 I ④

④ [○]

> 훈령 **경찰 비상업무 규칙 제5조【발령】** ② 비상근무의 발령권자는 비상상황이 발생하여 비상근무를 실시하고자 할 경우에는 비상근무의 목적, 지역, 기간 및 동원대상 등을 특정하여 별지 제1호 서식의 비상근무발령서에 의하여 비상근무를 발령한다.

① [×] 필수요원이라 함은 1시간 이내에 응소하여야 할 자

> 훈령 **경찰 비상업무 규칙 제2조【정의】** 이 훈령에서 사용하는 용어의 정의는 다음과 같다.
> 5. "필수요원"이라 함은 전 경찰공무원 및 일반직공무원(이하 "경찰관 등"이라 한다) 중 경찰기관의 장이 지정한 자로 비상소집시 1시간 이내에 응소하여야 할 자를 말한다.

② [×] **치안상황소관의 재난비상, 교통 소관의 교통비상**으로 구분

> 훈령 **경찰 비상업무 규칙 제4조【비상근무의 종류 및 등급】** ① 비상근무는 비상상황의 유형에 따라 다음 각 호와 같이 구분하여 발령한다.
> 1. 경비 소관: 경비, 작전비상
> 2. 안보 소관: 안보비상
> 3. 수사 소관: 수사비상
> 4. 교통 소관: 교통비상
> 5. 치안상황 소관: 재난비상

③ [×] 경계강화시 지휘관과 참모는 **지휘선상 위치 근무**를 원칙으로 한다.

> 훈령 **경찰 비상업무 규칙 제7조【근무요령】** ① 비상근무 발령권자는 비상상황을 판단하여 다음의 기준에 따라 비상근무를 실시한다.
> 4. 경계 강화
> 가. 별도의 경력동원 없이 특정분야의 근무를 강화한다.
> 나. 경찰관 등은 비상연락체계를 유지하고 경찰작전부대는 상황발생시 즉각 출동이 가능하도록 출동대기태세를 유지한다.
> 다. 지휘관과 참모는 지휘선상 위치 근무를 원칙으로 한다.

098 「경찰 비상업무 규칙」상 비상근무의 종류별 정황에 대한 설명으로 연결이 가장 적절한 것은?

[2020 승진(경감)]

① 안보비상 을호 – 간첩 또는 정보사범 색출을 위한 경계지역 내 검문검색 필요시

② 작전비상 을호 – 대규모 적정이 발생하였거나 발생 징후가 현저한 경우

③ 수사비상 을호 – 사회이목을 집중시킬만한 중대범죄 발생시

④ 경비비상 을호 – 대규모 집단사태 · 테러 · 재난 등의 발생으로 치안질서가 혼란하게 되었거나 그 징후가 예견되는 경우

정답 및 해설 I ④

④ [○] 경비비상 을호에 대한 옳은 설명이다.

① [×] 안보비상 갑호에 대한 설명이다.

② [×] 작전비상 갑호에 대한 설명이다.

③ [×] 수사비상 갑호에 대한 설명이다.

☑ 비상근무의 종류별 정황(「경찰 비상업무 규칙」 별표 1)

경비비상	갑호	• 계엄이 선포되기 전의 치안상태 • 대규모 집단사태 · 테러 등의 발생으로 치안질서가 극도로 혼란하게 되었거나 그 징후가 현저한 경우 • 국제행사 · 기념일 등을 전후하여 치안수요의 급증으로 가용경력을 100% 동원할 필요가 있는 경우
	을호	• 대규모 집단사태 · 테러 등의 발생으로 치안질서가 혼란하게 되었거나 그 징후가 예견되는 경우 • 국제행사 · 기념일 등을 전후하여 치안수요가 증가하여 가용경력의 50%를 동원할 필요가 있는 경우
	병호	• 집단사태 · 테러 등의 발생으로 치안질서의 혼란이 예견되는 경우 • 국제행사 · 기념일 등을 전후하여 치안수요가 증가하여 가용경력의 30%를 동원할 필요가 있는 경우
작전비상	갑호	대규모 적정이 발생하였거나 발생 징후가 현저한 경우
	을호	적정이 발생하였거나 일부 적의 침투가 예상되는 경우
	병호	정 · 첩보에 의해 적 침투에 대비한 고도의 경계강화가 필요한 경우
안보비상	갑호	간첩 또는 정보사범 색출을 위한 경계지역 내 검문검색 필요시
	을호	상기 상황하에서 특정지역 · 요지에 대한 검문검색 필요시
수사비상	갑호	사회이목을 집중시킬만한 중대범죄 발생시
	을호	중요범죄 사건발생시
교통비상	갑호	농무, 풍수설해 및 화재로 극도의 교통혼란 및 사고발생시
	을호	상기 징후가 예상될 시
재난비상	갑호	대규모 재난의 발생으로 치안질서가 극도로 혼란하게 되었거나 그 징후가 현저한 경우
	을호	대규모 재난의 발생으로 치안질서가 혼란하게 되었거나 그 징후가 예견되는 경우
	병호	재난의 발생으로 치안질서의 혼란이 예견되는 경우
경계강화 (기능 공통)		'병호'비상보다는 낮은 단계로, 별도의 경력동원 없이 평상시보다 치안활동을 강화할 필요가 있을 때
작전준비태세 (작전비상시 적용)		'경계강화'를 발령하기 이전에 별도의 경력동원 없이 필요한 작전사항을 미리 조치할 필요가 있을 때

099 「경찰 비상업무 규칙」상 비상근무의 종류별 정황에 대한 설명이다. 아래 ㉠부터 ㉣까지의 설명 중 옳고 그름의 표시(○, ×)가 바르게 된 것은? [2022 승진]

> ㉠ 작전비상 - 갑호 - 대규모 적정이 발생하였거나 발생 징후가 현저한 경우
> ㉡ 교통비상 - 을호 - 농무, 풍수설해 및 화재로 극도의 교통혼란 및 사고발생시
> ㉢ 경비비상 - 병호 - 국제행사 · 기념일 등을 전후하여 치안수요가 증가하여 가용경력의 50%를 동원할 필요가 있는 경우
> ㉣ 수사비상 - 갑호 - 사회이목을 집중시킬만한 중대범죄 발생시

① ㉠ [○] ㉡ [×] ㉢ [×] ㉣ [○]
② ㉠ [○] ㉡ [×] ㉢ [○] ㉣ [○]
③ ㉠ [×] ㉡ [×] ㉢ [○] ㉣ [×]
④ ㉠ [○] ㉡ [○] ㉢ [×] ㉣ [×]

정답 및 해설 I ①

㉠ [○]

작전비상	
갑호	대규모 적정이 발생하였거나 발생 징후가 현저한 경우
을호	적정이 발생하였거나 일부 적의 침투가 예상되는 경우
병호	정 · 첩보에 의해 적 침투에 대비한 고도의 경계강화가 필요한 경우

㉡ [×] 교통비상 **갑호**에 해당하는 내용이다.

교통비상	
갑호	농무, 풍수설해 및 화재로 극도의 교통혼란 및 사고발생시
을호	상기 징후가 예상될 시

㉢ [×] 경비비상 을호에 해당하는 내용이다.

경비비상	
갑호	• 계엄이 선포되기 전의 치안상태 • 대규모 집단사태 · 테러 등의 발생으로 치안질서가 극도로 혼란하게 되었거나 그 징후가 현저한 경우 • 국제행사 · 기념일 등을 전후하여 치안수요의 급증으로 가용경력을 100% 동원할 필요가 있는 경우
을호	• 대규모 집단사태 · 테러 등의 발생으로 치안질서가 혼란하게 되었거나 그 징후가 예견되는 경우 • 국제행사 · 기념일 등을 전후하여 치안수요가 증가하여 가용경력의 50%를 동원할 필요가 있는 경우
병호	• 집단사태 · 테러 등의 발생으로 치안질서의 혼란이 예견되는 경우 • 국제행사 · 기념일 등을 전후하여 치안수요가 증가하여 가용경력의 30%를 동원할 필요가 있는 경우

㉣ [○]

수사비상	
갑호	사회이목을 집중시킬만한 중대범죄 발생시
을호	중요범죄 사건발생시

주제 9 청원경찰

100 청원경찰에 대한 설명으로 가장 적절하지 <u>않은</u> 것은? [2020 실무 1]

① 청원경찰은 경찰서장이 임용하되, 임용을 할 때에는 미리 시 · 도경찰청장의 승인을 받아야 한다.

② 청원경찰은 배치신청 – 배치결정 – 임용승인신청 – 임용승인 – 임용 순서로 배치한다.

③ 관할 경찰서장은 매달 1회 이상 청원경찰을 배치한 경비구역에 대하여 복무규율과 근무 상황, 무기의 관리 및 취급 사항을 감독하여야 한다.

④ 시 · 도경찰청장은 청원경찰이 직무를 수행하기 위하여 필요하다고 인정하면 청원주의 신청을 받아 관할 경찰서장으로 하여금 청원경찰에게 무기를 대여하여 지니게 할 수 있다.

정답 및 해설 I ①

① [×] 청원주가 임용한다.

> **청원경찰법 제5조【청원경찰의 임용 등】** ① 청원경찰은 청원주가 임용하되, 임용을 할 때에는 미리 시 · 도경찰청장의 승인을 받아야 한다.

② [○] ☑ **청원경찰의 배치 및 임용절차**

> Pre 청원주의 **배치신청** ➜ 시 · 도경찰청장의 **배치결정 및 통보** ➜ (30일 내) 청원주의 임용승인신청 ➜ 시 · 도경찰청장의 임용승인 ➜ 청원주의 임용 ➜ (10일 내)청원주의 보고

③ [○]

대통령령 청원경찰법 시행령 제17조 【감독】 관할 경찰서장은 매달 1회 이상 청원경찰을 배치한 경비구역에 대하여 다음 각 호의 사항을 감독하여야 한다.
1. 복무규율과 근무 상황
2. 무기의 관리 및 취급 사항

④ [○]

청원경찰법 제8조 【제복 착용과 무기 휴대】 ② 시 · 도경찰청장은 청원경찰이 직무를 수행하기 위하여 필요하다고 인정하면 청원주의 신청을 받아 관할 경찰서장으로 하여금 청원경찰에게 무기를 대여하여 지니게 할 수 있다.

101 청원경찰에 대한 설명으로 가장 적절한 것은?

[2019 승진(경위)]

① 청원경찰을 배치받으려는 자는 대통령령으로 정하는 바에 따라 관할 경찰서장에게 청원경찰 배치를 신청하여야 한다.

② 청원경찰은 청원주의 신청에 따라 시 · 도경찰청장이 임용한다.

③ 청원경찰에 대한 징계의 종류는 파면, 해임, 정직, 감봉 및 견책으로 구분한다.

④ 청원경찰의 '근무 중 제복 착용의무'가 법률에 명시적으로 규정되어 있지는 않다.

정답 및 해설 I ③

③ [○]

청원경찰법 제5조의2 【청원경찰의 징계】 ② 청원경찰에 대한 징계의 종류는 파면, 해임, 정직, 감봉 및 견책으로 구분한다. ➜ 강등이 없다(청원경찰은 계급 ×).

① [×] 관할 시 · 도경찰청장에게 신청하여야 한다.

청원경찰법 제4조 【청원경찰의 배치】 ① 청원경찰을 배치받으려는 자는 대통령령으로 정하는 바에 따라 관할 시 · 도경찰청장에게 청원경찰 배치를 신청하여야 한다. ➜ 배치를 원하는 자가 신청한다.

② [×] 청원주가 임용한다.

청원경찰법 제5조 【청원경찰의 임용 등】 ① 청원경찰은 청원주가 임용하되, 임용을 할 때에는 미리 시 · 도경찰청장의 승인을 받아야 한다.

④ [×] 청원경찰법에 명시적 규정이 있다.

청원경찰법 제8조 【제복 착용과 무기 휴대】 ① 청원경찰은 근무 중 제복을 착용하여야 한다.

102 「청원경찰법」상 청원경찰에 대한 설명으로 가장 적절하지 않은 것은? [2017 승진(경위)]

① 시 · 도경찰청장은 청원경찰 배치가 필요하다고 인정하는 기관의 장 또는 시설 · 사업장의 경영자에게 청원경찰을 배치할 것을 요청할 수 있다.

② 청원경찰은 근무 중 제복을 착용하여야 한다.

③ 청원경찰이 직무를 수행할 때 직권을 남용하여 국민에게 해를 끼친 경우에는 1년 이하의 징역이나 금고에 처한다.

④ 청원경찰은 청원경찰의 배치 결정을 받을 자와 배치된 기관 · 시설 또는 사업장 등의 구역을 관할하는 경찰서장의 감독을 받아 그 경비구역만의 경비를 목적으로 필요한 범위에서 「경찰관 직무집행법」에 따른 경찰관의 직무를 수행한다.

정답 및 해설 I ③

③ [×] 6개월 이하의 징역이나 금고에 처한다.

> **청원경찰법 제10조【직권남용 금지 등】** ① 청원경찰이 직무를 수행할 때 직권을 남용하여 국민에게 해를 끼친 경우에는 6개월 이하의 징역이나 금고에 처한다.

① [○]

> **청원경찰법 제4조【청원경찰의 배치】** ③ 시 · 도경찰청장은 청원경찰 배치가 필요하다고 인정하는 기관의 장 또는 시설 · 사업장의 경영자에게 청원경찰을 배치할 것을 요청할 수 있다. ➜ 시 · 도경찰청장이 배치하라고 요청할 수 있다.

② [○]

> **청원경찰법 제8조【제복 착용과 무기 휴대】** ① 청원경찰은 근무 중 제복을 착용하여야 한다.

④ [○]

> **청원경찰법 제3조【청원경찰의 직무】** 청원경찰은 제4조 제2항에 따라 청원경찰의 배치 결정을 받은 자(이하 "청원주"라 한다)와 배치된 기관 · 시설 또는 사업장 등의 구역을 관할하는 경찰서장의 감독을 받아 그 경비구역만의 경비를 목적으로 필요한 범위에서 「경찰관 직무집행법」에 따른 경찰관의 직무를 수행한다.

103 「청원경찰법」 및 동법 시행령상 청원경찰에 대한 설명으로 가장 적절한 것은? [2017 채용 2차]

① 청원경찰은 청원주와 배치된 기관 · 시설 또는 사업장 등의 구역을 관할하는 경찰서장의 감독을 받아 그 경비구역만의 경비를 목적으로 필요한 범위에서 「국가경찰과 자치경찰의 조직 및 운영에 관한 법률」에 따른 경찰관의 직무를 수행한다.

② 관할 경찰서장은 청원경찰이 직무상의 의무를 위반하거나 직무를 태만히 할 때 징계처분을 하여야 한다.

③ 관할 경찰서장은 매달 1회 이상 청원경찰을 배치한 경비구역에 대하여 복무규율과 근무 상황을 감독하여야 한다.

④ 청원경찰의 임용자격은 19세 이상인 사람이며, 남자의 경우에는 군복무를 마쳤거나 군복무가 면제된 사람으로 한정된다.

정답 및 해설 I ③

③ [○]

> 대통령령 **청원경찰법 시행령 제17조【감독】** 관할 경찰서장은 매달 1회 이상 청원경찰을 배치한 경비구역에 대하여 다음 각 호의 사항을 감독하여야 한다.
> 1. 복무규율과 근무 상황
> 2. 무기의 관리 및 취급 사항

① [×] 「경찰관 직무집행법」에 따른 경찰관의 직무를 수행한다.

> **청원경찰법 제3조【청원경찰의 직무】** 청원경찰은 제4조 제2항에 따라 청원경찰의 배치 결정을 받은 자(이하 "청원주"라 한다)와 배치된 기관·시설 또는 사업장 등의 구역을 관할하는 경찰서장의 감독을 받아 그 경비구역만의 경비를 목적으로 필요한 범위에서 「경찰관 직무집행법」에 따른 경찰관의 직무를 수행한다.

② [×] 징계의 주체는 관할 경찰서장이 아니라 청원주이다.

> **청원경찰법 제5조의2【청원경찰의 징계】** ① 청원주는 청원경찰이 다음 각 호의 어느 하나에 해당하는 때에는 대통령령으로 정하는 징계절차를 거쳐 징계처분을 하여야 한다.
> 1. 직무상의 의무를 위반하거나 직무를 태만히 한 때
> 2. 품위를 손상하는 행위를 한 때

④ [×] 18세 이상인 사람으로서 남·여를 구분하지 않는다. 남자의 경우 군필 규정은 현재 삭제되었다.

> 대통령령 **청원경찰법 시행령 제3조【임용자격】** 법 제5조 제3항에 따른 청원경찰의 임용자격은 다음 각 호와 같다.
> 1. 18세 이상인 사람
> 2. 행정안전부령으로 정하는 신체조건에 해당하는 사람

104 「청원경찰법」 및 동법 시행령상 청원경찰에 대한 설명으로 가장 적절하지 않은 것은? [2020 채용 1차]

① 청원경찰에 대한 징계의 종류는 파면, 해임, 정직, 감봉 및 견책으로 구분한다.

② 청원주는 청원경찰을 신규로 배치하거나 이동배치하였을 때에는 배치지(이동배치의 경우에는 종전의 배치지)를 관할하는 경찰서장에게 그 사실을 통보하여야 한다.

③ 청원경찰(국가기관이나 지방자치단체에 근무하는 청원경찰을 포함한다)의 직무상 불법행위에 대한 배상책임에 관하여는 「민법」의 규정을 따른다.

④ 청원경찰이 그 배치지의 특수성 등으로 특수복장을 착용할 필요가 있을 때에는 청원주는 시·도경찰청장의 승인을 받아 특수복장을 착용하게 할 수 있다.

정답 및 해설 I ③

③ [×] 국가기관이나 지방자치단체에 근무하는 청원경찰을 제외한다.

> **청원경찰법 제10조의2【청원경찰의 불법행위에 대한 배상책임】** 청원경찰(국가기관이나 지방자치단체에 근무하는 청원경찰은 제외한다)의 직무상 불법행위에 대한 배상책임에 관하여는 「민법」의 규정을 따른다. ➜ 국가기관이나 지방자치단체에 근무하는 청원경찰의 경우에는 국가배상법이 적용된다고 본다.

① [○]

> **청원경찰법 제5조의2【청원경찰의 징계】** ② 청원경찰에 대한 징계의 종류는 파면, 해임, 정직, 감봉 및 견책으로 구분한다. ➜ 강등이 없다(청원경찰은 계급 ×).

② [○]

> 대통령령 **청원경찰법 시행령 제6조【배치 및 이동】** ① 청원주는 청원경찰을 신규로 배치하거나 이동배치하였을 때에는 배치지(이동배치의 경우에는 종전의 배치지)를 관할하는 경찰서장에게 그 사실을 통보하여야 한다.
> ② 제1항의 통보를 받은 경찰서장은 이동배치지가 다른 관할구역에 속할 때에는 전입지를 관할하는 경찰서장에게 이동배치한 사실을 통보하여야 한다.

④ [○]

> 대통령령 **청원경찰법 시행령 제14조【복제】** ① 청원경찰의 복제는 제복·장구 및 부속물로 구분한다.
> ③ 청원경찰이 그 배치지의 특수성 등으로 특수복장을 착용할 필요가 있을 때에는 청원주는 시·도경찰청장의 승인을 받아 특수복장을 착용하게 할 수 있다.

105 '경비업법'과 '청원경찰법'상 관련자들에게 부여된 준수사항들로 옳지 않은 것은? [2021 경간]

① 경비업자는 경찰공무원 또는 군인의 제복과 색상 및 디자인 등이 명확히 구분되는 소속 경비원의 복장을 정하고 이를 확인할 수 있는 사진을 첨부하여 주된 사무소를 관할하는 시 · 도경찰청장에게 소정의 양식에 따라 신고하여야 한다.

② 경비원은 장비를 근무 중에만 휴대할 수 있고 경비업무를 위하여 필요하다고 인정되는 상당한 이유가 있을 때에는 최소한도에서 장비를 사용할 수 있다.

③ 청원경찰은 청원주와 배치된 기관 · 시설 또는 사업장 등의 구역을 관할하는 경찰서장의 감독을 받아 그 경비구역만의 경비를 목적으로 필요한 범위에서 '경찰관 직무집행법'에 따른 경찰관의 직무를 수행한다.

④ 청원경찰은 근무 중 제복을 착용하여야 하며 경찰청장은 청원경찰이 직무를 수행하기 위하여 필요하다고 인정하면 청원주의 신청을 받아 관할 시 · 도경찰청장으로 하여금 청원경찰에게 무기를 대여하여 지니게 할 수 있다.

정답 및 해설 | ④

④ [×] 관할 시 · 도경찰청장이 아니라 관할 경찰서장으로 하여금 청원경찰에게 무기를 대여하여 지니게 할 수 있다.

> **청원경찰법 제8조【제복 착용과 무기 휴대】** ① 청원경찰은 근무 중 제복을 착용하여야 한다.
> ② 시 · 도경찰청장은 청원경찰이 직무를 수행하기 위하여 필요하다고 인정하면 청원주의 신청을 받아 관할 경찰서장으로 하여금 청원경찰에게 무기를 대여하여 지니게 할 수 있다.

① [○]

> **경비업법 제16조【경비원의 복장 등】** ① 경비업자는 경찰공무원 또는 군인의 제복과 색상 및 디자인 등이 명확히 구별되는 소속 경비원의 복장을 정하고 이를 확인할 수 있는 사진을 첨부하여 주된 사무소를 관할하는 시 · 도경찰청장에게 행정안전부령으로 정하는 바에 따라 신고하여야 한다.

② [○]

> **경비업법 제16조의2【경비원의 장비 등】** ① 경비원이 휴대할 수 있는 장비의 종류는 경적 · 단봉 · 분사기 등 행정안전부령으로 정하되, 근무 중에만 이를 휴대할 수 있다.
> ④ 경비원은 경비업무를 위하여 필요하다고 인정되는 상당한 이유가 있을 때에는 필요한 최소한도에서 제1항의 장비를 사용할 수 있다.

③ [○]

> **청원경찰법 제3조【청원경찰의 직무】** 청원경찰은 제4조 제2항에 따라 청원경찰의 배치 결정을 받은 자(이하 "청원주"라 한다)와 배치된 기관 · 시설 또는 사업장 등의 구역을 관할하는 경찰서장의 감독을 받아 그 경비구역만의 경비를 목적으로 필요한 범위에서 「경찰관 직무집행법」에 따른 경찰관의 직무를 수행한다.

106 다음 <보기> 중 「청원경찰법」상 청원경찰을 설명한 것으로 틀린 것은 모두 몇 개인가? [2014 채용 1차]

> <보기>
>
> ㉠ 청원경찰은 청원경찰의 배치 결정을 받은 자(이하 청원주)와 배치된 기관·시설 또는 사업장 등의 구역을 관할하는 경찰서장의 감독을 받아 그 경비구역만의 경비를 목적으로 필요한 범위에서 「경찰관 직무집행법」에 따른 경찰관의 직무를 수행한다.
> ㉡ 청원경찰은 청원주가 임용하되, 임용을 할 때에는 미리 시·도경찰청장의 승인을 받아야 한다.
> ㉢ 시·도경찰청장은 청원경찰이 직무를 수행하기 위하여 필요하다고 인정하면 청원주의 신청을 받아 관할 경찰서장으로 하여금 청원경찰에게 무기를 대여하여 지니게 할 수 있다.
> ㉣ 청원경찰에 대한 징계 종류로는 파면, 해임, 강등, 감봉, 견책이 있다.
> ㉤ 청원경찰이 직무를 수행할 때 직권을 남용하여 국민에게 해를 끼친 경우에는 「청원경찰법」 제10조에 의하여 1년 이하의 징역이나 금고에 처한다.

① 1개 ② 2개 ③ 3개 ④ 4개

정답 및 해설 | ②

㉠ [○]

> **청원경찰법 제3조 【청원경찰의 직무】** 청원경찰은 제4조 제2항에 따라 청원경찰의 배치 결정을 받은 자(이하 "청원주"라 한다)와 배치된 기관·시설 또는 사업장 등의 구역을 관할하는 경찰서장의 감독을 받아 그 경비구역만의 경비를 목적으로 필요한 범위에서 「경찰관 직무집행법」에 따른 경찰관의 직무를 수행한다.

㉡ [○]

> **청원경찰법 제5조 【청원경찰의 임용 등】** ① 청원경찰은 청원주가 임용하되, 임용을 할 때에는 미리 시·도경찰청장의 승인을 받아야 한다.

㉢ [○]

> **청원경찰법 제8조 【제복 착용과 무기 휴대】** ② 시·도경찰청장은 청원경찰이 직무를 수행하기 위하여 필요하다고 인정하면 청원주의 신청을 받아 관할 경찰서장으로 하여금 청원경찰에게 무기를 대여하여 지니게 할 수 있다.

㉣ [×] 청원경찰은 계급이 없으므로 징계의 종류에는 강등이 없다.

> **청원경찰법 제5조의2 【청원경찰의 징계】** ② 청원경찰에 대한 징계의 종류는 파면, 해임, 정직, 감봉 및 견책으로 구분한다.
> ➜ 강등이 없다(청원경찰은 계급 ×).

㉤ [×] 6개월 이하의 징역이나 금고에 처한다.

> **청원경찰법 제10조 【직권남용 금지 등】** ① 청원경찰이 직무를 수행할 때 직권을 남용하여 국민에게 해를 끼친 경우에는 6개월 이하의 징역이나 금고에 처한다.

107 「청원경찰법」상 다음 설명 중 틀린 것은 모두 몇 개인가? [2015 채용 2차]

> ㉠ 청원경찰은 청원경찰의 배치 결정을 받은 자(이하 청원주)와 배치된 기관·시설 또는 사업장 등의 구역을 관할하는 경찰서장의 감독을 받아 그 경비구역만의 경비를 목적으로 필요한 범위에서 「경찰관 직무집행법」에 따른 경찰관의 직무를 수행한다.
> ㉡ 청원경찰에 대한 징계의 종류는 파면, 해임, 강등, 정직, 감봉 및 견책으로 구분한다.
> ㉢ 청원경찰은 청원주가 임용하되, 임용을 할 때에는 미리 시·도경찰청장의 승인을 받아야 한다.
> ㉣ 시·도경찰청장은 청원경찰이 직무를 수행하기 위하여 필요하다고 인정하면 청원주의 신청을 받아 관할 경찰서장으로 하여금 청원경찰에 무기를 대여하여 지니게 할 수 있다.

① 0개 ② 1개 ③ 2개 ④ 3개

정답 및 해설 I ②

㉠ [○]

> **청원경찰법 제3조【청원경찰의 직무】** 청원경찰은 제4조 제2항에 따라 청원경찰의 배치 결정을 받은 자(이하 "청원주"라 한다)와 배치된 기관·시설 또는 사업장 등의 구역을 관할하는 경찰서장의 감독을 받아 그 경비구역만의 경비를 목적으로 필요한 범위에서 「경찰관 직무집행법」에 따른 경찰관의 직무를 수행한다.

㉡ [×] 청원경찰은 계급이 없으므로 징계의 종류에는 강등이 없다.

> **청원경찰법 제5조의2【청원경찰의 징계】** ② 청원경찰에 대한 징계의 종류는 파면, 해임, 정직, 감봉 및 견책으로 구분한다.
> ➜ 강등이 없다(청원경찰은 계급 ×).

㉢ [○]

> **청원경찰법 제5조【청원경찰의 임용 등】** ① 청원경찰은 청원주가 임용하되, 임용을 할 때에는 미리 시·도경찰청장의 승인을 받아야 한다.

㉣ [○]

> **청원경찰법 제8조【제복 착용과 무기 휴대】** ② 시·도경찰청장은 청원경찰이 직무를 수행하기 위하여 필요하다고 인정하면 청원주의 신청을 받아 관할 경찰서장으로 하여금 청원경찰에게 무기를 대여하여 지니게 할 수 있다.

108 청원경찰에 대한 다음 설명 중 옳은 것은 모두 몇 개인가? [2016 경간]

> ㉠ 청원경찰은 청원주가 임명하되, 임용할 때에는 미리 시 · 도경찰청장의 승인을 받아야 한다.
> ㉡ 청원경찰에 대한 징계는 종류는 파면, 해임, 강등, 정직, 감봉 및 견책으로 구분한다.
> ㉢ 시 · 도경찰청장은 청원경찰이 직무를 수행하기 위하여 필요하다고 인정하면 청원주의 신청을 받아 관할 경찰서장으로 하여금 청원경찰에게 무기를 대여하여 지니게 하여야 한다.
> ㉣ 청원경찰이 직무를 수행할 때 직권을 남용하여 국민에게 해를 끼친 경우에는 1년 이하 징역이나 금고에 처한다.
> ㉤ 청원경찰의 임용자격은 20세 이상인 사람이다.

① 0개 ② 1개 ③ 2개 ④ 3개

정답 및 해설 | ②

㉠ [○]

> **청원경찰법 제5조 【청원경찰의 임용 등】** ① 청원경찰은 청원주가 임용하되, 임용을 할 때에는 미리 시 · 도경찰청장의 승인을 받아야 한다.

㉡ [×] 청원경찰은 계급이 없으므로 징계의 종류에는 강등이 없다.

> **청원경찰법 제5조의2 【청원경찰의 징계】** ② 청원경찰에 대한 징계의 종류는 파면, 해임, 정직, 감봉 및 견책으로 구분한다.
> ➜ 강등이 없다(청원경찰은 계급 ×).

㉢ [×] 무기를 대여하여 지니게 '할 수 있다'.

> **청원경찰법 제8조 【제복 착용과 무기 휴대】** ② 시 · 도경찰청장은 청원경찰이 직무를 수행하기 위하여 필요하다고 인정하면 청원주의 신청을 받아 관할 경찰서장으로 하여금 청원경찰에게 무기를 대여하여 지니게 할 수 있다.

㉣ [×] 6개월 이하 징역이나 금고에 처한다.

> **청원경찰법 제10조 【직권남용 금지 등】** ① 청원경찰이 직무를 수행할 때 직권을 남용하여 국민에게 해를 끼친 경우에는 6개월 이하의 징역이나 금고에 처한다.

㉤ [×] 18세 이상인 사람이다.

> 대통령령 **청원경찰법 시행령 제3조 【임용자격】** 법 제5조 제3항에 따른 청원경찰의 임용자격은 다음 각 호와 같다.
> 1. 18세 이상인 사람
> 2. 행정안전부령으로 정하는 신체조건에 해당하는 사람

109 청원경찰에 대한 설명으로 적절한 것을 모두 고른 것은? [2018 실무 1]

> ㉠ 「청원경찰법」 제3조에 청원주와 경찰서장이 청원경찰을 감독하도록 규정하고 있다.
> ㉡ 관할 경찰서장은 매달 1회 이상 청원경찰을 배치한 경비구역을 감독할 수 있다.
> ㉢ 시·도경찰청장은 청원경찰 배치가 필요하다고 인정하는 기관의 장 또는 시설·사업장의 경영자에게 청원경찰을 배치할 것을 요청해야 한다.
> ㉣ 청원경찰이 직무를 수행할 때 직권을 남용하여 국민에게 해를 끼친 경우에는 6개월 이하의 징역이나 금고에 처한다.
> ㉤ 청원경찰에 대한 징계의 종류는 파면, 해임, 강등, 정직, 감봉 및 견책으로 구분한다.

① ㉠, ㉡　　② ㉠, ㉣
③ ㉡, ㉣, ㉤　　④ ㉠, ㉣, ㉤

정답 및 해설 | ②

㉠ [○] 청원경찰법 제3조의 경우 청원주와 관할 경찰서장의 구체적 감독권이 아닌, 추상적인 감독가능성만을 언급하고 있어 논란이 있을 수 있으나, 정답처리된 지문이다. 지문에서 명시적으로 청원경찰법 제3조라고 언급하고 있으므로 정답처리가 타당하다고 볼 여지가 없지는 않으나, 수험생들은 구체적인 청원경찰에 대한 감독권이 청원경찰법 제9조의3과 동법 시행령 제17조에 규정되어 있음을 유의할 필요가 있어 보인다.

> **청원경찰법 제3조【청원경찰의 직무】** 청원경찰은 제4조 제2항에 따라 청원경찰의 배치 결정을 받은 자(이하 "청원주"라 한다)와 배치된 기관·시설 또는 사업장 등의 구역을 관할하는 경찰서장의 감독을 받아 그 경비구역만의 경비를 목적으로 필요한 범위에서 「경찰관 직무집행법」에 따른 경찰관의 직무를 수행한다.
> **청원경찰법 제9조의3【감독】** ① 청원주는 항상 소속 청원경찰의 근무 상황을 감독하고, 근무 수행에 필요한 교육을 하여야 한다.
> ② 시·도경찰청장은 청원경찰의 효율적인 운영을 위하여 청원주를 지도하며 감독상 필요한 명령을 할 수 있다.

㉡ [×] 감독하여야 한다.

> 대통령령 **청원경찰법 시행령 제17조【감독】** 관할 경찰서장은 매달 1회 이상 청원경찰을 배치한 경비구역에 대하여 다음 각 호의 사항을 감독하여야 한다.
> 1. 복무규율과 근무 상황
> 2. 무기의 관리 및 취급 사항

㉢ [×] 요청할 수 있다.

> **청원경찰법 제4조【청원경찰의 배치】** ③ 시·도경찰청장은 청원경찰 배치가 필요하다고 인정하는 기관의 장 또는 시설·사업장의 경영자에게 청원경찰을 배치할 것을 요청할 수 있다. ➔ 시·도경찰청장이 배치하라고 요청할 수 있다.

㉣ [○]

> **청원경찰법 제10조【직권남용 금지 등】** ① 청원경찰이 직무를 수행할 때 직권을 남용하여 국민에게 해를 끼친 경우에는 6개월 이하의 징역이나 금고에 처한다.

㉤ [×] 청원경찰은 계급이 없으므로 징계의 종류에는 강등이 없다.

> **청원경찰법 제5조의2【청원경찰의 징계】** ② 청원경찰에 대한 징계의 종류는 파면, 해임, 정직, 감봉 및 견책으로 구분한다.
> ➔ 강등이 없다(청원경찰은 계급 ×).

110 청원경찰에 대한 설명으로 적절한 것은 모두 몇 개인가? (다툼이 있는 경우 판례에 따름) [2022 경간]

가. 시 · 도경찰청장은 청원경찰 배치가 필요하다고 인정하는 기관의 장 또는 시설사업장의 경영자에게 청원경찰을 배치할 것을 명령할 수 있다.
나. 청원경찰이 직무상의 의무 등을 위반하는 경우에는 청원주 및 관할 감독 경찰서장은 대통령령이 정하는 징계절차를 거쳐 징계처분을 하여야 한다.
다. 청원경찰은 「형법」이나 그 밖의 법령에 따른 벌칙을 적용할 때에는 공무원으로 보기 때문에 청원경찰의 불법행위에 대한 배상책임에 관하여는 「국가배상법」의 규정을 적용한다.
라. 국가나 지방자치단체에 근무하는 청원경찰의 근무관계는 사법상의 고용계약관계이다.

① 0개 ② 1개
③ 2개 ④ 3개

정답 및 해설 | ①

가. [×] 시 · 도경찰청장은 명령이 아닌 요청을 할 수 있다.

> **청원경찰법 제4조 【청원경찰의 배치】** ③ 시 · 도경찰청장은 청원경찰 배치가 필요하다고 인정하는 기관의 장 또는 시설 · 사업장의 경영자에게 청원경찰을 배치할 것을 요청할 수 있다. ➜ 시 · 도경찰청장이 배치하라고 요청

나. [×] 청원경찰에 대한 징계주체는 경찰서장이 아닌 청원주이다.

> **청원경찰법 제5조의2 【청원경찰의 징계】** ① 청원주는 청원경찰이 다음 각 호의 어느 하나에 해당하는 때에는 대통령령으로 정하는 징계절차를 거쳐 징계처분을 하여야 한다.
> 1. 직무상의 의무를 위반하거나 직무를 태만히 한 때
> 2. 품위를 손상하는 행위를 한 때

다. [×] '국가기관이나 지방자치단체에 근무하는 청원경찰은 제외하고', 민법 규정이 적용된다.

> **청원경찰법 제10조의2 【청원경찰의 불법행위에 대한 배상책임】** 청원경찰(국가기관이나 지방자치단체에 근무하는 청원경찰은 제외한다)의 직무상 불법행위에 대한 배상책임에 관하여는 「민법」의 규정을 따른다. ➜ 국가기관이나 지방자치단체에 근무하는 청원경찰의 경우에는 국가배상법이 적용된다고 본다.

라. [×] 국가나 지방자치단체에서 근무하는 청원경찰의 근무관계는 사법상 고용계약관계로 보기는 어렵다는 것이 판례의 입장이다.

> **요지판례 |**
> ■ 국가나 지방자치단체에서 근무하는 청원경찰은 국가공무원법이나 지방공무원법상 공무원은 아니지만 다른 청원경찰과는 달리 임용권자가 행정기관의 장이고, 국가나 지방자치단체에게서 보수를 받으며, 산업재해보상보험법이나 근로기준법이 아닌 공무원연금법에 따른 재해보상과 퇴직급여를 지급받고, 직무상 불법행위에 대하여도 민법이 아닌 국가배상법이 적용되는 등 특징이 있으며, 그 외 임용자격, 직무, 복무의무 내용 등을 종합하여 볼 때, 그 근무관계를 사법상 고용계약관계로 보기는 어렵다(대판 1993.7.13, 92다47564).

제4장 | 교통경찰

주제 1 교통경찰 개설

주제 2 도로교통의 기본요소

01 이동수단

001 「도로교통법」상 용어의 정의에 대한 설명으로 가장 적절하지 않은 것은? [2017 실무 1]

① '차도'란 연석선(차도와 보도를 구분하는 돌 등으로 이어진 선을 말한다), 안전표지 또는 그와 비슷한 인공구조물을 이용하여 경계를 표시하여 모든 차가 통행할 수 있도록 설치된 도로의 부분을 말한다.

② '길가장자리구역'이란 보도와 차도가 구분되지 아니한 도로에서 보행자의 안전을 확보하기 위하여 안전표지 등으로 경계를 표시한 도로의 가장자리 부분을 말한다.

③ '정차'란 운전자가 5분을 초과하지 아니하고 차를 정지시키는 것으로서 주차 외의 정지 상태를 말한다.

④ '원동기장치자전거'란 「자동차관리법」 제3조에 따른 이륜자동차 가운데 배기량 125시시 이하(전기를 동력으로 하는 경우에는 최고정격출력 11킬로와트 미만)의 이륜자동차 등을 말한다.

정답 및 해설 | ④

④ [×] 11킬로와트 미만이 아니라 이하이다(「도로교통법」 제2조 제19호).

원동기장치자전거	• 이륜자동차 가운데 배기량 125시시 이하의 이륜자동차 • 전기동력 이륜자동차 가운데 최고정격출력 11킬로와트 이하의 이륜자동차 • 배기량 125시시 이하의 원동기를 단 차 • 전기를 동력으로 하는 경우에는 최고정격출력 11킬로와트 이하의 원동기를 단 차 • 전기자전거는 제외

①②③ [○]

> **도로교통법 제2조 【정의】** 이 법에서 사용하는 용어의 뜻은 다음과 같다.
> 4. "**차도**"란 연석선(차도와 보도를 구분하는 돌 등으로 이어진 선을 말한다. 이하 같다), 안전표지 또는 그와 비슷한 인공구조물을 이용하여 경계를 표시하여 모든 차가 통행할 수 있도록 설치된 도로의 부분을 말한다.
> 11. "**길가장자리구역**"이란 보도와 차도가 구분되지 아니한 도로에서 보행자의 안전을 확보하기 위하여 안전표지 등으로 경계를 표시한 도로의 가장자리 부분을 말한다.
> 25. "**정차**"란 운전자가 5분을 초과하지 아니하고 차를 정지시키는 것으로서 주차 외의 정지 상태를 말한다.

002 다음 중 긴급자동차의 우선 통행 및 특례에 대한 설명으로 가장 틀린 것은? [2015 경간]

① 긴급자동차는 긴급하고 부득이한 때에는 도로의 중앙 좌측 부분을 통행할 수 있다.

② 긴급자동차는 도로교통법의 규정에 의하여 정지하여야 할 경우에도 긴급하고 부득이한 경우 정지하지 아니할 수 있다.

③ ①, ②의 경우 교통사고가 발생하여도 긴급자동차의 특례로 인정받아 처벌이 면제된다.

④ 긴급자동차는 교통이 빈번한 교차로에서 반드시 일시정지해야 할 필요가 없다.

정답 및 해설 I ③

③ [×] 감경하거나 면제할 수 있다.

> **도로교통법 제158조의2 【형의 감면】** 긴급자동차[제2조 제22호 가목부터 다목까지의 자동차(➜ 소방차, 구급차, 혈액 공급차량)와 대통령령으로 정하는 경찰용 자동차만 해당한다]의 운전자가 그 차를 본래의 긴급한 용도로 운행하는 중에 교통사고를 일으킨 경우에는 그 긴급활동의 시급성과 불가피성 등 정상을 참작하여 제151조(➜ 건조물 · 재물손괴, 즉 물피사고), 「교통사고처리 특례법」 제3조 제1항(➜ 업무상 과실 · 중과실치사상, 즉 인피사고) 또는 「특정범죄 가중처벌 등에 관한 법률」 제5조의13(➜ 어린이보호구역 가중처벌)에 따른 형을 감경하거나 면제할 수 있다.

①②④ [○]

> **도로교통법 제29조 【긴급자동차의 우선 통행】** ① 긴급자동차는 제13조 제3항(➜ 차마의 우측통행)에도 불구하고 긴급하고 부득이한 경우에는 도로의 중앙이나 좌측 부분을 통행할 수 있다. ➜ 중앙선 침범이 가능하다.
> ② 긴급자동차는 이 법이나 이 법에 따른 명령에 따라 정지하여야 하는 경우에도 불구하고 긴급하고 부득이한 경우에는 정지하지 아니할 수 있다.

003 「도로교통법령」상 '국내외 요인에 대한 경호업무 수행에 공무로 사용되는 자동차'에 대한 특례로서 해당 긴급 자동차에 적용하지 않는 사항들은 모두 몇 개인가? [2021 경간]

> 가. 도로교통법 제17조에 따른 자동차등의 속도 제한
> 나. 도로교통법 제23조에 따른 끼어들기 금지
> 다. 도로교통법 제19조에 따른 안전거리 확보 등
> 라. 도로교통법 제33조에 따른 주차금지
> 마. 도로교통법 제21조 제1항에 따른 앞지르기 방법 등

① 2개　② 3개　③ 4개　④ 5개

정답 및 해설 I ①

① [○] 우선 '국내외 요인에 대한 경호업무 수행에 공무로 사용되는 자동차'는 도로교통법 시행령에 따른 법정긴급자동차로서, 제1호부터 제3호까지 사항(속도제한, 앞지르기 금지, 끼어들기 금지 ➜ 속 · 앞 · 끼)에 대해서만 적용하지 아니한다(즉 제1호부터 제3호까지 사항에 대해서만 특례를 인정한다). 한편, "마. **앞지르기 방법**"은 특례 제9호에 해당하는 사항으로서 소방 · 구급 · 혈액 및 경찰용 긴급자동차에게만 적용되는 특례 12개 중 하나에 해당하며, 특히 '앞지르기 금지'와 혼동하지 않도록 주의하여야 한다.

> **도로교통법 제22조 【앞지르기 금지의 시기 및 장소】** ① 모든 차의 운전자는 다음 각 호의 어느 하나에 해당하는 경우에는 앞차를 앞지르지 못한다.
> 1. 앞차의 좌측에 다른 차가 앞차와 나란히 가고 있는 경우
> 2. 앞차가 다른 차를 앞지르고 있거나 앞지르려고 하는 경우
>
> **도로교통법 제21조 【앞지르기 방법 등】** ① 모든 차의 운전자는 다른 차를 앞지르려면 앞차의 좌측으로 통행하여야 한다.

004 「도로교통법」상 자전거와 긴급자동차의 통행방법에 대한 설명 중 가장 적절하지 않은 것은?

[2020 지능범죄]

① 자전거등의 운전자는 자전거도로가 설치되지 아니한 곳에서는 도로 우측 가장자리에 붙어서 통행하여야 한다.

② 자전거등의 운전자는 길가장자리구역을 통행할 때, 보행자의 통행에 방해가 되면 서행하거나 일시정지하여야 한다.

③ 긴급자동차는 긴급하고 부득이한 경우에는 도로의 중앙이나 좌측 부분을 통행할 수 있으며, 이 경우 교통안전에 특히 주의하면서 통행하여야 한다.

④ 교차로나 그 부근에서 긴급자동차가 접근하는 경우 차마와 노면전차의 운전자는 긴급자동차가 우선 통행할 수 있도록 진로를 양보하여 서행하여야 한다.

정답 및 해설 I ④

④ [×] 일시정지하여야 한다.

> **도로교통법 제29조【긴급자동차의 우선 통행】** ④ 교차로나 그 부근에서 긴급자동차가 접근하는 경우에는 차마와 노면전차의 운전자는 교차로를 피하여 일시정지하여야 한다. ➜ 교차로: 일시정지
> ⑤ 모든 차와 노면전차의 운전자는 제4항에 따른 곳 외의 곳에서 긴급자동차가 접근한 경우에는 긴급자동차가 우선통행할 수 있도록 진로를 양보하여야 한다. ➜ 교차로 외: 진로양보

①② [○]

> **도로교통법 제13조의2【자전거등의 통행방법의 특례】** ② 자전거등의 운전자는 자전거도로가 설치되지 아니한 곳에서는 도로 우측 가장자리에 붙어서 통행하여야 한다.
> ③ 자전거등의 운전자는 길가장자리구역(안전표지로 자전거등의 통행을 금지한 구간은 제외한다)을 통행할 수 있다. 이 경우 자전거등의 운전자는 보행자의 통행에 방해가 될 때에는 서행하거나 일시정지하여야 한다.

③ [○]

> **도로교통법 제29조【긴급자동차의 우선 통행】** ① 긴급자동차는 제13조 제3항(➜ 차마의 우측통행)에도 불구하고 긴급하고 부득이한 경우에는 도로의 중앙이나 좌측 부분을 통행할 수 있다. ➜ 중앙선 침범이 가능하다.
> ③ 긴급자동차의 운전자는 제1항이나 제2항의 경우에 교통안전에 특히 주의하면서 통행하여야 한다.

005 「도로교통법」 및 동법 시행령상 긴급자동차 교통안전운전 교육에 대한 설명으로 가장 적절하지 않은 것은?

[2020 실무 1]

① 긴급자동차의 운전업무에 종사하는 사람은 정기적으로 긴급자동차의 안전운전 등에 관한 교육을 받아야 한다.

② 긴급자동차 안전운전 등에 관한 교육을 받아야 함에도 받지 않은 경우 과태료가 부과된다.

③ 긴급자동차를 운전하는 사람을 대상으로 실시하는 정기 교통안전교육은 2년마다 2시간 이상 실시한다.

④ 최초로 긴급자동차를 운전하려는 사람을 대상으로 실시하는 신규 교통안전교육은 3시간 이상 실시한다.

정답 및 해설 I ③

③ [×] 3년마다 2시간 이상 실시한다. / ④ [○]

> · 대통령령 도로교통법 시행령 제38조의2【긴급자동차 운전자에 대한 교통안전교육】② 법 제73조 제4항에 따른 긴급자동차의 안전운전 등에 관한 교육(이하 "긴급자동차 교통안전교육"이라 한다)은 다음 각 호의 구분에 따라 실시한다.
> 1. **신규 교통안전교육**: 최초로 긴급자동차를 운전하려는 사람을 대상으로 실시하는 교육 ➜ 신규 교통안전교육은 3시간 이상 실시한다.
> 2. **정기 교통안전교육**: 긴급자동차를 운전하는 사람을 대상으로 3년마다 정기적으로 실시하는 교육. 이 경우 직전에 긴급자동차 교통안전교육을 받은 날부터 기산하여 3년이 되는 날이 속하는 해의 1월 1일부터 12월 31일 사이에 교육을 받아야 한다. ➜ 정기 교통안전교육은 2시간 이상 실시한다.

① [○]

> 도로교통법 제73조【교통안전교육】④ 긴급자동차의 운전업무에 종사하는 사람으로서 대통령령으로 정하는 사람은 대통령령으로 정하는 바에 따라 정기적으로 긴급자동차의 안전운전 등에 관한 교육을 받아야 한다.

② [○]

> 도로교통법 제160조【과태료】② 다음 각 호의 어느 하나에 해당하는 사람에게는 20만원 이하의 과태료를 부과한다.
> 6. 제73조 제4항을 위반하여 긴급자동차의 안전운전 등에 관한 교육을 받지 아니한 사람

006 「도로교통법」상 자전거 통행방법에 대한 설명으로 가장 적절하지 않은 것은? [2018 실무 1]

① 자전거등의 운전자는 자전거도로(「도로교통법」 제15조 제1항에 따라 자전거만 통행할 수 있도록 설치된 전용차로를 포함한다)가 따로 있는 곳에서는 그 자전거도로로 통행할 수 있다.

② 자전거등의 운전자는 자전거도로가 설치되지 아니한 곳에서는 도로 우측 가장자리에 붙어서 통행하여야 한다.

③ 자전거등의 운전자는 안전표지로 통행이 허용된 경우를 제외하고는 2대 이상이 나란히 차도를 통행하여서는 아니 된다.

④ 자전거등의 운전자가 횡단보도를 이용하여 도로를 횡단할 때에는 자전거등에서 내려서 자전거등을 끌거나 들고 보행하여야 한다.

정답 및 해설 I ①

① [×] 통행할 수 있는 것이 아니라, 통행하여야 한다.

> 도로교통법 제13조의2【자전거등의 통행방법의 특례】① 자전거등의 운전자는 자전거도로(제15조 제1항에 따라 자전거만 통행할 수 있도록 설치된 전용차로를 포함한다. 이하 이 조에서 같다)가 따로 있는 곳에서는 그 자전거도로로 통행하여야 한다.

② [○]

> 도로교통법 제13조의2【자전거등의 통행방법의 특례】② 자전거등의 운전자는 자전거도로가 설치되지 아니한 곳에서는 도로 우측 가장자리에 붙어서 통행하여야 한다.

③④ [○]

> 도로교통법 제13조의2【자전거등의 통행방법의 특례】⑤ 자전거등의 운전자는 안전표지로 통행이 허용된 경우를 제외하고는 2대 이상이 나란히 차도를 통행하여서는 아니 된다.
> ⑥ 자전거등의 운전자가 횡단보도를 이용하여 도로를 횡단할 때에는 자전거등에서 내려서 자전거등을 끌거나 들고 보행하여야 한다.

007 「도로교통법」 및 같은 법 시행령상 자전거의 운전에 관한 설명으로 가장 적절하지 않은 것은?

[2024 승진]

① 자전거 운전자는 안전표지로 통행이 허용된 경우를 제외하고는 2대 이상이 나란히 차도를 통행하여서는 아니 된다.

② 술에 취한 상태에서 자전거를 운전했을 경우의 범칙금은 3만원이며, 술에 취한 상태에 있다고 인정할 만한 상당한 이유가 있는 자전거 운전자가 경찰공무원의 호흡조사 측정에 불응한 경우의 범칙금은 10만원에 해당된다.

③ 자전거 운전자는 길가장자리구역(안전표지로 자전거등의 통행을 금지한 구간은 제외한다)을 통행할 수 있다. 이 경우 자전거 운전자는 보행자의 통행에 방해가 될 때에는 서행하거나 일시정지하여야 한다.

④ 자전거 운전자는 서행하거나 정지한 다른 차를 앞지르려면 앞차의 좌측으로만 통행하여야 한다. 이 경우 자전거 운전자는 정지한 차에서 승차하거나 하차하는 사람의 안전에 유의하여 서행하거나 필요한 경우 일시정지하여야 한다.

정답 및 해설 I ④

④ [×] 앞지르기 방법의 원칙은 앞차의 좌측이나, 자전거등의 운전자는 앞차의 우측이다.

> **도로교통법 제21조【앞지르기 방법 등】** ① 모든 차의 운전자는 다른 차를 앞지르려면 **앞차의 좌측**으로 통행하여야 한다.
> ② 자전거등의 운전자는 서행하거나 정지한 다른 차를 앞지르려면 제1항에도 불구하고 **앞차의 우측**으로 통행할 수 있다. 이 경우 자전거등의 운전자는 정지한 차에서 승차하거나 하차하는 사람의 안전에 유의하여 서행하거나 필요한 경우 일시정지하여야 한다.

①③ [○]

> **도로교통법 제13조의2【자전거등의 통행방법의 특례】** ③ 자전거등의 운전자는 길가장자리구역(안전표지로 자전거등의 통행을 금지한 구간은 제외한다)을 통행할 수 있다. 이 경우 자전거등의 운전자는 보행자의 통행에 방해가 될 때에는 서행하거나 일시정지하여야 한다.
> ⑤ 자전거등의 운전자는 안전표지로 통행이 허용된 경우를 제외하고는 2대 이상이 나란히 차도를 통행하여서는 아니 된다.

② [○] **도로교통법 시행령 별표8**, 64의2(단순음주) 범칙금 3만원, 64의3(음주측정거부) 범칙금 10만원

008 「도로교통법」상 자전거와 관련된 다음 설명 중 옳은 것은 모두 몇 개인가? [2018 경간]

가. 자전거등의 운전자는 자전거도로가 설치되지 아니한 곳에서는 도로 좌측 가장자리에 붙어서 통행하여야 한다.
나. 자전거등의 운전자는 길가장자리구역(안전표지로 자전거등의 통행을 금지한 구간은 제외한다)을 통행할 수 있다. 이 경우 자전거등의 운전자는 보행자의 통행에 방해가 될 때에는 서행하거나 일시정지하여야 한다.
다. 자전거등의 운전자는 안전표지로 통행이 허용된 경우를 제외하고는 2대 이상이 나란히 차도를 통행하여서는 아니 된다.
라. 자전거등의 운전자가 횡단보도를 이용하여 도로를 횡단할 때에는 보행자의 통행에 방해가 되지 않도록 서행하여야 한다.
마. 자전거의 운전자는 자전거에 어린이를 태우고 운전할 때에는 그 어린이에게 행정안전부령으로 정하는 인명보호 장구를 착용하도록 하여야 한다.
바. 자전거등의 운전자는 밤에 도로를 통행하는 때에는 전조등과 미등을 켜거나 야광띠 등 발광장치를 착용하여야 한다.

① 1개 ② 2개 ③ 3개 ④ 4개

정답 및 해설 I ④

가. [×] 우측 가장자리에 붙어서 통행하여야 한다.

> **도로교통법 제13조의2 【자전거등의 통행방법의 특례】** ② 자전거등의 운전자는 자전거도로가 설치되지 아니한 곳에서는 도로 우측 가장자리에 붙어서 통행하여야 한다.

나. [○]

> **도로교통법 제13조의2 【자전거등의 통행방법의 특례】** ③ 자전거등의 운전자는 길가장자리구역(안전표지로 자전거등의 통행을 금지한 구간은 제외한다)을 통행할 수 있다. 이 경우 자전거등의 운전자는 보행자의 통행에 방해가 될 때에는 서행하거나 일시정지하여야 한다.

다. [○]

> **도로교통법 제13조의2 【자전거등의 통행방법의 특례】** ⑤ 자전거등의 운전자는 안전표지로 통행이 허용된 경우를 제외하고는 2대 이상이 나란히 차도를 통행하여서는 아니 된다.

라. [×] 자전거등에서 내려서 자전거등을 끌거나 들고 보행해야 한다.

> **도로교통법 제13조의2 【자전거등의 통행방법의 특례】** ⑥ 자전거등의 운전자가 횡단보도를 이용하여 도로를 횡단할 때에는 자전거등에서 내려서 자전거등을 끌거나 들고 보행하여야 한다.

마. [○]

> **도로교통법 제11조 【어린이 등에 대한 보호】** ③ 어린이의 보호자는 도로에서 어린이가 자전거를 타거나 행정안전부령으로 정하는 위험성이 큰 움직이는 놀이기구(➔ 킥보드, 롤러스케이트, 인라인스케이트, 스케이트보드 등)를 타는 경우에는 어린이의 안전을 위하여 행정안전부령으로 정하는 인명보호 장구를 착용하도록 하여야 한다.

바. [○]

> **도로교통법 제50조 【특정 운전자의 준수사항】** ⑨ 자전거등의 운전자는 밤에 도로를 통행하는 때에는 전조등과 미등을 켜거나 야광띠 등 발광장치를 착용하여야 한다.

009 「도로교통법」에 규정된 '어린이통학버스'에 대한 설명으로 가장 적절하지 않은 것은? [2018 승진(경위)]

① 어린이라 함은 13세 미만인 사람을 말한다.
② 어린이통학버스가 도로에 정차하여 어린이나 영유아가 타고 내리는 중임을 표시하는 점멸등 등의 장치를 작동 중일 때에는 어린이통학버스가 정차한 차로와 그 차로의 바로 옆 차로로 통행하는 차의 운전자는 어린이통학버스에 이르기 전에 일시정지하여 안전을 확인한 후 서행하여야 한다.
③ 위 '②'의 경우 중앙선이 설치되지 아니한 도로와 편도 1차로인 도로에서는 반대방향에서 진행하는 차의 운전자도 어린이통학버스에 이르기 전에 일시정지하여 안전을 확인한 후 서행하여야 한다.
④ 모든 차의 운전자는 어린이나 영유아를 태우고 있다는 표시를 한 상태로 도로를 통행하는 어린이통학버스를 앞지를 때 과도하게 속도를 올리는 등 행위를 자제하여야 한다.

정답 및 해설 I ④

④ [×] 앞지르지 못한다.

> **도로교통법 제51조【어린이통학버스의 특별보호】** ③ 모든 차의 운전자는 어린이나 영유아를 태우고 있다는 표시를 한 상태로 도로를 통행하는 어린이통학버스를 앞지르지 못한다.

① [○]

> **도로교통법 제2조【정의】** 이 법에서 사용하는 용어의 뜻은 다음과 같다.
> 23. "**어린이통학버스**"란 다음 각 목의 시설 가운데 어린이(13세 미만인 사람을 말한다. 이하 같다)를 교육 대상으로 하는 시설에서 어린이의 통학 등에 이용되는 자동차와 「여객자동차 운수사업법」 제4조 제3항에 따른 여객자동차운송사업의 한정면허를 받아 어린이를 여객대상으로 하여 운행되는 운송사업용 자동차를 말한다.

②③ [○]

> **도로교통법 제51조【어린이통학버스의 특별보호】** ① 어린이통학버스가 도로에 정차하여 어린이나 영유아가 타고 내리는 중임을 표시하는 점멸등 등의 장치를 작동 중일 때에는 어린이통학버스가 정차한 차로와 그 차로의 바로 옆 차로로 통행하는 차의 운전자는 어린이통학버스에 이르기 전에 일시정지하여 안전을 확인한 후 서행하여야 한다.
> ② 제1항의 경우 중앙선이 설치되지 아니한 도로와 편도 1차로인 도로에서는 반대방향에서 진행하는 차의 운전자도 어린이통학버스에 이르기 전에 일시정지하여 안전을 확인한 후 서행하여야 한다.

010 어린이 보호구역 및 어린이 통학버스에 대한 설명으로 가장 적절하지 않은 것은? [2022 승진]

① 「도로교통법」상 모든 차의 운전자는 어린이나 영유아를 태우고 있다는 표시를 한 상태로 도로를 통행하는 어린이통학버스를 앞지르지 못한다.
② 「어린이·노인 및 장애인 보호구역의 지정 및 관리에 관한 규칙」상 시·도경찰청장이나 경찰서장은 「도로교통법」 제12조 제1항 또는 제12조의2 제1항에 따라 보호구역에서 구간별·시간대별로 도시지역의 간선도로를 일방통행로로 지정·운영할 수 있다.
③ 「도로교통법 시행령」상 어린이 통학버스는 교통사고로 인한 피해를 전액 배상할 수 있도록 「보험업법」에 따른 보험 또는 「여객자동차 운수사업법」에 따른 공제조합에 가입되어 있어야 한다.
④ 「어린이·노인 및 장애인 보호구역의 지정 및 관리에 관한 규칙」상 시장등은 조사 결과 보호구역으로 지정·관리할 필요가 인정되는 경우에 관할 시·도경찰청장 또는 경찰서장과 협의하여 해당 보호구역 지정대상시설의 주(主) 출입문을 중심으로 반경 300미터 이내의 도로 중 일정구간을 보호구역으로 지정하나, 해당 지역의 교통여건 및 효과성 등을 면밀히 검토하여 필요한 경우에 보호구역 지정대상시설의 주 출입문을 중심으로 반경 500미터 이내의 도로에 대해서도 보호구역으로 지정할 수 있다.

정답 및 해설 I ②

② [×] 이면도로를 일방통행로로 지정 · 운영할 수 있다.

> 행정안전부령 어린이 · 노인 및 장애인 보호구역의 지정 및 관리에 관한 규칙 제9조【보호구역에서의 필요한 조치】① 시 · 도경찰청장이나 경찰서장은 「도로교통법」 제12조 제1항 또는 제12조의2 제1항에 따라 보호구역에서 구간별 · 시간대별로 다음 각 호의 조치를 할 수 있다.
> 1. 차마의 통행을 금지하거나 제한하는 것
> 2. 차마의 정차나 주차를 금지하는 것
> 3. 운행속도를 시속 30킬로미터 이내로 제한하는 것
> 4. 이면도로(도시지역에 있어서 간선도로가 아닌 도로로서 일반의 교통에 사용되는 도로를 말한다)를 일방통행로로 지정 · 운영하는 것
>
> ② 시 · 도경찰청장이나 경찰서장이 제1항에 따른 조치를 하려는 경우에는 그 뜻을 표시하는 안전표지를 설치하여야 한다.

① [○]

> 도로교통법 제51조【어린이통학버스의 특별보호】③ 모든 차의 운전자는 어린이나 영유아를 태우고 있다는 표시를 한 상태로 도로를 통행하는 어린이통학버스를 앞지르지 못한다.

③ [○]

> 도로교통법 제52조【어린이통학버스의 신고 등】③ 어린이통학버스로 사용할 수 있는 자동차는 행정안전부령으로 정하는 자동차로 한정한다. 이 경우 그 자동차는 도색·표지, 보험가입, 소유 관계 등 대통령령으로 정하는 요건을 갖추어야 한다.
>
> 대통령령 도로교통법 시행령 제31조【어린이통학버스의 요건 등】법 제52조 제3항에서 "대통령령으로 정하는 요건"이란 다음 각 호의 요건을 말한다.
> 1. 자동차안전기준에서 정한 어린이운송용 승합자동차의 구조를 갖출 것
> 2. 어린이통학버스 앞면 창유리 우측상단과 뒷면 창유리 중앙하단의 보기 쉬운 곳에 행정안전부령이 정하는 어린이 보호표지를 부착할 것
> 3. 교통사고로 인한 피해를 전액 배상할 수 있도록 「보험업법」 제4조에 따른 보험 또는 「여객자동차 운수사업법」 제61조에 따른 공제조합에 가입되어 있을 것
> 4. 「자동차등록령」 제8조에 따른 등록원부에 … 어린이교육시설 등의 장의 명의로 등록되어 있는 자동차 또는 어린이교육시설등의 장이 … 전세버스운송사업자와 운송계약을 맺은 자동차일 것

④ [○]

> 행정안전부령 어린이 · 노인 및 장애인 보호구역의 지정 및 관리에 관한 규칙 제3조【보호구역의 지정】⑥ 시장 등은 제4항에 따른 조사 결과 보호구역으로 지정 · 관리할 필요가 인정되는 경우에는 관할 시 · 도경찰청장 또는 경찰서장과 협의하여 해당 보호구역 지정대상 시설 또는 장소의 주(主) 출입문(출입문이 없는 장소의 경우에는 해당 장소를 말한다. 이하 같다)을 기준으로 반경 300미터 이내의 도로 중 일정구간을 보호구역으로 지정한다. 다만, 시장 등은 해당 지역의 교통여건 및 효과성 등을 면밀히 검토하여 필요한 경우 보호구역 지정대상 시설 또는 장소의 주 출입문을 기준으로 반경 500미터 이내의 도로에 대해서도 보호구역으로 지정할 수 있다.

011 「도로교통법」상 경찰공무원이 반드시 조치를 하여야 하는 내용에 해당하지 않는 것은? [2021 경간]

① 도로에서의 위험을 방지하고 교통의 안전과 원활한 소통을 확보하기 위하여 필요하다고 인정할 때, 행렬등에 대하여 구간을 정하고 그 구간에서 행렬등이 도로 또는 차도의 우측(자전거도로가 설치되어 있는 차도에서는 자전거도로를 제외한 부분의 우측을 말한다)으로 붙어서 통행할 것을 명하는 등 필요한 조치

② 신체에 장애가 있는 사람이 도로를 통행하거나 횡단하기 위하여 도움을 요청하거나 도움이 필요하다고 인정하는 경우, 그 사람이 안전하게 통행하거나 횡단할 수 있도록 필요한 조치

③ 앞을 보지 못하는 사람으로서 흰색 지팡이를 가지지 아니하거나 장애인보조견을 동반하지 아니하는 등 필요한 조치를 하지 아니하고 다니는 사람을 발견한 경우, 그들의 안전을 위한 적절한 조치

④ 교통이 빈번한 도로에서 놀고 있는 어린이를 발견한 경우, 그들의 안전을 위한 적절한 조치

정답 및 해설 I ①

① [×] 필요한 조치를 할 수 있다.

> 도로교통법 제9조【행렬등의 통행】③ 경찰공무원은 도로에서의 위험을 방지하고 교통의 안전과 원활한 소통을 확보하기 위하여 필요하다고 인정할 때에는 행렬등에 대하여 구간을 정하고 그 구간에서 행렬등이 도로 또는 차도의 우측(자전거도로가 설치되어 있는 차도에서는 자전거도로를 제외한 부분의 우측을 말한다)으로 붙어서 통행할 것을 명하는 등 필요한 조치를 할 수 있다.

② [○]

> 도로교통법 제11조【어린이 등에 대한 보호】⑤ 경찰공무원은 신체에 장애가 있는 사람이 도로를 통행하거나 횡단하기 위하여 도움을 요청하거나 도움이 필요하다고 인정하는 경우에는 그 사람이 안전하게 통행하거나 횡단할 수 있도록 필요한 조치를 하여야 한다.

③④ [○]

> 도로교통법 제11조【어린이 등에 대한 보호】⑥ 경찰공무원은 다음 각 호의 어느 하나에 해당하는 사람을 발견한 경우에는 그들의 안전을 위하여 적절한 조치를 하여야 한다.
> 1. 교통이 빈번한 도로에서 놀고 있는 어린이
> 2. 보호자 없이 도로를 보행하는 영유아
> 3. 앞을 보지 못하는 사람으로서 흰색 지팡이를 가지지 아니하거나 장애인보조견을 동반하지 아니하는 등 필요한 조치를 하지 아니하고 다니는 사람
> 4. 횡단보도나 교통이 빈번한 도로에서 보행에 어려움을 겪고 있는 노인(65세 이상인 사람을 말한다. 이하 같다)

02 도로

012 「도로교통법」상 용어의 정의에 대한 다음 설명 중 가장 옳지 않은 것은? [2016 경간]

① '길가장자리구역'이란 보도와 차도가 구분되지 아니한 도로에서 보행자의 안전을 확보하기 위하여 안전표지 등으로 경계를 표시한 도로의 가장자리 부분을 말한다.

② '고속도로'란 자동차의 고속 운행에만 사용하기 위하여 지정된 도로를 말한다.

③ '긴급자동차'란 소방차, 구급차, 혈액 공급차량, 그 밖에 대통령령으로 정하는 자동차로서 그 본래의 긴급한 용도로 사용되고 있는 자동차를 말한다.

④ '보도'(步道)란 연석선, 안전표지나 그와 비슷한 인공구조물로 경계를 표시하여 보행자(유모차, 보행보조용 의자차, 노약자용 보행기 등 행정안전부령으로 정하는 기구 · 장치를 이용하여 통행하는 사람을 제외한다)가 통행할 수 있도록 한 도로의 부분을 말한다.

정답 및 해설 I ④

④ [×] 유모차, 보행보조용 의자차, 노약자용 보행기 등 행정안전부령으로 정하는 기구 · 장치를 이용하여 통행하는 사람을 포함한다.

> 도로교통법 제2조【정의】이 법에서 사용하는 용어의 뜻은 다음과 같다.
> 10. "보도"란 연석선, 안전표지나 그와 비슷한 인공구조물로 경계를 표시하여 보행자(유모차, 보행보조용 의자차, 노약자용 보행기 등 행정안전부령으로 정하는 기구 · 장치를 이용하여 통행하는 사람을 포함한다. 이하 같다)가 통행할 수 있도록 한 도로의 부분을 말한다.

①②③ [○]

> 도로교통법 제2조【정의】이 법에서 사용하는 용어의 뜻은 다음과 같다.
> 11. "길가장자리구역"이란 보도와 차도가 구분되지 아니한 도로에서 보행자의 안전을 확보하기 위하여 안전표지 등으로 경계를 표시한 도로의 가장자리 부분을 말한다.
> 3. "고속도로"란 자동차의 고속 운행에만 사용하기 위하여 지정된 도로를 말한다.
> 22. "긴급자동차"란 다음 각 목의 자동차로서 그 본래의 긴급한 용도로 사용되고 있는 자동차를 말한다.
> 가. 소방차
> 나. 구급차
> 다. 혈액 공급차량
> 라. 그 밖에 대통령령으로 정하는 자동차

013 「도로교통법」에서 규정하고 있는 용어에 대한 정의로 가장 적절하지 않은 것은? [2015 채용 3차]

① '자동차전용도로'란 자동차만 다닐 수 있도록 설치된 도로를 말한다.

② '고속도로'란 자동차의 고속 운행에만 사용하기 위하여 지정된 도로를 말한다.

③ '길가장자리구역'이란 보도와 차도가 구분된 도로에서 보행자의 안전을 확보하기 위하여 안전표지 등으로 경계를 표시한 도로의 가장자리 부분을 말한다.

④ '안전지대'란 도로를 횡단하는 보행자나 통행하는 차마의 안전을 위하여 안전표지나 이와 비슷한 인공구조물로 표시한 도로의 부분을 말한다.

정답 및 해설 I ③

③ [×] 길가장자리구역은 보도와 차도가 구분되지 아니한 도로에 있는 것이다.

> **도로교통법 제2조【정의】** 이 법에서 사용하는 용어의 뜻은 다음과 같다.
> 11. "**길가장자리구역**"이란 보도와 차도가 구분되지 아니한 도로에서 보행자의 안전을 확보하기 위하여 안전표지 등으로 경계를 표시한 도로의 가장자리 부분을 말한다.

①②④ [○]

> **도로교통법 제2조【정의】** 이 법에서 사용하는 용어의 뜻은 다음과 같다.
> 2. "**자동차전용도로**"란 자동차만 다닐 수 있도록 설치된 도로를 말한다.
> 3. "**고속도로**"란 자동차의 고속 운행에만 사용하기 위하여 지정된 도로를 말한다.
> 14. "**안전지대**"란 도로를 횡단하는 보행자나 통행하는 차마의 안전을 위하여 안전표지나 이와 비슷한 인공구조물로 표시한 도로의 부분을 말한다.

014 「도로교통법」 제2조 용어의 정의에 대한 설명으로 가장 적절하지 않은 것은? [2017 채용 2차]

① '자전거횡단도'란 자전거가 일반도로를 횡단할 수 있도록 안전표지로 표시한 도로의 부분을 말한다.

② '교차로'란 '十'자로, 'T'자로나 그 밖에 둘 이상의 도로(보도와 차도가 구분되어 있는 도로에서는 차도를 말한다)가 교차하는 부분을 말한다.

③ '길가장자리구역'이란 보도와 차도가 구분되어 있는 도로에서 보행자의 안전을 확보하기 위하여 안전표지 등으로 경계를 표시한 도로의 가장자리 부분을 말한다.

④ '안전표지'란 교통안전에 필요한 주의 · 규제 · 지시 등을 표시하는 표지판이나 도로의 바닥에 표시하는 기호 · 문자 또는 선 등을 말한다.

정답 및 해설 I ③

③ [×] 길가장자리구역은 보도와 차도가 구분되지 아니한 도로에 있는 것이다.

> **도로교통법 제2조【정의】** 이 법에서 사용하는 용어의 뜻은 다음과 같다.
> 11. "**길가장자리구역**"이란 보도와 차도가 구분되지 아니한 도로에서 보행자의 안전을 확보하기 위하여 안전표지 등으로 경계를 표시한 도로의 가장자리 부분을 말한다.

①②④ [○]

> **도로교통법 제2조【정의】** 이 법에서 사용하는 용어의 뜻은 다음과 같다.
> 9. "**자전거횡단도**"란 자전거 및 개인형 이동장치가 일반도로를 횡단할 수 있도록 안전표지로 표시한 도로의 부분을 말한다.
> 13. "**교차로**"란 '십'자로, 'T'자로나 그 밖에 둘 이상의 도로(보도와 차도가 구분되어 있는 도로에서는 차도를 말한다)가 교차하는 부분을 말한다.
> 16. "**안전표지**"란 교통안전에 필요한 주의 · 규제 · 지시 등을 표시하는 표지판이나 도로의 바닥에 표시하는 기호 · 문자 또는 선 등을 말한다.

015 「도로교통법」상 용어에 대한 설명으로 가장 적절한 것은? [2018 실무 1]

① '도로'란 「도로법」에 따른 도로, 「유료도로법」에 따른 유료도로, 「농어촌도로 정비법」에 따른 농어촌도로에 한한다.

② '보도(步道)'란 연석선, 안전표지나 그와 비슷한 인공구조물로 경계를 표시하여 보행자(유모차, 보행보조용 의자차, 노약자용 보행기 등 행정안전부령으로 정하는 기구 · 장치를 이용하여 통행하는 사람 및 제21호의3에 따른 실외이동로봇을 포함한다)가 통행할 수 있도록 한 도로의 부분을 말한다.

③ '길가장자리구역'이란 보도와 차도가 구분된 도로에서 보행자의 안전을 확보하기 위하여 안전표지 등으로 경계를 표시한 도로의 가장자리 부분을 말한다.

④ '정차'란 운전자가 10분을 초과하지 아니하고 차를 정지시키는 것으로서 주차 외의 정지 상태를 말한다.

정답 및 해설 I ②

② [○]

도로교통법 제2조【정의】 이 법에서 사용하는 용어의 뜻은 다음과 같다.
10. "**보도**"란 연석선, 안전표지나 그와 비슷한 인공구조물로 경계를 표시하여 보행자(유모차, 보행보조용 의자차, 노약자용 보행기 등 행정안전부령으로 정하는 기구 · 장치를 이용하여 통행하는 사람 및 제21호의3에 따른 실외이동로봇을 포함한다. 이하 같다)가 통행할 수 있도록 한 도로의 부분을 말한다.

① [×] 지문에 제시된 3법 외에도 도로에 포함되는 경우가 있다.

도로교통법 제2조【정의】 이 법에서 사용하는 용어의 뜻은 다음과 같다.
1. "**도로**"란 다음 각 목에 해당하는 곳을 말한다.

구분	내용
「도로법」에 따른 도로	고속국도(고속국도의 지선 포함), 일반국도(일반국도의 지선 포함), 특별시도 · 광역시도, 지방도, 시도, 군도, 구도
「유료도로법」에 따른 유료도로	통행료 또는 사용료를 받는 도로
「농어촌도로 정비법」에 따른 농어촌도로	「도로법」에 규정되지 아니한 도로(읍 또는 면 지역의 도로만 해당한다)로서 농어촌지역 주민의 교통 편익과 생산 · 유통활동 등에 공용되는 공로 중 고시된 도로
기타	그 밖에 현실적으로 불특정 다수의 사람 또는 차마(車馬)가 통행할 수 있도록 공개된 장소로서 안전하고 원활한 교통을 확보할 필요가 있는 장소

③ [×] 길가장자리구역은 보도와 차도가 구분되지 아니한 도로에 있는 것이다.

도로교통법 제2조【정의】 이 법에서 사용하는 용어의 뜻은 다음과 같다.
11. "**길가장자리구역**"이란 보도와 차도가 구분되지 아니한 도로에서 보행자의 안전을 확보하기 위하여 안전표지 등으로 경계를 표시한 도로의 가장자리 부분을 말한다.

④ [×] 10분이 아닌 5분이다.

도로교통법 제2조【정의】 이 법에서 사용하는 용어의 뜻은 다음과 같다.
25. "**정차**"란 운전자가 5분을 초과하지 아니하고 차를 정지시키는 것으로서 주차 외의 정지 상태를 말한다.

016 '도로교통법'상 용어의 정의로 가장 적절하지 않은 것은? [2016 지능범죄]

① '차로'란 연석선(차도와 보도를 구분하는 돌 등으로 이어진 선을 말한다. 이하 같다), 안전표지 또는 그와 비슷한 인공구조물을 이용하여 경계(境界)를 표시하여 모든 차가 통행할 수 있도록 설치된 도로의 부분을 말한다.
② '차선'이란 차로와 차로를 구분하기 위하여 그 경계지점을 안전표지로 표시한 선을 말한다.
③ '자동차전용도로'란 자동차만 다닐 수 있도록 설치된 도로를 말한다.
④ '자전거횡단도'란 자전거 및 개인형 이동장치가 일반도로를 횡단할 수 있도록 안전표지로 표시한 도로의 부분을 말한다.

정답 및 해설 | ①

① [×] 지문은 '차도'에 대한 정의이다.

> **도로교통법 제2조【정의】** 이 법에서 사용하는 용어의 뜻은 다음과 같다.
> 4. "**차도**"란 연석선(차도와 보도를 구분하는 돌 등으로 이어진 선을 말한다. 이하 같다), 안전표지 또는 그와 비슷한 인공구조물을 이용하여 경계를 표시하여 모든 차가 통행할 수 있도록 설치된 도로의 부분을 말한다.
> 6. "**차로**"란 차마가 한 줄로 도로의 정하여진 부분을 통행하도록 차선으로 구분한 차도의 부분을 말한다.

②③④ [○]

> **도로교통법 제2조【정의】** 이 법에서 사용하는 용어의 뜻은 다음과 같다.
> 7. "**차선**"이란 차로와 차로를 구분하기 위하여 그 경계지점을 안전표지로 표시한 선을 말한다.
> 2. "**자동차전용도로**"란 자동차만 다닐 수 있도록 설치된 도로를 말한다.
> 9. "**자전거횡단도**"란 자전거 및 개인형 이동장치가 일반도로를 횡단할 수 있도록 안전표지로 표시한 도로의 부분을 말한다.

017 「도로교통법」에 대한 설명이다. 아래 가.부터 마.까지 설명 중 옳고 그름의 표시(○, ×)가 바르게 된 것은? [2023 경간]

> 가. 보도란 연석선, 안전표시나 그와 비슷한 인공구조물로 경계를 표시하여 보행자(유모차와 보행보조용 의자차 제외)가 통행할 수 있도록 한 도로의 부분을 말한다.
> 나. 길가장자리구역이란 보도와 차도의 구분되지 않은 도로에서 보행자의 안전을 확보하기 위하여 안전표지 등으로 경계를 표시한 도로의 가장자리 부분을 말한다.
> 다. 자동차란 철길이나 가설된 선을 이용하지 아니하고 원동기를 사용하여 운전되는 차로서 승용자동차, 승합자동차, 화물자동차, 특수자동차, 이륜자동차, 원동기장치자전거와 건설기계를 말한다.
> 라. 어린이의 보호자는 어린이가 행정안전부령으로 정하는 인명보호 장구를 착용한 경우를 제외하고 도로에서 개인형 이동장치를 운전하게 하여서는 아니된다.
> 마. 모범운전자란 동법에 따라 무사고운전자 또는 유공운전자의 표시장을 받거나 2년 이상 사업용 자동차 운전에 종사하면서 교통사고를 일으킨 전력이 없는 사람으로서 시·도경찰청장이 정하는 바에 따라 선발되어 교통안전 봉사활동에 종사하는 사람을 말한다.

① 가. [×] 나. [○] 다. [×] 라. [○] 마. [×]
② 가. [×] 나. [○] 다. [○] 라. [×] 마. [○]
③ 가. [×] 나. [×] 다. [×] 라. [○] 마. [×]
④ 가. [×] 나. [○] 다. [×] 라. [×] 마. [×]

정답 및 해설 I ④

가. [×] 유모차, 보행보조용 의자차, 노약자용 보행기 등 행정안전부령으로 정하는 기구 · 장치를 이용하여 통행하는 사람을 포함한다.

> 도로교통법 제2조 【정의】 이 법에서 사용하는 용어의 뜻은 다음과 같다.
> 10. "보도"란 연석선, 안전표지나 그와 비슷한 인공구조물로 경계를 표시하여 보행자(유모차, 보행보조용 의자차, 노약자용 보행기 등 행정안전부령으로 정하는 기구 · 장치를 이용하여 통행하는 사람 및 제21호의3에 따른 실외이동로봇을 포함한다. 이하 같다)가 통행할 수 있도록 한 도로의 부분을 말한다.

나. [○]

> 도로교통법 제2조 【정의】 이 법에서 사용하는 용어의 뜻은 다음과 같다.
> 11. "길가장자리구역"이란 보도와 차도가 구분되지 아니한 도로에서 보행자의 안전을 확보하기 위하여 안전표지 등으로 경계를 표시한 도로의 가장자리 부분을 말한다.

다. [×] '자동차'에서 원동기장치자전거는 제외된다.

> 도로교통법 제2조 【정의】 이 법에서 사용하는 용어의 뜻은 다음과 같다.
> 18. "자동차"란 철길이나 가설된 선을 이용하지 아니하고 원동기를 사용하여 운전되는 차(견인되는 자동차도 자동차의 일부로 본다)로서 다음 각 목의 차를 말한다.
> 가. 「자동차관리법」 제3조에 따른 다음의 자동차. 다만, 원동기장치자전거는 제외한다.
> 1) 승용자동차 2) 승합자동차 3) 화물자동차 4) 특수자동차 5) 이륜자동차
> 나. 「건설기계관리법」 제26조 제1항 단서에 따른 건설기계

라. [×] 보호 장구의 착용 여부와 관계없이, 개인형 이동장치에 대해서는 운전하게 하여서는 안 된다.

> 도로교통법 제11조 【어린이 등에 대한 보호】 ③ 어린이의 보호자는 도로에서 어린이가 자전거를 타거나 행정안전부령으로 정하는 위험성이 큰 움직이는 놀이기구(➜ 킥보드, 롤러스케이트, 인라인스케이트, 스케이트보드 등)를 타는 경우에는 어린이의 안전을 위하여 행정안전부령으로 정하는 인명보호 장구를 착용하도록 하여야 한다.
> ④ 어린이의 보호자는 도로에서 어린이가 개인형 이동장치를 운전하게 하여서는 아니 된다.

마. [×] 경찰청장이 선발한다.

> 도로교통법 제2조 【정의】 이 법에서 사용하는 용어의 뜻은 다음과 같다.
> 33. "모범운전자"란 제146조에 따라 무사고운전자 또는 유공운전자의 표시장을 받거나 2년 이상 사업용 자동차 운전에 종사하면서 교통사고를 일으킨 전력이 없는 사람으로서 경찰청장이 정하는 바에 따라 선발되어 교통안전 봉사활동에 종사하는 사람을 말한다.

018 다음 중 교통안전표지의 종류로 가장 적절한 것은? [2014 승진(경위)]

① 주의, 규제, 안내, 경고, 보조표지

② 주의, 규제, 지시, 경고, 노면표지

③ 주의, 규제, 지시, 보조, 노면표지

④ 규제, 지시, 안내, 보조, 노면표지

정답 및 해설 I ③

③ [○]

> 행정안전부령 도로교통법 시행규칙 제8조 【안전표지】 ① 법 제4조 제1항에 따른 안전표지는 다음 각 호와 같이 구분한다. ➜ 지시표지, 보조표지, 노면표시, 주의표지, 규제표지

구분	내용
주의표지	도로상태가 위험하거나 도로 또는 그 부근에 위험물이 있는 경우에 필요한 안전조치를 할 수 있도록 이를 도로사용자에게 알리는 표지 예 낙석도로표지, 도로공사 중 표지
규제표지	도로교통의 안전을 위하여 각종 제한 · 금지 등의 규제를 하는 경우에 이를 도로사용자에게 알리는 표지 예 통행금지표지, 진입금지표지, 정차 · 주차금지표지

지시표지	도로의 통행방법 · 통행구분 등 도로교통의 안전을 위하여 필요한 지시를 하는 경우에 도로사용자가 이에 따르도록 알리는 표지 예 일방통행표지, 자동차전용도로표지, 어린이보호표지
보조표지	주의표지 · 규제표지 또는 지시표지의 주기능을 보충하여 도로사용자에게 알리는 표지 예 기상상태표지, 노면상태표지
노면표시	도로교통의 안전을 위하여 각종 주의 · 규제 · 지시 등의 내용을 노면에 기호 · 문자 또는 선으로 도로사용자에게 알리는 표지 예 (지그재그 형태) 서행표지, (마름모 형태) 횡단보도예고표시

019 도로교통법 시행규칙상 안전표지에 대한 설명 중 적절하지 않은 것을 모두 고른 것은? [2020 채용 1차]

㉠ 보조표지 - 도로상태가 위험하거나 도로 또는 그 부근에 위험물이 있는 경우에 필요한 안전조치를 할 수 있도록 이를 도로사용자에게 알리는 표지
㉡ 규제표지 - 도로교통의 안전을 위하여 각종 제한 · 금지 등의 규제를 하는 경우에 이를 도로사용자에게 알리는 표지
㉢ 노면표시 - 주의표지 · 규제표지 또는 지시표지의 주기능을 보충하여 도로사용자에게 알리는 표지
㉣ 지시표지 - 도로의 통행방법 · 통행구분 등 도로교통의 안전을 위하여 필요한 지시를 하는 경우에 도로사용자가 이에 따르도록 알리는 표지

① ㉠, ㉡
② ㉡, ㉢
③ ㉠, ㉢
④ ㉡, ㉢

정답 및 해설 | ③
㉠ [×] 주의표지에 대한 설명이다.
㉢ [×] 보조표지에 대한 설명이다.

행정안전부령 **도로교통법 시행규칙 제8조【안전표지】** ① 법 제4조 제1항에 따른 안전표지는 다음 각 호와 같이 구분한다. ➜ 지 · 보 · 노 · 주 · 규

구분	내용
주의표지	도로상태가 위험하거나 도로 또는 그 부근에 위험물이 있는 경우에 필요한 안전조치를 할 수 있도록 이를 도로사용자에게 알리는 표지 예 낙석도로표지, 도로공사 중 표지
규제표지	도로교통의 안전을 위하여 각종 제한 · 금지 등의 규제를 하는 경우에 이를 도로사용자에게 알리는 표지 예 통행금지표지, 진입금지표지, 정차 · 주차금지표지
지시표지	도로의 통행방법 · 통행구분 등 도로교통의 안전을 위하여 필요한 지시를 하는 경우에 도로사용자가 이에 따르도록 알리는 표지 예 일방통행표지, 자동차전용도로표지, 어린이보호표지
보조표지	주의표지 · 규제표지 또는 지시표지의 주기능을 보충하여 도로사용자에게 알리는 표지 예 기상상태표지, 노면상태표지
노면표시	도로교통의 안전을 위하여 각종 주의 · 규제 · 지시 등의 내용을 노면에 기호 · 문자 또는 선으로 도로사용자에게 알리는 표지 예 (지그재그 형태) 서행표지, (마름모 형태) 횡단보도예고표시

03 운전

020 경찰관이 해당 운전자를 적발하여도 단속할 수 없는 경우는 무엇인가? [2015 승진(경위)]

① 유료주차장 내에서 음주운전을 하다가 적발된 경우

② 대학교 구내에서 마약을 과다복용하고 운전을 하다가 적발된 경우

③ 아파트 지하주차장에서 보행자를 충격하여 다치게 한 후 적절한 조치 없이 현장을 이탈하였다가 적발된 경우

④ 학교 운동장에서 운전면허를 취득하기 위해 운전연습을 하다가 신고를 통해 적발된 경우

정답 및 해설 I ④

④ [×] 일단 지문 ①②③④에서 제시된 모든 장소는 도로교통법상 도로가 아니라는 전제에서 출제된 문제로 보인다. 한편, 도로교통법상 '운전'에 해당하기 위해서는 '도로'에서 차마 등을 본래 용법에 따라 사용해야 하는데, 도로교통법은 일정한 경우에는 도로가 아닌 곳에서의 운전을 '운전'으로 인정하는 경우가 있다. 그런데 '무면허운전'은 이러한 예외에 해당하지 아니하므로, 도로가 아닌 곳에서 무면허운전을 하였다 하더라도 단속할 수 없다.

☑ 도로 외의 곳에서 '운전'으로 인정되는 경우

- **제27조 제6항 제3호**: 보행자 보호의무 위반
- **제44조**: 음주운전 – ①
- **제45조**: 과로 · 질병 · 약물운전 – ②
- **제54조 제1항**: 교통사고 후 조치 – ③
- **제148조**: 사고 후 미조치로 인한 벌칙
- **제148조의2**: 음주운전 등 벌칙
- **제156조 제10호**: 주 · 정차된 차량 손괴 후 인적 사항 미제공으로 인한 벌칙

021 다음 중 주 · 정차금지구역에 해당하지 않은 것은? [2020 승진(경위)]

① 도로공사를 하고 있는 경우 그 공사 구역의 양쪽 가장자리로부터 5m 이내인 곳

② 교차로의 가장자리나 도로의 모퉁이로부터 5m 이내인 곳

③ 건널목의 가장자리 또는 횡단보도로부터 10m 이내인 곳

④ 안전지대가 설치된 도로에서는 그 안전지대의 사방으로부터 각각 10m 이내인 곳

정답 및 해설 I ①

① [×] 주 · 정차금지구역이 아니라 주차금지구역(주차만 금지되는 구역)에 해당한다.

> **도로교통법 제33조 【주차금지의 장소】** 모든 차의 운전자는 다음 각 호의 어느 하나에 해당하는 곳에 차를 주차해서는 아니 된다.
> 2. 다음 각 목의 곳으로부터 5미터 이내인 곳
>   가. 도로공사를 하고 있는 경우에는 그 공사 구역의 양쪽 가장자리

②③④ [○] 모두 주 · 정차금지구역에 해당한다.

☑ 주 · 정차금지장소

금지장소	5m 이내 금지	10m 이내 금지
교차로	교차로 가장자리	
횡단보도	-	횡단보도
건널목	-	건널목의 가장자리
보도	도로 모퉁이	-
• 어린이 보호구역 • 시 · 도경찰청장 지정	• 소방용수시설 · 비상소화장치가 설치된 곳 • 소방시설	• 안전지대의 사방 • 버스정류지의 기둥 등

022 「도로교통법」상 '주차금지장소'에 대한 설명으로 가장 적절한 것은? [2017 채용 1차]

① 터널 안 및 다리 위

② 비상소화장치가 설치된 곳으로부터 5미터 이내인 곳

③ 소방용수시설이 설치된 곳으로부터 5미터 이내인 곳

④ 도로공사를 하고 있는 경우에는 그 공사 구역의 양쪽 가장자리로부터 10미터 이내인 곳

정답 및 해설 I ①

① [○] / ④ [×] 도로공사를 하고 있는 경우 공사 구역의 양쪽 가장자리로부터 5m 이내인 곳이 주차금지장소에 해당한다.

> **도로교통법 제33조【주차금지의 장소】** 모든 차의 운전자는 다음 각 호의 어느 하나에 해당하는 곳에 차를 주차해서는 아니 된다.
> 1. 터널 안 및 다리 위
> 2. 다음 각 목의 곳으로부터 5미터 이내인 곳
>   가. 도로공사를 하고 있는 경우에는 그 공사 구역의 양쪽 가장자리

②③ [×] 모두 주 · 정차금지장소에 해당한다.

> **도로교통법 제32조【정차 및 주차의 금지】** 모든 차의 운전자는 다음 각 호의 어느 하나에 해당하는 곳에서는 차를 정차하거나 주차하여서는 아니 된다. 다만, 이 법이나 이 법에 따른 명령 또는 경찰공무원의 지시를 따르는 경우와 위험방지를 위하여 일시정지하는 경우에는 그러하지 아니하다.
> 6. 다음 각 목의 곳으로부터 5미터 이내인 곳
>   가. 「소방기본법」 제10조에 따른 소방용수시설 또는 비상소화장치가 설치된 곳
>   나. 「소방시설 설치 및 관리에 관한 법률」 제2조 제1항 제1호에 따른 소방시설로서 대통령령으로 정하는 시설이 설치된 곳 <2022.12.1. 시행>

023 도로교통법상 주차금지장소에 해당하지 않는 것은? [2018 실무 1]

① 다중이용업소의 영업장이 속한 건축물로 소방본부장의 요청에 의하여 시 · 도경찰청장이 지정한 곳으로부터 5미터 이내인 곳

② 시 · 도경찰청장이 도로에서의 위험을 방지하고 교통의 안전과 원활한 소통을 확보하기 위하여 필요하다고 인정하여 지정한 곳

③ 터널 안, 다리 아래

④ 도로공사를 하고 있는 경우에는 그 공사 구역의 양쪽 가장자리로부터 5미터 이내인 곳

정답 및 해설 | ③

③ [×] 터널 안, 다리 위가 주차금지장소에 해당한다. / ①②④ [○]

> **도로교통법 제33조 【주차금지의 장소】** 모든 차의 운전자는 다음 각 호의 어느 하나에 해당하는 곳에 차를 주차해서는 아니 된다.
> 1. 터널 안 및 다리 위
> 2. 다음 각 목의 곳으로부터 5미터 이내인 곳
>   가. 도로공사를 하고 있는 경우에는 그 공사 구역의 양쪽 가장자리
>   나. 「다중이용업소의 안전관리에 관한 특별법」에 따른 다중이용업소의 영업장이 속한 건축물로 소방본부장의 요청에 의하여 시 · 도경찰청장이 지정한 곳
> 3. 시 · 도경찰청장이 도로에서의 위험을 방지하고 교통의 안전과 원활한 소통을 확보하기 위하여 필요하다고 인정하여 지정한 곳

024 「도로교통법」상 주차금지장소로 옳은 것은 모두 몇 개인가? [2016 채용 1차]

> ㉠ 소방용 기계 · 기구가 설치된 곳으로부터 5미터 이내인 곳
> ㉡ 터널 안 및 다리 위
> ㉢ 비상소화장치 등이 설치된 곳로부터 5미터 이내인 곳
> ㉣ 도로공사를 하고 있는 경우에는 그 공사 구역의 양쪽 가장자리로부터 5미터 이내인 곳

① 1개　　② 2개

③ 3개　　④ 4개

정답 및 해설 | ②

② [○] ㉡㉣이 주차금지장소에 해당하고, ㉠㉢은 주 · 정차금지장소에 해당한다.

> **도로교통법 제33조 【주차금지의 장소】** 모든 차의 운전자는 다음 각 호의 어느 하나에 해당하는 곳에 차를 주차해서는 아니 된다.
> 1. 터널 안 및 다리 위
> 2. 다음 각 목의 곳으로부터 5미터 이내인 곳
>   가. 도로공사를 하고 있는 경우에는 그 공사 구역의 양쪽 가장자리
>   나. 「다중이용업소의 안전관리에 관한 특별법」에 따른 다중이용업소의 영업장이 속한 건축물로 소방본부장의 요청에 의하여 시 · 도경찰청장이 지정한 곳
> 3. 시 · 도경찰청장이 도로에서의 위험을 방지하고 교통의 안전과 원활한 소통을 확보하기 위하여 필요하다고 인정하여 지정한 곳

025 「도로교통법」상 주 · 정차에 대한 설명으로 적절한 것으로 연결된 것은? (단, 명령 또는 경찰공무원의 지시, 위험방지를 위하여 일시정지하는 등의 경우는 고려하지 아니한다)

[2017 실무 1 변형]

㉠ 비상소화장치로부터 5m 이내인 곳은 주차금지장소이다.
㉡ 교차로의 가장자리나 도로의 모퉁이로부터 10m 이내인 곳은 주 · 정차금지장소이다.
㉢ 횡단보도로부터 10m 이내인 곳에서는 주 · 정차를 할 수 없다.
㉣ 소방용수시설이 설치된 곳으로부터 5m 이내인 곳은 주 · 정차금지장소이다.
㉤ 터널 안 및 다리 위에서는 주 · 정차를 할 수 없다.

① ㉠, ㉡
② ㉡, ㉢
③ ㉢, ㉣
④ ㉣, ㉤

정답 및 해설 I ③

㉠ [×] 주 · 정차금지장소에 해당한다.
㉡ [×] 교차로의 가장자리, 도로의 모퉁이로부터는 5m 이내인 곳이 주 · 정차금지장소이다.
㉢㉣ [○] 옳은 설명이다.
㉤ [×] 주차금지장소에 해당한다.

☑ 주 · 정차금지장소

금지장소	5m 이내 금지	10m 이내 금지
교차로	교차로 가장자리	
횡단보도	-	횡단보도
건널목	-	건널목 가장자리
보도	도로 모퉁이	-
• 어린이 보호구역 • 시 · 도경찰청장 지정	• 소방용수시설 · 비상소화장치가 설치된 곳 • 소방시설	• 안전지대의 사방 • 버스정류지의 기둥 등

026 다음 중 '도로교통법'상 정차 및 주차 모두가 금지되는 장소는 모두 몇 개인가?

[2017 경간]

㉠ 교차로 · 횡단보도 · 건널목이나 보도와 차도가 구분된 도로의 보도('주차장법'에 따라 차도와 보도에 걸쳐서 설치된 노상주차장은 제외)
㉡ 소방기본법에 따른 소방용수시설 또는 비상소화장치가 설치된 곳로부터 5미터 이내인 곳
㉢ 도로공사를 하고 있는 경우에는 그 공사 구역의 양쪽 가장자리 5미터 이내인 곳
㉣ 교차로의 가장자리나 도로의 모퉁이로부터 5미터 이내인 곳
㉤ 건널목의 가장자리 또는 횡단보도로부터 10미터 이내인 곳
㉥ 터널 안 및 다리 위

① 2개
② 3개
③ 4개
④ 5개

정답 및 해설 I ③

③ [○] ㉠㉡㉣㉤ 4개가 주 · 정차금지장소이고, ㉢㉥은 주차금지장소이다.

> **도로교통법 제32조【정차 및 주차의 금지】** 모든 차의 운전자는 다음 각 호의 어느 하나에 해당하는 곳에서는 차를 정차하거나 주차하여서는 아니 된다. 다만, 이 법이나 이 법에 따른 명령 또는 경찰공무원의 지시를 따르는 경우와 위험방지를 위하여 일시정지하는 경우에는 그러하지 아니하다.
> 1. 교차로 · 횡단보도 · 건널목이나 보도와 차도가 구분된 도로의 보도(「주차장법」에 따라 차도와 보도에 걸쳐서 설치된 노상주차장은 제외한다) ➜ ㉠
> 2. 교차로의 가장자리나 도로의 모퉁이로부터 5미터 이내인 곳 ➜ ㉣
> 5. 건널목의 가장자리 또는 횡단보도로부터 10미터 이내인 곳 ➜ ㉤
> 6. 다음 각 목의 곳으로부터 5미터 이내인 곳
>   가. 「소방기본법」 제10조에 따른 소방용수시설 또는 비상소화장치가 설치된 곳 ➜ ㉡
>   나. 「소방시설 설치 및 관리에 관한 법률」 제2조 제1항 제1호에 따른 소방시설로서 대통령령으로 정하는 시설이 설치된 곳 <2022.12.1. 시행>
>
> **제33조【주차금지의 장소】** 모든 차의 운전자는 다음 각 호의 어느 하나에 해당하는 곳에 차를 주차해서는 아니 된다.
> 1. 터널 안 및 다리 위 ➜ ㉥
> 2. 다음 각 목의 곳으로부터 5미터 이내인 곳
>   가. 도로공사를 하고 있는 경우에는 그 공사 구역의 양쪽 가장자리 ➜ ㉢

027 「도로교통법」에 관한 설명으로 가장 적절하지 않은 것은? (다툼이 있는 경우 판례에 의함)

[2023 채용 2차]

① 모든 차의 운전자는 예외 없이 터널 안에 차를 주차해서는 아니 된다.

② 긴급자동차에 대하여는 동법 제23조에 따른 끼어들기의 금지를 적용하지 아니한다.

③ “정차”란 운전자가 5분을 초과하지 아니하고 차를 정지시키는 것으로서 주차 외의 정지 상태를 말한다.

④ 물로 입 안을 헹굴 기회를 달라는 피고인의 요구를 무시한 채 호흡측정기로 측정한 혈중알코올 농도 수치가 0.05%로 나타난 사안에서, 피고인이 당시 혈중알코올 농도 0.05% 이상의 술에 취한 상태에서 운전하였다고 단정할 수 없다.

정답 및 해설 I ①

① [×] 모든 차의 운전자는 터널 안에 차를 주차해서는 안 되는 것이 원칙이나, 고장 또는 그 밖의 부득이한 사유로 터널 안 도로에서 차 또는 노면전차의 전조등이나 차폭등, 미등을 켜고 정차 또는 주차가 가능하다는 예외가 있다.

> **도로교통법 제33조【주차금지의 장소】** 모든 차의 운전자는 다음 각 호의 어느 하나에 해당하는 곳에 차를 주차해서는 아니 된다.
> 1. 터널 안 및 다리 위
>
> **도로교통법 제37조【차와 노면전차의 등화】** ① 모든 차 또는 노면전차의 운전자는 다음 각 호의 어느 하나에 해당하는 경우에는 대통령령으로 정하는 바에 따라 전조등(前照燈), 차폭등(車幅燈), 미등(尾燈)과 그 밖의 등화를 켜야 한다.
> 3. 터널 안을 운행하거나 고장 또는 그 밖의 부득이한 사유로 터널 안 도로에서 차 또는 노면전차를 정차 또는 주차하는 경우

② [○]

도로교통법 제30조 【긴급자동차에 대한 특례】 긴급자동차에 대하여는 다음 각 호의 사항을 적용하지 아니한다. 다만, 제4호부터 제12호까지의 사항은 긴급자동차 중 제2조 제22호 가목부터 다목까지의 자동차(➔ 소방차, 구급차, 혈액 공급차량)와 대통령령으로 정하는 경찰용 자동차에 대해서만 적용하지 아니한다.

구분		소방 · 구급 · 혈액 + 경찰	그 외의 긴급자동차
제1호	자동차등의 속도 제한*	적용 ×	적용 ×
제2호	앞지르기의 금지	적용 ×	적용 ×
제3호	끼어들기의 금지	적용 ×	적용 ×
제4호	신호위반	적용 ×	적용 ○
제5호	보도침범	적용 ×	적용 ○
제6호	중앙선 침범	적용 ×	적용 ○
제7호	횡단 등의 금지	적용 ×	적용 ○
제8호	안전거리 확보 등	적용 ×	적용 ○
제9호	앞지르기 방법 등	적용 ×	적용 ○
제10호	정차 및 주차의 금지	적용 ×	적용 ○
제11호	주차금지	적용 ×	적용 ○
제12호	고장 등의 조치	적용 ×	적용 ○

* 제1호 속도제한의 경우, 제17조에 따라 긴급자동차에 대하여 속도를 제한한 경우에는 같은 조의 규정을 적용한다.

③ [○]

도로교통법 제2조 【정의】 이 법에서 사용하는 용어의 뜻은 다음과 같다.

24. "**주차**"란 운전자가 승객을 기다리거나 화물을 싣거나 차가 고장 나거나 그 밖의 사유로 차를 계속 정지 상태에 두는 것 또는 운전자가 차에서 떠나서 즉시 그 차를 운전할 수 없는 상태에 두는 것을 말한다.
25. "**정차**"란 운전자가 5분을 초과하지 아니하고 차를 정지시키는 것으로서 주차 외의 정지 상태를 말한다.

④ [○]

요지판례 |

■ 물로 입 안을 헹굴 기회를 달라는 피고인의 요구를 무시한 채 호흡측정기로 측정한 혈중알코올 농도 수치가 0.05%로 나타난 사안에서, 피고인이 당시 혈중알코올 농도 0.05% 이상의 술에 취한 상태에서 운전하였다고 단정할 수 없다(대판 2006.11.23, 2005도7034).

주제 3 운전면허

01 운전면허의 종류

028 다음은 「도로교통법 시행규칙」상 제1종 보통운전면허와 제2종 보통운전면허로 운전할 수 있는 차량이다. 괄호 안에 들어갈 숫자의 총합은? [2014 채용 1차]

제1종 보통운전면허
㉠ 적재중량 ( )톤 미만의 화물자동차
㉡ 총 중량 ( )톤 미만의 특수자동차(견인차 및 구난차는 제외한다)

제2종 보통운전면허
㉠ 승차정원 ( )인 이하의 승합자동차
㉡ 적재중량 ( )톤 이하의 화물자동차

① 34 ② 35 ③ 36 ④ 37

정답 및 해설 I ③

③ [○] 괄호 안에 들어갈 숫자의 총합은 12 + 10 + 10 + 4 = 36이다.

제1종 보통의 경우 15인 이하 승합차, 적재중량 (㉠ 12)톤 미만 화물자동차, 총 중량 (㉡ 10)톤 미만의 특수자동차(견인차 및 구난차는 제외한다)를 운전할 수 있고, **제2종 보통**의 경우 (㉠ 10)인 이하 승합차, 적재중량 (㉡ 4)톤 이하 화물자동차, 총 중량 3.5톤 이하의 특수자동차(견인차 및 구난차는 제외한다)를 운전할 수 있다.

☑ 운전면허 종별로 운전할 수 있는 차량의 범위

종별	구분	승용차	승합차	화물차	특수차		건설기계 (자동차)	이륜차	원장자
					그외	대견 소견 구난			
1종	대형	○	○	○	○	×	○	×	○
	보통	○	○ (15명 이하)	○ (12톤 미만)	○ (10톤 미만)	×	3톤 미지	×	○
	소형	×	×	×	×	×	×	×	○
	특수	○	○	○	○	○ (3.5톤 이하 소견)	×	×	○
2종	보통	○	○ (10명 이하)	○ (4톤 이하)	○ (3.5톤 이하)	×	×	×	○
	소형	×	×	×	×	×	×	○	○
	원동기	×	×	×	×	×	×	×	○
연습	1종보통	○	○ (15명 이하)	○ (12톤 미만)	×	×	×	×	×
	2종보통	○	○ (10명 이하)	○ (4톤 이하)	×	×	×	×	×

* 축약용어
- **승용차**: 승용자동차
- **화물차**: 화물자동차
- **특수차**: 특수자동차
- **대견**: 대형견인차 / **소견**: 소형견인차 / **구난**: 구난차
- **이륜차**: 이륜자동차(운반차 포함)
- **원장자**: 원동기장치자전거
- **3톤 미지**: 도로를 운행하는 3톤 미만 지게차

* 건설기계(자동차인 건설기계)

구분	건설기계
아스팔트 (2)	아스팔트살포기
	아스팔트콘크리트재생기
콘크리트 (3)	콘크리트믹서트럭
	콘크리트믹서트레일러
	콘크리트펌프
도로 (2)	도로보수트럭
	노상안정기
그외 (3)	덤프트럭
	천공기(트럭적재식)
	3톤 미만 지게차

☑ 소형면허의 경우

제2종 소형	• 이륜자동차(운반차를 포함한다) • 원동기장치자전거
제1종 소형	• 3륜화물자동차 • 3륜승용자동차 • 원동기장치자전거

029 다음은 「도로교통법 시행규칙」상 각종 운전면허로 운전할 수 있는 차량의 종류를 표로 정리한 것이다. ㉠부터 ㉣까지 (　　) 안에 들어갈 숫자를 순서대로 나열한 것은? [2018 채용 2차]

> 제1종 보통운전면허
> ㉠ 적재중량 (　　)톤 미만의 화물자동차

> 제2종 보통운전면허
> ㉡ 승차정원 (　　)명 이하의 승합자동차
> ㉢ 적재중량 (　　)톤 이하의 화물자동차
> ㉣ 총 중량 (　　)톤 이하의 특수자동차(구난차 등은 제외한다)

① 10 - 12 - 4 - 3.5

② 12 - 10 - 4 - 3.5

③ 12 - 10 - 4 - 4

④ 12 - 10 - 3.5 - 4

정답 및 해설 Ι ②

② [○] **제1종 보통**의 경우 15인 이하 승합차, 적재중량 (㉠ 12)톤 미만 화물자동차, 총 중량 10톤 미만의 특수자동차(견인차 및 구난차는 제외한다)를 운전할 수 있고, **제2종 보통**의 경우 (㉡ 10)인 이하 승합차, 적재중량 (㉢ 4)톤 이하 화물자동차, 총 중량 (㉣ 3.5)톤 이하의 특수자동차(견인차 및 구난차는 제외한다)를 운전할 수 있다.

030 각종 운전면허로 운전할 수 있는 차종에 대한 설명이다. ㉠부터 ㉣까지 (　　) 안에 들어갈 용어를 나열한 것으로 가장 적절한 것은? [2018 승진(경감)]

운전면허		운전할 수 있는 차의 종류
제1종	보통면허	승용자동차 승차정원 15명 (㉠)의 승합자동차 적재중량 12톤 (㉡)의 화물자동차
제2종	보통면허	승용자동차 승차정원 10명 (㉢)의 승합자동차 적재중량 4톤 (㉣)의 화물자동차

	㉠	㉡	㉢	㉣
①	이하	미만	미만	미만
②	이하	미만	이하	미만
③	미만	이하	미만	이하
④	이하	미만	이하	이하

정답 및 해설 Ι ④

④ [○] ㉠ 이하, ㉡ 미만, ㉢ 이하, ㉣ 이하 → Tip '미만'이라는 단어는 제1종에서만 등장한다.

031 「도로교통법 시행규칙」에 규정된 운전면허를 받은 사람이 운전할 수 있는 자동차 등의 종류에 대한 설명으로 가장 적절하지 않은 것은? [2017 승진(경위)]

① 제1종 보통면허로 적재중량 12톤 미만의 화물자동차를 운전할 수 있다.

② 제1종 소형면허로 3륜화물자동차를 운전할 수 있다.

③ 제2종 소형면허로 원동기장치자전거를 운전할 수 있다.

④ 제2종 보통면허로 승차정원 12명인 승합자동차를 운전할 수 있다.

정답 및 해설 I ④

④ [×] 제2종 보통면허는 승차정원 10인 이하의 승합자동차를 운전할 수 있다.

032 「도로교통법 시행규칙」 별표 18에 따른 각종 운전면허와 운전할 수 있는 차에 대한 설명으로 가장 적절하지 않은 것은? [2018 채용 3차]

① 제1종 보통 연습면허로 승차정원 15인의 승합자동차는 운전할 수 있으나, 적재중량 12톤의 화물자동차는 운전할 수 없다.

② 제2종 보통면허로 승차정원 10인의 승합자동차는 운전할 수 있으나, 적재중량 4톤의 화물자동차는 운전할 수 없다.

③ 제1종 보통면허로 승차정원 15인의 승합자동차는 운전할 수 있으나, 적재중량 12톤의 화물자동차는 운전할 수 없다.

④ 제1종 대형면허로 승차정원 45인의 승합자동차는 운전할 수 있으나, 대형견인차는 운전할 수 없다.

정답 및 해설 I ②

② [×] 적재중량 4톤의 화물자동차도 운전할 수 있다.

033 「도로교통법」 및 동법 시행규칙상 제1종 보통면허로 운전할 수 있는 것은 모두 몇 개인가? [2016 채용 1차]

㉠ 승용자동차 ㉡ 승차정원 15인 이하의 승합자동차 ㉢ 원동기장치자전거 ㉣ 총 중량 10톤 미만의 특수자동차(견인차 및 구난차를 포함한다)

① 1개 ② 2개 ③ 3개 ④ 4개

정답 및 해설 I ③

③ [○] ㉠㉡㉢ 3개가 제1종 보통면허로 운전할 수 있는 차량이다. ㉣의 경우 총 중량 10톤 미만의 특수자동차는 제1종 보통면허로 운전할 수 있으나, 특수자동차 중 대형·소형 견인차 및 구난차는 제외된다.

034 「도로교통법 시행규칙」상 제1종 보통면허로 운전할 수 있는 차종에 해당하는 것을 모두 고른 것은?

[2018 실무 1]

> ㉠ 승차정원 15명 이하의 승합자동차
> ㉡ 적재중량 12톤 미만의 화물자동차
> ㉢ 도로보수트럭, 3톤 미만의 지게차
> ㉣ 총 중량 10톤 미만의 특수자동차(구난차 등은 제외한다)
> ㉤ 이륜자동차(운반차를 포함한다)

① ㉠, ㉡, ㉣
② ㉠, ㉡, ㉤
③ ㉡, ㉢, ㉣
④ ㉢, ㉤

정답 및 해설 | ①

㉠㉡㉣ [○] 제1종 보통면허로 운전할 수 있는 차에 해당한다.

㉢ [×] 건설기계 중 도로를 운행하는 3톤 미만 지게차만 운전할 수 있다(도로보수트럭은 ×).

㉤ [×] 이륜자동차(운반차 포함)는 제2종 소형면허만으로만 운전할 수 있다. 제2종 소형면허는 원동기장치자전거면허를 제외하고 다른 어떤 면허와도 연결되지 않는다.

035 다음 중 무면허운전에 해당하는 경우로 가장 적절한 것은?

[2019 채용 2차]

① 제1종 보통면허를 소지한 甲이 구난차 등이 아닌 10톤의 특수자동차를 운전한 경우
② 제1종 대형면허를 소지한 乙이 구난차 등이 아닌 특수자동차를 운전한 경우
③ 제2종 보통면허를 소지한 丙이 승차정원 10인의 승합자동차를 운전한 경우
④ 제2종 보통면허를 소지한 丁이 적재중량 4톤의 화물자동차를 운전한 경우

정답 및 해설 | ①

① [○] 제1종 보통면허로는 10톤 **미만**의 특수자동차(구난차 등 제외)를 운전할 수 있다. 그런데 '10톤의 특수자동차'는 10톤 이상의 특수자동차에 해당하므로 결국 甲은 무면허운전을 한 것이다.

036 제2종 보통면허만을 취득한 자가 운전할 경우, 무면허운전이 되는 것은?

[2024 1차 채용]

① 원동기장치자전거
② 화물자동차(적재중량 3톤)
③ 승합자동차(승차정원 8명)
④ 특수자동차(총중량 4톤)

정답 및 해설 I ④

④ [○] 제2종 보통면허로 총중량 3.5톤 이하의 특수자동차(구난차등 제외)를 운전할 수 있기 때문에 **총중량 4톤의 특수자를 운전하는 경우 무면허에 해당**한다.

제2종 보통면허 (10 · 4 · 3.5 → 이 · 이 · 이)	• 승용자동차 • 승차정원 10명 이하의 승합자동차 • 적재중량 4톤 이하의 화물자동차 • 총중량 3.5톤 이하의 특수자동차(구난차등은 제외한다) • 원동기장치자전거

037 다음 중 「도로교통법」 및 「도로교통법 시행규칙」에 따라 제2종 보통 연습면허만을 받은 사람이 운전할 수 있는 차량의 개수는? [2021 채용 1차]

㉠ 승차정원 10명 이하의 승합자동차
㉡ 총 중량 3.5톤 이하의 견인형 특수자동차
㉢ 적재중량 4톤 이하의 화물자동차
㉣ 건설기계(도로를 운행하는 3톤 미만의 지게차로 한정)

① 1개 ② 2개 ③ 3개 ④ 4개

정답 및 해설 I ②

② [○] 연습면허는 우선 승용 · 승합 · 화물의 기본차량만 운전 가능하다(원동기장치자전거도 운전할 수 없다). 따라서 ㉡㉣은 제외된다. 한편, 연습면허도 승용 · 승합 · 화물의 기본차량의 범위에서는 일반면허와 운전할 수 있는 차량의 범위는 동일하다고 보면 된다. 따라서 2종 보통연습면허는 2종 보통면허와 같이 ㉠ 승차정원 10명 이하의 승합자동차, ㉢ 적재중량 4톤 이하의 화물자동차가 운전 가능한 차량이다.

038 「도로교통법」 및 동법 시행규칙상 운전면허에 대한 설명 중 가장 적절하지 않은 것은? [2020 승진(경위)]

① 제1종 보통면허로는 승차정원 15명 이하의 승합자동차, 적재중량 12톤 미만의 화물자동차를 운전할 수 있다.
② 제2종 보통면허로는 승차정원 10명 이하의 승합자동차, 적재중량 4톤 이하의 화물자동차를 운전할 수 있다.
③ 운전면허증 소지자가 면허증의 반납사유가 발생하면 그 사유가 발생한 날부터 7일 이내에 반납하여야 한다.
④ 무면허운전 금지를 3회 위반하여 자동차등을 운전한 경우 위반한 날부터 3년간 운전면허 시험응시가 제한된다.

정답 및 해설 I ④

④ [×] 2년간 운전면허 시험응시가 제한된다.

> 도로교통법 제82조 【운전면허의 결격사유】 ② 다음 각 호의 어느 하나의 경우에 해당하는 사람은 해당 각 호에 규정된 기간이 지나지 아니하면 운전면허를 받을 수 없다. 다만, 다음 각 호의 사유로 인하여 벌금 미만의 형이 확정되거나 선고유예의 판결이 확정된 경우 또는 기소유예나 「소년법」 제32조에 따른 보호처분의 결정이 있는 경우에는 각 호에 규정된 기간 내라도 운전면허를 받을 수 있다.
> 2. 무면허운전금지를 3회 이상 위반하여 자동차등을 운전한 경우에는 그 위반한 날부터 2년

③ [○]

> 도로교통법 제95조【운전면허증의 반납】① 운전면허증을 받은 사람이 다음 각 호의 어느 하나에 해당하면 그 사유가 발생한 날부터 7일 이내(제4호 및 제5호의 경우 새로운 운전면허증을 받기 위하여 운전면허증을 제출한 때)에 주소지를 관할하는 시·도경찰청장에게 운전면허증을 반납하여야 한다.
> 1. 운전면허 취소처분을 받은 경우
> 2. 운전면허효력 정지처분을 받은 경우
> 3. 운전면허증을 잃어버리고 다시 발급받은 후 그 잃어버린 운전면허증을 찾은 경우
> 4. 연습운전면허증을 받은 사람이 제1종 보통면허증 또는 제2종 보통면허증을 받은 경우
> 5. 운전면허증 갱신을 받은 경우

02 운전면허의 발급 등

039 「도로교통법」상 운전면허 결격사유에 대한 설명으로 가장 적절하지 않은 것은? [2017 채용 2차]

① 19세 미만(원동기장치자전거의 경우에는 16세 미만)인 사람은 운전면허를 받을 수 없다.

② 제1종 대형면허 또는 제1종 특수면허를 받으려는 경우로서 19세 미만이거나 자동차(이륜자동차는 제외한다)의 운전경험이 1년 미만인 사람은 운전면허를 받을 수 없다.

③ 듣지 못하는 사람(제1종 운전면허 중 대형면허 · 특수면허만 해당한다), 앞을 보지 못하는 사람(한쪽 눈만 보지 못하는 사람의 경우에는 제1종 운전면허 중 대형면허 · 특수면허만 해당한다)이나 그 밖에 대통령령으로 정하는 신체장애인은 운전면허를 받을 수 없다.

④ 교통상의 위험과 장해를 일으킬 수 있는 정신질환자 또는 뇌전증 환자로서 대통령령으로 정하는 사람은 운전면허를 받을 수 없다.

정답 및 해설 I ①

① [×] 18세 미만인 사람은 운전면허를 받을 수 없다.

> 도로교통법 제82조【운전면허의 결격사유】① 다음 각 호의 어느 하나에 해당하는 사람은 운전면허를 받을 수 없다.
> 1. 18세 미만(원동기장치자전거의 경우에는 16세 미만)인 사람

②③④ [○]

> 도로교통법 제82조【운전면허의 결격사유】① 다음 각 호의 어느 하나에 해당하는 사람은 운전면허를 받을 수 없다.
> 2. 교통상의 위험과 장해를 일으킬 수 있는 정신질환자 또는 뇌전증 환자로서 대통령령으로 정하는 사람
> 3. 듣지 못하는 사람(제1종 운전면허 중 대형면허 · 특수면허만 해당한다), 앞을 보지 못하는 사람(한쪽 눈만 보지 못하는 사람의 경우에는 제1종 운전면허 중 대형면허 · 특수면허만 해당한다)이나 그 밖에 대통령령으로 정하는 신체장애인
> 6. 제1종 대형면허 또는 제1종 특수면허를 받으려는 경우로서 19세 미만이거나 자동차(이륜자동차는 제외한다)의 운전경험이 1년 미만인 사람

040 「도로교통법」상 운전면허 행정처분 결과에 따른 결격대상자 및 결격기간이 바르게 연결되지 않은 것은? (단, 벌금 미만의 형 확정, 선고유예판결 확정 등의 경우는 고려하지 아니한다) [2017 실무 1]

① 음주운전으로 2회 이상 교통사고를 야기한 경우 - 취소된 날부터 3년

② 다른 사람의 자동차를 훔치거나 빼앗은 경우 - 취소된 날부터 3년

③ 과로운전으로 사람을 사상한 후 구호조치 없이 도주한 경우 - 취소된 날부터 5년

④ 다른 사람을 위하여 운전면허시험에 대리응시한 경우 - 취소된 날부터 2년

정답 및 해설 I ②

② [×] 2년의 결격기간이 적용된다.

041 「도로교통법」상 다음 <보기>의 운전면허 결격기간을 모두 합한 것으로 옳은 것은? [2014 채용 2차]

> <보기>
>
> ㉠ 거짓 또는 부정의 수단으로 운전면허를 취득한 경우
> ㉡ 과로상태운전으로 사람을 사상한 후 필요한 조치 및 신고를 하지 아니한 경우
> ㉢ 음주운전의 규정을 2회 이상 위반하여 운전면허가 취소된 경우
> ㉣ 적성검사를 받지 아니하여 운전면허가 취소된 경우

① 8년 ② 9년 6개월
③ 10년 ④ 10년 6개월

정답 및 해설 I ①

① [○] 1 + 5 + 2 = 8이다.
㉠ 1년, ㉡ 5년, ㉢ 2년, ㉣ 즉시 응시(0)

042 다음은 운전면허시험 응시제한기간에 대한 내용이다. 괄호에 들어갈 숫자의 총합은? [2017 경간]

> ㉠ 과로운전 중 사상사고 야기 후 구호조치 및 신고 없이 도주한 경우, 취소된 날부터 (   )년
> ㉡ 2회 이상 음주운전으로 운전면허가 취소된 경우, 취소된 날부터 (   )년
> ㉢ 다른 사람의 자동차 등을 훔치거나 빼앗은 사람이 무면허운전을 한 경우, 위반한 날부터 (   )년
> ㉣ 2회 이상의 공동위험행위로 운전면허가 취소된 경우, 취소된 날부터 (   )년
> ㉤ 운전면허효력의 정지기간 중 운전면허증 또는 운전면허증을 갈음하는 증명서를 발급받은 사실이 드러나 운전면허가 취소된 경우, 취소된 날부터 (   )년

① 13 ② 14 ③ 15 ④ 16

정답 및 해설 I ②

② [○] 5 + 2 + 3 + 2 + 2 = 14
㉠ 5년: 기본 4대행위(무면허, 음주, 약물 · 과로, 공동위험)와 도주가 결합되면 5년이다.
㉡ 2년, ㉣ 2년: 같은 행위를 2회 이상 반복(무면허는 3회)하여 취소된 경우는 2년이다. 단, 음주교통사고 2회 이상은 3년이다.
㉢ 3년
㉤ 2년

043 운전면허 행정처분 결과에 따른 결격대상자와 결격기간의 연결이 옳지 <u>않은</u> 것은 모두 몇 개인가?

[2020 경간]

> 가. 자동차 등을 이용하여 범죄행위를 하거나 다른 사람의 자동차를 훔치거나 빼앗아 무면허로 운전한 자 - 위반한 날부터 3년
> 나. 다른 사람이 부정하게 운전면허를 받도록 하기 위하여 운전면허시험에 대리응시한 자 - 취소된 날부터 2년
> 다. 과로상태 운전으로 사람을 사상한 후 구호조치 없이 도주한 자 - 취소된 날부터 5년
> 라. 2회 이상의 공동위험행위로 운전면허가 취소된 자 - 취소된 날부터 2년
> 마. 적성검사를 받지 아니하여 운전면허가 취소된 자 - 취소된 날부터 1년

① 1개 ② 2개 ③ 3개 ④ 4개

정답 및 해설 I ①

가. [○] 운전면허 있는 자가 타인의 자동차 절도 등으로 면허가 취소된 경우는 2년이고, 운전면허 없는 자가 타인의 자동차 절도 등으로 적발된 경우(즉, 절도 등 + 무면허)는 3년이다.

나. [○] 운전면허시험 대리응시와 같은 부정행위는 2년이다.

다. [○] 기본 4대행위가 도주와 결합되면 5년이다.

라. [○] 같은 행위를 2회 이상 반복(무면허는 3회 이상)하여 취소된 경우는 2년이다. 단, 음주교통사고 2회 이상 반복은 3년이다.

마. [×] 이 경우는 즉시 응시 가능하다.

044 다음은 '도로교통법'에서 운전면허와 관련하여 규정하는 내용들이다. 괄호 안에 들어갈 숫자를 모두 더한 값은? (㉠ + ㉡ + ㉢ + ㉣)

[2021 경간]

> 가. (㉠)세 미만(원동기장치자전거의 경우 제외)인 사람은 운전면허를 받을 수 없다.
> 나. (㉡)세 이상인 사람으로서 운전면허를 받으려는 사람은 시험에 응시하기 전에 '노화와 안전운전에 관한 사항' 등에 관한 교통안전교육을 받아야 한다.
> 다. 연습운전면허는 그 면허를 받은 날부터 (㉢)년 동안 효력을 가진다.
> 라. 운전면허시험에서 부정행위를 하여 해당 시험이 무효로 처리된 사람은 그 처분이 있은 날로부터 (㉣)년간 해당 시험에 응시하지 못한다.

① 94 ② 96 ③ 98 ④ 99

정답 및 해설 I ②

② [○] 18 + 75 + 1 + 2 = 96

가. ㉠ 18

> 도로교통법 제82조 【운전면허의 결격사유】 ① 다음 각 호의 어느 하나에 해당하는 사람은 운전면허를 받을 수 없다.
> 1. 18세 미만(원동기장치자전거의 경우에는 16세 미만)인 사람

나. ㉡ 75

> 도로교통법 제73조【교통안전교육】⑤ 75세 이상인 사람으로서 운전면허를 받으려는 사람은 제83조 제1항 제2호와 제3호에 따른 시험에 응시하기 전에, 운전면허증 갱신일에 75세 이상인 사람은 운전면허증 갱신기간 이내에 각각 다음 각 호의 사항에 관한 교통안전교육을 받아야 한다.
> 1. 노화와 안전운전에 관한 사항
> 2. 약물과 운전에 관한 사항
> 3. 기억력과 판단능력 등 인지능력별 대처에 관한 사항
> 4. 교통관련 법령 이해에 관한 사항

다. ㉢ 1

> 도로교통법 제81조【연습운전면허의 효력】연습운전면허는 그 면허를 받은 날부터 1년 동안 효력을 가진다. 다만, 연습운전면허를 받은 날부터 1년 이전이라도 연습운전면허를 받은 사람이 제1종 보통면허 또는 제2종 보통면허를 받은 경우 연습운전면허는 그 효력을 잃는다.

라. ㉣ 2

> 도로교통법 제84조의2【부정행위자에 대한 조치】① 경찰청장은 제106조에 따른 전문학원의 강사자격시험 및 제107조에 따른 기능검정원 자격시험에서, 시 · 도경찰청장 또는 도로교통공단은 제83조에 따른 운전면허시험에서 부정행위를 한 사람에 대하여는 해당 시험을 각각 무효로 처리한다.
> ② 제1항에 따라 시험이 무효로 처리된 사람은 그 처분이 있은 날부터 2년간 해당 시험에 응시하지 못한다.

03 임시운전증명서

045 운전면허에 대한 설명으로 가장 적절하지 않은 것은? [2020 승진(경감)]

① 제2종 보통면허로는 승차정원 10명 이하의 승합자동차, 적재중량 4톤 이하의 화물자동차, 총 중량 3.5톤 이하의 특수자동차(구난차 등은 제외한다) 등을 운전할 수 있다.

② 임시운전증명서의 유효기간은 20일 이내로 하되, 운전면허의 취소 또는 정지처분 대상자의 경우 40일 이내로 할 수 있다. 다만, 시 · 도경찰청장이 필요하다고 인정하는 경우 그 유효기간을 1회에 한하여 20일의 범위 이내에서 연장할 수 있다.

③ 제1종 특수면허 중 소형견인차 면허를 가지고 총 중량 3.5톤 이하의 견인형 특수자동차를 운전할 수 있다.

④ 국제운전면허증을 발급받은 사람은 국내에 입국한 날부터 1년 동안만 그 국제운전면허증으로 자동차 등을 운전할 수 있다.

정답 및 해설 I ②

② [×] 시 · 도경찰청장이 아니라 경찰서장이 필요하다고 인정하는 경우에 연장할 수 있다.

> 행정안전부령 도로교통법 시행규칙 제88조【임시운전증명서】② 제1항에 따른 임시운전증명서의 유효기간은 20일 이내로 하되, 법 제93조에 따른 운전면허의 취소 또는 정지처분 대상자의 경우에는 40일 이내로 할 수 있다. 다만, 경찰서장이 필요하다고 인정하는 경우에는 그 유효기간을 1회에 한하여 20일의 범위에서 연장할 수 있다.

④ [○]

> 도로교통법 제96조【국제운전면허증 또는 상호인정외국면허증에 의한 자동차등의 운전】① 외국의 권한 있는 기관에서 제1호부터 제3호까지의 어느 하나에 해당하는 협약 · 협정 또는 약정에 따른 운전면허증(이하 "국제운전면허증"이라 한다) 또는 제4호에 따라 인정되는 외국면허증(이하 "상호인정외국면허증"이라 한다)을 발급받은 사람은 제80조 제1항에도 불구하고 국내에 입국한 날부터 1년 동안 그 국제운전면허증 또는 상호인정외국면허증으로 자동차등을 운전할 수 있다. <2022.10.20. 시행>

04 연습운전면허

046 연습운전면허에 대한 설명으로 가장 적절하지 않은 것은? [2018 경채]

① 연습운전면허는 제1종 보통연습면허와 제2종 보통연습면허의 2종류가 있으며, 원칙적으로 그 면허를 받은 날부터 1년 동안 효력을 가진다.

② 주행연습 중이라는 사실을 다른 차의 운전자가 알 수 있도록 연습 중인 자동차에 주행연습표지를 붙여야 한다.

③ 자동차운전학원 강사의 지시에 따라 운전하던 중 교통사고를 일으킨 경우 연습운전면허를 취소하지 않는다.

④ 연습운전면허 소지자가 교통사고를 일으키거나 법규를 위반한 경우 벌점을 부과한다.

정답 및 해설 I ④

④ [×] 연습면허의 경우에는 따로 면허정지제도가 없으나(도로교통법상 벌점관리도 없음), 교통사고 등의 경우 취소될 수는 있다.

① [○]

> **도로교통법 제80조 【운전면허】** ② 시 · 도경찰청장은 운전을 할 수 있는 차의 종류를 기준으로 다음 각 호와 같이 운전면허의 범위를 구분하고 관리하여야 한다. …
> 3. 연습운전면허
> 가. 제1종 보통연습면허
> 나. 제2종 보통연습면허
>
> **도로교통법 제81조 【연습운전면허의 효력】** 연습운전면허는 그 면허를 받은 날부터 1년 동안 효력을 가진다. 다만, 연습운전면허를 받은 날부터 1년 이전이라도 연습운전면허를 받은 사람이 제1종 보통면허 또는 제2종 보통면허를 받은 경우 연습운전면허는 그 효력을 잃는다.

② [○]

> 행정안전부령 **도로교통법 시행규칙 제55조 【연습운전면허를 받은 사람의 준수사항】** 법 제80조 제2항 제3호에 따른 연습운전면허를 받은 사람이 도로에서 주행연습을 하는 때에는 다음 각 호의 사항을 지켜야 한다.
> 3. 주행연습 중이라는 사실을 다른 차의 운전자가 알 수 있도록 연습 중인 자동차에 별표 21의 표지(➜ '주행연습'표지)를 붙여야 한다.

③ [○]

> **도로교통법 제93조 【운전면허의 취소 · 정지】** ③ 시 · 도경찰청장은 연습운전면허를 발급받은 사람이 운전 중 고의 또는 과실로 교통사고를 일으키거나 이 법이나 이 법에 따른 명령 또는 처분을 위반한 경우에는 연습운전면허를 취소하여야 한다. 다만, 본인에게 귀책사유가 없는 경우 등 대통령령으로 정하는 경우에는 그러하지 아니하다.
>
> 대통령령 **도로교통법 시행령 제59조 【연습운전면허 취소의 예외 사유】** 법 제93조 제3항 단서에서 "대통령령으로 정하는 경우"란 다음 각 호의 어느 하나에 해당하는 경우를 말한다. ➜ 연습면허를 취소하지 않는 경우
> 1. 도로교통공단에서 도로주행시험을 담당하는 사람, 자동차운전학원의 강사, 전문학원의 강사 또는 기능검정원의 지시에 따라 운전하던 중 교통사고를 일으킨 경우

05 국제운전면허

047 국제운전면허증에 대한 설명으로 가장 적절하지 않은 것은? [2017 실무 1]

① 외국에서 발행한 국제운전면허증은 입국한 날로부터 1년간 유효하다.

② 국제운전면허증으로 국내에서 사업용 차량(대여용 제외)을 운전할 수 없다.

③ 국제운전면허증을 받으려면 국내면허를 받은 후 1년이 경과되어야 한다.

④ 도로교통에 관한 국제협약에 의거, 가입국간에 통용된다.

정답 및 해설 | ③

③ [×] 이러한 요건은 없다.

①④ [○]

> **도로교통법 제96조【국제운전면허증 또는 상호인정외국면허증에 의한 자동차등의 운전】** ① 외국의 권한 있는 기관에서 제1호부터 제3호까지의 어느 하나에 해당하는 협약 · 협정 또는 약정에 따른 운전면허증(이하 "국제운전면허증"이라 한다) 또는 제4호에 따라 인정되는 외국면허증(이하 "상호인정외국면허증"이라 한다)을 발급받은 사람은 제80조 제1항에도 불구하고 국내에 입국한 날부터 1년 동안 그 국제운전면허증 또는 상호인정외국면허증으로 자동차등을 운전할 수 있다. 이 경우 운전할 수 있는 자동차의 종류는 그 국제운전면허증 또는 상호인정외국면허증에 기재된 것으로 한정한다. <2022.10.20. 시행>
> 1. 1949년 제네바에서 체결된 「도로교통에 관한 협약」
> 2. 1968년 비엔나에서 체결된 「도로교통에 관한 협약」
> 3. 우리나라와 외국 간에 국제운전면허증을 상호 인정하는 협약, 협정 또는 약정
> 4. 우리나라와 외국 간에 상대방 국가에서 발급한 운전면허증을 상호 인정하는 협약 · 협정 또는 약정

② [○]

> **도로교통법 제96조【국제운전면허증 또는 상호인정외국면허증에 의한 자동차등의 운전】** ② 국제운전면허증을 외국에서 발급받은 사람 또는 상호인정외국면허증으로 운전하는 사람은 「여객자동차 운수사업법」 또는 「화물자동차 운수사업법」에 따른 사업용 자동차를 운전할 수 없다. 다만, 「여객자동차 운수사업법」에 따른 대여사업용 자동차를 임차하여 운전하는 경우에는 그러하지 아니하다. <2022.10.20. 시행>
> 예 외국발급 국제운전면허증으로 택시영업을 할 수는 없으나, 렌트카를 운전할 수는 있다.

048 운전면허에 대한 설명으로 가장 적절하지 않은 것은? [2019 승진(경위)]

① 외국 발행의 국제운전면허증은 입국일로부터 1년간 유효하다.

② 임시운전증명서는 유효기간 중 운전면허증과 동일한 효력이 있다.

③ 국제운전면하증을 외국에서 발급받은 사람은 여객자동차 운수사업법에 따른 사업용 자동차를 운전할 수 없다(단, 여객자동차 운수사업법 에 따른 대여사업용 자동차를 임차하여 운전하는 경우는 제외).

④ 연습운전면허를 발급받은 사람은 여객자동차 운수사업법 또는 화물자동차 운수사업법에 따른 사업용 자동차를 운전할 수 있다.

정답 및 해설 | ④

④ [×] 사업용 자동차를 운전할 수 없다.

> 행정안전부령 **도로교통법 시행규칙 제55조【연습운전면허를 받은 사람의 준수사항】** 법 제80조 제2항 제3호에 따른 연습운전면허를 받은 사람이 도로에서 주행연습을 하는 때에는 다음 각 호의 사항을 지켜야 한다.
> 2. 「여객자동차 운수사업법」 또는 「화물자동차 운수사업법」에 따른 사업용 자동차를 운전하는 등 주행연습 외의 목적으로 운전하여서는 아니된다.

① [○]

> **도로교통법 제96조【국제운전면허증 또는 상호인정외국면허증에 의한 자동차등의 운전】** ① 외국의 권한 있는 기관에서 제1호부터 제3호까지의 어느 하나에 해당하는 협약 · 협정 또는 약정에 따른 운전면허증(이하 "국제운전면허증"이라 한다) 또는 제4호에 따라 인정되는 외국면허증(이하 "상호인정외국면허증"이라 한다)을 발급받은 사람은 제80조 제1항에도 불구하고 국내에 입국한 날부터 1년 동안 그 국제운전면허증 또는 상호인정외국면허증으로 자동차등을 운전할 수 있다. <2022.10.20. 시행>

② [○]

> **도로교통법 제91조【임시운전증명서】** ② 제1항의 임시운전증명서는 그 유효기간 중에는 운전면허증과 같은 효력이 있다.

③ [○]

> 도로교통법 제96조 **【국제운전면허증 또는 상호인정외국면허증에 의한 자동차등의 운전】** ② 국제운전면허증을 외국에서 발급받은 사람 또는 상호인정외국면허증으로 운전하는 사람은 「여객자동차 운수사업법」 또는 「화물자동차 운수사업법」에 따른 사업용 자동차를 운전할 수 없다. 다만, 「여객자동차 운수사업법」에 따른 대여사업용 자동차를 임차하여 운전하는 경우에는 그러하지 아니하다. <2022.10.20. 시행>
>
> 예 외국발급 국제운전면허증으로 택시영업을 할 수는 없으나, 렌트카를 운전할 수는 있다.

049 「도로교통법」상 국제운전면허증에 관한 다음 설명 중 옳고 그름의 표시(○, ×)가 바르게 된 것은?

[2018 경간]

> 가. 국제운전면허증을 외국에서 발급받은 사람은 「여객자동차 운수사업법」 또는 「화물자동차 운수사업법」에 따른 사업용 자동차를 운전할 수 없다. 「여객자동차 운수사업법」에 따른 대여사업용 자동차를 임차하여 운전하는 경우에도 마찬가지이다.
> 나. 국제운전면허증을 외국에서 발급받은 사람은 국내에 입국한 날부터 2년 동안만 그 국제운전면허증으로 자동차 등을 운전할 수 있다.
> 다. 국제운전면허는 모든 국가에서 통용된다.
> 라. 국제운전면허증을 발급받은 사람의 국내운전면허의 효력이 정지된 때에는 그 정지기간 동안 그 효력이 정지된다.

① 가(×) 나(×) 다(×) 라(○)
② 가(○) 나(○) 다(×) 라(○)
③ 가(×) 나(○) 다(○) 라(×)
④ 가(×) 나(○) 다(×) 라(○)

정답 및 해설 | ①

가. [×] 대여사업용 자동차(렌트카)를 임차하여 운전하는 것은 가능하다.

> 도로교통법 제96조 **【국제운전면허증 또는 상호인정외국면허증에 의한 자동차등의 운전】** ② 국제운전면허증을 외국에서 발급받은 사람 또는 상호인정외국면허증으로 운전하는 사람은 「여객자동차 운수사업법」 또는 「화물자동차 운수사업법」에 따른 사업용 자동차를 운전할 수 없다. 다만, 「여객자동차 운수사업법」에 따른 대여사업용 자동차를 임차하여 운전하는 경우에는 그러하지 아니하다. <2022.10.20. 시행>

나. [×] 입국한 날부터 1년간 운전할 수 있다. / 다. [×] 모든 국가가 아니라, 「도로교통법」 제96조 제1항 제1호~제4호에서 열거되어 있는 경우에 해당하는 국가에 한하여 통용된다.

> 도로교통법 제96조 **【국제운전면허증 또는 상호인정외국면허증에 의한 자동차등의 운전】** ① 외국의 권한 있는 기관에서 제1호부터 제3호까지의 어느 하나에 해당하는 협약·협정 또는 약정에 따른 운전면허증(이하 "국제운전면허증"이라 한다) 또는 제4호에 따라 인정되는 외국면허증(이하 "상호인정외국면허증"이라 한다)을 발급받은 사람은 제80조 제1항에도 불구하고 국내에 입국한 날부터 1년 동안 그 국제운전면허증 또는 상호인정외국면허증으로 자동차등을 운전할 수 있다. 이 경우 운전할 수 있는 자동차의 종류는 그 국제운전면허증 또는 상호인정외국면허증에 기재된 것으로 한정한다. <2022.10.20. 시행>
> 1. 1949년 제네바에서 체결된 「도로교통에 관한 협약」
> 2. 1968년 비엔나에서 체결된 「도로교통에 관한 협약」
> 3. 우리나라와 외국 간에 국제운전면허증을 상호 인정하는 협약, 협정 또는 약정
> 4. 우리나라와 외국 간에 상대방 국가에서 발급한 운전면허증을 상호 인정하는 협약·협정 또는 약정

라. [○]

> 도로교통법 제98조 【국제운전면허증의 발급 등】 ① 제80조에 따라 운전면허를 받은 사람이 국외에서 운전을 하기 위하여 제96조 제1항 제1호의 「도로교통에 관한 협약」에 따른 국제운전면허증을 발급받으려면 시·도경찰청장에게 신청하여야 한다.
> ④ 제1항에 따른 국제운전면허증을 발급받은 사람의 국내운전면허의 효력이 정지된 때에는 그 정지기간 동안 그 효력이 정지된다.

주제 4 교통지도와 단속

050 「도로교통법」상 주취운전으로 처벌할 수 있는 경우로 가장 적절하지 않은 것은? [2017 실무 1]

① 승용자동차를 아파트 지하주차장 내에서 약 5m 주취운전한 경우

② 덤프트럭을 고속도로에서 약 1km 주취운전한 경우

③ 원동기장치자전거를 공공주차장 내에서 약 2m 주취운전한 경우

④ 경운기를 사설주차장에서 도로까지 약 20m 주취운전한 경우

정답 및 해설 I ④

④ [×] 경운기는 '농업기계'로서 「도로교통법」상 주취운전의 금지대상에 해당하지 않는다.

> **요지판례 I**
> ■ '경운기'는 농업기계화 촉진법 제2조의 '농업기계'의 일종일 뿐, 도로교통법상 '자동차'에 해당하지 않으므로, 도로교통법 제43조(무면허운전 등의 금지)와 제44조(술에 취한 상태에서의 운전금지)에 위반되지 않는다(대판 1985.7.9, 84도2884).

①②③ [○] 주취운전의 경우 도로가 아닌 곳에서도 성립할 수 있으며(①), 덤프트럭은 자동차인 건설기계로서 '자동차'에 포함되고(②), 원동기장치자전거는 '자동차'는 아니지만 '자동차등'에 포함되므로(③) 모두 주취운전으로 처벌 가능하다.

> 도로교통법 제44조 【술에 취한 상태에서의 운전 금지】 ① 누구든지 술에 취한 상태에서 자동차등(「건설기계관리법」 제26조 제1항 단서에 따른 건설기계 외의 건설기계를 포함한다. …), 노면전차 또는 자전거를 운전하여서는 아니 된다.
> 도로교통법 제2조 【정의】 이 법에서 사용하는 용어의 뜻은 다음과 같다.
> 26. "운전"이란 도로(제44조 … 의 경우에는 도로 외의 곳을 포함한다)에서 차마 또는 노면전차를 그 본래의 사용방법에 따라 사용하는 것 … 을 말한다.

051 「도로교통법」상 음주운전에 대한 설명으로 가장 적절하지 않은 것은? (다툼이 있는 경우 판례에 의함) [2021 승진(실무종합)]

① 경찰공무원은 교통의 안전과 위험방지를 위하여 필요하다고 인정하거나, 술에 취한 상태에서 자동차등을 운전하였다고 인정할 만한 상당한 이유가 있는 경우에는 음주측정을 할 수 있다.

② 무면허인데다가 술이 취한 상태에서 오토바이를 운전하였다면 무면허운전죄와 음주운전죄는 실체적 경합관계에 있다.

③ 음주감지기에서 음주반응이 나온 경우, 그것만으로 술에 취한 상태에 있다고 인정할 만한 상당한 이유가 있다고 볼 수 없다.

④ 주차장, 학교 경내 등 「도로교통법」상 도로가 아닌 곳에서의 음주운전, 약물운전, 사고 후 미조치에 대하여 형사처벌이 가능하다.

정답 및 해설 | ②

② [×] 무면허운전죄와 음주운전죄는 상상적 경합관계에 있다.

> **요지판례 |**
> ■ 무면허인데다가 술이 취한 상태에서 오토바이를 운전한 행위는 법적 평가를 떠나 사회관념상 행위가 사물자연의 상태로서 1개로 평가되는 것이고, 따라서 무면허운전죄와 음주운전죄는 형법 제40조의 상상적 경합관계에 있다고 할 것이다(대판 1987.2.24, 86도2731).

① [○]

> 도로교통법 제44조 【술에 취한 상태에서의 운전 금지】 ② 경찰공무원은 교통의 안전과 위험방지를 위하여 필요하다고 인정하거나 제1항을 위반하여 술에 취한 상태에서 자동차등, 노면전차 또는 자전거를 운전하였다고 인정할 만한 상당한 이유가 있는 경우에는 운전자가 술에 취하였는지를 호흡조사로 측정할 수 있다. 이 경우 운전자는 경찰공무원의 측정에 응하여야 한다.

③ [○]

> **요지판례 |**
> ■ 호흡측정기에 의한 음주측정을 요구하기 전에 사용되는 음주감지기 시험에서 음주반응이 나왔다고 할지라도 현재 사용되는 음주감지기가 혈중알콜농도 0.02%인 상태에서부터 반응하게 되어 있는 점을 감안하면 그것만으로 바로 운전자가 혈중알콜농도 0.05% 이상의 술에 취한 상태에 있다고 인정할 만한 상당한 이유가 있다고 볼 수는 없다(대판 2002.6.14, 2001도5987).

④ [○] 도로교통법상 도로 외의 곳에서의 운전도 운전으로 인정되는 경우는 **제44조**: 음주운전, **제45조**: 과로 · 질병 · 약물운전, **제54조 제1항**: 교통사고 후 조치, **제148조의2**: 음주운전 등 벌칙, **제148조**: 사고 후 미조치로 인한 벌칙, 그리고 **제156조 제10호**: 주 · 정차된 차량 손괴 후 인적 사항 미제공 벌칙의 경우이다.

> 도로교통법 제2조 【정의】 이 법에서 사용하는 용어의 뜻은 다음과 같다.
> 26. "**운전**"이란 도로(제44조 · 제45조 · 제54조 제1항 · 제148조 · 제148조의2 및 제156조 제10호의 경우에는 도로 외의 곳을 포함한다)에서 차마 또는 노면전차를 그 본래의 사용방법에 따라 사용하는 것(조종 또는 자율주행시스템을 사용하는 것을 포함한다)을 말한다.

052 「도로교통법」상 음주운전과 관련된 내용이다. 아래 ㉠부터 ㉣까지의 내용 중 옳고 그름의 표시(○, ×)가 바르게 된 것은? (단, '술에 취한 상태'는 혈중알코올농도가 0.03퍼센트 이상인 경우로 전제함)

[2019 채용 1차]

> ㉠ 술에 취한 상태에서 자전거를 운전한 사람은 처벌된다.
> ㉡ 음주운전 2회 이상 위반으로 벌금형을 확정받고 면허가 취소된 경우, 면허가 취소된 날부터 3년간 면허시험 응시자격이 제한된다.
> ㉢ 무면허인 자가 술에 취한 상태에서 자동차 등을 운전한 경우, 무면허운전죄와 음주운전죄는 실체적 경합관계에 있다.
> ㉣ 도로가 아닌 곳에서 술에 취한 상태로 자동차 등을 운전하더라도 음주단속의 대상이 된다.

① ㉠(○) ㉡(○) ㉢(×) ㉣(×)
② ㉠(○) ㉡(×) ㉢(○) ㉣(○)
③ ㉠(○) ㉡(×) ㉢(×) ㉣(○)
④ ㉠(×) ㉡(○) ㉢(○) ㉣(×)

정답 및 해설 | ③

㉠㉣ [○]

> 도로교통법 제44조【술에 취한 상태에서의 운전 금지】① 누구든지 술에 취한 상태에서 자동차등(「건설기계관리법」 제26조 제1항 단서에 따른 건설기계 외의 건설기계를 포함한다. …), 노면전차 또는 자전거를 운전하여서는 아니 된다.
>
> 도로교통법 제2조【정의】이 법에서 사용하는 용어의 뜻은 다음과 같다.
> 26. "운전"이란 도로(제44조 … 의 경우에는 도로 외의 곳을 포함한다)에서 차마 또는 노면전차를 그 본래의 사용 방법에 따라 사용하는 것 … 을 말한다.

㉡ [×] 같은 행위를 2회 이상 반복(무면허는 3회 이상)하여 취소된 경우에는 2년이다. 단, 음주교통사고를 2회 이상 반복한 경우는 3년이다.

㉢ [×] 상상적 경합관계에 있다.

> **요지판례 |**
> ■ 무면허인데다가 술이 취한 상태에서 오토바이를 운전한 행위는 법적 평가를 떠나 사회관념상 행위가 사물자연의 상태로서 1개로 평가되는 것이고, 따라서 무면허운전죄와 음주운전죄는 형법 제40조의 상상적 경합관계에 있다고 할 것이다(대판 1987.2.24, 86도2731).

053 음주운전 단속 및 처벌에 대한 설명으로 가장 적절하지 않은 것은? (다툼이 있으면 판례에 의함)

[2020 승진(경감)]

① 음주측정시에 사용하는 불대는 1회 1개 사용함을 원칙으로 한다.

② 호흡측정기에 의한 음주측정치와 혈액검사에 의한 음주측정치가 불일치할 경우 혈액검사에 의한 음주측정치가 우선한다.

③ 음주로 인한 특정범죄 가중처벌 등에 관한 법률 위반(위험운전치사상)죄와 도로교통법 위반(음주운전)죄는 실체적 경합관계에 있다.

④ 음주운전 최초 위반시 혈중알코올농도가 0.15퍼센트인 경우 2년 이상 5년 이하의 징역이나 1천만원 이상 2천만원 이하의 벌금에 처한다.

정답 및 해설 | ④

④ [×] 1년 이상 2년 이하의 징역이나 500만원 이상 1천만원 이하의 벌금에 처한다.

> 도로교통법 제148조의2【벌칙】③ 제44조 제1항을 위반하여 술에 취한 상태에서 자동차등 또는 노면전차를 운전한 사람은 다음 각 호의 구분에 따라 처벌한다.
> 2. 혈중알코올농도가 0.08퍼센트 이상 0.2퍼센트 미만인 사람은 1년 이상 2년 이하의 징역이나 500만원 이상 1천만원 이하의 벌금

① [○]

> 지침 교통단속처리지침 제30조【음주측정 요령】③ 음주측정 1회당 1개의 음주측정용 불대(Mouth Piece)를 사용한다.

② [○]

> **요지판례 |**
> ■ 호흡측정기에 의한 음주측정치와 혈액검사에 의한 음주측정치가 다른 경우에 어느 음주측정치를 신뢰할 것인지는 법관의 자유심증에 의한 증거취사선택의 문제라고 할 것이나, 특별한 사정이 없는 한 혈액검사에 의한 음주측정치가 호흡측정기에 의한 음주측정치보다 측정 당시의 혈중알콜농도에 더 근접한 음주측정치라고 보는 것이 경험칙에 부합한다(대판 2004.2.13, 2003도6905).

③ [○]

요지판례 |

■ 음주로 인한 특정범죄 가중처벌 등에 관한 법률 위반(위험운전치사상)죄와 도로교통법 위반(음주운전)죄는 입법 취지와 보호법익 및 적용영역을 달리하는 별개의 범죄이므로, 양 죄가 모두 성립하는 경우 두 죄는 실체적 경합관계에 있다(대판 2008.11.13, 2008도7143).

054 주취운전과 관련된 판례의 입장 중 가장 적절하지 않은 것은? [2015 실무 1]

① 음주감지기에서 음주반응이 나온 경우, 그것만으로 술에 취한 상태에 있다고 인정할 만한 상당한 이유가 있다고 볼 수 없다.

② 호흡측정기에 의한 음주측정치와 혈액검사에 의한 음주측정치가 불일치할 경우 혈액검사에 의한 음주측정치가 우선한다.

③ 물로 입 안을 헹굴 기회를 달라는 요구를 무시한 채 호흡측정기로 혈중알코올농도를 측정하여 음주운전 단속수치가 나왔다면 음주운전을 하였다고 단정할 수 있다.

④ 교통사고로 의식을 잃은 채 병원에 호송된 운전자에 대해 영장 없이 채혈을 하였으나 사후 영장을 발부받지 아니한 경우 적법절차에 의해 수집한 증거가 아니므로 유죄의 증거로 사용할 수 없다.

정답 및 해설 | ③

③ [×] 단정할 수 없다.

요지판례 |

■ 물로 입 안을 헹굴 기회를 달라는 피고인의 요구를 무시한 채 호흡측정기로 측정한 혈중알코올농도 수치가 0.05%로 나타난 사안에서, 피고인이 당시 혈중알코올농도 0.05% 이상의 술에 취한 상태에서 운전하였다고 단정할 수 없다(대판 2006.11.23, 2005도7034).

① [○]

요지판례 |

■ 호흡측정기에 의한 음주측정을 요구하기 전에 사용되는 음주감지기 시험에서 음주반응이 나왔다고 할지라도 현재 사용되는 음주감지기가 혈중알콜농도 0.02%인 상태에서부터 반응하게 되어 있는 점을 감안하면 그것만으로 바로 운전자가 혈중알콜농도 0.05% 이상의 술에 취한 상태에 있다고 인정할 만한 상당한 이유가 있다고 볼 수는 없다(대판 2002.6.14, 2001도5987).

② [○]

요지판례 |

■ 호흡측정기에 의한 음주측정치와 혈액검사에 의한 음주측정치가 다른 경우에 어느 음주측정치를 신뢰할 것인지는 법관의 자유심증에 의한 증거취사선택의 문제라고 할 것이나, 특별한 사정이 없는 한 혈액검사에 의한 음주측정치가 호흡측정기에 의한 음주측정치보다 측정 당시의 혈중알콜농도에 더 근접한 음주측정치라고 보는 것이 경험칙에 부합한다(대판 2004.2.13, 2003도6905).

④ [○]

요지판례 |

■ 피고인이 운전 중 교통사고를 내고 의식을 잃은 채 병원 응급실로 호송되자, 출동한 경찰관이 영장 없이 의사로 하여금 채혈을 하도록 한 사안에서, 위 혈액을 이용한 혈중알콜농도에 관한 감정서 등의 증거능력을 부정하여 피고인에 대한 도로교통법 위반(음주운전)의 공소사실을 무죄로 판단함이 타당하다(대판 2011.4.28, 2009도2109).

055 음주운전 관련 판례에 대한 설명으로 가장 적절하지 않은 것은?

[2016 채용 2차]

① 경찰관이 음주운전 단속시 운전자의 요구에 따라 곧바로 채혈을 실시하지 않은 채 호흡측정기에 의한 음주측정을 하고 1시간 12분이 경과한 후에야 채혈을 하였다는 사정만으로는 위 행위가 법령에 위배된다거나 객관적 정당성을 상실하여 운전자가 음주운전 단속과정에서 받을 수 있는 권익이 현저하게 침해되었다고 단정하기 어렵다.

② 피고인의 음주와 음주운진을 목격한 참고인이 있는 상황에서 경찰관이 음주 및 음주운전 종료로부터 약 5시간 후 집에서 자고 있는 피고인을 연행하여 음주측정을 요구한 데에 대하여 피고인이 불응한 경우, 도로교통법상의 음주측정불응죄가 성립하지 않는다.

③ 어떤 사람이 자동차를 움직이게 할 의도 없이 다른 목적을 위하여 자동차의 원동기(모터)의 시동을 걸었는데, 실수로 기어 등 자동차의 발진에 필요한 장치를 건드려 원동기의 추진력에 의하여 자동차가 움직이거나 또는 불안전한 주차상태나 도로여건 등으로 인하여 자동차가 움직이게 된 경우는 자동차의 운전에 해당하지 아니한다.

④ 경찰관이 술에 취한 상태에서 자동차를 운전한 것으로 보이는 피고인을 경찰관 직무집행법에 따른 보호조치 대상자로 보아 경찰관서로 데려온 직후 음주측정을 요구하였는데 피고인이 불응하여 음주측정불응죄로 기소된 사안에서, 위법한 보호조치 상태를 이용하여 음주측정 요구가 이루어졌다는 등의 특별한 사정이 없는 한 피고인의 행위는 음주측정불응죄에 해당한다.

정답 및 해설 I ②

② [×] 시간적 · 장소적 근접성이 부족하다는 이유만으로 음주측정거부가 성립하지 않는 것은 아니다. 즉, 음주측정불응죄가 성립한다.

요지판례 I

■ 피고인의 음주와 음주운전을 목격한 참고인이 있는 상황에서 경찰관이 음주 및 음주운전 종료로부터 약 5시간 후 집에서 자고 있는 피고인을 연행하여 음주측정을 요구한 데에 대하여 피고인이 불응한 경우, 도로교통법상의 음주측정불응죄가 성립한다(대판 2001.8.24, 2000도6026). ➜ 식당에서 술을 마시다 사소한 시비로 식당기물을 파손하며 난동을 부리고 화물차를 타고 도주한 피고인을, 식당주인의 신고로 자택에서 검거한 다음 파출소에서 음주측정을 요구한 사안

① [○]

요지판례 I

■ 경찰관이 음주운전 단속시 운전자의 요구에 따라 곧바로 채혈을 실시하지 않은 채 호흡측정기에 의한 음주측정을 하고 1시간 12분이 경과한 후에야 채혈을 하였다는 사정만으로는 위 행위가 법령에 위배된다거나 객관적 정당성을 상실하여 운전자가 음주운전 단속과정에서 받을 수 있는 권익이 현저하게 침해되었다고 단정하기 어렵다(대판 2008.4.24, 2006다32132).

③ [○]

요지판례 I

■ 도로교통법 제2조 제26호는 '운전'이라 함은 도로에서 차를 그 본래의 사용 방법에 따라 사용하는 것을 말한다고 규정하고 있는바, 여기에서 말하는 운전의 개념은 그 규정의 내용에 비추어 목적적 요소를 포함하는 것이므로 고의의 운전행위만을 의미하고 자동차 안에 있는 사람의 의지나 관여 없이 자동차가 움직인 경우에는 운전에 해당하지 않는다(대판 2004.4.23, 2004도1109). ➜ 자동차를 움직이게 할 의도 없이 다른 목적을 위하여 자동차의 원동기(모터)의 시동을 걸었는데, 실수로 기어 등 자동차의 발진에 필요한 장치를 건드려 원동기의 추진력에 의하여 자동차가 움직이거나 또는 불안전한 주차상태나 도로여건 등으로 인하여 자동차가 움직이게 된 경우는 자동차의 운전에 해당하지 아니한다.

④ [○]

요지판례 |

■ 경찰관이 술에 취한 상태에서 자동차를 운전한 것으로 보이는 피고인을 경찰관 직무집행법 제4조 제1항에 따른 보호조치 대상자로 보아 경찰관서로 데려온 직후 음주측정을 요구하였는데 피고인이 불응하여 구 도로교통법상 음주측정불응죄로 기소된 사안에서, 위법한 보호조치 상태를 이용하여 음주측정 요구가 이루어졌다는 등의 특별한 사정이 없는 한 피고인의 행위는 음주측정불응죄에 해당한다(대판 2012.2.9, 2011도4328). ➔ 신고를 받고 출동한 경찰관이 편도 2차로의 도로 중 1차로에서 차량에 시동을 켠 채 그대로 잠들어 있던 피고인을 만취상태로 보고 경찰관 직무집행법상 보호조치로서 지구대로 데려온 사안

056 음주운전 관련 판례에 대한 설명으로 가장 적절하지 않은 것은? [2021 경간]

① 위드마크 공식은 운전자가 음주한 상태에서 운전한 사실이 있는지에 대한 경험법칙에 의한 증거수집 방법에 불과하므로, 경찰공무원에게 위드마크 공식의 존재 및 나아가 호흡측정에 의한 혈중알코올농도가 음주운전 처벌기준 수치에 미달하였더라도 위드마크 공식에 의한 역추산 방식에 의하여 운전 당시의 혈중알코올농도를 산출할 경우 그 결과가 음주운전 처벌기준 수치 이상이 될 가능성이 있다는 취지를 운전자에게 미리 고지하여야 할 의무는 없다.

② 경찰관이 음주운전 단속시 운전자의 요구에 따라 곧바로 채혈을 실시하지 않은 채 호흡측정기에 의한 음주측정을 하고 1시간 12분이 경과한 후에 채혈을 한 것은 객관적 정당성을 상실하여 운전자가 음주운전 단속과정에서 받을 수 있는 권익이 현저하게 침해되었다고 볼 수 있다.

③ 음주종료 후 4시간 정도 지난 시점에서 물로 입 안을 헹구지 아니한 채 호흡측정기로 측정한 혈중알코올농도 수치가 0.05%로 나타난 사안에서, 위 증거만으로는 피고인이 혈중알코올 농도 0.05% 이상의 술에 취한 상태에서 자동차를 운전하였다고 인정하기 어렵다.

④ 경찰관이 술에 취한 상태에서 자동차를 운전한 것으로 보이는 피고인을 「경찰관 직무집행법」에 따른 보호조치 대상자로 보아 경찰관서로 데려온 직후 음주측정을 요구하였는데 피고인이 불응하여 음주측정불응죄로 기소된 사안에서, 위법한 보호조치 상태를 이용하여 음주측정 요구가 이루어졌다는 등의 특별한 사정이 없는 한 피고인의 행위는 음주측정불응죄에 해당한다.

정답 및 해설 | ②

① [○]

요지판례 |

■ 위드마크 공식은 운전자가 음주한 상태에서 운전한 사실이 있는지에 대한 경험법칙에 의한 증거수집 방법에 불과하다. 따라서 경찰공무원에게 위드마크 공식의 존재 및 나아가 호흡측정에 의한 혈중알코올농도가 음주운전 처벌기준 수치에 미달하였더라도 위드마크 공식에 의한 역추산 방식에 의하여 운전 당시의 혈중알코올농도를 산출할 경우 그 결과가 음주운전 처벌기준 수치 이상이 될 가능성이 있다는 취지를 운전자에게 미리 고지하여야 할 의무가 있다고 보기도 어렵다(대판 2017.9.21, 2017도661).

② [×] 도로교통법상 음주측정은 호흡측정기에 의한 측정이 원칙이며, 특히 채혈에 의한 측정은 인근 병원에서 할 수 밖에 없는 측정방법이므로 이동시간 · 대기시간 등을 고려하면 1시간 12분 정도의 시간 지연만으로 부당하다고 보기도 어렵다.

요지판례 |

■ 경찰관이 음주운전 단속시 운전자의 요구에 따라 곧바로 채혈을 실시하지 않은 채 호흡측정기에 의한 음주측정을 하고 1시간 12분이 경과한 후에야 채혈을 하였다는 사정만으로는 위 행위가 법령에 위배된다거나 객관적 정당성을 상실하여 운전자가 음주운전 단속과정에서 받을 수 있는 권익이 현저하게 침해되었다고 단정하기 어렵다(대판 2008.4.24, 2006다32132).

③ [○]

요지판례 |

■ 음주종료 후 4시간 정도 지난 시점에서 물로 입 안을 헹구지 아니한 채 호흡측정기로 측정한 혈중알코올 농도 수치가 0.05%로 나타난 사안에서, 위 증거만으로는 피고인이 혈중알코올 농도 0.05% 이상의 술에 취한 상태에서 자동차를 운전하였다고 인정하기 부족하다(대판 2010.6.24, 2009도1856).

④ [○]

요지판례 |

■ 경찰관이 술에 취한 상태에서 자동차를 운전한 것으로 보이는 피고인을 경찰관 직무집행법 제4조 제1항에 따른 보호조치 대상자로 보아 경찰관서로 데려온 직후 음주측정을 요구하였는데 피고인이 불응하여 구 도로교통법상 음주측정불응죄로 기소된 사안에서, 위법한 보호조치 상태를 이용하여 음주측정 요구가 이루어졌다는 등의 특별한 사정이 없는 한 피고인의 행위는 음주측정불응죄에 해당한다(대판 2012.2.9, 2011도4328). ➜ 편도 2차로의 도로 중 1차로에서 차량에 시동을 켠 채 그대로 잠들어 있던 피고인을 신고를 받고 출동한 경찰관이 피고인의 만취상태를 보고 경찰관 직무집행법상 보호조치로서 지구대로 데려온 사안

057 음주측정거부에 대한 설명으로 가장 적절하지 않은 것은? (다툼이 있는 경우 판례에 의함)

[2021 승진(실무종합)]

① 명시적인 의사표시를 하지 않으면서 경찰관이 음주측정 불응에 따른 불이익을 5분 간격으로 3회 이상 고지(최초 측정요구시로부터 15분 경과)했음에도 계속 음주측정에 응하지 않은 때에는 음주측정거부자로 처리한다.

② 음주측정거부시 1년 이상 5년 이하의 징역이나 5백만원 이상 2천만원 이하의 벌금에 처한다.

③ 흉골 골절 등으로 인한 통증으로 깊은 호흡을 할 수 없어 이십여 차례 음주측정기를 불었으나 끝내 음주측정이 되지 아니한 경우 음주측정불응죄가 성립하지 아니한다.

④ 여러 차례에 걸쳐 호흡측정기의 빨대를 입에 물고 형식적으로 숨을 부는 시늉만 하였을 뿐 숨을 제대로 불지 아니하여 호흡측정기에 음주측정수치가 나타나지 아니하도록 한 행위는 음주측정불응죄에 해당하지 않는다.

정답 및 해설 | ④

④ [×] 음주측정불응죄에 해당한다.

요지판례 |

■ 운전자가 경찰공무원으로부터 음주측정을 요구받고 호흡측정기에 숨을 내쉬는 시늉만 하는 등 형식적으로 음주측정에 응하였을 뿐 경찰공무원의 거듭된 요구에도 불구하고 호흡측정기에 음주측정수치가 나타날 정도로 숨을 제대로 불어넣지 아니하였다면 이는 실질적으로 음주측정에 불응한 것과 다를 바 없다(대판 2000.4.21, 99도5210). ➜ 운전자가 정당한 사유 없이 호흡측정기에 의한 음주측정에 불응한 이상 그로써 음주측정불응의 죄는 성립하는 것이며, 그 후 경찰공무원이 혈액채취 등의 방법으로 음주 여부를 조사하지 아니하였다고 하여 달리 볼 것은 아니다.

① [○]

지침 **교통단속처리지침 제31조 【음주측정 후속조치】** ⑤ 주취운전이 의심되는 자가 다음 각호와 같이 음주측정에 불응하는 경우에는 음주측정거부자로 처리한다.
1. 명시적 의사표시로 음주측정에 불응하는 때
2. 현장을 이탈하려 하거나 음주측정을 거부하는 행동을 하는 때
3. 명시적인 의사표시를 하지 않으면서 경찰관이 음주측정 불응에 따른 불이익을 5분 간격으로 3회 이상 고지(최초 측정요구시로부터 15분 경과)했음에도 계속 음주측정에 응하지 않은 때

② [○]

도로교통법 제148조의2 【벌칙】 ② 술에 취한 상태에 있다고 인정할 만한 상당한 이유가 있는 사람으로서 제44조 제2항에 따른 경찰공무원의 측정에 응하지 아니하는 사람(자동차등 또는 노면전차를 운전하는 사람으로 한정한다)은 1년 이상 5년 이하의 징역이나 500만원 이상 2천만원 이하의 벌금에 처한다.

③ [○]

요지판례 |

■ 교통사고로 약 8주간의 치료를 요하는 흉골 골절 등 상해를 입고 응급실에 도착한 피고인이 3시간 동안 20여 회에 걸쳐 음주측정기를 불었으나 끝내 음주측정이 되지 아니한 사안에서, 피고인의 골절 부위와 정도에 비추어 음주측정 당시 통증으로 인하여 깊은 호흡을 하기 어려웠고 그 결과 음주측정이 제대로 되지 아니하였던 것으로 보이므로 피고인이 음주측정에 불응한 것이라고 볼 수는 없다(대판 2006.1.13, 2005도7125).

058 '도로교통법'상 음주측정 거부에 해당하는 것은? (판례에 의함) [2021 경간]

① 경찰공무원이 운전자의 음주 여부나 주취 정도를 확인하기 위하여 음주측정기에 의한 측정의 사전 절차로서 음주감지기에 의한 시험을 요구할 때, 그 시험결과에 따라 음주측정기에 의한 측정이 예정되어 있고 운전자가 그러한 사정을 인식하였음에도 음주감지기에 의한 시험에 명시적으로 불응한 경우

② 오토바이를 운전하여 자신의 집에 도착한 상태에서 단속경찰관으로부터 주취운전에 관한 증거수집을 위한 음주측정을 위해 인근파출소까지 동행하여 줄 것을 요구받고 이를 명백하게 거절하였음에도 위법하게 체포·감금된 상태에서 음주측정요구에 응하지 않은 행위

③ 신체 이상 등의 사유로 호흡조사에 의한 측정에 응할 수 없는 운전자가 혈액채취에 의한 측정을 거부하거나 이를 불가능하게 한 행위

④ 교통사고로 상해를 입은 피고인의 골절 부위와 정도에 비추어 음주측정 당시 통증으로 인하여 깊은 호흡을 하기 어려웠고 그 결과 음주측정이 제대로 되지 아니한 경우

정답 및 해설 | ①

① [○]

요지판례 |

■ 도로교통법 제148조의2 제2항에서 말하는 '경찰공무원의 측정에 응하지 아니한 경우'란 전체적인 사건의 경과에 비추어 술에 취한 상태에 있다고 인정할 만한 상당한 이유가 있는 운전자가 음주측정에 응할 의사가 없음이 객관적으로 명백하다고 인정되는 때를 의미한다. 경찰공무원이 운전자에게 음주 여부를 확인하기 위하여 음주측정기에 의한 측정의 전 단계에 실시되는 음주감지기에 의한 시험을 요구하는 경우 그 시험 결과에 따라 음주측정기에 의한 측정이 예정되어 있고, 운전자가 그러한 사정을 인식하였음에도 음주감지기에 의한 시험에 불응함으로써 음주측정을 거부하겠다는 의사를 표명한 것으로 볼 수 있다면, 음주감지기에 의한 시험을 거부한 행위도 음주측정기에 의한 측정에 응할 의사가 없음을 객관적으로 명백하게 나타낸 것으로 볼 수 있다(대판 2017.6.8, 2016도16121).

② [×]

요지판례 |

■ 음주측정을 위하여 당해 운전자를 강제로 연행하기 위해서는 수사상의 강제처분에 관한 형사소송법상의 절차에 따라야 하고, 이러한 절차를 무시한 채 이루어진 강제연행은 위법한 체포에 해당한다. 이와 같은 위법한 체포 상태에서 음주측정요구가 이루어진 경우, 음주측정요구를 위한 위법한 체포와 그에 이은 음주측정요구는 주취운전이라는 범죄행위에 대한 증거 수집을 위하여 연속하여 이루어진 것으로서 개별적으로 그 적법 여부를 평가하는 것은 적절하지 않으므로 그 일련의 과정을 전체적으로 보아 위법한 음주측정요구가 있었던 것으로 볼 수밖에 없고, 운전자가 주취운전을 하였다고 인정할 만한 상당한 이유가 있다 하더라도 그 운전자에게 경찰공무원의 이와 같은 위법한 음주측정요구에 대해서까지 그에 응할 의무가 있다고 보아 이를 강제하는 것은 부당하므로 그에 불응하였다고 하여 음주측정거부에 관한 도로교통법 위반죄로 처벌할 수 없다(대판 2006.11.9, 2004도8404). → 경찰관이 오토바이 안전모 미착용으로 단속된 피고인에게 얼굴이 붉고 술냄새가 난다는 이유로 파출소 동행요구를 하였으나 피고인은 거부의 의사를 밝혔음에도, 경찰관이 현행범체포나 긴급체포의 요건을 갖춤이 없이 피고인을 연행하여 음주측정을 요구한 사안

③ [×]

요지판례 |

■ 도로교통법은 "술에 취한 상태에 있다고 인정할 만한 상당한 이유가 있는 사람으로서 제44조 제2항의 규정에 의한 경찰공무원의 측정에 응하지 아니한 사람은 …"이라고 규정하고 있으므로, 위 조항에서 규정한 경찰공무원의 측정은 같은 법 제44조 제2항 소정의 호흡조사에 의한 측정만을 의미하는 것으로서 같은 법 제44조 제3항 소정의 혈액채취에 의한 측정을 포함하는 것으로 볼 수 없음은 법문상 명백하다(대판 2010.7.15, 2010도2935). ➜ 따라서, 신체 이상 등의 사유로 인하여 호흡조사에 의한 측정에 응할 수 없는 운전자가 혈액채취에 의한 측정을 거부하거나 이를 불가능하게 하였다고 하더라도 이를 들어 음주측정에 불응한 것으로 볼 수는 없다(척추장애로 정상인에 비해 폐활량이 26.9%에 불과하여 호흡조사 측정이 불가능한 자가 혈액채취 방법에 따른 측정을 거부한 사안).

④ [×]

요지판례 |

■ 교통사고로 약 8주간의 치료를 요하는 흉골 골절 등 상해를 입고 응급실에 도착한 피고인이 3시간 동안 20여 회에 걸쳐 음주측정기를 불었으나 끝내 음주측정이 되지 아니한 사안에서, 피고인의 골절 부위와 정도에 비추어 음주측정 당시 통증으로 인하여 깊은 호흡을 하기 어려웠고 그 결과 음주측정이 제대로 되지 아니하였던 것으로 보이므로 피고인이 음주측정에 불응한 것이라고 볼 수는 없다(대판 2006.1.13, 2005도7125).

059 음주운전 관련 판례에 대한 설명으로 가장 적절하지 않은 것은? (다툼이 있는 경우 판례에 의함)

[2020 채용 2차]

① 시간당 알코올분해량에 관하여 알려져 있는 신빙성 있는 통계자료 중 피고인에게 가장 유리한 것을 대입하여 위드마크 공식을 적용하여 운전 시의 혈중알코올농도를 계산한다 하더라도, 피고인에게 실질적인 불이익을 줄 우려가 없다고 단정할 수 없으므로 그 계산결과는 유죄의 인정자료로 사용할 수 없다.

② 경찰공무원이 술에 취한 상태에 있다고 인정할 만한 상당한 이유가 있는 운전자에게 음주 여부를 확인하기 위하여 음주측정기에 의한 측정의 사전 단계로 음주감지기에 의한 시험을 요구하는 경우, 그 시험 결과에 따라 음주측정기에 의한 측정이 예정되어 있고 운전자가 그러한 사정을 인식하였음에도 음주감지기에 의한 시험에 명시적으로 불응함으로써 음주측정을 거부하겠다는 의사를 표명하였다면, 음주감지기에 의한 시험을 거부한 행위도 음주측정기에 의한 측정에 응할 의사가 없음을 객관적으로 명백하게 나타낸 것으로 볼 수 있다.

③ 주취운전자에 대한 경찰관의 권한 행사가 법률상 경찰관의 재량에 맡겨져 있다고 하더라도, 그러한 권한을 행사하지 아니한 것이 구체적인 상황하에서 현저하게 합리성을 잃는 경우에는 경찰관의 직무상 의무를 위배한 것으로서 위법하다. 음주운전으로 적발된 주취운전자가 도로 밖으로 차량을 이동하겠다며 단속경찰관으로부터 보관 중이던 차량열쇠를 반환받아 몰래 차량을 운전하여 가던 중 사고를 일으켰다면, 주의의무를 게을리 한 경찰관의 직무상 의무 위반에 의한 국가배상책임이 인정된다.

④ 음주운전과 관련한 「도로교통법」 위반죄의 범죄수사를 위하여 미성년자인 피의자의 혈액채취가 필요한 경우, 피의자에게 의사능력이 있다면 피의자 본인만이 혈액채취에 관한 유효한 동의를 할 수 있고, 피의자에게 의사능력이 없는 경우에도 명문의 규정이 없는 이상 법정대리인이 피의자를 대리하여 동의할 수는 없다.

정답 및 해설 | ①

① [×] **위드마크 공식**은 음주운전 유죄사실 인정증거로 사용할 수 있다는 것이 판례의 입장이다.

요지판례 |

■ 시간당 알코올분해량에 관하여 알려져 있는 신빙성 있는 통계자료 중 피고인에게 가장 유리한 것을 대입하여 위드마크 공식을 적용하여 운전 시의 혈중알코올농도를 계산하는 것은 피고인에게 실질적인 불이익을 줄 우려가 없으므로 그 계산 결과는 유죄의 인정자료로 사용할 수 있다고 하여야 한다(대판 2023.12.28, 2020도6417).

* 참고: 출제당시 지문은 음주운전 2회 이상 위반자에 대해 기존의 음주운전 전력이 반드시 형 선고나 유죄 확정판결이 있어야 하는 것은 아니라는 판례(2018도6870)에 대한 것이었으나, 2023. 1. 3. 도로교통법 개정으로 해당 판례는 의미를 상실하였다.

② [○]

요지판례 |

■ 도로교통법 제148조의2 제2항에서 말하는 '경찰공무원의 측정에 응하지 아니한 경우'란 전체적인 사건의 경과에 비추어 술에 취한 상태에 있다고 인정할 만한 상당한 이유가 있는 운전자가 음주측정에 응할 의사가 없음이 객관적으로 명백하다고 인정되는 때를 의미한다. 경찰공무원이 운전자에게 음주 여부를 확인하기 위하여 음주측정기에 의한 측정의 전 단계에 실시되는 음주감지기에 의한 시험을 요구하는 경우 그 시험 결과에 따라 음주측정기에 의한 측정이 예정되어 있고, 운전자가 그러한 사정을 인식하였음에도 음주감지기에 의한 시험에 불응함으로써 음주측정을 거부하겠다는 의사를 표명한 것으로 볼 수 있다면, 음주감지기에 의한 시험을 거부한 행위도 음주측정기에 의한 측정에 응할 의사가 없음을 객관적으로 명백하게 나타낸 것으로 볼 수 있다(대판 2017.6.8, 2016도16121).

③ [○]

요지판례 |

■ 음주운전으로 적발된 주취운전자가 도로 밖으로 차량을 이동하겠다며 단속경찰관으로부터 보관 중이던 차량열쇠를 반환받아 몰래 차량을 운전하여 가던 중 사고를 일으킨 경우, **국가배상책임이 인정된다**(대판 1998.5.8, 97다54482). ➜ 경찰관의 주취운전자에 대한 권한 행사가 관계 법률의 규정 형식상 경찰관의 재량에 맡겨져 있다고 하더라도, 그러한 권한을 행사하지 아니한 것이 구체적인 상황하에서 현저하게 합리성을 잃어 사회적 타당성이 없는 경우에는 경찰관의 직무상 의무를 위배한 것으로서 위법하게 된다.

④ [○]

요지판례 |

■ 음주운전과 관련한 도로교통법 위반죄의 범죄수사를 위하여 미성년자인 피의자의 혈액채취가 필요한 경우에도 피의자에게 의사능력이 있다면 피의자 본인만이 혈액채취에 관한 유효한 동의를 할 수 있고, 피의자에게 의사능력이 없는 경우에도 명문의 규정이 없는 이상 법정대리인이 피의자를 대리하여 동의할 수는 없다(대판 2014.11.13, 2013도1228).

060 음주운전 관련 판례에 관한 설명 중 가장 적절하지 않은 것은? (다툼이 있는 경우 판례에 의함)

[2023 채용 1차]

① 경찰관이 술에 취한 상태에서 자동차를 운전한 것으로 보이는 피고인을 「경찰관 직무집행법」에 따른 보호조치 대상자로 보아 경찰관서로 데려온 직후 음주측정을 요구하였는데 피고인이 불응하여 음주측정불응죄로 기소된 사안에서, 위법한 보호조치 상태를 이용하여 음주측정 요구가 이루어졌다는 등의 특별한 사정이 없는 한 피고인의 행위는 음주측정불응죄에 해당한다.

② 술에 취해 자동차 안에서 잠을 자다가 추위를 느껴 히터를 가동시키기 위하여 시동을 걸었고, 실수로 자동차의 제동장치 등을 건드렸거나 처음 주차할 때 안전조치를 제대로 취하지 아니한 탓으로 원동기의 추진력에 의하여 자동차가 약간 경사진 길을 따라 앞으로 움직여 피해자의 차량 옆면을 충격하게 된 경우는 자동차의 운전에 해당한다.

③ 음주측정 요구 당시 운전자가 술에 취한 상태에서 자동차를 운전하였다고 인정할 만한 상당한 이유가 있었으며, 음주운전 종료 후 별도의 음주 사실이 없었음이 증명된 경우, 경찰관이 음주 및 음주운전 종료로부터 약 5시간 후 집에서 자고 있는 피고인을 연행하여 음주측정을 요구한 데에 대하여 피고인이 불응하였다면, 「도로교통법」상의 음주측정불응죄가 성립한다.

④ 특별한 이유 없이 호흡측정기에 의한 측정에 불응하는 운전자에게 경찰공무원이 혈액채취에 의한 측정방법이 있음을 고지하고 그 선택 여부를 물어야 할 의무는 없다.

정답 및 해설 I ②

② [×] 사람의 의지나 관여 없이 자동차가 움직인 경우에는 자동차를 운전하였다고 할 수 없다.

요지판례 I

■ 도로교통법 제2조 제26호는 '운전'이라 함은 도로에서 차를 그 본래의 사용 방법에 따라 사용하는 것을 말한다고 규정하고 있는바, 여기에서 말하는 운전의 개념은 그 규정의 내용에 비추어 목적적 요소를 포함하는 것이므로 고의의 운전행위만을 의미하고 자동차 안에 있는 사람의 의지나 관여 없이 자동차가 움직인 경우에는 운전에 해당하지 않는다(대판 2004.4.23, 2004도1109). ➜ 자동차를 움직이게 할 의도 없이 다른 목적을 위하여 자동차의 원동기(모터)의 시동을 걸었는데, 실수로 기어 등 자동차의 발진에 필요한 장치를 건드려 원동기의 추진력에 의하여 자동차가 움직이거나 또는 불안전한 주차상태나 도로여건 등으로 인하여 자동차가 움직이게 된 경우는 자동차의 운전에 해당하지 아니한다.

① [○]

요지판례 I

■ 경찰관이 술에 취한 상태에서 자동차를 운전한 것으로 보이는 피고인을 경찰관 직무집행법 제4조 제1항에 따른 보호조치 대상자로 보아 경찰관서로 데려온 직후 음주측정을 요구하였는데 피고인이 불응하여 구 도로교통법상 음주측정불응죄로 기소된 사안에서, 위법한 보호조치 상태를 이용하여 음주측정 요구가 이루어졌다는 등의 특별한 사정이 없는 한 피고인의 행위는 음주측정불응죄에 해당한다(대판 2012.2.9, 2011도4328). ➜ 편도 2차로의 도로 중 1차로에서 차량에 시동을 켠 채 그대로 잠들어 있던 피고인을 신고를 받고 출동한 경찰관이 피고인의 만취상태를 보고 경찰관 직무집행법상 보호조치로서 지구대로 데려온 사안

③ [○]

요지판례 I

■ 피고인의 음주와 음주운전을 목격한 참고인이 있는 상황에서 경찰관이 음주 및 음주운전 종료로부터 약 5시간 후 집에서 자고 있는 피고인을 연행하여 음주측정을 요구한 데에 대하여 피고인이 불응한 경우, 도로교통법상의 음주측정불응죄가 성립한다(대판 2001.8.24, 2000도6026). ➜ 식당에서 술을 마시다 사소한 시비로 식당기물을 파손하며 난동을 부리고 화물차를 타고 도주한 피고인을, 식당주인의 신고로 자택에서 검거한 다음 파출소에서 음주측정을 요구한 사안

④ [○]

요지판례 I

■ 특별한 이유 없이 호흡측정기에 의한 측정에 불응하는 운전자에게 경찰공무원이 혈액채취에 의한 측정방법이 있음을 고지하고 그 선택 여부를 물어야 할 의무는 없다(대판 2002.10.25, 2002도4220).

061 「도로교통법」상 음주운전 처벌기준에 대한 설명으로 가장 적절하지 않은 것은? [2018 실무 1 변형]

① 음주측정 거부시 1년 이상 5년 이하의 징역이나 500만원 이상 2천만원 이하의 벌금에 처한다.

② 최초 위반시 혈중알콜농도가 0.09%인 경우 1년 이상 2년 이하 징역이나 500만원 이상 2천만원 이하의 벌금에 처한다.

③ 최초 위반시 혈중알콜농도가 0.21%인 경우 2년 이상 5년 이하의 징역이나 1천만원 이상 2천만원 이하의 벌금에 처한다.

④ 음주운전으로 벌금 이상 형이 확정된 날부터 10년 이내 다시 위반한 경우 혈중알콜농도가 0.2% 이상일 때 2년 이상 6년 이하의 징역이나 1천만원 이상 3천만원 이하의 벌금에 처한다.

정답 및 해설 I ②

② [×] 1년 이상 2년 이하 징역이나 500만원 이상 1천만원 이하의 벌금에 처한다.

④ [○]

1 초범의 경우

위반행위	징역	벌금
0.2% 이상	2년 이상 5년 이하	1천만원 이상 2천만원 이하
1회 측정불응	1년 이상 5년 이하	500만원 이상 2천만원 이하
0.08% 이상 0.2% 미만	1년 이상 2년 이하	500만원 이상 1천만원 이하
0.03% 이상 0.08% 미만	1년 이하	500만원 이하

2 재범의 경우(가중처벌) 음주운전 또는 측정거부로 벌금 이상 형을 선고받고 형이 확정된 날부터 10년 이내 다시 아래와 같은 위반행위를 한 경우 다음과 같이 가중처벌된다.

위반행위	징역	벌금
0.2% 이상	2년 이상 6년 이하	1천만원 이상 3천만원 이하
측정불응	1년 이상 6년 이하	500만원 이상 3천만원 이하
0.03% 이상 0.2% 미만	1년 이상 5년 이하	500만원 이상 2천만원 이하

062 「도로교통법」상 음주운전 처벌기준에 대한 설명으로 가장 적절하지 않은 것은? [2020 실무 1]

① 최초 위반시 혈중알코올농도가 0.15퍼센트인 경우 1년 이상 2년 이하의 징역이나 500만원 이상 1천만원 이하의 벌금에 처한다.

② 도로교통법상 음주운전 또는 측정거부 규정을 위반하여 벌금형을 선고받고 확정된 날부터 10년 내 다시 혈중알코올농도 0.03퍼센트 이상 0.2퍼센트 미만으로 음주운전을 한 경우 1년 이상 5년 이하의 징역이나 500만원 이상 2천만원 이하의 벌금에 처한다.

③ 최초 음주측정 거부시 1년 이상 5년 이하의 징역이나 500만원 이상 2천만원 이하의 벌금에 처한다.

④ 최초 위반시 혈중알코올농도가 0.04퍼센트인 경우 6개월 이하의 징역이나 500만원 이하의 벌금에 처한다.

정답 및 해설 I ④

④ [×] 1년 이하의 징역이나 500만원 이하의 벌금에 처한다.

> **도로교통법 제148조의2【벌칙】** ③ 제44조 제1항을 위반하여 술에 취한 상태에서 자동차등 또는 노면전차를 운전한 사람은 다음 각 호의 구분에 따라 처벌한다.
> 3. 혈중알코올농도가 0.03퍼센트 이상 0.08퍼센트 미만인 사람은 1년 이하의 징역이나 500만원 이하의 벌금

① [○]

> **도로교통법 제148조의2【벌칙】** ③ 제44조 제1항을 위반하여 술에 취한 상태에서 자동차등 또는 노면전차를 운전한 사람은 다음 각 호의 구분에 따라 처벌한다.
> 2. 혈중알코올농도가 0.08퍼센트 이상 0.2퍼센트 미만인 사람은 1년 이상 2년 이하의 징역이나 500만원 이상 1천만원 이하의 벌금

② [○]

> **도로교통법 제148조의2【벌칙】** ① 제44조 제1항(➜ 음주운전) 또는 제2항(➜ 측정거부)을 위반(자동차등 또는 노면전차를 운전한 경우로 한정한다. 다만, 개인형 이동장치를 운전한 경우는 제외한다)하여 벌금 이상의 형을 선고받고 그 형이 확정된 날부터 10년 내에 다시 같은 조 제1항 또는 제2항을 위반한 사람(형이 실효된 사람도 포함한다)은 다음 각 호의 구분에 따라 처벌한다.
> 3. 제44조 제1항을 위반한 사람 중 혈중알코올농도가 0.03퍼센트 이상 0.2퍼센트 미만인 사람은 1년 이상 5년 이하의 징역이나 500만원 이상 2천만원 이하의 벌금에 처한다.

③ [○]

> **도로교통법 제148조의2【벌칙】** ② 술에 취한 상태에 있다고 인정할 만한 상당한 이유가 있는 사람으로서 제44조 제2항에 따른 경찰공무원의 측정에 응하지 아니하는 사람(자동차등 또는 노면전차를 운전하는 사람으로 한정한다)은 1년 이상 5년 이하의 징역이나 500만원 이상 2천만원 이하의 벌금에 처한다.

063 도로교통법상 음주 및 약물운전의 행위에 대한 처벌로서 가장 옳지 않은 것은? [2018 경간]

① 혈중알콜농도가 0.2퍼센트 이상의 승용자동차 운전자는 2년 이상 5년 이하의 징역이나 1천만원 이상 2천만원 이하의 벌금에 처한다.

② 혈중알콜농도가 0.08퍼센트 이상 0.2퍼센트 미만의 화물자동차 운전자는 1년 이상 2년 이하의 징역이나 500만원 이상 1천만원 이하의 벌금에 처한다.

③ 혈중알콜농도가 0.03퍼센트 이상 0.08퍼센트 미만인 승합자동차 운전자는 1년 이하의 징역이나 500만원 이하의 벌금에 처한다.

④ 약물(마약, 대마 및 향정신성의약품과 그 밖에 행정안전부령으로 정하는 것)로 인해 정상적으로 운전하지 못할 우려가 있는 상태에서의 승용자동차 운전자는 1년 이상 3년 이하의 징역이나 500만원 이상 1천만원 이하의 벌금에 처한다.

정답 및 해설 I ④

④ [×] 3년 이하의 징역이나 1천만원 이하의 벌금이다.

> **도로교통법 제45조【과로한 때 등의 운전 금지】** 자동차등(개인형 이동장치는 제외한다) 또는 노면전차의 운전자는 제44조에 따른 술에 취한 상태 외에 과로, 질병 또는 약물(마약, 대마 및 향정신성의약품과 그 밖에 행정안전부령으로 정하는 것을 말한다. 이하 같다)의 영향과 그 밖의 사유로 정상적으로 운전하지 못할 우려가 있는 상태에서 자동차등 또는 노면전차를 운전하여서는 아니 된다.
>
> **도로교통법 제148조의2【벌칙】** ④ 제45조를 위반하여 약물로 인하여 정상적으로 운전하지 못할 우려가 있는 상태에서 자동차등 또는 노면전차를 운전한 사람은 3년 이하의 징역이나 1천만원 이하의 벌금에 처한다.

①②③ [○]

> 도로교통법 제148조의2【벌칙】③ 제44조 제1항을 위반하여 술에 취한 상태에서 자동차등 또는 노면전차를 운전한 사람은 다음 각 호의 구분에 따라 처벌한다.
> 1. 혈중알코올농도가 0.2퍼센트 이상인 사람은 2년 이상 5년 이하의 징역이나 1천만원 이상 2천만원 이하의 벌금
> 2. 혈중알코올농도가 0.08퍼센트 이상 0.2퍼센트 미만인 사람은 1년 이상 2년 이하의 징역이나 500만원 이상 1천만원 이하의 벌금
> 3. 혈중알코올농도가 0.03퍼센트 이상 0.08퍼센트 미만인 사람은 1년 이하의 징역이나 500만원 이하의 벌금

064 「도로교통법」상 음주운전 처벌기준에 대한 설명으로 가장 적절하지 않은 것은? [2015 채용 1차]

① 최초 위반시 혈중알코올농도가 0.2% 이상인 경우 2년 이상 5년 이하의 징역이나 1천만원 이상 2천만원 이하의 벌금

② 음주측정에 응하지 않을시 1년 이상 5년 이하의 징역이나 500만원 이상 2천만원 이하의 벌금

③ 1회 위반시 혈중알코올농도가 0.08% 이상 0.2% 미만인 경우 1년 이상 3년 이하의 징역이 500만원 이상 1천만원 이하의 벌금

④ 도로교통법상 음주운전 또는 측정거부 규정을 위반하여 벌금형을 선고받고 확정된 날부터 10년 내 다시 도로교통법상 측정거부 규정을 위반한 경우 1년 이상 6년 이하의 징역이나 500만원 이상 3천만원 이하의 벌금에 처한다.

정답 및 해설 I ③

③ [×] 1년 이상 2년 이하의 징역이나 500만원 이상 1천만원 이하의 벌금에 처한다.

> 도로교통법 제148조의2【벌칙】③ 제44조 제1항을 위반하여 술에 취한 상태에서 자동차등 또는 노면전차를 운전한 사람은 다음 각 호의 구분에 따라 처벌한다.
> 2. 혈중알코올농도가 0.08퍼센트 이상 0.2퍼센트 미만인 사람은 1년 이상 2년 이하의 징역이나 500만원 이상 1천만원 이하의 벌금

① [○]

> 도로교통법 제148조의2【벌칙】③ 제44조 제1항을 위반하여 술에 취한 상태에서 자동차등 또는 노면전차를 운전한 사람은 다음 각 호의 구분에 따라 처벌한다.
> 1. 혈중알코올농도가 0.2퍼센트 이상인 사람은 2년 이상 5년 이하의 징역이나 1천만원 이상 2천만원 이하의 벌금

② [○]

> 도로교통법 제148조의2【벌칙】② 술에 취한 상태에 있다고 인정할 만한 상당한 이유가 있는 사람으로서 제44조 제2항에 따른 경찰공무원의 측정에 응하지 아니하는 사람(자동차등 또는 노면전차를 운전하는 사람으로 한정한다)은 1년 이상 5년 이하의 징역이나 500만원 이상 2천만원 이하의 벌금에 처한다.

④ [○]

> 도로교통법 제148조의2【벌칙】① 제44조 제1항(➜ 음주운전) 또는 제2항(➜ 측정거부)을 위반(자동차등 또는 노면전차를 운전한 경우로 한정한다. 다만, 개인형 이동장치를 운전한 경우는 제외한다)하여 벌금 이상의 형을 선고받고 그 형이 확정된 날부터 10년 내에 다시 같은 조 제1항 또는 제2항을 위반한 사람(형이 실효된 사람도 포함한다)은 다음 각 호의 구분에 따라 처벌한다.
> 1. 제44조 제2항(➜ 측정거부)을 위반한 사람은 1년 이상 6년 이하의 징역이나 500만원 이상 3천만원 이하의 벌금에 처한다.
> 2. 제44조 제1항(➜ 음주운전)을 위반한 사람 중 혈중알코올농도가 0.2퍼센트 이상인 사람은 2년 이상 6년 이하의 징역이나 1천만원 이상 3천만원 이하의 벌금에 처한다.
> 3. 제44조 제1항(➜ 음주운전)을 위반한 사람 중 혈중알코올농도가 0.03퍼센트 이상 0.2퍼센트 미만인 사람은 1년 이상 5년 이하의 징역이나 500만원 이상 2천만원 이하의 벌금에 처한다.

065 다음은 현행 「도로교통법」상 음주운전에 관한 설명이다. 가장 적절한 것은? [2014 실무 1]

① 술에 취한 상태의 기준은 혈중알코올농도 0.3% 이상이다.

② 최초 위반시 혈중알코올농도가 0.2% 이상인 사람은 2년 이상 5년 이하의 징역이나 1천만원 이상 2천만원 이하의 벌금에 처한다.

③ 음주측정 거부시 1년 이상 3년 이하의 징역이나 500만원 이상 2천만원 이하의 벌금에 처한다.

④ 1회 위반시 혈중알코올농도가 0.08% 이상 0.2% 미만인 사람은 1년 이상 3년 이하의 징역이나 500만원 이상 1천만원 이하의 벌금에 처한다.

정답 및 해설 | ②

② [○]

> **도로교통법 제148조의2【벌칙】** ③ 제44조 제1항을 위반하여 술에 취한 상태에서 자동차등 또는 노면전차를 운전한 사람은 다음 각 호의 구분에 따라 처벌한다.
> 1. 혈중알코올농도가 0.2퍼센트 이상인 사람은 2년 이상 5년 이하의 징역이나 1천만원 이상 2천만원 이하의 벌금

① [×] 0.03% 이상이다.

> **도로교통법 제44조【술에 취한 상태에서의 운전 금지】** ④ 제1항에 따라 운전이 금지되는 술에 취한 상태의 기준은 운전자의 혈중알코올농도가 0.03퍼센트 이상인 경우로 한다.

③ [×] 1년 이상 5년 이하의 징역이나 500만원 이상 2천만원 이하의 벌금에 처한다.

> **도로교통법 제148조의2【벌칙】** ② 술에 취한 상태에 있다고 인정할 만한 상당한 이유가 있는 사람으로서 제44조 제2항에 따른 경찰공무원의 측정에 응하지 아니하는 사람(자동차등 또는 노면전차를 운전하는 사람으로 한정한다)은 1년 이상 5년 이하의 징역이나 500만원 이상 2천만원 이하의 벌금에 처한다.

④ [×] 1년 이상 2년 이하의 징역이나 500만원 이상 1천만원 이하의 벌금에 처한다.

> **도로교통법 제148조의2【벌칙】** ③ 제44조 제1항을 위반하여 술에 취한 상태에서 자동차등 또는 노면전차를 운전한 사람은 다음 각 호의 구분에 따라 처벌한다.
> 2. 혈중알코올농도가 0.08퍼센트 이상 0.2퍼센트 미만인 사람은 1년 이상 2년 이하의 징역이나 500만원 이상 1천만원 이하의 벌금

066 음주운전 단속과 처벌에 대한 설명 중 옳지 않은 것은 모두 몇 개인가? (음주운전은 혈중알콜농도 0.03% 이상을 넘어서 운전한 경우로 전제함, 다툼이 있는 경우 판례에 의함) [2020 경간]

> 가. 자전거 음주운전도 처벌대상이다.
> 나. 취중 경운기나 트랙터 운전의 경우 음주운전에 해당하지 않는다.
> 다. 음주측정용 불대는 1인 1개를 사용함을 원칙으로 한다.
> 라. 주차장, 학교 경내 등 「도로교통법」상 도로가 아닌 곳에서도 음주운전에 대해 「도로교통법」 적용이 가능하나, 운전면허 행정처분만 가능하고 형사처벌은 할 수 없다.
> 마. 음주운전을 하다가 교통사고로 사람을 죽게 하거나 다치게 한 때에는 그 운전면허를 취소한다.
> 바. 피고인의 음주와 음주운전을 목격한 참고인이 있는 상황에서 경찰관이 음주 및 음주운전 종료로부터 약 5시간 후 집에서 자고 있는 피고인을 연행하여 음주측정을 요구한 데에 대하여 피고인이 불응한 경우, 「도로교통법」상 음주측정불응죄가 성립한다.

① 2개 ② 3개 ③ 4개 ④ 5개

정답 및 해설 | ①

가. 나. [○] 음주운전의 대상이 되는 것은 '자동차등 + 노면전차 + 자전거'이다. 그런데 경운기나 트랙터의 경우 농업기계화 촉진법에 따른 농업기계이지 '자동차등'이 아니므로, 이들을 취중에 운전하였다 하여도 음주운전에 해당하지 않는다.

> **도로교통법 제44조 【술에 취한 상태에서의 운전 금지】** ① 누구든지 술에 취한 상태에서 자동차등(「건설기계관리법」 제26조 제1항 단서에 따른 건설기계 외의 건설기계를 포함한다. …), 노면전차 또는 자전거를 운전하여서는 아니 된다.

다. [×] 1회 1개 사용을 원칙으로 한다.

> 지침 **교통단속처리지침 제30조 【음주측정 요령】** ③ 음주측정 1회당 1개의 음주측정용 불대(Mouth Piece)를 사용한다.

라. [×] 도로가 아닌 곳에서 음주운전을 한 경우 형사처벌만 가능하고, 면허취소 · 정지 등 행정처분은 불가능하다.

> **요지판례 |**
> ■ 도로교통법 제2조 제26호의 '운전'은 '도로에서 차마를 그 본래의 사용방법에 따라 사용하는 것을 포함한다'고 정의하면서 괄호의 예외규정을 두어 일정한 경우에는 도로 외의 곳에서 한 운전도 '운전'에 포함하는 형식을 취하고 있다. 위 괄호의 예외규정에는 음주운전 · 음주측정거부 등에 관한 형사처벌규정인 도로교통법 제148조의2가 포함되어 있으나, 행정제재처분인 운전면허 취소 · 정지의 근거규정인 도로교통법 제93조는 포함되어 있지 않기 때문에 도로 외의 곳에서의 음주운전 · 음주측정거부 등에 대해서는 형사처벌만 가능하고 운전면허의 취소 · 정지처분은 부과할 수 없다(대판 2021.12.10, 2018두42771).

마. [○] 술에 취한 상태의 기준(0.03퍼센트 이상)을 넘어서 운전을 하다가 교통사고로 사람을 죽게 하거나 다치게 한 때에는 운전면허가 취소된다(도로교통법 시행규칙 별표 28).

바. [○]

> **요지판례 |**
> ■ 피고인의 음주와 음주운전을 목격한 참고인이 있는 상황에서 경찰관이 음주 및 음주운전 종료로부터 약 5시간 후 집에서 자고 있는 피고인을 연행하여 음주측정을 요구한 데에 대하여 피고인이 불응한 경우, 도로교통법상의 음주측정불응죄가 성립한다(대판 2001.8.24, 2000도6026).

067 아래는 「도로교통법 시행규칙」 별표 28 운전면허 취소 · 정지처분 기준의 일부를 발췌한 것이다. 다음 중 옳은 것은? [2018 채용 3차]

> 1. 일반기준
> 가.~마. 〈생략〉
> 바. 처분기준의 감경
> ① 감경사유
> (가) 음주운전으로 운전면허 취소처분 또는 정지처분을 받은 경우
> 운전이 가족의 생계를 유지할 중요한 수단이 되거나, ㉠ 모범운전자로서 처분 당시 2년 이상 교통봉사활동에 종사하고 있거나, 교통사고를 일으키고 도주한 운전자를 검거하여 경찰서장 이상의 표창을 받은 사람으로서 다음의 어느 하나에 해당되는 경우가 없어야 한다.
> 1) ㉡ 혈중알코올농도가 0.12퍼센트를 초과하여 운전한 경우
> 2) 음주운전 중 인적 피해 교통사고를 일으킨 경우
> 3) 경찰관의 음주측정요구에 불응하거나 도주한 때 또는 단속경찰관을 폭행한 경우
> 4) ㉢ 과거 5년 이내에 3회 이상의 인적 피해 교통사고의 전력이 있는 경우
> 5) ㉣ 과거 3년 이내에 음주운전의 전력이 있는 경우

① ㉠　② ㉡　③ ㉢　④ ㉣

정답 및 해설 | ③

① ㉠ [×] 모범운전자로서 처분 당시 3년 이상 교통봉사활동에 종사하고 있어야 한다.
② ㉡ [×] 0.1퍼센트이다.
③ ㉢ [○] 옳은 설명이다.
④ ㉣ [×] 과거 5년이다.

☑ 음주운전으로 운전면허 취소처분 또는 정지처분을 받은 경우의 감경사유

운전이 가족의 생계를 유지할 중요한 수단이 되거나, 모범운전자로서 처분 당시 3년 이상 교통봉사활동에 종사하고 있거나, 교통사고를 일으키고 도주한 운전자를 검거하여 경찰서장 이상의 표창을 받은 사람으로서 다음의 어느 하나에 해당되는 경우가 없어야 한다.
- 혈중알코올농도가 0.1퍼센트를 초과하여 운전한 경우
- 음주운전 중 인적 피해 교통사고를 일으킨 경우
- 경찰관의 음주측정요구에 불응하거나 도주한 때 또는 단속경찰관을 폭행한 경우
- 과거 5년 이내에 3회 이상의 인적 피해 교통사고의 전력이 있는 경우
- 과거 5년 이내에 음주운전의 전력이 있는 경우

068 음주운전으로 운전면허 취소처분 또는 정지처분을 받았을 때 일정 요건을 갖춘 경우 면허행정처분을 감경하는 경우가 있다. 이때 「도로교통법 시행규칙」상 감경제외사유로 규정된 것이 아닌 것은?

[2020 승진(경위)]

① 혈중알코올농도 0.1퍼센트를 초과하여 운전한 경우
② 음주운전 중 인적 피해 교통사고를 일으킨 경우
③ 과거 3년 이내에 3회 이상의 인적 피해 교통사고의 전력이 있는 경우
④ 과거 5년 이내에 음주운전 전력이 있는 경우

정답 및 해설 | ③

③ [×] 과거 5년 이내이다.

<table>
<tr><th>감경사유</th><th colspan="2">감경제외사유</th></tr>
<tr><td rowspan="2">• 생계유지
• 모범운전자로서 3년 이상 봉사
• 서장 표창(도주운전자 검거)</td><td>당해 사건</td><td>• 혈중알코올농도 0.1%초과
• 음주 인적 피해 교통사고
• 불응 · 도주 · 폭행</td></tr>
<tr><td>과거</td><td>• 5년 내 3회 인적 피해 교통사고
• 5년 내 음주운전</td></tr>
</table>

069 다음 상황에 대한 설명으로 가장 적절하지 않은 것은? (다툼이 있는 경우 판례에 의함) [2021 채용 1차]

> 甲은 음주 후 자신의 처(처는 술을 마시지 않음)와 동승한 채 화물차를 운전하여 가다가 음주단속을 당하게 되자 경찰관이 들고 있던 경찰용 불봉을 충격하고 그대로 도주하였다. 단속 현장에서 약 3km 떨어진 지점까지 교통사고를 내지 않고 운전하며 진행하던 중 다른 차량에 막혀 더 이상 진행하지 못하게 되자 스스로 차량을 세운 후 운전석에서 내려 도주하려 하였으나, 결국 甲은 경찰관에게 제지되어 체포의 절차에 따르지 않고 甲과 그의 처의 의사에 반하여 지구대로 보호조치되었다. 이후 2회에 걸친 경찰관의 음주측정요구를 거부하였다는 이유로 甲은 도로교통법 위반(음주측정거부) 혐의로 기소되었다.

① 경찰관이 甲에 대하여 「경찰관 직무집행법」 제4조에 따른 보호조치를 하고자 하였다면, 당시 옆에 있었던 처에게 甲을 인계하였어야 했고, 특별한 사정이 없는 한 지구대에서 甲을 보호하는 것은 허용되지 않는다.

② 甲은 음주측정거부에 관한 「도로교통법」 위반죄로 처벌될 수 없다.

③ 구 「도로교통법」 제44조 제2항 및 제148조의2 제2호 규정들이 음주측정을 위한 강제처분의 근거가 될 수 있으므로, 위와 같은 음주측정을 위하여 운전자를 강제로 연행하기 위해서는 수사상 강제처분에 관한 「형사소송법」상 절차에 따를 필요가 없다.

④ 경찰관이 甲에 대하여 행한 음주측정요구는 「형법」 제136조에 따른 공무집행방해죄의 보호대상이 될 수 없다.

정답 및 해설 I ③

③ [×] 「형사소송법」 절차에 따라야 한다.

> **요지판례 I**
>
> ■ 음주측정을 위하여 당해 운전자를 강제로 연행하기 위해서는 수사상의 강제처분에 관한 「형사소송법」상의 절차에 따라야 하고, 이러한 절차를 무시한 채 이루어진 강제연행은 위법한 체포에 해당한다(대판 2006.11.9, 2004도8404).

①② [○]

> **요지판례 I**
>
> ■ 화물차 운전자인 피고인이 경찰의 음주단속에 불응하고 도주하였다가 다른 차량에 막혀 더 이상 진행하지 못하게 되자 운전석에서 내려 다시 도주하려다 경찰관에게 검거되어 지구대로 보호조치된 후 음주측정요구를 거부하였다고 하여 도로교통법 위반(음주측정거부)으로 기소된 사안에서, 제반 사정을 종합할 때 피고인을 지구대로 데려간 행위를 적법한 보호조치라고 할 수 없고, 그와 같이 위법한 체포 상태에서 이루어진 음주측정요구에 불응하였다고 하여 음주측정거부에 관한 도로교통법 위반죄로 처벌할 수는 없다(대판 2012.12.13, 2012도11162). ➔ 경찰관 직무집행법 제4조 제1항 제1호의 보호조치 요건이 갖추어지지 않았음에도, 경찰관이 실제로는 범죄수사를 목적으로 피의자에 해당하는 사람을 이 사건 조항의 피구호자로 삼아 그의 의사에 반하여 경찰관서에 데려간 행위는, 달리 현행범체포나 임의동행 등의 적법요건을 갖추었다고 볼 사정이 없다면, 위법한 체포에 해당한다고 보아야 한다(당시 피고인의 처가 옆에 있었으므로 피고인을 제압한 이후에는 가족인 피고인의 처에게 피고인을 인계하였어야 하는데도, 피고인의 처에게 봉담지구대로 데려간다고 말한 다음 피고인 처의 의사에 반하여 그대로 봉담지구대로 데려간 점 등이 고려되었다).

④ [○] 사안과 같이 적법성이 결여된 공무집행(「경찰관 직무집행법」상 보호조치가 가능하지 않음에도 「형사소송법」상 현행범체포 등 절차를 우회하기 위한 수단으로 보호조치를 한 경우)을 하는 공무원에게 대항하여 폭행이나 협박을 가하였다고 하더라도 이를 공무집행방해죄로 다스릴 수는 없다(대판 2005.10.28, 2004도4731).

070 「도로교통법」 및 관련 법령에 따를 때, 다음 설명 중 가장 적절하지 않은 것은? (다툼이 있는 경우 판례에 의함) [2022 채용 2차]

① 운전자가 음주운전으로 교통사고를 야기한 후, 차에서 내려 피해자(진단 3주)에게 '왜 와서 들이받냐'라는 말을 하고, 교통사고 조사를 위해 경찰서에 가자는 경찰관의 지시에 순순히 응하여 순찰차에 스스로 탑승하여 경찰서까지 갔을 뿐 아니라 경찰서에서 조사받으면서 사고 당시 상황에 대한 자신의 주장을 정확하게 진술하였다면, 비록 경찰관이 작성한 주취운전자 정황진술보고서에는 '언행상태'란에 '발음 약간 부정확', '보행상태'란에 '비틀거림이 없음', '운전자 혈색'란에 '안면 홍조 및 눈 충혈'이라고 기재되어 있다고 하더라도 음주로 인한 특정범죄 가중처벌 등에 관한 법률 위반(위험운전치사상)이 아니라 도로교통법 위반(음주운전)으로 처벌해야 한다.

② 「도로교통법」 및 관련 법령에는 연습운전면허를 발급받은 사람이 본인에게 귀책사유(歸責事由)가 없는 경우 등 대통령령으로 정하는 경우를 제외하고, 운전 중 고의 또는 과실로 교통사고를 일으키거나 「도로교통법」이나 동법에 따른 명령 또는 처분을 위반한 경우에 시 · 도경찰청장은 연습운전면허를 취소하여야 한다고 규정하고 있으므로, 연습운전면허를 받은 사람이 운전을 함에 있어 주행연습 외의 목적으로 운전하여서는 아니된다는 준수사항을 지키지 않았다고 하더라도 무면허운전으로 처벌할 수는 없다.

③ 「도로교통법」상 도로가 아닌 곳에서 술에 취한 상태에서의 운전은 음주운전으로는 처벌할 수 있지만 운전면허의 정지 또는 취소처분을 부과할 수는 없다.

④ 개인형 이동장치를 타고 신호위반, 중앙선 침범과 진로변경 금지 위반행위를 연달아 하여 다른 사람에게 위협 또는 위해를 가할 뿐 아니라 교통상의 위험을 발생하게 한 운전자에 대해 난폭운전으로 처벌할 수 있다.

정답 및 해설 I ④

④ [×] 도로교통법상 난폭운전 금지 대상에서 개인형 이동장치는 제외된다.

> **도로교통법 제46조의3【난폭운전 금지】** 자동차등(개인형 이동장치는 제외한다)의 운전자는 다음 각 호 중 둘 이상의 행위를 연달아 하거나, 하나의 행위를 지속 또는 반복하여 다른 사람에게 위협 또는 위해를 가하거나 교통상의 위험을 발생하게 하여서는 아니 된다.

① [○]

> **요지판례 I**
>
> ■ 피고인이 사고 직전에 비정상적인 주행을 하였다거나 비정상적인 주행 때문에 사고가 발생하였다고 보기 어렵고, 피고인이 보인 사고 직후의 태도와 경찰서까지 가게 된 경위 및 경찰 조사에서의 진술 내용 등에 비추어 사고 당시 피고인의 주의력이나 판단력이 저하되어 있었다고 보기도 어려우며. 또한 주취운전자 정황진술보고서에 따르더라도 피고인의 주취상태가 심하였다고 보기 어렵다면 결국 이 사건 사고 당시 피고인이 '음주의 영향으로 정상적인 운전이 곤란한 상태'에 있었다고 단정하기 어렵다. 따라서 이와 같은 경우에는 음주로 인한 특정범죄 가중처벌 등에 관한 법률 위반(위험운전치사상)이 아니라 도로교통법 위반(음주운전)으로 처벌해야 한다(대판 2018.1.25, 2017도15519). ➜ 음주로 인한 특정범죄 가중처벌 등에 관한 법률 위반(위험운전치사상)죄는 도로교통법 위반(음주운전)죄의 경우와는 달리 형식적으로 혈중알코올농도의 법정 최저기준치를 초과하였는지 여부와는 상관없이 운전자가 '음주의 영향으로 실제 정상적인 운전이 곤란한 상태'에 있어야만 한다(피고인은 차에서 내려 피해자에게 '왜 와서 들이받냐'라는 말을 하기도 한 사실, 피고인은 피해자의 신고로 출동한 경찰관에게 '동네 사람끼리 한번 봐 달라'고 하였지만, 그럴 수는 없으니 경찰서에 가자는 경찰관의 지시에 순순히 응하여 순찰차에 스스로 탑승하여 경찰서까지 갔고, 경찰서에서 조사받으면서 사고 당시 상황에 대한 자신의 주장을 정확하게 진술한 사실, 경찰관이 작성한 주취운전자 정황진술보고서에는 '언행상태'란에 '발음 약간 부정확', '보행상태'란에 '비틀거림이 없음', '운전자 혈색'란에 '안면 홍조 및 눈 충혈'이라고 기재되어 있었던 사례).

② [○]

요지판례 |

■ 연습운전면허를 받은 사람이 도로에서 주행연습을 함에 있어서 '주행연습 외의 목적으로 운전하여서는 안 된다'는 준수사항을 지키지 않았다고 하더라도 준수사항을 지키지 않은 데에 따른 제재를 가할 수 있음은 별론으로 하고 그 운전을 무면허운전이라고 할 수는 없다(대판 2001.4.10, 2000도5540).

③ [○]

요지판례 |

■ 도로교통법 제2조 제26호의 '운전'은 '도로에서 차마를 그 본래의 사용방법에 따라 사용하는 것을 포함한다'고 정의하면서 괄호의 예외 규정을 두어 일정한 경우에는 도로 외의 곳에서 한 운전도 '운전'에 포함하는 형식을 취하고 있다. 위 괄호의 예외 규정에는 음주운전 · 음주측정거부 등에 관한 형사처벌 규정인 도로교통법 제148조의2가 포함되어 있으나, 행정제재처분인 운전면허 취소 · 정지의 근거 규정인 도로교통법 제93조는 포함되어 있지 않기 때문에 도로 외의 곳에서의 음주운전 · 음주측정거부 등에 대해서는 형사처벌만 가능하고 운전면허의 취소 · 정지 처분은 부과할 수 없다(대판 2021.12.10, 2018두42771).

주제 5 교통사고

071 「교통사고처리 특례법」 제3조에 규정된 처벌의 특례 12개 조항에 해당하지 않는 것은? [2015 승진(경감)]

① 신호 위반으로 인한 사고

② 무면허운전으로 인한 사고

③ 횡단보도 보행자보호의무 위반으로 인한 사고

④ 안전거리 미확보로 인한 사고

정답 및 해설 | ④

④ [×] 안전거리 미확보로 인한 사고는 처벌의 특례 12개 조항에 해당하지 않는다.

교통사고처리 특례법상 12개 중과실 유형: 무면허, 화물 추락, 과속, 앞지르기 위반, 신호 · 지시 위반, 음주 · 약물운전, 횡단보도, 보도 침범, 승객 추락, 철길건널목, 중앙선 침범, 어린이보호구역 → 무 · 화 · 과 · 앞 · 승 · 철 · 횡 · 보 · 신 · 음 · 중 · 어

구분	내용
무면허	• 운전면허 또는 건설기계조종사면허를 받지 아니하거나 국제운전면허증을 소지하지 아니하고 운전 • 운전면허 등의 효력이 정지 중이거나 운전의 금지 중인 때에는 운전면허 등을 받지 아니한 것으로 봄
화물추락	자동차의 화물이 떨어지지 아니하도록 필요한 조치를 하지 아니하고 운전
과속	제한속도를 시속 20킬로미터 초과하여 운전
앞지르기위반	• 앞지르기의 방법 · 금지시기 · 금지장소 또는 끼어들기의 금지위반 • 고속도로에서의 앞지르기 방법위반
승객추락	승객의 추락 방지의무를 위반하여 운전
철길건널목	철길건널목 통과방법위반
횡단보도	횡단보도에서의 보행자 보호의무위반
보도침범	• 보도가 설치된 도로의 보도 침범 • 보도 횡단방법을 위반하여 운전
신호 · 지시 위반	• 신호기가 표시하는 신호 또는 교통정리하는 경찰공무원등의 신호위반 • 통행금지 또는 일시정지 내용으로 하는 안전표지가 표시하는 지시위반
음주 · 약물 운전	• 술에 취한 상태에서 운전 • 약물의 영향으로 정상적으로 운전하지 못할 우려가 있는 상태에서 운전
중앙선침범	• 중앙선 침범 • 고속도로등을 횡단하거나 유턴 또는 후진
어린이 보호구역	어린이 보호구역에서 어린이의 안전에 유의하면서 운전하여야 할 의무를 위반하여 어린이의 신체 상해

072 「교통사고처리 특례법」 제3조(처벌의 특례) 제2항 각 호에 규정된 12개 예외 항목에 해당하지 않는 것은?

[2018 승진(경위)]

① 일시정지를 내용으로 하는 안전표지가 표시하는 지시를 위반하여 운전한 경우

② 교차로 통행방법을 위반하여 운전한 경우

③ 횡단보도에서의 보행자 보호의무를 위반하여 운전한 경우

④ 승객의 추락 방지의무를 위반하여 운전한 경우

정답 및 해설 I ②

② [×] 교차로 통행방법 위반은 처벌의 특례 12개 조항에 해당하지 않는다.

☑ 교통사고처리 특례법상 12개 중과실 유형: 무면허, 화물 추락, 과속, 앞지르기 위반, (① 신호 · 지시 위반), 음주 · 약물운전, (③ 횡단보도), 보도 침범, (④ 승객 추락), 철길건널목, 중앙선 침범, 어린이보호구역 ➔ 무 · 화 · 과 · 앞 · 신 · 음 · 횡 · 보 · 승 · 철 · 중 · 어

073 「교통사고처리 특례법」 제3조(처벌의 특례) 제2항 각 호에 규정된 12개 예외 항목에 해당하지 않는 것은?

[2018 채용 2차]

① 횡단보도에서의 보행자 보호의무를 위반하여 운전한 경우

② 자동차의 화물이 떨어지지 아니하도록 필요한 조치를 하지 아니하고 운전한 경우

③ 제한속도를 시속 10킬로미터 초과하여 운전한 경우

④ 철길건널목 통과방법을 위반하여 운전한 경우

정답 및 해설 I ③

③ [×] 기본적으로 과속 유형에 속할 수 있으나, 처벌의 특례 12개 조항에 해당되기 위해서는 시속 20킬로미터를 초과한 운전이어야 한다.

☑ 교통사고처리 특례법상 12개 중과실 유형: 무면허, (② 화물 추락), 과속, 앞지르기 위반, 신호 · 지시 위반, 음주 · 약물운전, (① 횡단보도), 보도 침범, 승객 추락, (④ 철길건널목), 중앙선 침범, 어린이보호구역 ➔ 무 · 화 · 과 · 앞 · 신 · 음 · 횡 · 보 · 승 · 철 · 중 · 어

074 「교통사고처리 특례법」 제3조 제2항 단서에 규정된 처벌의 특례 12개 항목에 해당하지 않는 것은 모두 몇 개인가?

[2016 경간]

㉠ 신호 위반으로 인한 사고
㉡ 안전거리 미확보로 인한 사고
㉢ 승객 추락 방지의무 위반으로 인한 사고
㉣ 어린이보호구역 주의의무 위반으로 인한 사고
㉤ 통행우선순위 위반으로 인한 사고

① 0개 ② 1개 ③ 2개 ④ 3개

정답 및 해설 I ③

② 12개 조항에 해당하지 않는 것은 ㉡㉢ 2개이다.

☑ **교통사고처리 특례법상 12개 중과실 유형:** 무면허, 화물추락, 과속, 앞지르기 위반, (㉠ 신호 · 지시 위반), 음주 · 약물운전, 횡단보도, 보도 침범, (㉢ 승객 추락), 철길건널목, 중앙선 침범, (㉣ 어린이보호구역) ➜ 무 · 화 · 과 · 앞 · 신 · 음 · 횡 · 보 · 승 · 철 · 중 · 어

075 「교통사고처리 특례법」 제3조 제2항 단서 '처벌특례 항목'에 해당하지 않는 것은? [2020 경간]

① 일시정지를 내용으로 하는 안전표지가 표시하는 지시를 위반하여 운전한 경우

② 교차로 통행방법을 위반하여 운전한 경우

③ 고속도로에서의 앞지르기 방법을 위반하여 운전한 경우

④ 약물의 영향으로 정상적으로 운전하지 못할 우려가 있는 상태에서 운전한 경우

정답 및 해설 I ②

② [×] 교차로 통행방법 위반은 처벌의 특례 12개 조항에 해당하지 않는다.

☑ **교통사고처리 특례법상 12개 중과실 유형:** 무면허, 화물추락, 과속, (③ 앞지르기 위반), (① 신호 · 지시 위반), (④ 음주 · 약물운전), 횡단보도, 보도 침범, 승객 추락, 철길건널목, 중앙선 침범, 어린이보호구역 ➜ 무 · 화 · 과 · 앞 · 신 · 음 · 횡 · 보 · 승 · 철 · 중 · 어

076 「교통사고처리 특례법」 제3조 제2항 단서의 '처벌특례 항목'에 해당하지 않는 것을 모두 고른 것은? [2017 승진(경감)]

> ㉠ 중앙선을 침범한 경우
> ㉡ 제한속도를 시속 10킬로미터 초과하여 운전한 경우
> ㉢ 고속도로에서의 끼어들기 방법을 위반하여 운전한 경우
> ㉣ 철길건널목 통과방법을 위반하여 운전한 경우
> ㉤ 횡단보도에서의 보행자 보호의무를 위반하여 운전한 경우
> ㉥ 정지선을 침범한 경우
> ㉦ 보도 횡단방법을 위반하여 운전한 경우

① ㉠, ㉡, ㉣

② ㉡, ㉢, ㉥

③ ㉢, ㉣, ㉥

④ ㉤, ㉥, ㉦

정답 및 해설 I ②

㉡ [×] 과속의 경우 유형에는 포함되지만 시속 20킬로미터를 초과해야 처벌특례에 해당한다.

㉢ [×] 고속도로에서 앞지르기 방법을 위반한 경우는 처벌특례에 포함되지만, 끼어들기 방법을 위반한 경우는 해당하지 않는다.

㉥ [×] 정지선 침범은 포함되지 않는다.

☑ **교통사고처리 특례법상 12개 중과실 유형:** 무면허, 화물추락, 과속, 앞지르기 위반, 신호 · 지시 위반, 음주 · 약물운전, (㉤ 횡단보도), (㉦ 보도 침범), 승객 추락, (㉣ 철길건널목), (㉠ 중앙선 침범), 어린이보호구역 ➜ 무 · 화 · 과 · 앞 · 신 · 음 · 횡 · 보 · 승 · 철 · 중 · 어

077 다음 ㉠부터 ㉣까지 중 「교통사고처리 특례법」 제3조 제2항(처벌의 특례) 단서 각 호에 해당하는 것은 모두 몇 개인가? [2022 승진]

> ㉠ 「도로교통법」 제39조 제4항을 위반하여 자동차의 화물이 떨어지지 아니하도록 필요한 조치를 하지 아니하고 운전한 경우
> ㉡ 「도로교통법」 제17조 제1항 또는 제2항에 따른 제한속도를 시속 20킬로미터 초과하여 운전한 경우
> ㉢ 「도로교통법」 제13조 제3항을 위반하여 중앙선을 침범하거나 같은 법 제62조를 위반하여 횡단, 유턴 또는 후진한 경우
> ㉣ 「도로교통법」 제24조에 따른 철길건널목 통과방법을 위반하여 운전한 경우

① 1개 ② 2개 ③ 3개 ④ 4개

정답 및 해설 I ④

④ [○] 교통사고처리 특례법상 12개 중과실 유형: 무면허, 화물추락(㉠), 과속(㉡), 앞지르기 위반, 신호 · 지시 위반, 음주 · 약물운전, 횡단보도, 보도침범, 승객추락, 철길건널목(㉣), 중앙선침범(㉢), 어린이 보호구역(무 · 화 · 과 · 앞 · 신 · 음 · 횡 · 보 · 승 · 철 · 중 · 어).

078 다음 설명 중 가장 적절하지 <u>않은</u> 것은? (다툼이 있으면 판례에 의함) [2015 채용 2차]

① 화물차를 주차한 상태에서 적재된 상자 일부가 떨어지면서 지나가던 피해자에게 상해를 입힌 경우 교통사고로 볼 수 없다.

② 교통사고로 인한 물적 피해가 경미하고, 파편이 도로상에 비산되지도 않았다고 하더라도 가해차량이 즉시 정차하는 등 필요한 조치를 취하지 아니한 채 그대로 도주한 경우에는 도로교통법 제54조 제1항 위반죄가 성립한다.

③ 교차로 직전의 횡단보도에 따로 차량 보조등이 설치되어 있지 아니한 경우, 교차로 차량 신호등이 적색이고 횡단보도 보행등이 녹색인 상태에서 횡단보도를 지나 우회전하다가 사람을 다치게 하였다면 「교통사고처리 특례법」상 특례조항인 신호 위반에 해당하지 않는다.

④ 교차로에 교통섬이 설치되고 그 오른쪽으로 직진 차로에서 분리된 우회전 차로가 설치된 경우, 우회전 차로가 아닌 직진 차로를 따라 우회전하는 행위는 교차로 통행방법을 위반한 것이다.

정답 및 해설 I ③

③ [×] 신호 위반에 해당한다.

> **요지판례 I**
> ■ 자동차 운전자인 피고인이, 교차로와 연접한 횡단보도에 차량 보조등은 설치되지 않았으나 보행등이 녹색이고, 교차로의 차량 신호등은 적색인데도, 횡단보도를 통과하여 교차로를 우회하다가 신호에 따라 진행하던 자전거를 들이받아 운전자에게 상해를 입힌 사안에서, 교통사고처리 특례법 제3조 제1항 · 제2항 단서 제1호의 '신호 위반'으로 인한 업무상과실치상죄가 성립한다(대판 2011.7.28, 2009도8222).

① [○]

요지판례 |

■ '교통'이란 원칙적으로 사람 또는 물건의 이동이나 운송을 전제로 하는 용어인 점 등에 비추어 보면, 화물차를 주차하고 적재함에 적재된 토마토 상자를 운반하던 중 적재된 상자 일부가 떨어지면서 지나가던 피해자에게 상해를 입힌 경우, 교통사고처리 특례법에 정한 '교통사고'에 해당하지 않는다(대판 2009.7.9, 2009도2390) ➜ 형법 제268조의 업무상과실치상이 성립한다.

② [○]

요지판례 |

■ 비록 사고로 인한 피해차량의 물적 피해가 경미하고, 파편이 도로상에 비산되지도 않았다고 하더라도, 차량에서 내리지 않은 채 미안하다는 손짓만 하고 도로를 역주행하여 피해차량의 진행방향과 반대편으로 도주한 것은 교통사고 발생시의 필요한 조치를 다하였다고 볼 수 없다(대판 2009.5.14, 2009도787). ➜ 도로교통법 제54조 제1항 위반죄가 성립한다.

④ [○]

요지판례 |

■ 교통섬이 설치되고 그 오른쪽으로 직진 차로에서 분리된 우회전 차로가 설치되어 있는 교차로에서 우회전을 하고자 하는 운전자는 특별한 사정이 없는 한 도로 우측 가장자리인 우회전 차로를 따라 서행하면서 우회전하여야 하고, 우회전 차로가 아닌 직진 차로를 따라 교차로에 진입하는 방법으로 우회전하여서는 아니된다(대판 2012.4.12, 2011도9821). ➜ 피고인의 행위는 도로교통법상 '교차로 통행방법'에 위배된다(교통사고처리 특례법 사안은 아님).

079 다음 설명 중 가장 적절하지 않은 것은? (다툼이 있으면 판례에 의함)

[2015 승진(경위)]

① 화물차를 주차한 상태에서 적재된 상자 일부가 떨어지면서 지나가던 피해자에게 상해를 입힌 경우, 교통사고로 볼 수 없다.

② 연속된 교통사고로 피해자가 사망한 경우 후행 교통사고 운전자에게 책임을 물으려면 후행 교통사고를 일으킨 사람이 주의의무를 게을리하지 않았다면 피해자가 사망에 이르지 않았을 것이라는 사실이 증명되어야 한다.

③ 「특정범죄 가중처벌 등에 관한 법률」 제5조의3 도주차량죄의 교통사고는 「도로교통법」이 정하는 도로에서의 교통사고로 제한하여야 한다.

④ 아파트 단지 내 통행로가 왕복 4차선의 외부도로와 직접 연결되어 있고, 외부차량의 통행에 제한이 없으며, 별도의 주차관리인이 없다면 도로교통법상 도로에 해당된다.

정답 및 해설 | ③

③ [×] 도로에서의 교통사고로 제한되지 않는다.

요지판례 |

■ 특정범죄 가중처벌 등에 관한 법률 제5조의3 소정의 도주차량운전자에 대한 가중처벌규정은 자신의 과실로 교통사고를 야기한 운전자가 그 사고로 사상을 당한 피해자를 구호하는 등의 조치를 취하지 아니하고 도주하는 행위에 강한 윤리적 비난가능성이 있음을 감안하여 이를 가중처벌함으로써 교통의 안전이라는 공공의 이익의 보호뿐만 아니라 교통사고로 사상을 당한 피해자의 생명 · 신체의 안전이라는 개인적 법익을 보호하고자 함에도 그 입법 취지와 보호법익이 있다고 보아야 할 것인바, 위와 같은 규정의 입법취지에 비추어 볼 때 여기에서 말하는 차의 교통으로 인한 업무상과실치사상의 사고를 도로교통법이 정하는 도로에서의 교통사고의 경우로 제한하여 새겨야 할 아무런 근거가 없다(대판 2004.8.30, 2004도3600). ➜ 교회 주차장에서 사고차량 운전자가 사고차량의 운행 중 피해자에게 상해를 입히고도 구호조치 없이 도주한 행위에 대하여 특정범죄 가중처벌 등에 관한 법률 제5조의3 제1항을 적용한 조치가 정당하다고 한 사례

① [○]

요지판례 |

■ '교통'이란 원칙적으로 사람 또는 물건의 이동이나 운송을 전제로 하는 용어인 점 등에 비추어 보면, 화물차를 주차하고 적재함에 적재된 토마토 상자를 운반하던 중 적재된 상자 일부가 떨어지면서 지나가던 피해자에게 상해를 입힌 경우, 교통사고처리 특례법에 정한 '교통사고'에 해당하지 않는다(대판 2009.7.9, 2009도2390) → 형법 제268조의 업무상과실치상이 성립한다.

② [○]

요지판례 |

■ 선행 교통사고와 후행 교통사고 중 어느 쪽이 원인이 되어 피해자가 사망에 이르게 되었는지 밝혀지지 않은 경우 후행 교통사고를 일으킨 사람의 과실과 피해자의 사망 사이에 인과관계가 인정되기 위해서는 후행 교통사고를 일으킨 사람이 주의의무를 게을리하지 않았다면 피해자가 사망에 이르지 않았을 것이라는 사실이 증명되어야 하고, 그 증명책임은 검사에게 있다(대판 2007.10.26, 2005도8822).

④ [○]

요지판례 |

■ 구 도로교통법상 도로의 정의 중 '그 밖의 일반교통에 사용되는 모든 곳'은 현실적으로 불특정의 사람이나 차량의 통행을 위하여 공개된 장소로서 교통질서 유지 등을 목적으로 하는 일반 교통경찰권이 미치는 공공성이 있는 곳을 의미하고, 특정인들 또는 그들과 관련된 특정한 용건이 있는 자들만이 사용할 수 있고 자주적으로 관리되는 장소는 이에 포함되지 않는다(대판 2010.9.9, 2010도6579). → 왕복 4차선의 외부도로와 직접 연결되어 있고, 외부차량의 통행에 제한이 없으며, 별도의 주차관리인이 없는 아파트 단지 내 통행로는 도로교통법상 도로에 해당된다.

080 교통사고처리와 관련된 판례의 입장으로 가장 적절하지 않은 것은? [2015 실무 1]

① 내리막길에 주차되어 있는 자동차의 핸드 브레이크를 풀어 타력주행을 하는 행위는 운전에 해당되지 않는다.

② 고속도로를 운행하는 자동차 운전자는 고속도로를 무단횡단하는 보행자가 있을 것을 예견하여 운전할 주의의무가 있다.

③ 야간에 무등화인 자전거를 타고 차도를 무단횡단하는 경우까지를 예상하여 감속하고 반대차로상의 동태까지 살피면서 서행운행할 주의의무는 없다.

④ 차에 열쇠를 끼워놓은 채 11세 남짓한 어린이를 조수석에 남겨놓고 차에서 내려온 동안 어린이가 시동을 걸어 차량이 진행하여 사고가 발생한 경우 운전자로서는 열쇠를 빼는 등 사고 예방조치를 취할 주의의무가 있다.

정답 및 해설 | ②

② [×] 그러한 정도의 주의의무는 없다.

요지판례 |

■ 일반적으로 고속도로를 운전하는 자동차 운전자에게 도로상에 장애물이 나타날 것을 예견하여 제한속도 이하로 감속 서행할 주의의무가 없다는 이유로 고속도로상에서 도로를 횡단하는 피해자(5세)를 피고인이 운전하는 화물자동차로 충격하여 사망케 한 공소사실에 대하여 무죄를 선고함이 타당하다(대판 1981.12.8, 81도1808).

① [○]

요지판례 |

■ 자동차를 절취할 생각으로 자동차의 조수석문을 열고 들어가 시동을 걸려고 시도하는 등 차 안의 기기를 이것저것 만지다가 핸드브레이크를 풀게 되었는데 그 장소가 내리막길인 관계로 시동이 걸리지 않은 상태에서 약 10미터 전진하다가 가로수를 들이받는 바람에 멈추게 되었다면 절도의 기수에 해당한다고 볼 수 없을 뿐 아니라 도로교통법 제2조 제26호 소정의 자동차의 운전에 해당하지 아니한다(대판 1994.9.9, 94도1522).

③ [O]

요지판례 |

■ 운전자에게 야간에 무등화인 자전거를 타고 차도를 무단횡단하는 경우까지를 예상하여 제한속력을 감속하고 잘 보이지 않는 반대차선상의 동태까지 살피면서 서행운행할 주의의무가 있다고 할 수 없다(대판 1984.9.25, 84도1695).

④ [O]

요지판례 |

■ 운전자가 차를 세워 시동을 끄고 1단 기어가 들어가 있는 상태에서 시동열쇠를 끼워놓은 채 11세 남짓한 어린이를 조수석에 남겨두고 차에서 내려온 동안 동인이 시동열쇠를 돌리며 악셀러레이터 페달을 밟아 차량이 진행하여 사고가 발생한 경우, 비록 동인의 행위가 사고의 직접적인 원인이었다 할지라도 그 경우 운전자로서는 위 어린이를 먼저 하차시키던가 운전기기를 만지지 않도록 주의를 주거나 손브레이크를 채운 뒤 시동열쇠를 빼는 등 사고를 미리 막을 수 있는 제반조치를 취할 업무상 주의의무가 있다 할 것이어서 이를 게을리 한 과실은 사고결과와 법률상의 인과관계가 있다고 봄이 상당하다(대판 1986.7.8, 86도1048).

081 다음 설명 중 가장 적절한 것은? (다툼이 있으면 판례에 의함)

[2015 채용 3차]

① 일반적으로 고속도로를 운전하는 자동차 운전자에게 도로상에 장애물이 나타날 것을 예견하여 제한속도 이하로 감속 운행할 주의의무가 있다.

② 자동차를 움직이게 할 의도 없이 다른 목적을 위하여 자동차의 원동기(모터)의 시동을 걸었는데, 실수로 기어 등 자동차의 발진에 필요한 장치를 건드려 원동기의 추진력에 의하여 자동차가 움직인 경우 자동차의 운전에 해당한다.

③ 무면허운전으로 인한 도로교통법 위반죄에 있어서는 어느 날에 운전을 시작하여 다음 날까지 동일한 기회에 일련의 과정에서 계속 운전을 한 경우 등 특별한 경우를 제외하고는 사회통념상 운전한 날을 기준으로 운전한 날마다 1개의 운전행위가 있다고 보는 것은 상당하지 않다.

④ 특별한 이유 없이 호흡측정기에 의한 측정에 불응하는 운전자에게 경찰공무원이 혈액채취에 의한 측정방법이 있음을 고지하고 그 선택 여부를 물어야 할 의무가 있다고는 할 수 없다.

정답 및 해설 | ④

④ [O]

요지판례 |

■ 특별한 이유 없이 호흡측정기에 의한 측정에 불응하는 운전자에게 경찰공무원이 혈액채취에 의한 측정방법이 있음을 고지하고 그 선택 여부를 물어야 할 의무는 없다(대판 2002.10.25, 2002도4220).

① [×] 그러한 정도의 주의의무는 없다.

요지판례 |

■ 일반적으로 고속도로를 운전하는 자동차운전자에게 도로상에 장애물이 나타날 것을 예견하여 제한속도 이하로 감속 서행할 주의의무가 없다는 이유로 고속도로상에서 도로를 횡단하는 피해자(5세)를 피고인이 운전하는 화물자동차로 충격하여 사망케 한 공소사실에 대하여 무죄를 선고함이 타당하다(대판 1981.12.8, 81도1808).

② [×] 자동차의 운전에 해당하지 아니한다.

요지판례 |

■ 도로교통법 제2조 제26호는 '운전'이라 함은 도로에서 차를 그 본래의 사용 방법에 따라 사용하는 것을 말한다고 규정하고 있는바, 여기에서 말하는 운전의 개념은 그 규정의 내용에 비추어 목적적 요소를 포함하는 것이므로 고의의 운전행위만을 의미하고 자동차 안에 있는 사람의 의지나 관여 없이 자동차가 움직인 경우에는 운전에 해당하지 않는다(대판 2004.4.23, 2004도1109). → 자동차를 움직이게 할 의도 없이 다른 목적을 위하여 자동차의 원동기(모터)의 시동을 걸었는데, 실수로 기어 등 자동차의 발진에 필요한 장치를 건드려 원동기의 추진력에 의하여 자동차가 움직이거나 또는 불안전한 주차상태나 도로여건 등으로 인하여 자동차가 움직이게 된 경우는 자동차의 운전에 해당하지 아니한다.

③ [×] 운전한 날마다 1개의 운전행위가 있다고 보는 것이 상당하다.

> **요지판례 |**
> ■ 무면허운전으로 인한 도로교통법위반죄에 있어서는 어느 날에 운전을 시작하여 다음날까지 동일한 기회에 일련의 과정에서 계속 운전을 한 경우 등 특별한 경우를 제외하고는 사회통념상 운전한 날을 기준으로 운전한 날마다 1개의 운전행위가 있다고 보는 것이 상당하므로 운전한 날마다 무면허운전으로 인한 도로교통법위반의 1죄가 성립한다고 보아야 할 것이고, 비록 계속적으로 무면허운전을 할 의사를 가지고 여러 날에 걸쳐 무면허운전행위를 반복하였다 하더라도 이를 포괄하여 일죄로 볼 수는 없다(대판 2002.7.23, 2001도6281).

082 다음 설명 중 가장 적절하지 않은 것은? (다툼이 있는 경우 판례에 의함) [2024 승진]

① 「교통사고처리 특례법」 제2조 제2호는 '교통사고'란 차의 교통으로 인하여 사람을 사상하거나 물건을 손괴하는 것을 말한다고 규정하고 있는데, 여기서 '차의 교통'은 차량을 운전하는 행위 및 그와 동일하게 평가할 수 있을 정도로 밀접하게 관련된 행위를 모두 포함한다.

② 음주운전 신고를 받고 출동한 경찰관이 만취한 상태로 시동이 걸린 차량 운전석에 앉아 있는 甲을 발견하고 음주측정을 위해 하차를 요구하는 것만으로는 「도로교통법」 제44조 제2항이 정한 음주측정에 관한 직무에 착수하였다고 할 수 없다.

③ 술에 취한 乙이 자동차 안에서 잠을 자다가 추위를 느껴 히터를 가동시키기 위하여 시동을 걸었고, 실수로 기어 등 자동차의 발진에 필요한 장치를 건드려 원동기의 추진력에 의하여 자동차가 움직이거나 또는 불안전한 주차상태나 도로여건 등으로 인하여 자동차가 움직이게 된 경우는 자동차의 운전에 해당하지 아니한다.

④ 모든 차의 운전자는 보행자보다 먼저 횡단보행자용 신호기가 설치되지 않은 횡단보도에 진입한 경우에도, 보행자의 횡단을 방해하지 않거나 통행에 위험을 초래하지 않을 상황이 아니고서는, 차를 일시정지하는 등으로 보행자의 통행이 방해되지 않도록 할 의무가 있다.

정답 및 해설 | ②

② [×]

> **요지판례 |**
> ■ 음주운전 신고를 받고 출동한 경찰관이 만취한 상태로 시동이 걸린 차량 운전석에 앉아있는 피고인을 발견하고 음주측정을 위해 하차를 요구함으로써 도로교통법 제44조 제2항이 정한 음주측정에 관한 직무에 착수하였다고 할 것이고, 피고인이 차량을 운전하지 않았다고 다투자 경찰관이 지구대로 가서 차량 블랙박스를 확인하자고 한 것은 음주측정에 관한 직무 중 '운전' 여부 확인을 위한 임의동행 요구에 해당하고, 피고인이 차량에서 내리자마자 도주한 것을 임의동행 요구에 대한 거부로 보더라도, 경찰관이 음주측정에 관한 직무를 계속하기 위하여 피고인을 추격하여 도주를 제지한 것은 앞서 본 바와 같이 도로교통법상 음주측정에 관한 일련의 직무집행 과정에서 이루어진 행위로써 정당한 직무집행에 해당한다(대판 2020.8.20, 2020도7193).

① [○]

> **요지판례 |**
> ■ 특례법 제2조 제2호는 '**교통사고**'란 차의 교통으로 인하여 사람을 사상하거나 물건을 손괴하는 것을 말한다고 규정하고 있는데, 여기서 '**차의 교통**'은 차량을 운전하는 행위 및 그와 동일하게 평가할 수 있을 정도로 밀접하게 관련된 행위를 모두 포함한다(대판 2017.5.31, 2016도21034).

③ [○]

> **요지판례 |**
> ■ 어떤 사람이 자동차를 움직이게 할 의도 없이 다른 목적을 위하여 자동차의 원동기(모터)의 시동을 걸었는데, 실수로 기어 등 자동차의 발진에 필요한 장치를 건드려 원동기의 추진력에 의하여 자동차가 움직이거나 또는 불안전한 주차상태나 도로여건 등으로 인하여 자동차가 움직이게 된 경우는 자동차의 운전에 해당하지 아니한다(대판 2004.4.23, 2004도1109).

④ [○]

요지판례 |

■ 모든 차의 운전자는 보행자보다 먼저 횡단보행자용 신호기가 설치되지 않은 횡단보도에 진입한 경우에도, 보행자의 횡단을 방해하지 않거나 통행에 위험을 초래하지 않을 상황이 아니고서는, 차를 일시정지하는 등으로 보행자의 통행이 방해되지 않도록 할 의무가 있다(대판 2020.12.24, 2020도8675).

083 교통사고에 대한 판례의 태도로 가장 적절하지 않은 것은? (다툼이 있는 경우 판례에 의함)

[2018 승진(경감)]

① 음주로 인한 「특정범죄 가중처벌 등에 관한 법률」 위반(위험운전치사상)죄와 도로교통법 위반(음주운전)죄가 모두 성립하는 경우 두 죄는 실체적 경합관계에 있다.

② 택시 운전자인 甲이 교차로에서 적색등화에 우회전하다가 신호에 따라 진행하던 乙의 승용차를 충격하여 乙에게 상해를 입혔다면 「교통사고처리 특례법」 제3조 제2항 단서 제1호에서 정한 신호 위반으로 인한 사고에 해당한다.

③ 「특정범죄 가중처벌 등에 관한 법률」 제5조의3 도주차량죄의 교통사고는 「도로교통법」이 정하는 도로에서의 교통사고에 제한되지 않는다.

④ 보행자가 횡단보도 보행신호등의 녹색등화의 점멸신호 전에 횡단을 시작하였는지 여부를 가리지 아니하고 보행신호등의 녹색등화가 점멸하고 있는 동안에 횡단보도를 통행하는 모든 보행자는 황단보도에서의 보행자보호의무의 대상이 된다.

정답 및 해설 | ②

② [×] 신호 위반에 해당하지 않는다.

요지판례 |

■ 택시 운전자인 피고인이 교차로에서 적색등화에 우회전하다가 신호에 따라 진행하던 피해자 운전의 승용차를 충격하여 그에게 상해를 입혔다고 하여 구 교통사고처리 특례법 위반으로 기소된 사안에서, 위 사고가 같은 법 제3조 제2항 단서 제1호에서 정한 '신호 위반'으로 인한 사고에 해당하지 아니한다(대판 2011.7.28, 2011도3970).

① [○]

요지판례 |

■ 음주로 인한 특정범죄 가중처벌 등에 관한 법률 위반(위험운전치사상)죄와 도로교통법 위반(음주운전)죄는 입법취지와 보호법익 및 적용영역을 달리하는 별개의 범죄이므로, 양 죄가 모두 성립하는 경우 두 죄는 실체적 경합관계에 있다(대판 2008.11.13, 2008도7143).

③ [○]

요지판례 |

■ 특정범죄 가중처벌 등에 관한 법률 제5조의3 소정의 도주차량운전자에 대한 가중처벌규정은 자신의 과실로 교통사고를 야기한 운전자가 그 사고로 사상을 당한 피해자를 구호하는 등의 조치를 취하지 아니하고 도주하는 행위에 강한 윤리적 비난가능성이 있음을 감안하여 이를 가중처벌함으로써 교통의 안전이라는 공공의 이익의 보호뿐만 아니라 교통사고로 사상을 당한 피해자의 생명·신체의 안전이라는 개인적 법익을 보호하고자 함에도 그 입법 취지와 보호법익이 있다고 보아야 할 것인바, 위와 같은 규정의 입법취지에 비추어 볼 때 여기에서 말하는 차의 교통으로 인한 업무상과실치사상의 사고를 도로교통법이 정하는 도로에서의 교통사고의 경우로 제한하여 새겨야 할 아무런 근거가 없다(대판 2004.8.30, 2004도3600).

④ [○]

요지판례 |

■ 보행신호등의 녹색등화의 점멸신호 전에 횡단을 시작하였는지 여부를 가리지 아니하고 보행신호등의 녹색등화가 점멸하고 있는 동안에 횡단보도를 통행하는 모든 보행자는 도로교통법 제27조 제1항에서 정한 횡단보도에서의 보행자보호의무의 대상이 된다(대판 2009.5.14, 2007도9598).

084 음주운전 또는 교통사고에 대한 판례의 태도로 가장 적절하지 않은 것은? [2019 승진(경위)]

① 아파트 단지 내 통행로가 왕복 4차선의 외부도로와 직접 연결되어 있고, 외부차량의 통행에 제한이 없으며, 별도의 주차관리인이 없다면 도로교통법상 도로에 해당한다.

② 교통사고의 결과가 피해자의 구호 및 교통질서의 회복을 위한 조치가 필요한 상황인 이상 교통사고 발생 시의 구호조치의무 및 신고의무는 교통사고를 발생시킨 당해 차량의 운전자에게 그 사고 발생에 있어서 고의 · 과실 혹은 유책 · 위법의 유무에 관계없이 부과된 의무라고 해석함이 타당하고, 당해 사고의 발생에 귀책사유가 없는 경우에도 위 의무가 없다고 할 수 없다.

③ 신호 위반으로 교통사고를 야기한 자가 통고처분을 받아 신호 위반의 범칙금을 납부하였다고 하더라도, 교통사고처리 특례법상 신호 위반으로 인한 업무상과실치상죄로 처벌하는 것이 이중처벌에 해당한다고 볼 수 없다.

④ 약물 등의 영향으로 정상적으로 운전하지 못할 우려가 있는 상태에서 자동차 등을 운전하였다고 인정하려면, 약물 등의 영향으로 인하여 현실적으로 '정상적으로 운전하지 못할 상태'에 이르러야만 한다.

정답 및 해설 | ④

④ [×] 정상적으로 운전하지 못할 상태에까지 이르러야 하는 것은 아니다.

요지판례 |

■ 법문상 필로폰을 투약한 상태에서 운전하였다고 하여 바로 처벌할 수 있는 것은 아니고 그로 인하여 정상적으로 운전하지 못할 우려가 있는 상태에서 자동차 등을 운전한 경우에만 처벌할 수 있다고 보아야 하나, 위 법 위반죄는 이른바 위태범으로서 약물 등의 영향으로 인하여 '정상적으로 운전하지 못할 우려가 있는 상태'에서 운전을 하면 바로 성립하고, 현실적으로 '정상적으로 운전하지 못할 상태'에 이르러야만 하는 것은 아니다(대판 2010.12.23, 2010도11272).

① [○]

요지판례 |

■ 구 도로교통법상 도로의 정의 중 '그 밖의 일반교통에 사용되는 모든 곳'은 현실적으로 불특정의 사람이나 차량의 통행을 위하여 공개된 장소로서 교통질서 유지 등을 목적으로 하는 일반 교통경찰권이 미치는 공공성이 있는 곳을 의미하고, 특정인들 또는 그들과 관련된 특정한 용건이 있는 자들만이 사용할 수 있고 자주적으로 관리되는 장소는 이에 포함되지 않는다(대판 2010.9.9, 2010도6579). ➔ 왕복 4차선의 외부도로와 직접 연결되어 있고, 외부차량의 통행에 제한이 없으며, 별도의 주차관리인이 없는 아파트 단지 내 통행로는 도로교통법상 도로에 해당된다.

② [○]

요지판례 |

■ 교통사고의 결과가 피해자의 구호 및 교통질서의 회복을 위한 조치가 필요한 상황인 이상, 구호조치의무 및 신고의무는 교통사고를 발생시킨 당해 차량의 운전자에게 그 사고발생에 있어서 고의 · 과실 혹은 유책 · 위법의 유무에 관계없이 부과된 의무라고 해석함이 상당할 것이므로, 당해 사고에 있어 귀책사유가 없는 경우에도 위 의무가 없다 할 수 없고, 또 위 의무는 신고의무에만 한정되는 것이 아니므로 타인에게 신고를 부탁하고 현장을 이탈하였다고 하여 위 의무를 다한 것이라고 말할 수는 없다(대판 2002.5.24, 2000도1731).

③ [○]

요지판례 |

■ 교통사고처리 특례법 제3조 제2항 단서 각 호의 예외사유에 해당하는 신호 위반 등의 범칙행위로 교통사고를 일으킨 사람이 통고처분을 받아 범칙금을 납부하였다고 하더라도, 업무상과실치상죄 또는 중과실치상죄에 대하여 같은 법 제3조 제1항 위반죄로 처벌하는 것이 도로교통법 제119조 제3항에서 금지하는 이중처벌에 해당한다고 볼 수 없다(대판 2007.4.12, 2006도4322).

085 교통사고에 대한 판례의 태도로 가장 적절하지 않은 것은? [2019 승진(경감)]

① 신호 위반으로 교통사고를 일으킨 사람이 통고처분을 받아 신호 위반의 범칙금을 납부하였다고 하더라도, 교통사고처리 특례법상 신호 위반으로 인한 업무상과실치상죄로 처벌하는 것이 이중처벌에 해당한다고 볼 수 없다.

② 교통사고 피해자가 2주간의 치료를 요하는 경미한 상해를 입었다는 사정만으로 사고 당시 피해자를 구호할 필요가 없었다고 단정지을 수 없다.

③ 음주로 인한 특정범죄 가중처벌 등에 관한 법률 위반(위험운전치사상)죄와 도로교통법 위반(음주운전)죄가 모두 성립하는 경우 두 죄는 실체적 경합관계에 있다.

④ 특정범죄 가중처벌 등에 관한 법률 제5조의3 도주차량운전자의 가중처벌규정과 관련하여, 차의 교통으로 인한 업무상과실치사상의 사고는 도로교통법이 정하는 도로에서의 교통사고로 한정된다.

정답 및 해설 I ④

④ [×] 도로에서의 교통사고로 한정되지 않는다.

> **요지판례 I**
>
> ■ 특정범죄 가중처벌 등에 관한 법률 제5조의3 소정의 도주차량운전자에 대한 가중처벌규정은 자신의 과실로 교통사고를 야기한 운전자가 그 사고로 사상을 당한 피해자를 구호하는 등의 조치를 취하지 아니하고 도주하는 행위에 강한 윤리적 비난가능성이 있음을 감안하여 이를 가중처벌함으로써 교통의 안전이라는 공공의 이익의 보호뿐만 아니라 교통사고로 사상을 당한 피해자의 생명 · 신체의 안전이라는 개인적 법익을 보호하고자 함에도 그 입법 취지와 보호법익이 있다고 보아야 할 것인바, 위와 같은 규정의 입법취지에 비추어 볼 때 여기에서 말하는 차의 교통으로 인한 업무상과실치사상의 사고를 도로교통법이 정하는 도로에서의 교통사고의 경우로 제한하여 새겨야 할 아무런 근거가 없다(대판 2004.8.30, 2004도3600). ➜ 교회 주차장에서 사고차량운전자가 사고차량의 운행 중 피해자에게 상해를 입히고도 구호조치 없이 도주한 행위에 대하여 특정범죄 가중처벌 등에 관한 법률 제5조의3 제1항을 적용한 조치를 정당하다고 한 사례

① [○]

> **요지판례 I**
>
> ■ 교통사고처리 특례법 제3조 제2항 단서 각 호의 예외사유에 해당하는 신호 위반 등의 범칙행위로 교통사고를 일으킨 사람이 통고처분을 받아 범칙금을 납부하였다고 하더라도, 업무상과실치상죄 또는 중과실치상죄에 대하여 같은 법 제3조 제1항 위반죄로 처벌하는 것이 도로교통법 제119조 제3항에서 금지하는 이중처벌에 해당한다고 볼 수 없다(대판 2007.4.12, 2006도4322).

② [○]

> **요지판례 I**
>
> ■ 교통사고 피해자가 2주간의 치료를 요하는 경추부 염좌 등의 경미한 상해를 입었다는 사정만으로 사고 당시 피해자를 구호할 필요가 없었다고 단정하기는 곤란하다(대판 2008.7.10, 2008도1339). ➜ 특정범죄 가중처벌 등에 관한 법률 제5조의3 '치상 후 도주죄'의 성립을 인정한 사례

③ [○]

> **요지판례 I**
>
> ■ 음주로 인한 특정범죄 가중처벌 등에 관한 법률 위반(위험운전치사상)죄와 도로교통법 위반(음주운전)죄는 입법취지와 보호법익 및 적용영역을 달리하는 별개의 범죄이므로, 양 죄가 모두 성립하는 경우 두 죄는 실체적 경합관계에 있다(대판 2008.11.13, 2008도7143).

086 교통법규 위반에 대한 설명 중 옳지 않은 것은? (판례에 의함) [2020 경간]

① 횡단보도의 신호가 적색인 상태에서 반대차선에 정지 중인 차량 뒤에서 보행자가 건너올 것까지 예상하여 주의의무를 다하여야 한다고 할 수 없다.

② 앞차가 빗길에 미끄러져 비정상적으로 움직일 때는 진로를 예상할 수 없으므로 뒤따라가는 차량의 운전자는 이러한 사태에 대비하여 속도를 줄이고 안전거리를 확보해야 할 주의의무가 있다.

③ 교차로에 교통섬이 설치되고 그 오른쪽으로 직진 차로에서 분리된 우회전 차로가 설치된 경우, 우회전 차로가 아닌 직진 차로를 따라 우회전하는 행위를 교차로 통행방법을 위반한 것이라 볼 수 없다.

④ '운전면허를 받지 아니하고'라는 법률문언의 통상적 의미에 '운전면허를 받았으나 그 후 운전면허의 효력이 정지된 경우'가 당연히 포함된다 할 수 없다.

정답 및 해설 | ③

③ [×] 교차로 통행방법을 위반한 것이다.

요지판례 |

■ 교통섬이 설치되고 그 오른쪽으로 직진 차로에서 분리된 우회전 차로가 설치되어 있는 교차로에서 우회전을 하고자 하는 운전자는 특별한 사정이 없는 한 도로 우측 가장자리인 우회전 차로를 따라 서행하면서 우회전하여야 하고, 우회전 차로가 아닌 직진 차로를 따라 교차로에 진입하는 방법으로 우회전하여서는 아니 된다(대판 2012.4.12, 2011도9821).

➜ 피고인의 행위는 도로교통법상 '교차로 통행방법'에 위배된다.

① [○]

요지판례 |

■ 직진 및 좌회전신호에 의하여 좌회전하는 2대의 차량 뒤를 따라 직진하는 차량의 운전사로서는 횡단보도의 신호가 적색인 상태에서 반대차선상에 정지하여 있는 차량의 뒤로 보행자가 횡단보도를 건너오지 않을 것이라고 신뢰하는 것이 당연하고 그렇지 아니할 사태까지 예상하여 그에 대한 주의의무를 다하여야 한다고는 할 수 없으며, 또 운전사가 무면허인 상태에서 제한속도를 초과하여 진행한 잘못이 있다 하더라도 그러한 잘못이 사고의 원인이 되었다고는 볼 수 없다(대판 1987.9.8, 87도1332).

② [○]

요지판례 |

■ 빗물로 노면이 미끄러운 고속도로에서 진행전방의 차량이 빗길에 미끄러져 비정상적으로 움직이고 있다면 앞으로의 진로를 예상할 수 없는 것이므로 그 차가 일시 중앙선을 넘어 반대차선으로 진입되었더라도 노면의 상태나 다른 차량 등 장애물과의 충돌에 의하여 원래의 차선으로 다시 미끄러져 들어올 수 있으므로 그 후방에서 진행하고 있던 차량의 운전자로서는 이러한 사태에 대비하여 속도를 줄이고 안전거리를 확보해야 할 주의의무가 있다(대판 1990.2.27, 89도777).

④ [○]

요지판례 |

■ '운전면허를 받지 아니하고'라는 법률문언의 통상적인 의미에 '운전면허를 받았으나 그 후 운전면허의 효력이 정지된 경우'가 당연히 포함된다고는 해석할 수 없다(대판 2011.8.25, 2011도7725).

087 '교통사고처리 특례법' 제3조 제2항의 단서 '처벌특례 항목'들에 대한 설명 중 옳은 것들로 묶인 것은? (판례에 의함)

[2021 경간]

> ㉠ 교차로 진입 직전에 백색 실선이 설치되어 있으면, 교차로에서의 진로변경을 금지하는 내용의 안전표지가 개별적으로 설치되어 있지 않다고 하더라도 자동차운전자가 교차로에서 진로변경을 시도하다가 교통사고를 내었다면, 이는 특례법상 '통행금지를 내용으로 하는 안전표지가 지시를 위반하여 운전한 경우'에 해당한다.
> ㉡ 중앙선이 설치된 도로의 어느 구역에서 좌회전이나 유턴이 허용되어 중앙선이 백색 점선으로 표시되어 있는 경우, 그 지점에서 안전표지에 따라 좌회전이나 유턴을 하기 위하여 중앙선을 넘어 운행하다가 반대편 차로를 운행하는 차량과 충돌하는 교통사고를 내었더라도 이를 특례법에서 규정한 중앙선 침범사고라고 할 것은 아니다.
> ㉢ 연습운전면허를 받은 사람이 운전을 함에 있어 '주행연습 외의 목적으로 운전하여서는 안 된다'는 사항을 준수해야 하며, 이에 위반하여 운전한 경우 그 운전은 특례법에서 규정한 무면허운전으로 보아 처벌할 수 있다.
> ㉣ 화물차 적재함에서 작업하던 피해자가 차에서 내린 것을 확인하지 않은 채 출발함으로써 피해자가 추락하여 상해를 입게 된 경우, 특례법 소정의 '승객의 추락 방지의무'를 위반하여 운전한 경우에 해당하지 않는다.

① ㉠, ㉡　② ㉠, ㉢　③ ㉡, ㉢　④ ㉡, ㉣

정답 및 해설 | ④

㉠ [×] 지시 위반에 해당한다고 볼 수 없다.

> **요지판례 |**
> ■ 교차로 진입 직전에 설치된 백색 실선을 교차로에서의 진로변경을 금지하는 내용의 안전표지와 동일하게 볼 수 없으므로, 교차로에서의 진로변경을 금지하는 내용의 안전표지가 개별적으로 설치되어 있지 않다면 자동차운전자가 교차로에서 진로변경을 시도하다가 교통사고를 야기하였다고 하더라도 이를 교통사고처리 특례법 제3조 제2항 단서 제1호에서 정한 '도로교통법 제5조에 따른 통행금지를 내용으로 하는 안전표지가 표시하는 지시를 위반하여 운전한 경우'에 해당한다고 할 수 없다(대판 2015.11.12, 2015도3107).

㉡ [○]

> **요지판례 |**
> ■ 도로교통법이 도로의 중앙선 내지 중앙의 우측 부분을 통행하도록 하고 중앙선을 침범하여 발생한 교통사고를 처벌대상으로 한 것은, 각자의 진행방향 차로를 준수하여 서로 반대방향으로 운행하는 차마의 안전한 운행과 원활한 교통을 확보하기 위한 것이므로, 황색 실선이나 황색 점선으로 된 중앙선이 설치된 도로의 어느 구역에서 좌회전이나 유턴이 허용되어 중앙선이 백색 점선으로 표시되어 있는 경우, 그 지점에서 좌회전이나 유턴이 허용되는 신호상황 등 안전표지에 따라 좌회전이나 유턴을 하기 위하여 중앙선을 넘어 운행하다가 반대편 차로를 운행하는 차량과 충돌하는 교통사고를 내었더라도 이를 교통사고처리 특례법에서 규정한 중앙선 침범사고라고 할 것은 아니다(대판 2017.1.25, 2016도18941).

㉢ [×] 무면허운전이라고 할 수 없다.

> **요지판례 |**
> ■ 연습운전면허를 받은 사람이 도로에서 주행연습을 함에 있어서 '주행연습 외의 목적으로 운전하여서는 안 된다'는 준수사항을 지키지 않았다고 하더라도 준수사항을 지키지 않은 데에 따른 제재를 가할 수 있음은 별론으로 하고 그 운전을 무면허운전이라고 할 수는 없다(대판 2001.4.10, 2000도5540).

㉣ [○]

> **요지판례 |**
> ■ 교통사고처리 특례법상 승객추락 방지의무는 그것이 주된 것이든 부수적인 것이든 사람의 운송에 공하는 차의 운전자가 그 승객에 대하여 부담하는 의무라고 보는 것이 상당하다. 따라서 화물차 적재함에서 작업하던 피해자가 차에서 내린 것을 확인하지 않은 채 출발함으로써 피해자가 추락하여 상해를 입게 된 경우, 교통사고처리 특례법상 승객추락 방지의무를 위반하여 운전한 경우에 해당하지 않는다(대판 2000.2.22, 99도3716).

088 다음 중 도로교통과 관련된 신뢰의 원칙에 관한 내용으로 틀린 것은 모두 몇 개인가? (판례에 의함)

[2015 경간]

가. 특별한 사정이 없는 한 고속도로를 운행하는 자동차의 운전자는 보행자가 나타날 것을 예견하여 제한속도 이하로 감속 운행할 주의의무가 없다.
나. 고속도로상이라 하더라도 제동거리 밖의 무단횡단자를 발견했을 경우 사고를 미연에 방지할 의무가 있다.
다. 특별한 사정이 없는 한 반대차로를 운행하는 차가 갑자기 중앙선을 넘어올 것까지 예견하여 감속해야 할 주의의무는 없다.
라. 보행자신호가 적색인 경우 반대차로상에서 정지하여 있는 차량의 뒤로 보행자가 횡단보도를 건너올 수 있다는 것까지 예상할 주의의무는 없다.
마. 보행자신호의 녹색등이 점멸하는 때에는 보도 위에 서 있던 보행자가 갑자기 뛰기 시작하면서 보행을 시작할 수도 있다는 것까지 예상할 주의의무는 없다.

① 1개 ② 2개 ③ 3개 ④ 4개

정답 및 해설 | ①

가. [○]

요지판례 |

■ 일반적으로 고속도로를 운전하는 자동차운전자에게 도로상에 장애물이 나타날 것을 예견하여 제한속도 이하로 감속 서행할 주의의무가 없다는 이유로 고속도로상에서 도로를 횡단하는 피해자(5세)를 피고인이 운전하는 화물자동차로 충격하여 사망케 한 공소사실에 대하여 무죄를 선고함이 타당하다(대판 1981.12.8, 81도1808).

나. [○]

요지판례 |

■ 고속도로상을 운행하는 자동차운전자는 통상의 경우 보행인이 그 도로의 중앙방면으로 갑자기 뛰어드는 일이 없으리라는 신뢰하에서 운행하는 것이지만 위 도로를 횡단하려는 피해자를 그 차의 제동거리 밖에서 발견하였다면 피해자가 반대차선의 교행차량 때문에 도로를 완전히 횡단하지 못하고 그 진행차선 쪽에서 멈추거나 다시 되돌아 나가는 경우를 예견해야 하는 것이다(대판 1981.3.24, 80도3305).

다. [○]

요지판례 |

■ 반대차선을 운행하는 차가 중앙선을 넘어 오리라고 예상할 만한 사정이 없는 경우에 있어서 중앙선표시가 있는 왕복 4차선 도로에서 차를 운행하는 운전자에게 반대차선을 운행하는 차가 중앙선을 넘어 동인의 차 진행차선 전방으로 갑자기 집입해 들어올 것까지를 예견하여 감속하는 등 미리 충돌을 방지할 태세를 갖추어 차를 운전하여야 할 업무상 주의의무는 없다(대판 1987.6.9, 87도995).

라. [○]

요지판례 |

■ 직진 및 좌회전신호에 의하여 좌회전하는 2대의 차량 뒤를 따라 직진하는 차량의 운전사로서는 횡단보도의 신호가 적색인 상태에서 반대차선상에 정지하여 있는 차량의 뒤로 보행자가 횡단보도를 건너오지 않을 것이라고 신뢰하는 것이 당연하고 그렇지 아니할 사태까지 예상하여 그에 대한 주의의무를 다하여야 한다고는 할 수 없으며, 또 운전사가 무면허인 상태에서 제한속도를 초과하여 진행한 잘못이 있다 하더라도 그러한 잘못이 사고의 원인이 되었다고는 볼 수 없다(대판 1987.9.8, 87도1332).

마. [×] 그러한 주의의무가 있다고 보는 것이 타당하다.

요지판례 |

■ 횡단보도의 보행자신호가 녹색신호에서 적색신호로 바뀌는 예비신호 점멸 중에도 그 횡단보도를 건너가는 보행자가 흔히 있고 또 횡단 도중에 녹색신호가 적색신호로 바뀐 경우에도 그 교통신호에 따라 정지함이 없이 나머지 횡단보도를 그대로 횡단하는 보행자도 있으므로 보행자 신호가 녹색신호에서 정지신호로 바뀔 무렵 전후에 횡단보도를 통과하는 자동차 운전자는 보행자가 교통신호를 철저히 준수할 것이라는 신뢰만으로 자동차를 운전할 것이 아니라 … 보행자의 안전을 위해 어느 때라도 정지할 수 있는 태세를 갖추고 자동차를 운전하여야 할 업무상의 주의의무가 있다(대판 1986.5.27, 86도549).

제5장 | 정보경찰

주제 1 정보

01 정보 개설

001 정보의 질적 요건에 관한 다음 설명 중 가장 적절하지 않은 것은? [2015 채용 2차]

① 완전성은 정보가 사실과 일치되는 성질이다.

② 적시성은 정보가 정책결정이 이루어지는 시점에 비추어 가장 적절한 시기에 존재하는 성질이다.

③ 적실성은 정보가 당면 문제와 관련된 성질이다.

④ 객관성은 정보가 국가정책의 결정과정에서 사용될 때 국익증대와 안보추구라는 차원에서 객관적 입장을 유지해야 한다는 것을 의미한다.

정답 및 해설 | ①

① [×] **완전성**은 시간이 허용하는 한 주제와 관련된 사항을 최대한 포함할 것을 요구하는 성질을 말한다. 지문은 **정확성**에 대한 설명이다.

☑ 정보의 질적 요건(양질의 정보)

구분	내용
정확성	• 정보가 사실과 일치할 것을 요구하는 성질이다. • 수집경로의 다양화를 통해 정보는 정확성을 높일 수 있다.
완전성	• 시간이 허용하는 한 주제와 관련된 사항을 최대한 포함할 것을 요구하는 성질이다. ➜ 부분적 · 단편적 정보는 사용자의 의사결정에 도움을 주지 못한다. • 정보가 특정 상황에 대한 전반적이고 체계적인 내용을 모두 전달해 줄 수 있는지에 따라 정보의 가치가 달라지는 특성이 있다. • 완전성과 적시성은 상호충돌 가능성이 높다.
적시성	• 정보는 사용자가 필요한 시기에 사용할 수 있도록 제공되어야 한다는 성질이다. • 적시성의 평가시점은 사용자의 사용시점이 기준이 된다.
적실성	• 정보가 정보사용자의 사용목적에 얼마나 관련된 것인가와 관련된 성질 • 현재 당면한 문제와 관련된 성질로서, 당면한 문제를 해결하기 위한 사용권자의 의사결정에 필요한 내용을 제공할 수 있어야 한다(**필요성**).
객관성	• 정보가 생산자나 사용자의 의도에 따라 주관적으로 왜곡되어서는 안 되고, 객관성을 유지해야 한다는 성질이다. • 정보가 객관성을 상실하여 왜곡될 경우 선호정책의 합리화 도구로 전락할 수 있다.

002 정보의 질적 요건(정보가치에 대한 평가기준)을 설명한 것으로 가장 적절하지 않은 것은? [2016 지능범죄]

① 객관성 - 정보는 시간이 허용하는 한 최대한의 완전한 지식이어야만 한다.

② 적실성 - 정보는 정보사용자의 사용목적과 관련된 것이어야 한다.

③ 정확성 - 정보는 사실과 일치되는 성질이다.

④ 적시성 - 정보는 정보사용자의 의사결정에 필요한 시기에 제공될 때 그 가치가 높다.

정답 및 해설 I ①

① [×] **객관성**은 정보가 생산자나 사용자의 의도에 따라 주관적으로 왜곡되어서는 안 되고, 객관성을 유지해야 한다는 성질을 말한다. 정보가 객관성을 상실하여 왜곡될 경우 선호정책의 합리화 도구로 전락할 수 있다. 지문은 **완전성**에 대한 설명이다.

003 정보의 질적 요건에 대한 설명으로 가장 적절하지 않은 것은? [2018 실무 3]

① 정확성(Accuracy) - 정보가 사실과 일치되는 성질이다.

② 관련성(Relevancy) - 정보가 당면 문제와 관련된 성질이다.

③ 적시성(Timeliness) - 정보가 정책결정이 이루어지는 시점에 비추어 가장 적절한 시기에 존재하는 성질이다. 이를 평가할 때 그 기준이 되는 시점은 생산자의 생산시점이다.

④ 완전성(Completeness) - 정보가 그 자체로서 정책결정에 필요하고 가능한 모든 내용을 망라하고 있는 성질이다.

정답 및 해설 I ③

③ [×] 적시성에 대한 설명 자체는 옳으나, 그 평가의 기준시점은 생산자의 생산시점이 아니라 사용자의 사용시점이다.

004 정보가치에 대한 평가기준을 설명한 것이다. ㉠부터 ㉣까지 정보의 질적 요건을 순서대로 나열한 것 중 적절한 것은? [2017 실무 3]

> ㉠ 정보가 사실과 일치되는 성질이다.
> ㉡ 정보가 그 자체로서 정책결정에 필요하고 가능한 모든 내용을 망라하고 있는 성질이다.
> ㉢ 정보가 당면 문제와 관련된 성질이다.
> ㉣ 정보가 생산자나 사용자의 의도에 따라 주관적으로 왜곡되면 선호정책의 합리화 도구로 전락할 수 있다.

① 적실성 - 완전성 - 정확성 - 객관성

② 정확성 - 객관성 - 완전성 - 적실성

③ 정확성 - 완전성 - 적실성 - 객관성

④ 완전성 - 적실성 - 정확성 - 객관성

정답 및 해설 I ③

③ [○] ㉠ 정확성 - ㉡ 완전성 - ㉢ 적실성 - ㉣ 객관성

005 정보를 출처에 따라 분류할 때 그 설명 중 가장 적절한 것은? [2020 승진(경위)]

① 근본출처정보는 정보출처에 대한 별다른 보호조치가 없더라도 상식적으로 정보를 획득할 것으로 기대되는 출처로부터 얻어진 정보이다.

② 비밀출처정보란 정보관이 의도한 정보입수의 시점과는 무관하게 얻어지는 정보이다.

③ 정기출처정보는 정기적으로 정보를 획득할 수 있는 출처로부터 얻은 정보로 일반적으로 우연출처정보에 비해 출처의 신빙성과 내용의 신뢰성 면에서 우위를 점한다고 볼 수 없다.

④ 간접정보란 중간매체가 있는 경우의 정보로 정보관은 이들 매체를 통해 정보를 감지하게 되지만 사실은 그 내용에 해당 매체의 주관이나 편견이 개입될 소지가 있다는 면에서 직접정보에 비해 출처의 신빙성과 내용의 신뢰성이 낮게 평가될 여지가 있다.

정답 및 해설 I ④

④ [○] **간접정보**는 부차적 출처(2차 출처)를 통해 얻어진 정보를 말하며, 이러한 간접정보는 신빙성 · 신뢰성이 떨어질 수 있고 역정보 · 과장정보 · 모략정보 · 조작정보가 산출될 위험이 있다.

① [×] **근본출처정보**는 첩보가 존재하는 근원에서 중간기관의 개입이나 변형 없이 원형 그대로의 첩보나 정보를 제공받는 경우 그 출처를 말하며, 근본출처를 통해 얻어진 첩보나 정보인 직접정보는 신빙성 · 신뢰성이 높다는 장점이 있다. 지문은 **공개출처정보**(OSINT, Open Source Intelligence)에 대한 설명이다.

② [×] **비공개출처(비밀출처)정보**란 첩보나 정보의 존재상태가 일반에게 공개되어 있지 않고 보호 · 보안조치 등이 되어 있어 자유로운 접근이 곤란한 출처를 말한다. 지문은 **우연출처정보**에 대한 설명이다.

③ [×] **정기출처정보**란 정기간행물, 신문 등 일정기간 반복적으로 제공되는 첩보나 정보의 출처를 말하며, 여기에서 얻어진 정기출처정보는 우연출처정보에 비해 출처의 신빙성과 내용의 신뢰성 면에서 우위에 있다고 본다.

02 정보의 분류

006 각 정보분류 기준에 따른 정보의 종류로 맞지 않은 것은? [2018 실무 3]

① 사용수준에 따른 분류 - 전략정보, 전술정보

② 정보요소에 따른 분류 - 기본정보, 현용정보, 판단정보

③ 사용목적에 따른 분류 - 적극정보, 소극(보안)정보

④ 수집활동에 따른 분류 - 인간정보, 기술정보

정답 및 해설 I ②

② [×] **분석형태**에 따라 기본정보 · 현용정보 · 판단정보로 분류할 수 있다. **정보요소**에 따라서는 정치정보 · 경제정보 · 사회정보 · 문화정보 · 군사정보 · 과학정보 · 산업정보 등으로 나눌 수 있다.

007 다음 중 ( ) 안에 들어갈 말로 가장 적절한 것은? [2015 실무 3]

(㉠)이/가 과거에 관한 기초자료이고 (㉡)이/가 현실의 동적인 사항에 관한 정보라면 (㉢)은/는 특정문제를 체계적이며 실증적으로 연구하여 미래에 있을 어떤 상태를 추리 · 평가한 정보를 일컫는다.

	㉠	㉡	㉢
①	기본정보	현용정보	판단정보
②	전략정보	인간정보	간접정보
③	적극정보	기술정보	판단정보
④	보안정보	전술정보	전략정보

정답 및 해설 I ①

① [○] ㉠ 기본정보, ㉡ 현용정보, ㉢ 판단정보가 들어가는 것이 적절하다.

☑ 분석형태에 따른 정보의 분류

구분	내용
기본정보 (과거)	• 모든 사상(事象)의 정적인 상태를 기술한 정보 • 과거에 대한 기본적 · 서술적 또는 일반자료적인 유형의 정보 • 매일의 변화 의미를 해석하는 기초가 되며, 장래의 예측이 그것 없이는 무의미하게 될 기초가 되는 정보 예 2022.5.6.자 관내 112 신고접수 건수
현용정보 (현재)	• 모든 사상의 동적인 상태를 현재의 시점에서 객관적으로 기술한 정보로서, 시사정보 · 현황정보 · 현상정보 등이라고 부르기도 한다. • 의사결정자에게 그때그때의 상황을 알리기 위한 정보로서, 현재 시점에서 활용가능한 현상보고적 정보이다. 대표적으로 경찰의 '중요정보상황보고' 등이 있다. 예 2022년도 유형별 관내 112 신고접수 추이
판단정보 (미래)	• 과거와 현재를 바탕으로 특정문제를 체계적이고 실증적으로 연구하여 미래에 있을 어떤 상태를 추리 · 평가한 정보로서, 미래에 대한 예측 · 평가 또는 보고의 기능을 가진다. • 기본정보와 현용정보를 기초로 미래의 상황을 추측 · 판단한 정보로서 사용자(정책결정자)에게 정책결정에 필요한 적당한 사전지식을 주는 것을 주 목적으로 하며, 정보생산자의 능력과 재능을 가장 많이 필요로 하는 정보이다. • 기획정보라고도 한다. 예 112 출동시간 단축을 위한 관내 순찰자원 배분방안 보고

008 다음 빈칸에 들어갈 알맞은 단어끼리 짝지은 것은? [2017 경간]

• (㉠)는 과거와 현재를 바탕으로 하여 미래의 가능성을 예측한 평가정보로서 정책결정자에게 정책의 결정에 필요한 사전적 지식을 제공하는 기능을 한다.
• (㉡)는 국가안전보장을 위태롭게 하는 간첩활동, 태업 및 전복에 대비할 국가적 취약점의 분석과 판단에 관한 정보를 말한다.

	㉠	㉡
①	판단정보	적극정보
②	판단정보	보안정보
③	현용정보	소극정보
④	현용정보	적극정보

정답 및 해설 I ②

㉠ [○] **판단정보**에 대한 설명이다.

㉡ [○] **보안정보**에 대한 설명이며, 보안정보는 소극정보나 안전정보라고 부르기도 한다.

03 정보의 순환과정

009 정보의 순환과정에 대한 설명으로 가장 적절한 것은? [2021 경간]

① 정보의 순환과정은 첩보의 수집 → 정보의 요구 → 정보의 생산 → 정보의 배포 순이다.

② 첩보수집의 소순환과정은 첩보의 수집계획 → 출처개척 → 획득 → 전달 순이다.

③ 정보요구의 소순환과정은 첩보의 선택 → 기록 → 평가 → 분석 → 종합 → 해석 순이다.

④ 정보생산의 소순환과정은 첩보의 기본요소 결정→ 수집계획서의 작성 → 명령하달 → 사후검토 순이다.

정답 및 해설 I ②

② [○] 첩보수집의 소순환과정으로서 옳은 설명이다.

① [×] 정보의 순환과정은 **정보의 요구** → **첩보의 수집** → 정보의 생산 → 정보의 배포 순이다.

③ [×] **정보생산**의 소순환과정은 첩보의 선택 → 기록 → 평가 → 분석 → 종합 → 해석 순이다.

④ [×] **정보요구**의 소순환과정은 첩보의 기본요소 결정→ 수집계획서의 작성 → 명령하달 → 사후검토 순이다.

소순환과정을 포함한 정보의 전체적 순환과정

정보요구	→	첩보수집	→	정보생산	→	정보배포
① 기본요소 결정 ② 첩보수집계획서 작성 ③ 수집명령 · 하달 ④ 수집활동에 대한 조정 · 감독		① 첩보의 수집계획 ② 출처의 개척 ③ 첩보의 수집 ④ 첩보의 전달		① 선택 ② 기록 ③ 평가 ④ 분석 ⑤ 종합 ⑥ 해석		

010 다음 보기의 상황에 따른 정보요구방법이 올바르게 연결된 것은? [2014 채용 2차]

> ㉠ 각 정보부서에 맡고 있는 정책을 수행함에 있어서 필요한 일반적 · 포괄적 정보로서 계속적이고 반복적으로 수집해야 할 필요가 있는 경우
> ㉡ 어떤 수시적 돌발상황의 해결에 필요한 한도 내에서 임시적 · 단편적 · 지역적인 특수사건을 단기에 해결하기 위하여 필요한 경우
> ㉢ 국가안전보장이나 정책에 관련되는 국가정보목표의 우선순위로서, 정부에서 기획된 연간기본정책을 수행함에 있어 필요로 하는 자료들을 목표로 하여 선정하는 경우
> ㉣ 정세의 변화에 따라 불가피하게 정책상 수정이 요구되거나 이를 위한 자료가 절실히 요구되는 경우

	㉠	㉡	㉢	㉣
①	PNIO	SRI	EEI	OIR
②	EEI	SRI	PNIO	OIR
③	PNIO	OIR	EEI	SRI
④	EEI	OIR	PNIO	SRI

정답 및 해설 I ②

② [○] ㉠ **첩보기본요소(EEI)**: 각 정보부서에 맡고 있는 정책을 수행함에 있어서 필요한 일반적 · 포괄적 요소를 말하며, 통상 첩보수집계획서라 하면 EEI계획서를 의미한다.

㉡ **특정첩보요구(SRI)**: 수시로 발생할 수 있는 특정한 돌발상황의 해결에 필요한 한도 내에서 임시적 · 단편적 · 단기적 첩보를 요구하는 것을 말한다.

㉢ **국가정보목표 우선순위(PNIO)**: 국가안전보장이나 정책에 관련된 국가의 1년간의 기본정보 운영지침을 말하며, 작성주체는 국가정보원이다. 국가정책의 수립자와 수행자의 질문에 대한 응답을 위하여 선정된 우선적인 정보목표이다.

㉣ **기타 정보요구(OIR)**: 급변하는 정세의 변화에 따라 불가피하게 정책수정이 요구되거나 이를 위한 자료가 절실히 요구될 때, PNIO에 우선하여 이를 충족시키기 위한 정보요구를 말한다.

011 다음 설명 중 가장 옳지 않은 것은? [2018 경간]

① PNIO는 국가정책의 수립자와 수행자의 질문에 대한 응답을 위하여 선정된 우선적인 정보 목표이며, 국가의 전 정보기관 활동의 기본방침이고, 특히 경찰청이 정보수집계획을 수립할 때 가장 중요한 지침이 된다.

② EEI는 사전에 반드시 첩보수집요구계획서를 작성하며, 해당 부서의 정보활동을 위한 일반지침이 된다.

③ SRI는 어떤 수시적 돌발상황의 해결에 필요한 한도 내에서 임시적 · 단편적 · 지역적인 특수사건을 단기에 해결하기 위하여 필요한 경우에 요구되는 첩보이다.

④ SRI의 경우 사전첩보수집계획서가 필요하다.

정답 및 해설 I ④

④ [×] **특정첩보요구(SRI)**는 돌발상황에서 첩보가 요구되는 것이므로 성질상 첩보수집요구계획서가 작성되지 않는다. 사전에 반드시 첩보수집계획서가 작성되는 것은 EEI이다.

① [○] **국가정보목표 우선순위(PNIO)**는 국가정책의 수립자와 수행자의 질문에 대한 응답을 위하여 선정된 우선적인 정보목표이자 국가의 전 정보기관활동의 기본방침으로서, 경찰청과 같은 정보기관의 첩보활동에 있어 우선순위를 결정하는 가장 중요한 기준이 된다.

② [○] EEI와 관련하여서는 사전에 반드시 첩보수집요구계획서를 작성하여야 한다(사전서면의 원칙). 즉, 첩보수집요구계획서 작성에 있어 EEI가 핵심이 된다.

③ [○] **특정첩보요구(SRI)**는 수시로 발생할 수 있는 특정한 돌발상황의 해결에 필요한 한도 내에서 임시적 · 단편적 · 단기적 첩보를 요구하는 것을 말한다.

012 EEI(첩보기본요소)에 대한 설명으로 가장 적절하지 않은 것은? [2018 실무 3]

① 통계표와 같이 공개적인 것이 많고 문서화되어 있는 것이 대부분이다.

② 사전에 반드시 첩보수집계획서를 작성한다.

③ 광범위한 지역에 걸쳐 수집되어야 할 항시적 요구사항이다.

④ 정보기관의 활동은 주로 EEI에 의한다.

정답 및 해설 I ④

④ [×] **특정첩보요구(SRI)**는 수시로 발생할 수 있는 특정한 돌발상황의 해결에 필요한 한도 내에서 임시적 · 단편적 · 단기적 첩보를 요구하는 것을 말하는 것으로서, 일상적 경찰업무에 활용되는 정보요구는 주로 SRI에 의해 이루어지며, 이는 정보경찰의 통상적 활동이기도 하다.

①②③ [○] EEI(첩보기본요소)에 대한 옳은 설명이다.

첩보기본요소 (EEI)	• Essential Elements of Information • EEI는 각 정보부서에 맡고 있는 정책을 수행함에 있어서 필요한 일반적 · 포괄적 요소를 말하며, 통상 첩보수집계획서라 하면 EEI계획서를 의미한다. • 정보기관 첩보활동의 기본지침으로서 '전체적인 의미를 가진 일반적인 내용', '우선적 필요가 있는 가장 기본적 사항'이라고 표현하기도 한다. • EEI에 따라 광범위한 지역에 걸쳐 계속적 · 반복적으로 첩보수집이 요구된다. • EEI는 통계표와 같이 공개적인 것이 많고 문서화되어 있는 것이 대부분이다. • EEI와 관련하여서는 사전에 반드시 첩보수집요구계획서를 작성하여야 한다(사전서면원칙). ➜ 즉, 첩보수집요구계획서 작성에 있어서 EEI가 핵심이 된다.

013 정보요구의 방법 중 첩보기본요소(EEI)에 대한 설명으로 가장 적절하지 않은 것은? [2019 승진(경감)]

① 정보기관의 활동은 주로 첩보기본요소(EEI)에 의한다.

② 사전에 반드시 첩보수집계획서를 작성한다.

③ 전체적인 의미를 가진 일반적인 내용으로 계속적 · 반복적으로 수집할 사항이다.

④ 우선적으로 필요로 하는 가장 기본적인 사항으로 첩보수집계획서의 핵심이다.

정답 및 해설 I ①

① [×] 특정첩보요구(SRI)는 수시로 발생할 수 있는 특정한 돌발상황의 해결에 필요한 한도 내에서 임시적 · 단편적 · 단기적 첩보를 요구하는 것을 말하는 것으로서, 일상적 경찰업무에 활용되는 정보요구는 주로 SRI에 의해 이루어지며, 이는 정보경찰의 통상적 활동이기도 하다.

②③④ [○] 첩보기본요소(EEI)에 관한 옳은 설명이다.

014 EEI(첩보기본요소)와 SRI(특별첩보요구)에 대한 설명으로 가장 적절한 것은? [2014 · 2017 실무 3]

① EEI는 단기적 문제해결을 위한 첩보 요구이다.

② SRI는 전체적인 의미를 가진 일반적인 내용으로 계속적 · 반복적으로 요구된다.

③ EEI는 우선적으로 필요로 하는 가장 기본적인 사항으로 첩보수집계획서의 핵심이다.

④ SRI는 사전에 반드시 첩보수집계획서를 작성한다.

정답 및 해설 I ③

③ [○] 첩보기본요소(EEI)는 정보기관 첩보활동의 기본지침으로서 '전체적인 의미를 가진 일반적인 내용', '우선적 필요가 있는 가장 기본적 사항'이라고 표현하기도 한다.

① [×] 특정첩보요구(SRI)는 수시로 발생할 수 있는 특정한 돌발상황의 해결에 필요한 한도 내에서 임시적 · 단편적 · 단기적 첩보를 요구하는 것을 말한다.

② [×] 첩보기본요소(EEI)에 대한 설명이다.

④ [×] 특정첩보요구(SRI)는 돌발상황에서 첩보가 요구되는 것이므로 성질상 첩보수집요구계획서가 작성되지 않는다. 사전에 반드시 첩보수집계획서가 작성되는 것은 EEI이다.

015 정보배포 원칙에 관한 설명으로 가장 적절하지 않은 것은? [2024 1차 채용]

① 필요성의 원칙은 알 필요가 있는 대상자에게 정보를 알려야 하고, 알 필요가 없는 대상자에게는 알려서는 안 된다는 것을 의미한다.

② 보안성의 원칙에 따라, 정보가 누설됨으로써 초래될 결과를 예방하기 위한 보안대책을 강구해야 한다.

③ 적시성의 원칙에 따라, 먼저 생산된 정보를 우선적으로 배포한다.

④ 계속성의 원칙은 정보가 필요한 기관에 배포되었다면 그 주제와 관련된 새로운 정보는 그 기관에 계속 배포해 주어야 한다는 것을 의미한다.

정답 및 해설 I ③

③ [×] 먼저 생산된 정보가 아니라 사용자에게 긴급한 정보가 우선적으로 배포되어야 한다.

①②④ [○]

필요성	• 알 필요가 있는 대상자에게만 알려야 하고 알 필요가 없는 대상자에게 알려서는 안 된다는 원칙으로, 차단의 원칙이라고도 한다. ➜ 정보의 효용성 중 '통제효용'과 관련
적당성	• 정보는 사용자의 능력과 상황에 맞추어서 적당한 양을 조절하여 필요한 만큼만 적절한 전파수단을 통해 전달되어야 한다.
적시성	• 정보는 정보사용자가 필요로 하는 시기에 맞추어 배포되어야 한다. • 사용자가 필요로 하는 시기에 배포되어야 하므로, 먼저 생산된 정보가 아니라 사용자에게 긴급한 정보가 우선적으로 배포되어야 한다.
보안성	• 정보연구 및 판단이 누설됨으로써 초래될 수 있는 결과를 예방하기 위해 보안대책을 강구해야 한다. ➜ 구두배포의 보안성이 가장 우수하다.
계속성	• 특정정보가 필요한 정보사용자에게 배포되었다면, 그 정보의 내용이 변화되었거나 관련 내용이 추가적으로 입수된 경우 계속 배포되어야 한다.

016 정보의 배포와 관련된 설명으로 ㉠~㉤의 내용 중 옳고 그름의 표시(○, ×)가 모두 바르게 된 것은? [2019 채용 2차]

> ㉠ 정보의 배포란 정보를 필요로 하는 개인이나 기관에게 적합한 내용을 적당한 시기에 제공하는 과정을 말하는 것으로, 적합한 형태를 갖출 필요는 없다.
> ㉡ 보안성의 원칙은 정보연구 및 판단이 누설되면 정보로서의 가치를 상실할 수 있으므로 이를 예방하기 위해 보안대책을 강구해야 한다는 것을 말한다.
> ㉢ 계속성의 원칙은 정보가 정보사용자에게 배포되었다면, 그 정보의 내용이 변화되었거나 관련 내용이 추가적으로 입수되었거나 할 경우 계속적으로 사용자에게 배포되어야 한다는 것을 말한다.
> ㉣ 정보배포의 주된 목적은 정책입안자 또는 정책결정자가 정보를 바탕으로 건전한 정책결정에 이르도록 하는 데 있다.
> ㉤ 정보는 먼저 생산된 것을 우선적으로 배포하여야 한다.

	㉠	㉡	㉢	㉣	㉤
①	×	×	○	×	○
②	×	○	○	○	×
③	○	○	×	○	○
④	×	○	○	×	×

정답 및 해설 | ②

㉠ [×] **정보의 배포**는 생산된 정보를 필요로 하는 정보를 필요로 하는 개인이나 기관 등 사용자에게 적합한 형태와 내용을 갖추어서 적시에 전파하는 것을 말한다.

㉡ [○] 보안성에 관한 옳은 설명이며, 보안성의 관점에서는 구두배포의 보안성이 가장 우수하다고 본다.

㉢ [○] 계속성에 관한 옳은 설명이다.

㉣ [○] **정보의 배포**는 정책입안자 또는 정책결정자가 정보를 바탕으로 건전한 정책결정에 이르도록 하는 기능을 한다.

㉤ [×] 정보는 정보사용자가 필요로 하는 시기에 맞추어 배포되어야 하는데, 사용자가 필요로 하는 시기에 배포되어야 하므로 먼저 생산된 정보가 아니라 사용자에게 긴급한 정보가 우선적으로 배포되어야 한다.

017 정보배포의 원칙에 대한 설명이다. 〈보기 1〉과 〈보기 2〉의 내용이 가장 적절하게 연결된 것은?

[2020 지능범죄]

<보기 1>

(가) 특정 정보가 필요한 정보사용자에게 배포되었다면, 그 정보의 내용이 변화되었거나 혹은 관련 내용이 추가적으로 입수되었을 경우에 관련 정보는 지속적으로 사용자에게 배포되어야 한다.

(나) 정보는 정책결정과정에서 정보사용자가 사용하고자 하는 시간에 맞추어 배포되어야 한다.

(다) 정보는 사용자의 능력과 상황에 맞추어서 적당한 양을 조절하여 필요한 만큼만 적절한 전파수단을 통해 전달되어야 한다.

<보기 2>

㉠ 필요성
㉡ 적시성
㉢ 적당성
㉣ 계속성

	(가)	(나)	(다)
①	㉣	㉡	㉢
②	㉡	㉢	㉠
③	㉠	㉡	㉢
④	㉣	㉡	㉠

정답 및 해설 | ①

① [○] (가) - ㉣ 계속성, (나) - ㉡ 적시성, (다) - ㉢ 적당성

018 정보의 배포수단에 대한 설명 중 가장 적절하게 연결된 것은?

[2020 실무 3]

> ㉠ 통상 개인적인 대화의 형태로 이루어지며, 질문에 대한 답변이나 토의 형태로 직접 전달하는 방법이다.
> ㉡ 정보사용자 또는 다수 인원에게 신속히 전달하는 경우에 이용되는 방법으로 강연식이나 문답식으로 진행되며, 현용정보의 배포수단으로 많이 이용된다.
> ㉢ 정보분석관이 가장 많이 활용하는 방법으로 정기간행물에 포함시키는 것이 적절하지 못한 긴급한 정보를 전달하는 데 주로 사용되며, 신속성이 중요하다.
> ㉣ 매일 24시간에 걸친 정치, 경제, 사회, 문화 등 제반 정세의 변화를 중점적으로 망라한 보고서로 사전에 고안된 양식에 의해 매일 작성되며, 제한된 범위에서 배포된다.

	㉠	㉡	㉢	㉣
①	비공식적 방법	브리핑	메모	일일정보보고서
②	비공식적 방법	브리핑	전신	특별보고서
③	브리핑	비공식적 방법	메모	특별보고서
④	브리핑	비공식적 방법	전신	일일정보보고서

정답 및 해설 I ①

① [○] ㉠ 비공식적 방법, ㉡ 브리핑, ㉢ 메모, ㉣ 일일정보보고서에 대한 설명이다.

주제 2 집회 및 시위에 관한 법률

01 집회의 자유

019 「집회 및 시위에 관한 법률」에 대한 설명으로 가장 적절하지 않은 것은?

[2019 채용 1차]

① 군인 · 검사 · 경찰관이 폭행, 협박, 그 밖의 방법으로 평화적인 집회 또는 시위를 방해한 경우 3년 이하의 징역에 처한다.

② 관할경찰관서장은 집회신고서의 기재 사항에 미비점을 발견하면 접수증을 교부한 때로부터 12시간 이내에 주최자에게 24시간을 기한으로 그 기재 사항을 보완할 것을 통고할 수 있다.

③ 헌법재판소의 결정에 따라 해산된 정당의 목적을 달성하기 위한 집회 또는 시위는 주최하여서는 아니 된다.

④ 집회신고서를 접수한 때로부터 48시간이 경과한 이후에도 남은 기간의 집회 · 시위에 대해 금지 통고를 할 수 있는 경우가 있다.

정답 및 해설 I ①

① [×] 5년 이하의 징역에 처한다.

> 집회 및 시위에 관한 법률 제22조【벌칙】① 제3조 제1항 또는 제2항을 위반한 자는 3년 이하의 징역 또는 300만원 이하의 벌금에 처한다. 다만, 군인 · 검사 또는 경찰관이 제3조 제1항 또는 제2항을 위반한 경우에는 5년 이하의 징역에 처한다.

② [○]

> 집회 및 시위에 관한 법률 제7조【신고서의 보완 등】① 관할경찰관서장은 제6조 제1항에 따른 신고서의 기재 사항에 미비한 점을 발견하면 접수증을 교부한 때부터 12시간 이내에 주최자에게 24시간을 기한으로 그 기재 사항을 보완할 것을 통고할 수 있다.

③ [○]

> **집회 및 시위에 관한 법률 제5조【집회 및 시위의 금지】** ①누구든지 다음 각 호의 어느 하나에 해당하는 집회나 시위를 주최하여서는 아니 된다.
> 1. 헌법재판소의 결정에 따라 해산된 정당의 목적을 달성하기 위한 집회 또는 시위

④ [○]

> **집회 및 시위에 관한 법률 제8조【집회 및 시위의 금지 또는 제한 통고】** ① 제6조 제1항에 따른 신고서를 접수한 관할경찰관서장은 신고된 옥외집회 또는 시위가 다음 각 호의 어느 하나에 해당하는 때에는 신고서를 접수한 때부터 48시간 이내에 집회 또는 시위를 금지할 것을 주최자에게 통고할 수 있다. 다만, 집회 또는 시위가 집단적인 폭행, 협박, 손괴, 방화 등으로 공공의 안녕 질서에 직접적인 위험을 초래한 경우에는 남은 기간의 해당 집회 또는 시위에 대하여 신고서를 접수한 때부터 48시간이 지난 경우에도 금지 통고를 할 수 있다.

020 「집회 및 시위에 관한 법률」 제3조(집회 및 시위에 대한 방해 금지)에 대한 설명으로 가장 적절한 것은?

[2020 실무 3]

① 「집회 및 시위에 관한 법률」 제3조 제2항은 누구든지 폭행, 협박, 그 밖의 방법으로 집회 또는 시위의 주최자나 질서유지인, 연락책임자의 이 법의 규정에 따른 임무 수행을 방해하여서는 아니 된다고 규정하고 있다.

② 집회 또는 시위의 주최자는 평화적인 집회 또는 시위가 방해받을 염려가 있다고 인정되면 관할경찰관서에 보호를 요청할 수 있다.

③ 주최자의 평화적 집회 · 시위 보호요청에 대해 관할경찰관서의 장이 정당한 사유 없이 거절한 경우, 「집회 및 시위에 관한 법률」에 처벌규정이 있다.

④ 「집회 및 시위에 관한 법률」 제22조 제1항은 군인 · 검사 또는 경찰관이 제3조 제1항 또는 제2항을 위반한 경우에는 5년 이하의 징역 또는 500만원 이하의 벌금에 처한다고 규정하고 있다.

정답 및 해설 | ②

② [○] ③ [×] 경찰관서 장의 보호거절에 대한 처벌규정은 없다.

> **집회 및 시위에 관한 법률 제3조【집회 및 시위에 대한 방해 금지】** ③ 집회 또는 시위의 주최자는 평화적인 집회 또는 시위가 방해받을 염려가 있다고 인정되면 관할 경찰관서에 그 사실을 알려 보호를 요청할 수 있다. 이 경우 관할 경찰관서의 장은 정당한 사유 없이 보호 요청을 거절하여서는 아니 된다.

① [×] 연락책임자는 포함되지 않는다.

> **집회 및 시위에 관한 법률 제3조【집회 및 시위에 대한 방해 금지】** ② 누구든지 폭행, 협박, 그 밖의 방법으로 집회 또는 시위의 주최자나 질서유지인의 이 법의 규정에 따른 임무 수행을 방해하여서는 아니 된다.

④ [×] 벌금형은 처하지 않으며, 5년 이하의 징역에 처한다.

> **집회 및 시위에 관한 법률 제22조【벌칙】** ① 제3조 제1항 또는 제2항을 위반한 자는 3년 이하의 징역 또는 300만원 이하의 벌금에 처한다. 다만, 군인 · 검사 또는 경찰관이 제3조 제1항 또는 제2항을 위반한 경우에는 5년 이하의 징역에 처한다.

021 「집회 및 시위에 관한 법률」상 집회 및 시위에 대한 설명으로 가장 적절하지 않은 것은? (다툼이 있는 경우 판례에 의함) [2021 승진(실무종합)]

① 「집회 및 시위에 관한 법률」 제2조 제2호가 규정한 '시위'에 해당하려면 '공중이 자유로이 통행할 수 있는 장소'라는 요건을 반드시 충족하여야 한다.

② 외형상 기자회견이라는 형식을 띠었지만, 용산 철거를 둘러싸고 철거민의 입장을 옹호하면서 검찰에 수사기록을 공개하라는 내용의 공동 의견을 형성하여 이를 대외적으로 표명할 목적 아래 일시적으로 일정한 장소에 모인 것은 「집회 및 시위에 관한 법률」상 집회에 해당한다.

③ 「집회 및 시위에 관한 법률」은 옥외집회와 시위를 구분하여 개념을 규정하고 있고, 순수한 1인 시위는 동법의 적용대상에 해당하지 않는다.

④ 집회가 성립하기 위한 최소한의 인원에 대해 종래의 학계와 실무에서는 2인설과 3인설이 대립하고 있었으나 대법원은 '2인이 모인 집회도 「집회 및 시위에 관한 법률」의 규제대상'이라고 판시한 바 있다.

정답 및 해설 | ①

① [×] 위력이나 기세를 보이는 시위의 경우에는 공중이 자유로이 통행할 수 있는 장소라는 요건이 요구되지 않는다는 것이 헌법재판소의 입장이다.

> **요지판례 |**
> ■ 집회 및 시위에 관한 법률(이하 '집시법'이라 한다) 제2조 제2호의 "시위"는 다수인이 공동목적을 가지고 (1) 도로 · 광장 · 공원 등 공중이 자유로이 통행할 수 있는 장소를 진행함으로써 불특정다수인의 의견에 영향을 주거나 제압을 가하는 행위와 (2) 위력 또는 기세를 보여 불특정다수인의 의견에 영향을 주거나 제압을 가하는 행위를 말한다고 풀이되므로, 위 (2)의 경우에는 "공중이 자유로이 통행할 수 있는 장소"라는 장소적 제한개념은 시위라는 개념의 요소라고 볼 수 없다(헌재 1994.4.28, 91헌바14).

② [○]

> **요지판례 |**
> ■ 외형상 기자회견이라는 형식을 띠었지만 용산 철거를 둘러싸고 철거민의 입장을 옹호하면서 정부의 태도를 비판하는 내용의 공동 의견을 형성하여 이를 대외적으로 표명할 목적 아래 일시적으로 일정한 장소에 모인 것으로서 집시법 제6조 제1항에 따라 사전 신고하여야 하는 옥외집회에 해당한다(대판 2013.1.24, 2011도4460).

③ [○] 순수한 1인 시위는 집시법의 적용대상이 아니라는 것이 통설이고, 판례 역시 같은 취지로 판시하고 있다.

> **요지판례 |**
> ■ 피켓을 직접 든 1인 외에 그 주변에 있는 사람들이 별도로 구호를 외치거나 전단을 배포하는 등의 행위를 하지 않았다는 형식적 이유만으로 신고대상이 되지 아니하는 이른바 '1인 시위'에 해당한다고 볼 수 없다(대판 2011.9.29, 2009도2821). ➜ 다시 말해 순수한 1인 시위는 집시법의 규제대상이 아니다. 다만, 사안의 경우 피켓은 1인만 들었으나 복수의 다른 사람들이 그 주변에 서서 사람들의 시선을 모으는 역할을 하였고, 일행임을 알 수 있을 정도로 근접한 장소에 위치하고 있었다.

④ [○]

> **요지판례 |**
> ■ 집회 및 시위에 관한 법률에 의하여 보장 및 규제의 대상이 되는 집회란 '특정 또는 불특정 다수인이 공동의 의견을 형성하여 이를 대외적으로 표명할 목적 아래 일시적으로 일정한 장소에 모이는 것'을 말하고, 모이는 장소나 사람의 다과에 제한이 있을 수 없으므로, 2인이 모인 집회도 위 법의 규제대상이 된다고 보아야 한다(대판 2012.5.24, 2010도11381).

022 「집회 및 시위에 관한 법률」상 옥외집회에 대한 설명으로 가장 적절한 것은? (다툼이 있는 경우 판례에 따름)

[2023 경간]

① 대통령 관저, 국회의장 공관, 대법원장 공관, 헌법재판소장 공관, 전직 대통령이 현재 거주하는 사저의 경계 지점으로부터 100미터 이내의 장소에서는 옥외집회 또는 시위가 금지된다.

② 대규모 집회 또는 시위로 확산될 우려가 없는 경우라면 주한 일본대사관의 업무가 없는 휴일인 일요일에 주한일본대사의 숙소로부터 100미터 이내의 장소에서 그 숙소를 대상으로 하지 않고 그 숙소의 기능이나 안녕을 침해할 우려가 없다고 인정된다면 확성기를 사용한 옥외집회가 가능하다.

③ 옥외집회나 시위를 주최하려는 자가 집시법이 규정하는 각 호의 사항 모두를 적은 신고서를 옥외집회나 시위를 시작하기 72시간 전부터 48시간 전에 관할 경찰서장에게 제출한 경우, 집회 또는 시위의 주최자가 질서유지인을 두고 도로를 행진하는 경우에는 질서유지선을 설정할 수 없다.

④ 주최자가 질서유지인을 두고 부득이 새벽 1시에 집회를 하겠다고 미리 신고한 경우에는 집회의 성격상 부득이하다면 관할 경찰관서장은 질서유지를 위한 조건을 붙여 옥외집회를 허용할 수 있다.

정답 및 해설 I ②

② [○]

> **집회 및 시위에 관한 법률 제11조【옥외집회와 시위의 금지 장소】** 누구든지 다음 각 호의 어느 하나에 해당하는 청사 또는 저택의 경계 지점으로부터 100미터 이내의 장소에서는 옥외집회 또는 시위를 하여서는 아니 된다.
> 5. 국내 주재 외국의 외교기관이나 외교사절의 숙소. 다만, 다음 각 목의 어느 하나에 해당하는 경우로서 외교기관 또는 외교사절 숙소의 기능이나 안녕을 침해할 우려가 없다고 인정되는 때에는 그러하지 아니하다.
> 가. 해당 외교기관 또는 외교사절의 숙소를 대상으로 하지 아니하는 경우
> 나. 대규모 집회 또는 시위로 확산될 우려가 없는 경우
> 다. 외교기관의 업무가 없는 휴일에 개최하는 경우

① [×] 전직 대통령이 현재 거주하는 사저는 집회 등 금지장소에 해당하지 않는다. 한편, 현직 대통령의 관저와 국회의장 공관의 경우 최근 헌법재판소의 잠정적용 헌법불합치 결정이 있었으며, 개정시한은 2024.5.31.이다.

> **집회 및 시위에 관한 법률 제11조【옥외집회와 시위의 금지 장소】** 누구든지 다음 각 호의 어느 하나에 해당하는 청사 또는 저택의 경계 지점으로부터 100미터 이내의 장소에서는 옥외집회 또는 시위를 하여서는 아니 된다.
> 3. 대통령 관저, 국회의장 공관, 대법원장 공관, 헌법재판소장 공관
>
> [**헌법불합치,** 2018헌바48, 2018헌바48, 2019헌가1(병합), 집회 및 시위에 관한 법률 제11조 제3호 중 '대통령 관저(官邸)' 부분 및 제23조 제1호 중 제11조 제3호 가운데 '대통령 관저(官邸)'에 관한 부분은 헌법에 합치되지 아니한다. 위 법률조항은 2024.5.31.을 시한으로 개정될 때까지 계속 적용된다.]
>
> [**헌법불합치,** 2021헌가1, 2023.3.23, 1. 집회 및 시위에 관한 법률 제11조 제3호 중 '국회의장 공관'에 관한 부분 및 제23조 제3호 중 제11조 제3호 가운데 '국회의장 공관'에 관한 부분은 헌법에 합치되지 아니한다. 위 법률조항은 2024.5.31.을 시한으로 개정될 때까지 계속 적용된다.]

③ [×] 집회신고를 받은 경찰관서장은 질서유지선을 설정할 수 있다. 이는 주최자가 질서유지인을 임명하였는지 여부와 무관하다.

> **집회 및 시위에 관한 법률 제6조【옥외집회 및 시위의 신고 등】** ① 옥외집회나 시위를 주최하려는 자는 그에 관한 다음 각 호의 사항 모두를 적은 신고서를 옥외집회나 시위를 시작하기 720시간 전부터 48시간 전에 관할 경찰서장에게 제출하여야 한다. 다만, 옥외집회 또는 시위 장소가 두 곳 이상의 경찰서의 관할에 속하는 경우에는 관할 시·도경찰청장에게 제출하여야 하고, 두 곳 이상의 시·도경찰청 관할에 속하는 경우에는 주최지를 관할하는 시·도경찰청장에게 제출하여야 한다.
>
> **집회 및 시위에 관한 법률 제13조【질서유지선의 설정】** ① 제6조 제1항에 따른 신고를 받은 관할경찰관서장은 집회 및 시위의 보호와 공공의 질서 유지를 위하여 필요하다고 인정하면 최소한의 범위를 정하여 질서유지선을 설정할 수 있다.

④ [×] 야간집회 금지규정에 대한 헌법불합치결정에 따른 개정이 현재까지 이루어지지 않아, 해당 조항은 효력을 상실한 상태이다. 결론적으로 **옥외집회**의 경우 시간적 제한이 없는 상태이며(24시간 언제나 옥외집회 가능), **시위**의 경우 해가 진 후부터는 같은 날 24시까지만 가능하다고 본다.

02 사전신고제도

023 「집회 및 시위에 관한 법률」에 대한 설명으로 가장 적절한 것은? [2019 승진(경위)]

① 옥외집회나 시위를 주최하려는 자는 신고서를 옥외집회나 시위를 시작하기 720시간 전부터 24시간 전에 관할경찰서장에게 제출하여야 한다. 다만, 옥외집회 또는 시위 장소가 두 곳 이상의 경찰서의 관할에 속하는 경우에는 관할 시 · 도경찰청장에게 제출하여야 하고, 두 곳 이상의 시 · 도경찰청 관할에 속하는 경우에는 주최지를 관할하는 시 · 도경찰청장에게 제출하여야 한다.

② 관할경찰서장 또는 시 · 도경찰청장은 집회 및 시위에 관한 법률 제6조 제1항에 따른 신고서를 접수하면 신고자에게 접수 일시를 적은 접수증을 12시간 이내에 내주어야 한다.

③ 관할경찰관서장은 신고서의 기재 사항에 미비한 점을 발견하면 접수증을 교부한 때부터 12시간 이내에 주최자에게 24시간을 기한으로 그 기재 사항을 보완할 것을 통고할 수 있다.

④ 주최자는 신고한 옥외집회 또는 시위를 하지 아니하게 된 경우에는 신고서에 적힌 집회 일시 12시간 전에 그 철회사유 등을 적은 철회신고서를 관할경찰관서장에게 제출하여야 한다.

정답 및 해설 I ③

③ [○]

> **집회 및 시위에 관한 법률 제7조【신고서의 보완 등】** ① 관할경찰관서장은 제6조 제1항에 따른 신고서의 기재 사항에 미비한 점을 발견하면 접수증을 교부한 때부터 12시간 이내에 주최자에게 24시간을 기한으로 그 기재 사항을 보완할 것을 통고할 수 있다.

① [×] 720시간 전부터 48시간 전에 제출하여야 한다.

> **집회 및 시위에 관한 법률 제6조【옥외집회 및 시위의 신고 등】** ① 옥외집회나 시위를 주최하려는 자는 그에 관한 다음 각 호의 사항 모두를 적은 신고서를 옥외집회나 시위를 시작하기 720시간 전부터 48시간 전에 관할 경찰서장에게 제출하여야 한다. 다만, 옥외집회 또는 시위 장소가 두 곳 이상의 경찰서의 관할에 속하는 경우에는 관할 시 · 도경찰청장에게 제출하여야 하고, 두 곳 이상의 시 · 도경찰청 관할에 속하는 경우에는 주최지를 관할하는 시 · 도경찰청장에게 제출하여야 한다.

② [×] 즉시 내주어야 한다.

> **집회 및 시위에 관한 법률 제6조【옥외집회 및 시위의 신고 등】** ② 관할 경찰서장 또는 시 · 도경찰청장(이하 "관할경찰관서장"이라 한다)은 제1항에 따른 신고서를 접수하면 신고자에게 접수 일시를 적은 접수증을 즉시 내주어야 한다.

④ [×] 24시간 전에 제출하여야 한다.

> **집회 및 시위에 관한 법률 제6조【옥외집회 및 시위의 신고 등】** ③ 주최자는 제1항에 따라 신고한 옥외집회 또는 시위를 하지 아니하게 된 경우에는 신고서에 적힌 집회 일시 24시간 전에 그 철회사유 등을 적은 철회신고서를 관할경찰관서장에게 제출하여야 한다.

024 「집회 및 시위에 관한 법률」에 대한 설명으로 가장 적절한 것은? [2019 승진(경감)]

① '집회'란 여러 사람이 공동의 목적을 가지고 도로 · 광장 · 공원 등 일반인이 자유로이 통행할 수 있는 장소를 행진하거나 위력 또는 기세를 보여, 불특정한 여러 사람의 의견에 영향을 주거나 제압을 가하는 행위를 말한다.

② 집회 시위의 신고를 받은 관할경찰관서장은 집회 · 시위의 보호와 공공의 질서 유지를 위해 최대한의 범위를 정하여 질서유지선을 설정할 수 있다.

③ 신고장소가 다른 사람의 주거지역이나 이와 유사한 장소 또는 학교 및 군사시설, 상가밀집지역의 주변 지역에서의 집회나 시위의 경우 그 거주자나 관리자가 시설이나 장소의 보호를 요청하는 경우에는 집회나 시위의 금지 또는 제한을 통고할 수 있다.

④ 관할경찰관서장은 옥외집회 및 시위 신고서의 기재 사항에 미비한 점을 발견하면 접수증을 교부한 때부터 12시간 이내에 주최자에게 24시간을 기한으로 그 기재 사항을 보완할 것을 통고할 수 있다.

정답 및 해설 I ④

④ [○]

> **집회 및 시위에 관한 법률 제7조【신고서의 보완 등】** ① 관할경찰관서장은 제6조 제1항에 따른 신고서의 기재 사항에 미비한 점을 발견하면 접수증을 교부한 때부터 12시간 이내에 주최자에게 24시간을 기한으로 그 기재 사항을 보완할 것을 통고할 수 있다.

① [×] 지문은 **시위**에 대한 정의이다. **집회**는 특정 · 불특정 다수인이 자신들의 어떤 목적을 표출하고 그 목적을 달성하기 위해 일정한 장소에서 모임을 가지는 것을 의미하는데, 이는 판례를 통해 정립된 개념으로 집회 및 시위에 관한 법률에서는 따로 정의를 하고 있지 않은 용어이다.

> **집회 및 시위에 관한 법률 제2조【정의】** 이 법에서 사용하는 용어의 뜻은 다음과 같다.
> 2. "**시위**"란 여러 사람이 공동의 목적을 가지고 도로, 광장, 공원 등 일반인이 자유로이 통행할 수 있는 장소를 행진하거나 위력 또는 기세를 보여, 불특정한 여러 사람의 의견에 영향을 주거나 제압을 가하는 행위를 말한다.

② [×] 최소한의 범위를 정하여 질서유지선을 설정할 수 있다.

> **집회 및 시위에 관한 법률 제13조【질서유지선의 설정】** ① 제6조 제1항에 따른 신고를 받은 관할경찰관서장은 집회 및 시위의 보호와 공공의 질서 유지를 위하여 필요하다고 인정하면 최소한의 범위를 정하여 질서유지선을 설정할 수 있다.

③ [×] 상가밀집지역은 해당하지 아니한다.

> **집회 및 시위에 관한 법률 제8조【집회 및 시위의 금지 또는 제한 통고】** ⑤ 다음 각 호의 어느 하나에 해당하는 경우로서 그 거주자나 관리자가 시설이나 장소의 보호를 요청하는 경우에는 집회나 시위의 금지 또는 제한을 통고할 수 있다. 이 경우 집회나 시위의 금지 통고에 대하여는 제1항을 준용한다.
> 1. 제6조 제1항의 신고서에 적힌 장소(이하 이 항에서 "신고장소"라 한다)가 다른 사람의 주거지역이나 이와 유사한 장소로서 집회나 시위로 재산 또는 시설에 심각한 피해가 발생하거나 사생활의 평온을 뚜렷하게 해칠 우려가 있는 경우
> 2. 신고장소가 「초 · 중등교육법」 제2조에 따른 학교의 주변 지역으로서 집회 또는 시위로 학습권을 뚜렷이 침해할 우려가 있는 경우
> 3. 신고장소가 「군사기지 및 군사시설 보호법」 제2조 제2호에 따른 군사시설의 주변 지역으로서 집회 또는 시위로 시설이나 군 작전의 수행에 심각한 피해가 발생할 우려가 있는 경우

025 집회 및 시위에 관한 법률에 대한 설명으로 가장 적절하지 않은 것은? [2020 승진(경감)]

① 옥외집회와 시위의 장소가 두 곳 이상의 시 · 도경찰청의 관할에 속하는 경우 주최지를 관할하는 시 · 도경찰청장에게 집회신고서를 제출해야 한다.

② 관할경찰관서장은 신고서의 기재 사항에 미비한 점을 발견하면 접수증을 교부한 때부터 12시간 이내에 주최자에게 24시간을 기한으로 그 기재 사항을 보완할 것을 통고할 수 있다.

③ 주최자는 신고한 옥외집회 또는 시위를 하지 아니하게 된 경우에는 신고서에 적힌 집회 일시 12시간 전에 관할경찰관서장에게 철회신고서를 제출해야 한다.

④ 옥외집회나 시위를 주최하려는 자는 신고서를 옥외집회나 시위를 시작하기 720시간 전부터 48시간 전에 관할경찰서장에게 제출해야 한다.

정답 및 해설 I ③

③ [×] 집회 일시 24시간 전에 제출해야 한다.

> **집회 및 시위에 관한 법률 제6조【옥외집회 및 시위의 신고 등】** ③ 주최자는 제1항에 따라 신고한 옥외집회 또는 시위를 하지 아니하게 된 경우에는 신고서에 적힌 집회 일시 24시간 전에 그 철회사유 등을 적은 철회신고서를 관할경찰관서장에게 제출하여야 한다.

①④ [○]

> **집회 및 시위에 관한 법률 제6조【옥외집회 및 시위의 신고 등】** ① 옥외집회나 시위를 주최하려는 자는 그에 관한 다음 각 호의 사항 모두를 적은 신고서를 옥외집회나 시위를 시작하기 720시간 전부터 48시간 전에 관할 경찰서장에게 제출하여야 한다. 다만, 옥외집회 또는 시위 장소가 두 곳 이상의 경찰서의 관할에 속하는 경우에는 관할 시 · 도경찰청장에게 제출하여야 하고, 두 곳 이상의 시 · 도경찰청 관할에 속하는 경우에는 주최지를 관할하는 시 · 도경찰청장에게 제출하여야 한다.

② [○]

> **집회 및 시위에 관한 법률 제7조【신고서의 보완 등】** ① 관할경찰관서장은 제6조 제1항에 따른 신고서의 기재 사항에 미비한 점을 발견하면 접수증을 교부한 때부터 12시간 이내에 주최자에게 24시간을 기한으로 그 기재 사항을 보완할 것을 통고할 수 있다.

026 「집회 및 시위에 관한 법률」에 대한 설명 중 가장 적절하지 않은 것은? [2017 실무 3]

① 옥외집회나 시위를 주최하려는 자는 목적, 일시, 장소, 주최자 · 연락책임자 · 질서유지인(주소, 성명, 직업, 연락처), 참가 예정인 단체와 인원, 시위의 경우 그 방법 등의 기재 사항 모두를 적은 신고서를 옥외집회나 시위를 시작하기 720시간 전부터 48시간 전에 관할경찰서장에게 제출하여야 한다.

② 옥외집회 또는 시위 장소가 두 곳 이상의 경찰서의 관할에 속하는 경우에는 관할 시 · 도경찰청장에게 제출하여야 하고, 두 곳 이상의 시 · 도경찰청 관할에 속하는 경우에는 주최지를 관할하는 시 · 도경찰청장에게 제출하여야 한다.

③ 누구든지 집단적인 폭행, 협박, 손괴, 방화 등으로 공공의 안녕 질서에 직접적인 위협을 가할 것이 명백한 집회 또는 시위를 주최하여서는 아니 된다.

④ 관할경찰관서장은 ①번에 따른 신고서의 기재 사항에 미비한 점을 발견하면 접수증을 교부한 때부터 24시간 이내에 주최자에게 12시간을 기한으로 그 기재 사항을 보완할 것을 통고할 수 있다.

정답 및 해설 I ④

④ [×] 접수증을 교부한 때부터 12시간 이내에 주최자에게 24시간을 기한으로 보완할 것을 통고할 수 있다.

> **집회 및 시위에 관한 법률 제7조【신고서의 보완 등】** ① 관할경찰관서장은 제6조 제1항에 따른 신고서의 기재 사항에 미비한 점을 발견하면 접수증을 교부한 때부터 12시간 이내에 주최자에게 24시간을 기한으로 그 기재 사항을 보완할 것을 통고할 수 있다.

①② [○]

> **집회 및 시위에 관한 법률 제6조【옥외집회 및 시위의 신고 등】** ① 옥외집회나 시위를 주최하려는 자는 그에 관한 다음 각 호의 사항 모두를 적은 신고서를 옥외집회나 시위를 시작하기 720시간 전부터 48시간 전에 관할 경찰서장에게 제출하여야 한다. 다만, 옥외집회 또는 시위 장소가 두 곳 이상의 경찰서의 관할에 속하는 경우에는 관할 시 · 도경찰청장에게 제출하여야 하고, 두 곳 이상의 시 · 도경찰청 관할에 속하는 경우에는 주최지를 관할하는 시 · 도경찰청장에게 제출하여야 한다.
> 1. 목적
> 2. 일시(필요한 시간을 포함한다)
> 3. 장소
> 4. 주최자(단체인 경우에는 그 대표자를 포함한다), 연락책임자, 질서유지인에 관한 다음 각 목의 사항
>   가. 주소
>   나. 성명
>   다. 직업
>   라. 연락처
> 5. 참가 예정인 단체와 인원
> 6. 시위의 경우 그 방법(진로와 약도를 포함한다)

③ [○]

> **집회 및 시위에 관한 법률 제5조【집회 및 시위의 금지】** ① 누구든지 다음 각 호의 어느 하나에 해당하는 집회나 시위를 주최하여서는 아니 된다.
> 2. 집단적인 폭행, 협박, 손괴, 방화 등으로 공공의 안녕 질서에 직접적인 위협을 끼칠 것이 명백한 집회 또는 시위

027 「집회 및 시위에 관한 법률」상 제한 금지 보완통고에 대한 설명으로 가장 적절하지 않은 것은?

[2021 승진(실무종합)]

① 관할경찰관서장은 「집회 및 시위에 관한 법률」 제8조 제5항 각 호의 어느 하나에 해당하는 경우로서 거주자나 관리자가 시설이나 장소의 보호를 요청하는 경우에는 집회나 시위의 금지 또는 제한을 통고할 수 있으며, 제한 통고의 경우 시한에 대한 규정은 없다.

② 관할경찰관서장은 금지 사유에 해당하는 집회 및 시위의 경우에 신고서를 접수한 때로부터 48시간 이내에 금지통고를 할 수 있다.

③ 관할경찰관서장은 「집회 및 시위에 관한 법률」 제6조 제1항에 따른 신고서의 기재 사항에 미비한 점을 발견하면 접수증을 교부한 때로부터 12시간 이내에 주최자에게 24시간을 기한으로 그 기재 사항을 보완할 것을 통고할 수 있다.

④ 보완통고는 보완할 사항을 분명히 밝혀 서면 또는 문자 메시지(SMS)로 주최자 또는 연락책임자에게 전달하여야 한다.

정답 및 해설 I ④

④ [×] 서면으로 송달하여여 한다. 문자메시지(SMS)는 가능한 방법으로 규정되어 있지 않다.

> **집회 및 시위에 관한 법률 제7조【신고서의 보완 등】** ② 제1항에 따른 보완 통고는 보완할 사항을 분명히 밝혀 서면으로 주최자 또는 연락책임자에게 송달하여야 한다.

① [○] 제한 통고에는 금지 통고와 같은 시한에 대한 규정(접수시로부터 48시간 내)이 없다.

> **집회 및 시위에 관한 법률 제8조【집회 및 시위의 금지 또는 제한 통고】** ⑤ 다음 각 호의 어느 하나에 해당하는 경우로서 그 거주자나 관리자가 시설이나 장소의 보호를 요청하는 경우에는 집회나 시위의 금지 또는 제한을 통고할 수 있다. 이 경우 집회나 시위의 금지 통고에 대하여는 제1항을 준용한다.
> 1. 제6조 제1항의 신고서에 적힌 장소(이하 이 항에서 "신고장소"라 한다)가 다른 사람의 주거지역이나 이와 유사한 장소로서 집회나 시위로 재산 또는 시설에 심각한 피해가 발생하거나 사생활의 평온을 뚜렷하게 해칠 우려가 있는 경우
> 2. 신고장소가 「초 · 중등교육법」 제2조에 따른 학교의 주변 지역으로서 집회 또는 시위로 학습권을 뚜렷이 침해할 우려가 있는 경우
> 3. 신고장소가 「군사기지 및 군사시설 보호법」 제2조 제2호에 따른 군사시설의 주변 지역으로서 집회 또는 시위로 시설이나 군 작전의 수행에 심각한 피해가 발생할 우려가 있는 경우

② [○]

> **집회 및 시위에 관한 법률 제8조【집회 및 시위의 금지 또는 제한 통고】** ① 제6조 제1항에 따른 신고서를 접수한 관할경찰관서장은 신고된 옥외집회 또는 시위가 다음 각 호의 어느 하나에 해당하는 때에는 신고서를 접수한 때부터 48시간 이내에 집회 또는 시위를 금지할 것을 주최자에게 통고할 수 있다. 다만, …

③ [○]

> **집회 및 시위에 관한 법률 제7조【신고서의 보완 등】** ① 관할경찰관서장은 제6조 제1항에 따른 신고서의 기재 사항에 미비한 점을 발견하면 접수증을 교부한 때부터 12시간 이내에 주최자에게 24시간을 기한으로 그 기재 사항을 보완할 것을 통고할 수 있다.

028 「집회 및 시위에 관한 법률」에 관한 다음 설명 중 가장 적절하지 않은 것은? [2014 채용 2차]

① 관할경찰관서장은 집회 또는 시위의 시간과 장소가 중복되는 2개 이상의 신고가 있는 경우 그 목적으로 보아 서로 상반되거나 방해가 된다고 인정되면 뒤에 접수된 집회 또는 시위에 대하여 그 집회 또는 시위의 금지를 통고하여야 한다.

② 집회 또는 시위의 주최자는 금지통고를 받은 날부터 10일 이내에 해당 경찰관서의 바로 위의 상급경찰관서의 장에게 이의를 신청할 수 있다.

③ 관할경찰관서장은 신고서의 기재 사항에 미비한 점을 발견하면 접수증을 교부한 때부터 12시간 이내에 주최자에게 24시간을 기한으로 그 기재 사항을 보완할 것을 통고할 수 있다.

④ 집회 또는 시위의 주최자가 질서유지인을 두고 도로를 행진하는 경우에는 교통 소통을 위한 금지를 할 수 없다. 다만, 해당 도로와 주변 도로의 교통 소통에 장애를 발생시켜 심각한 교통 불편을 줄 우려가 있으면 금지를 할 수 있다.

정답 및 해설 | ①

① [×] 뒤에 접수된 집회나 시위에 대해 금지를 통고하기 전에 시간을 나누거나 장소를 분할하여 개최하도록 권유하는 등 노력을 먼저 기울여야 한다.

> **집회 및 시위에 관한 법률 제8조【집회 및 시위의 금지 또는 제한 통고】** ② 관할경찰관서장은 집회 또는 시위의 시간과 장소가 중복되는 2개 이상의 신고가 있는 경우 그 목적으로 보아 서로 상반되거나 방해가 된다고 인정되면 각 옥외집회 또는 시위 간에 시간을 나누거나 장소를 분할하여 개최하도록 권유하는 등 각 옥외집회 또는 시위가 서로 방해되지 아니하고 평화적으로 개최 · 진행될 수 있도록 노력하여야 한다.
> ③ 관할경찰관서장은 제2항에 따른 권유가 받아들여지지 아니하면 뒤에 접수된 옥외집회 또는 시위에 대하여 제1항에 준하여 그 집회 또는 시위의 금지를 통고할 수 있다.

② [○]

> **집회 및 시위에 관한 법률 제9조【집회 및 시위의 금지 통고에 대한 이의 신청 등】** ① 집회 또는 시위의 주최자는 제8조에 따른 금지 통고를 받은 날부터 10일 이내에 해당 경찰관서의 바로 위의 상급경찰관서의 장에게 이의를 신청할 수 있다.

③ [○]

> **집회 및 시위에 관한 법률 제7조【신고서의 보완 등】** ① 관할경찰관서장은 제6조 제1항에 따른 신고서의 기재 사항에 미비한 점을 발견하면 접수증을 교부한 때부터 12시간 이내에 주최자에게 24시간을 기한으로 그 기재 사항을 보완할 것을 통고할 수 있다.

④ [○]

> **집회 및 시위에 관한 법률 제12조【교통 소통을 위한 제한】** ① 관할경찰관서장은 대통령령으로 정하는 주요 도시의 주요 도로에서의 집회 또는 시위에 대하여 교통 소통을 위하여 필요하다고 인정하면 이를 금지하거나 교통질서 유지를 위한 조건을 붙여 제한할 수 있다.
> ② 집회 또는 시위의 주최자가 질서유지인을 두고 도로를 행진하는 경우에는 제1항에 따른 금지를 할 수 없다. 다만, 해당 도로와 주변 도로의 교통 소통에 장애를 발생시켜 심각한 교통 불편을 줄 우려가 있으면 제1항에 따른 금지를 할 수 있다.

029 「집회 및 시위에 관한 법률」에 대한 설명으로 가장 적절하지 않은 것은? [2015 채용 1차]

① '주최자'란 자기 이름으로 자기 책임 아래 집회나 시위를 여는 사람이나 단체를 말한다.

② 헌법재판소의 결정에 따라 해산된 정당의 목적을 달성하기 위한 집회 또는 시위는 주최하여서는 아니 된다.

③ 관할경찰관서장은 집회 또는 시위의 시간과 장소가 중복되는 2개 이상의 신고가 있는 경우 그 목적으로 보아 서로 상반되거나 방해가 된다고 인정되면 시간과 장소를 구분하여 개최토록 권유한 후, 권유를 받아들이지 않은 경우 뒤에 접수된 집회 또는 시위에 대하여 그 집회 또는 시위의 금지를 통고할 수 있다.

④ 관할경찰관서장은 신고서의 기재 사항에 미비한 점을 발견하면 접수증을 교부한 때부터 24시간 이내에 주최자에게 12시간을 기한으로 그 기재 사항을 보완할 것을 통고할 수 있다.

정답 및 해설 I ④

④ [×] 12시간 이내에 24시간을 기한으로 보완할 것을 통고할 수 있다.

> **집회 및 시위에 관한 법률 제7조【신고서의 보완 등】** ① 관할경찰관서장은 제6조 제1항에 따른 신고서의 기재 사항에 미비한 점을 발견하면 접수증을 교부한 때부터 12시간 이내에 주최자에게 24시간을 기한으로 그 기재 사항을 보완할 것을 통고할 수 있다.

① [○]

> **집회 및 시위에 관한 법률 제2조【정의】** 이 법에서 사용하는 용어의 뜻은 다음과 같다.
> 3. **"주최자"**란 자기 이름으로 자기 책임 아래 집회나 시위를 여는 사람이나 단체를 말한다. 주최자는 주관자를 따로 두어 집회 또는 시위의 실행을 맡아 관리하도록 위임할 수 있다. 이 경우 주관자는 그 위임의 범위 안에서 주최자로 본다.

② [○]

> **집회 및 시위에 관한 법률 제5조【집회 및 시위의 금지】** ① 누구든지 다음 각 호의 어느 하나에 해당하는 집회나 시위를 주최하여서는 아니 된다.
> 1. 헌법재판소의 결정에 따라 해산된 정당의 목적을 달성하기 위한 집회 또는 시위

③ [○]

> **집회 및 시위에 관한 법률 제8조【집회 및 시위의 금지 또는 제한 통고】** ② 관할경찰관서장은 집회 또는 시위의 시간과 장소가 중복되는 2개 이상의 신고가 있는 경우 그 목적으로 보아 서로 상반되거나 방해가 된다고 인정되면 각 옥외집회 또는 시위 간에 시간을 나누거나 장소를 분할하여 개최하도록 권유하는 등 각 옥외집회 또는 시위가 서로 방해되지 아니하고 평화적으로 개최·진행될 수 있도록 노력하여야 한다.
> ③ 관할경찰관서장은 제2항에 따른 권유가 받아들여지지 아니하면 뒤에 접수된 옥외집회 또는 시위에 대하여 제1항에 준하여 그 집회 또는 시위의 금지를 통고할 수 있다.

030 「집회 및 시위에 관한 법률」의 내용으로 가장 적절하지 <u>않은</u> 것은? [2018 실무 3]

① 관할경찰서장 또는 시·도경찰청장(이하 '관할경찰관서장'이라 한다)은 신고서를 접수하면 신고자에게 접수 일시를 적은 접수증을 즉시 내주어야 한다.

② 집회 또는 시위의 주최자 및 질서유지인은 특정한 사람이나 단체가 집회나 시위에 참가하는 것을 막을 수 있다. 다만, 언론사의 기자는 출입이 보장되어야 하며, 이 경우 기자는 신분증을 제시하고 기자임을 표시한 완장(腕章)을 착용하여야 한다.

③ 주최자는 신고한 옥외집회 또는 시위를 하지 아니하게 된 경우에는 즉시 그 철회사유 등을 적은 철회신고서를 관할경찰관서장에게 제출하여야 한다.

④ 관할경찰관서장은 집회 또는 시위의 시간과 장소가 중복되는 2개 이상의 신고가 있는 경우 그 목적으로 보아 서로 상반되거나 방해가 된다고 인정되면 각 옥외집회 또는 시위가 서로 방해되지 아니하고 평화적으로 개최·진행될 수 있도록 노력하여야 한다.

정답 및 해설 I ③

③ [×] 집회 일시 24시간 전에 제출하여야 한다.

> **집회 및 시위에 관한 법률 제6조【옥외집회 및 시위의 신고 등】** ③ 주최자는 제1항에 따라 신고한 옥외집회 또는 시위를 하지 아니하게 된 경우에는 신고서에 적힌 집회 일시 24시간 전에 그 철회사유 등을 적은 철회신고서를 관할경찰관서장에게 제출하여야 한다.

① [○]

> **집회 및 시위에 관한 법률 제6조【옥외집회 및 시위의 신고 등】** ② 관할 경찰서장 또는 시·도경찰청장(이하 "관할경찰관서장"이라 한다)은 제1항에 따른 신고서를 접수하면 신고자에게 접수 일시를 적은 접수증을 즉시 내주어야 한다.

② [○]

> **집회 및 시위에 관한 법률 제4조【특정인 참가의 배제】** 집회 또는 시위의 주최자 및 질서유지인은 특정한 사람이나 단체가 집회나 시위에 참가하는 것을 막을 수 있다. 다만, 언론사의 기자는 출입이 보장되어야 하며, 이 경우 기자는 신분증을 제시하고 기자임을 표시한 완장을 착용하여야 한다.

④ [○]

> **집회 및 시위에 관한 법률 제8조【집회 및 시위의 금지 또는 제한 통고】** ② 관할경찰관서장은 집회 또는 시위의 시간과 장소가 중복되는 2개 이상의 신고가 있는 경우 그 목적으로 보아 서로 상반되거나 방해가 된다고 인정되면 각 옥외집회 또는 시위 간에 시간을 나누거나 장소를 분할하여 개최하도록 권유하는 등 각 옥외집회 또는 시위가 서로 방해되지 아니하고 평화적으로 개최·진행될 수 있도록 노력하여야 한다.

031 「집회 및 시위에 관한 법률」에 대한 설명으로 가장 적절하지 <u>않은</u> 것은? [2024 승진]

① 관할경찰관서장은 옥외집회 및 시위의 신고서를 접수하면 신고자에게 접수 일시를 적은 접수증을 즉시 내주어야 한다.

② 주최자는 신고한 옥외집회 또는 시위를 하지 아니하게 된 경우에는 신고서에 적힌 집회 일시 24시간 전에 그 철회사유 등을 적은 철회신고서를 관할경찰관서장에게 제출하여야 한다.

③ 관할경찰관서장은 신고서의 기재 사항에 미비한 점을 발견하면 접수증을 교부한 때부터 12시간 이내에 주최자에게 24시간을 기한으로 그 기재 사항을 보완할 것을 통고할 수 있다.

④ 관할경찰관서장이 신고서의 보완 통고를 할 때에는 보완할 사항을 분명히 밝혀 서면 또는 구두로 주최자 또는 연락책임자에게 통보해야 한다.

정답 및 해설 | ④

④ [×] 보완 통고는 서면으로만 가능하다. / ③ [○]

> **집회 및 시위에 관한 법률 제7조【신고서의 보완 등】** ① 관할경찰관서장은 제6조 제1항에 따른 신고서의 기재 사항에 미비한 점을 발견하면 접수증을 교부한 때부터 12시간 이내에 주최자에게 24시간을 기한으로 그 기재 사항을 보완할 것을 통고할 수 있다.
> ② 제1항에 따른 보완 통고는 보완할 사항을 분명히 밝혀 서면으로 주최자 또는 연락책임자에게 송달하여야 한다.

① [○]

> **집회 및 시위에 관한 법률 제6조【옥외집회 및 시위의 신고 등】** ② 관할 경찰서장 또는 시·도경찰청장(이하 "관할경찰관서장"이라 한다)은 제1항에 따른 신고서를 접수하면 신고자에게 접수 일시를 적은 접수증을 즉시 내주어야 한다.
> ③ 주최자는 제1항에 따라 신고한 옥외집회 또는 시위를 하지 아니하게 된 경우에는 신고서에 적힌 집회 일시 24시간 전에 그 철회사유 등을 적은 철회신고서를 관할경찰관서장에게 제출하여야 한다.

032 「집회 및 시위에 관한 법률」에 대한 다음 설명 중 가장 옳은 것은? [2016 경간]

① 관할경찰관서장은 제6조 제1항에 따른 신고서의 기재 사항에 미비한 점을 발견하면 접수증을 교부한 때부터 24시간 이내에 주최자에게 12시간을 기한으로 그 기재 사항을 보완할 것을 통고할 수 있다.

② 관할경찰관서장은 집회 또는 시위의 시간과 장소가 중복되는 2개 이상의 신고가 있는 경우 그 목적으로 보아 서로 상반되거나 방해가 된다고 인정되면 뒤에 접수된 집회 또는 시위에 대하여 그 집회 또는 시위의 금지를 통고하여야 한다.

③ 집회 또는 시위의 주최자는 집회 또는 시위의 질서 유지에 관하여 자신을 보좌하도록 16세 이상의 사람을 질서유지인으로 임명할 수 있다.

④ 집회 또는 시위의 주최자는 금지 통고를 받은 날부터 10일 이내에 해당 경찰관서의 바로 위의 상급경찰관서의 장에게 이의를 신청할 수 있다.

정답 및 해설 | ④

④ [○]

> **집회 및 시위에 관한 법률 제9조【집회 및 시위의 금지 통고에 대한 이의 신청 등】** ① 집회 또는 시위의 주최자는 제8조에 따른 금지 통고를 받은 날부터 10일 이내에 해당 경찰관서의 바로 위의 상급경찰관서의 장에게 이의를 신청할 수 있다.

① [×] 12시간 이내에 주최자에게 24시간을 기한으로 통고할 수 있다.

> **집회 및 시위에 관한 법률 제7조【신고서의 보완 등】** ① 관할경찰관서장은 제6조 제1항에 따른 신고서의 기재 사항에 미비한 점을 발견하면 접수증을 교부한 때부터 12시간 이내에 주최자에게 24시간을 기한으로 그 기재 사항을 보완할 것을 통고할 수 있다.

② [×] 시간을 나누거나 장소를 분할하여 개최하도록 권유하는 등 각 옥외집회 또는 시위가 서로 방해되지 아니하고 평화적으로 개최·진행될 수 있도록 노력한 후 그 권유가 받아들여지지 아니하면 뒤에 접수된 옥외집회 또는 시위에 대하여 금지를 통고할 수 있다.

> **집회 및 시위에 관한 법률 제8조【집회 및 시위의 금지 또는 제한 통고】** ② 관할경찰관서장은 집회 또는 시위의 시간과 장소가 중복되는 2개 이상의 신고가 있는 경우 그 목적으로 보아 서로 상반되거나 방해가 된다고 인정되면 각 옥외집회 또는 시위 간에 시간을 나누거나 장소를 분할하여 개최하도록 권유하는 등 각 옥외집회 또는 시위가 서로 방해되지 아니하고 평화적으로 개최·진행될 수 있도록 노력하여야 한다.
> ③ 관할경찰관서장은 제2항에 따른 권유가 받아들여지지 아니하면 뒤에 접수된 옥외집회 또는 시위에 대하여 제1항에 준하여 그 집회 또는 시위의 금지를 통고할 수 있다.

③ [×] 18세 이상의 사람을 질서유지인으로 임명할 수 있다.

> **집회 및 시위에 관한 법률 제16조【주최자의 준수 사항】** ② 집회 또는 시위의 주최자는 집회 또는 시위의 질서 유지에 관하여 자신을 보좌하도록 18세 이상의 사람을 질서유지인으로 임명할 수 있다.

033 「집회 및 시위에 관한 법률」상 이의신청에 대한 설명으로 가장 적절하지 않은 것은? [2018 실무 3]

① 집회 또는 시위의 주최자는 제8조에 따른 금지 통고를 받은 날부터 10일 이내에 해당 경찰관서의 바로 위의 상급경찰관서의 장에게 이의를 신청할 수 있다.

② 이의 신청을 받은 경찰관서의 장은 접수 일시를 적은 접수증을 이의 신청인에게 즉시 내주고 접수한 때부터 24시간 이내에 재결을 하여야 한다. 이 경우 접수한 때부터 24시간 이내에 재결서를 발송하지 아니하면 관할 경찰관서장의 금지 통고는 소급하여 그 효력을 잃는다.

③ 이의 신청인은 금지 통고가 위법하거나 부당한 것으로 재결되거나 그 효력을 잃게 된 경우 처음 신고한 대로 집회 또는 시위를 개최할 수 있다.

④ 금지 통고 등으로 시기를 놓친 경우에는 일시를 새로 정하여 집회 또는 시위를 시작하기 24시간 전에 상급경찰관서의 장에게 신고함으로써 집회 또는 시위를 개최할 수 있다.

정답 및 해설 I ④

④ [×] 관할경찰관서장에게 신고서를 제출하고 집회 또는 시위를 개최할 수 있다.

> **집회 및 시위에 관한 법률 제9조【집회 및 시위의 금지 통고에 대한 이의 신청 등】** ③ … 다만, 금지 통고 등으로 시기를 놓친 경우에는 일시를 새로 정하여 집회 또는 시위를 시작하기 24시간 전에 관할경찰관서장에게 신고함으로써 집회 또는 시위를 개최할 수 있다.

①②③ [○]

> **집회 및 시위에 관한 법률 제9조【집회 및 시위의 금지 통고에 대한 이의 신청 등】** ① 집회 또는 시위의 주최자는 제8조에 따른 금지 통고를 받은 날부터 10일 이내에 해당 경찰관서의 바로 위의 상급경찰관서의 장에게 이의를 신청할 수 있다.
> ② 제1항에 따른 이의 신청을 받은 경찰관서의 장은 접수 일시를 적은 접수증을 이의 신청인에게 즉시 내주고 접수한 때부터 24시간 이내에 재결을 하여야 한다. 이 경우 접수한 때부터 24시간 이내에 재결서를 발송하지 아니하면 관할경찰관서장의 금지 통고는 소급하여 그 효력을 잃는다.
> ③ 이의 신청인은 제2항에 따라 금지 통고가 위법하거나 부당한 것으로 재결되거나 그 효력을 잃게 된 경우 처음 신고한 대로 집회 또는 시위를 개최할 수 있다. 다만, …

034 「집회 및 시위에 관한 법률」 및 「집회 및 시위에 관한 법률 시행령」에 대한 설명으로 가장 적절한 것은?

[2020 채용 2차]

① 집회 또는 시위의 주최자는 금지 통고를 받은 날부터 7일 이내에 해당 경찰관서의 바로 위의 상급경찰관서의 장에게 이의를 신청할 수 있다.

② 집회 또는 시위 금지통고에 대해 이의 신청을 받은 경찰관서장은 24시간 이내에 금지를 통고한 경찰관서장에게 이의 신청의 취지와 이유를 알리고, 답변서의 제출을 명하여야 한다.

③ 주최자는 신고한 옥외집회 또는 시위를 하지 아니하게 된 경우에는 신고서에 적힌 집회 일시 12시간 전에 철회신고서를 관할경찰관서장에게 제출하여야 한다.

④ 관할경찰관서장은 집회 및 시위 참가자들이 자진 해산 요청에 따르지 아니하는 경우, 세 번 이상 자진 해산할 것을 명령하고 그 이후에도 해산하지 아니하면 직접 해산시킬 수 있다.

정답 및 해설 | ④

④ [○]

> 대통령령 **집회 및 시위에 관한 법률 시행령 제17조【집회 또는 시위의 자진 해산의 요청 등】** 법 제20조에 따라 집회 또는 시위를 해산시키려는 때에는 관할 경찰관서장 또는 관할 경찰관서장으로부터 권한을 부여받은 경찰공무원은 다음 각 호의 순서에 따라야 한다. 다만, …
> 3. **해산명령 및 직접 해산**: 제2호에 따른 자진 해산 요청에 따르지 아니하는 경우에는 세 번 이상 자진 해산할 것을 명령하고, 참가자들이 해산명령에도 불구하고 해산하지 아니하면 직접 해산시킬 수 있다.

① [×] 10일 이내이다.

> **집회 및 시위에 관한 법률 제9조【집회 및 시위의 금지 통고에 대한 이의 신청 등】** ① 집회 또는 시위의 주최자는 제8조에 따른 금지 통고를 받은 날부터 10일 이내에 해당 경찰관서의 바로 위의 상급경찰관서의 장에게 이의를 신청할 수 있다.

② [×] 24시간 이내가 아니라 '즉시' 알리고 답변서 제출을 명하여야 한다.

> 대통령령 **집회 및 시위에 관한 법률 시행령 제8조【이의 신청의 통지 및 답변서 제출】** ① 법 제9조 제1항에 따른 이의 신청을 받은 경찰관서장은 즉시 집회 또는 시위의 금지를 통고한 경찰관서장에게 이의 신청의 취지와 이유(이의 신청시 증거서류나 증거물을 제출한 경우에는 그 요지를 포함한다)를 알리고, 답변서의 제출을 명하여야 한다.
> ② 제1항에 따른 답변서에는 금지 통고의 근거와 이유를 구체적으로 밝히고 이의 신청에 대한 답변을 적되 필요한 증거서류나 증거물이 있으면 함께 제출하여야 한다.

③ [×] 12시간 전이 아니라 24시간 전에 제출하여야 한다.

> **집회 및 시위에 관한 법률 제6조【옥외집회 및 시위의 신고 등】** ③ 주최자는 제1항에 따라 신고한 옥외집회 또는 시위를 하지 아니하게 된 경우에는 신고서에 적힌 집회 일시 24시간 전에 그 철회사유 등을 적은 철회신고서를 관할경찰관서장에게 제출하여야 한다.

035 집회 및 시위에 관한 법률상 다음 (   ) 안에 들어갈 숫자를 순서대로 가장 적절하게 나열한 것은?

[2015 채용 2차]

> • 관할경찰관서장은 신고서의 기재 사항에 미비한 점을 발견하면 접수증을 교부한 때부터 (㉠)시간 이내에 주최자에게 (㉡)시간을 기한으로 그 기재 사항을 보완할 것을 통고할 수 있다.
> • 집회 또는 시위의 주최자는 금지 통고를 받은 날부터 (㉢)일 이내에 해당 경찰관서의 바로 위의 상급경찰관서의 장에게 이의를 신청할 수 있다.

	㉠	㉡	㉢
①	12	12	10
②	24	12	7
③	12	24	7
④	12	24	10

정답 및 해설 I ④

④ [○] ㉠ 12, ㉡ 24, ㉢ 10이 들어가는 것이 적절하다.

> **집회 및 시위에 관한 법률 제7조【신고서의 보완 등】** ① 관할경찰관서장은 제6조 제1항에 따른 신고서의 기재 사항에 미비한 점을 발견하면 접수증을 교부한 때부터 (㉠ 12)시간 이내에 주최자에게 (㉡ 24)시간을 기한으로 그 기재 사항을 보완할 것을 통고할 수 있다.
> **집회 및 시위에 관한 법률 제9조【집회 및 시위의 금지 통고에 대한 이의 신청 등】** ① 집회 또는 시위의 주최자는 제8조에 따른 금지 통고를 받은 날부터 (㉢ 10)일 이내에 해당 경찰관서의 바로 위의 상급경찰관서의 장에게 이의를 신청할 수 있다.

036 「집회 및 시위의 관한 법률」상 집회신고에 관한 설명이다. ㉠부터 ㉤까지의 숫자가 순서대로 바르게 나열된 것은?

[2017 승진(경감)]

> ㉮ 옥외집회나 시위를 주최하려는 자는 목적, 일시, 장소, 주최자 · 연락책임자 · 질서유지인(주소, 서명, 직업, 연락처), 참가 예정인 단체와 인원, 시위의 경우 그 방법 등의 기재 사항 모두를 적은 신고서를 옥외집회나 시위를 시작하기 (㉠)시간 전부터 (㉡)시간 전에 관할경찰서장에게 제출하여야 한다.
> ㉯ 주최자는 ㉮에 따라 신고한 옥외집회 또는 시위를 하지 아니하게 된 경우에는 신고서에 적힌 집회 일시 (㉢)시간 전에 그 철회사유 등을 적은 철회신고서를 관할경찰서장에게 제출하여야 한다.
> ㉰ 관할경찰서장은 ㉮에 따른 신고서의 기재 사항에 미비한 점을 발견하면 접수증을 교부한 때부터 (㉣)시간 이내에 주최자에게 (㉤)시간을 기한으로 그 기재 사항을 보완할 것을 통고할 수 있다.

	㉠	㉡	㉢	㉣	㉤
①	720	36	24	12	24
②	720	48	24	12	24
③	720	36	12	24	12
④	720	48	12	24	12

정답 및 해설 I ②

② [○] ㉠ 720, ㉡ 48, ㉢ 24, ㉣ 12, ㉤ 24가 들어가는 것이 적절하다.

> **집회 및 시위에 관한 법률 제6조【옥외집회 및 시위의 신고 등】** ① 옥외집회나 시위를 주최하려는 자는 그에 관한 다음 각 호의 사항 모두를 적은 신고서를 옥외집회나 시위를 시작하기 (㉠ 720)시간 전부터 (㉡ 48)시간 전에 관할 경찰서장에게 제출하여야 한다. 다만, …
>
> **집회 및 시위에 관한 법률 제6조【옥외집회 및 시위의 신고 등】** ③ 주최자는 제1항에 따라 신고한 옥외집회 또는 시위를 하지 아니하게 된 경우에는 신고서에 적힌 집회 일시 (㉢ 24)시간 전에 그 철회사유 등을 적은 철회신고서를 관할경찰관서장에게 제출하여야 한다.
>
> **집회 및 시위에 관한 법률 제7조【신고서의 보완 등】** ① 관할경찰관서장은 제6조 제1항에 따른 신고서의 기재 사항에 미비한 점을 발견하면 접수증을 교부한 때부터 (㉣ 12)시간 이내에 주최자에게 (㉤ 24)시간을 기한으로 그 기재 사항을 보완할 것을 통고할 수 있다.

037 다음 중 집회 및 시위에 관한 내용으로서 빈칸의 숫자가 옳은 것은? [2015 경간]

> 가. 옥외집회나 시위를 주최하려는 자는 그에 관한 사항 모두를 적은 신고서를 옥외집회나 시위를 시작하기 (　　)시간 전부터 (　　)시간 전에 관할경찰서장에게 제출하여야 한다.
>
> 나. 관할경찰관서장은 신고서의 기재 사항에 미비한 점을 발견하면 접수증을 교부한 때부터 (　　)시간 이내에 주최자에게 (　　)시간을 기한으로 그 기재 사항을 보완할 것을 통고할 수 있다.
>
> 다. 신고서를 접수한 관할경찰관서장은 신고된 옥외집회 또는 시위가 다음 각 호의 어느 하나에 해당하는 때에는 신고서를 접수한 때부터 (　　)시간 이내에 집회 또는 시위를 금지할 것을 주최자에게 통고할 수 있다.
>
> 라. 집회 또는 시위의 주최자는 제8조에 따른 금지 통고를 받은 날부터 (　　)일 이내에 해당 경찰관서의 바로 위의 상급경찰관서의 장에게 이의를 신청할 수 있다.

	가	나	다	라
①	720 - 48	24 - 12	48	10
②	720 - 48	24 - 24	48	7
③	720 - 48	12 - 24	48	10
④	720 - 24	12 - 24	24	7

정답 및 해설 I ③

③ [○] 가. 720 - 48, 나. 12 - 24, 다. 48, 라. 10이 들어가는 것이 적절하다.

가. 720 - 48

> **집회 및 시위에 관한 법률 제6조【옥외집회 및 시위의 신고 등】** ① 옥외집회나 시위를 주최하려는 자는 그에 관한 다음 각 호의 사항 모두를 적은 신고서를 옥외집회나 시위를 시작하기 720시간 전부터 48시간 전에 관할 경찰서장에게 제출하여야 한다. 다만, …

나. 12 - 24

> **집회 및 시위에 관한 법률 제7조【신고서의 보완 등】** ① 관할경찰관서장은 제6조 제1항에 따른 신고서의 기재 사항에 미비한 점을 발견하면 접수증을 교부한 때부터 12시간 이내에 주최자에게 24시간을 기한으로 그 기재 사항을 보완할 것을 통고할 수 있다.

다. 48

집회 및 시위에 관한 법률 제8조【집회 및 시위의 금지 또는 제한 통고】① 제6조 제1항에 따른 신고서를 접수한 관할경찰관서장은 신고된 옥외집회 또는 시위가 다음 각 호의 어느 하나에 해당하는 때에는 신고서를 접수한 때부터 48시간 이내에 집회 또는 시위를 금지할 것을 주최자에게 통고할 수 있다. 다만, …

라. 10

집회 및 시위에 관한 법률 제9조【집회 및 시위의 금지 통고에 대한 이의 신청 등】① 집회 또는 시위의 주최자는 제8조에 따른 금지 통고를 받은 날부터 10일 이내에 해당 경찰관서의 바로 위의 상급경찰관서의 장에게 이의를 신청할 수 있다.

038 「집회 및 시위에 관한 법률」에 관한 설명으로 옳은 것을 모두 고른 것은? (다툼이 있는 경우 판례에 의함)

[2023 채용 2차]

㉠ "질서유지인"이란 관할 경찰서장이 집회 또는 시위의 질서를 유지하게 할 목적으로 임명한 자를 말한다.
㉡ 집회의 자유가 가지는 헌법적 가치와 기능, 집회에 대한 허가 금지를 선언한 헌법정신, 신고제도의 취지 등을 종합하여 보면, 신고는 행정관청에 집회에 관한 구체적인 정보를 제공함으로써 공공질서의 유지에 협력하도록 하는 데 의의가 있는 것으로 집회의 허가를 구하는 신청으로 변질되어서는 아니 되므로, 신고를 하지 아니하였다는 이유만으로 옥외집회 또는 시위를 헌법의 보호 범위를 벗어나 개최가 허용되지 않는 집회 내지 시위라고 단정할 수 없다.
㉢ 관할경찰관서장은 옥외집회 및 시위에 관한 신고서의 기재사항에 미비한 점을 발견하면 접수증을 교부한 때부터 24시간 이내에 주최자에게 48시간을 기한으로 그 기재 사항을 보완할 것을 통고할 수 있다.
㉣ 「집회 및 시위에 관한 법률」에 따른 신고 없이 이루어진 집회에 참석한 참가자들이 차로 위를 행진하는 등 도로교통을 방해함으로써 통행을 불가능하게 하거나 현저하게 곤란하게 하는 경우라도 참가자 모두에게 당연히 일반교통방해죄가 성립하는 것은 아니다.

① ㉠, ㉡
② ㉡, ㉢
③ ㉡, ㉣
④ ㉢, ㉣

정답 및 해설 I ③

㉠ [×] "질서유지인"이란 주최자가 임명한 자이다.

집회 및 시위에 관한 법률 제2조【정의】이 법에서 사용하는 용어의 뜻은 다음과 같다.
4. "질서유지인"이란 주최자가 자신을 보좌하여 집회 또는 시위의 질서를 유지하게 할 목적으로 임명한 자를 말한다.
➜ 18세 이상, 임의적

㉡ [○]

요지판례 I

■ 집회의 자유가 가지는 헌법적 가치와 기능, 집회에 대한 허가 금지를 선언한 헌법정신, 신고제도의 취지 등을 종합하여 보면, 신고는 행정관청에 집회에 관한 구체적인 정보를 제공함으로써 공공질서의 유지에 협력하도록 하는 데에 그 의의가 있는 것이지 집회의 허가를 구하는 신청으로 변질되어서는 아니 되므로, 신고를 하지 아니하였다는 이유만으로 그 옥외집회 또는 시위를 헌법의 보호 범위를 벗어나 개최가 허용되지 않는 집회 내지 시위라고 단정할 수 없다(헌재 2014.1.28, 2011헌바174 등).

㉢ [×] 12시간 이내에 24시간을 기한으로 보완통고를 할 수 있다.

집회 및 시위에 관한 법률 제7조【신고서의 보완 등】① 관할경찰관서장은 제6조 제1항에 따른 신고서의 기재 사항에 미비한 점을 발견하면 접수증을 교부한 때부터 12시간 이내에 주최자에게 24시간을 기한으로 그 기재 사항을 보완할 것을 통고할 수 있다.

㉣ [○]

요지판례 |

■ 집회 및 시위에 관한 법률에 따른 신고 없이 이루어진 집회에 참석한 참가자들이 차로 위를 행진하는 등으로 도로교통을 방해함으로써 통행을 불가능하게 하거나 현저하게 곤란하게 하는 경우에 일반교통방해죄가 성립한다. 그러나 이 경우에도 참가자 모두에게 당연히 일반교통방해죄가 성립하는 것은 아니고, 실제로 참가자가 집회 · 시위에 가담하여 교통방해를 유발하는 직접적인 행위를 하였거나, 참가자의 참가 경위나 관여 정도 등에 비추어 참가자에게 공모공동정범의 죄책을 물을 수 있는 경우라야 일반교통방해죄가 성립한다(대판 2018.5.11, 2017도9146).

039 「집회 및 시위에 관한 법률」에 대한 설명으로 가장 적절한 것은? (다툼이 있는 경우 판례에 의함)

[2018 승진(경감)]

① 甲단체가 A공원(전북 군산경찰서 관할)에서 옥외집회를 갖고, B광장(충남 서산경찰서 관할)까지 행진을 하려는 경우 甲단체의 대표자이자 주최자인 乙은 경찰청장에게 집회신고서를 제출하여야 한다.

② 경찰서장은 집회신고에 대해 집회신고서의 형식적인 미비점뿐만 아니라 내용에 대해서도 보완통고를 할 수 있다.

③ 주최자는 신고한 옥외집회 또는 시위를 하지 아니하게 된 경우에는 신고서에 적힌 집회 일시 24시간 전에 관할경찰관서장에게 철회신고서를 제출하여야 한다.

④ 정당한 사유 없이 철회신고서를 관할경찰관서장에게 제출하지 아니한 모든 옥외집회 또는 시위의 주최자에 대해서는 100만원 이하의 과태료를 부과한다.

정답 및 해설 | ③

③ [○]

집회 및 시위에 관한 법률 제6조【옥외집회 및 시위의 신고 등】 ③ 주최자는 제1항에 따라 신고한 옥외집회 또는 시위를 하지 아니하게 된 경우에는 신고서에 적힌 집회 일시 24시간 전에 그 철회사유 등을 적은 철회신고서를 관할경찰관서장에게 제출하여야 한다.

① [×] 두 곳 이상의 시 · 도경찰청 관할에 속하는 경우 주최지를 관할하는 시 · 도경찰청에 신고하여야 하므로, 전북 시 · 도경찰청장에게 집회신고서를 제출하여야 한다.

집회 및 시위에 관한 법률 제6조【옥외집회 및 시위의 신고 등】 ① … 다만, 옥외집회 또는 시위 장소가 두 곳 이상의 경찰서의 관할에 속하는 경우에는 관할 시 · 도경찰청장에게 제출하여야 하고, 두 곳 이상의 시 · 도경찰청 관할에 속하는 경우에는 주최지를 관할하는 시 · 도경찰청장에게 제출하여야 한다.

② [×] 신고서 기재사항의 누락 등 형식적인 사항에 대해서만 보완통고가 가능하다고 본다.

요지판례 |

■ 집회의 자유에 있어서는 다른 기본권 조항들과는 달리 '허가'의 방식에 의한 제한은 허용되지 아니하는 점을 고려하면, 관할경찰관서장은 신고서의 기재가 누락되었다거나 명백한 흠결이 있는 경우에만 형식적인 내용에 관하여 보완통고를 할 수 있고, 그 이외의 사항에 관하여는 보완요구할 수 없다고 보아야 할 것이다(부산지방법원 2016.4.1, 2015구합24643). ➜ 시청 후문 앞 인도 부분에 관하여 옥외집회신고를 하였으나, 관할경찰서장이 화단으로 조성된 시청 청사부지에서는 집회를 개최할 수 없으니 장소를 변경하여 재신고하도록 보완통고를 한 사례

④ [×] 철회신고를 하지 않았다고 하여 항상 과태료과 부과되는 것이 아니다. 즉, 같은 장소 · 일시에 중복신청이 있었던 경우로서, 먼저 신고한 자가 집회를 하지 않게 된 경우임에도 철회신고를 하지 않아 후발 신고자에게 집회개최의 기회가 돌아가지 않은 경우에 한하여 과태료가 부과된다.

집회 및 시위에 관한 법률 제26조【과태료】 ① 제8조 제4항에 해당하는 먼저 신고된 옥외집회 또는 시위의 주최자(➜ 같은 장소 · 일시에서 집회 · 시위를 개최하고자 하는 있는 경우)가 정당한 사유 없이 제6조 제3항을 위반한 경우(➜ 유령집회 개최한 경우. 즉 철회신고 하지 않은 경우)에는 100만원 이하의 과태료를 부과한다.

03 경찰의 현장관리

040 「집회 및 시위에 관한 법률」상 질서유지선에 대한 설명으로 가장 적절하지 않은 것은? [2015 실무 1]

① 띠를 의미하며 목책, 바리케이트, 차벽, 인벽은 포함되지 않는다.

② 질서유지선을 실무상 폴리스 라인으로 불린다.

③ 질서유지선을 설정할 때에는 주최자 또는 연락책임자에게 이를 알려야 한다.

④ 질서유지선은 집회 · 시위의 보호와 공공의 질서 유지를 위해 필요할 때 설정할 수 있다.

정답 및 해설 | ①

① [×] 집회 및 시위에 관한 법률의 정의상으로는 '띠, 방책, 차선 등'으로 질서유지선을 설정할 수 있으며, 판례상으로 사람의 대열(인벽)과 차벽은 질서유지선으로 볼 수 없다고 판결한 바 있다.

요지판례 |

■ 질서유지선은 띠, 방책, 차선 등과 같이 경계표지로 기능할 수 있는 물건 또는 도로교통법상 안전표지라고 봄이 타당하므로, 경찰관들이 집회 또는 시위가 이루어지는 장소의 외곽이나 그 장소 안에서 줄지어 서는 등의 방법으로 사실상 질서유지선의 역할을 수행한다고 하더라도 이를 가리켜 집시법에서 정한 질서유지선이라고 할 수는 없다(대판 2019.1.10, 2016도21311). ➜ 경찰관들의 대열(사람의 대열)을 질서유지선으로 볼 수 없다.

■ 경찰버스로 이루어진 차벽을 '질서유지선'이라고 공표하거나 '질서유지선'이라고 기재해 두었다 하여 경찰이 차벽을 집시법상의 질서유지선으로 사용할 의사였다거나 설치된 차벽이 객관적으로 질서유지선의 역할을 한 것으로 보이지는 아니한다는 원심(서울고등법원)의 결론은 수긍할 수 있다(대판 2017.5.31, 2016도21077).

② [○] 옳은 설명이며, 집회나 시위현장 외에도 사건 현장에서 현장보존을 위해 출입을 통제하는 용도로 사용되기도 한다.

③ [○]

> **집회 및 시위에 관한 법률 제13조【질서유지선의 설정】** ② 제1항에 따라 경찰관서장이 질서유지선을 설정할 때에는 주최자 또는 연락책임자에게 이를 알려야 한다.

④ [○]

> **집회 및 시위에 관한 법률 제13조【질서유지선의 설정】** ① 제6조 제1항에 따른 신고를 받은 관할경찰관서장은 집회 및 시위의 보호와 공공의 질서 유지를 위하여 필요하다고 인정하면 최소한의 범위를 정하여 질서유지선을 설정할 수 있다.

041 「집회 및 시위에 관한 법률」에 규정된 질서유지선에 관한 설명으로 가장 적절하지 않은 것은? [2015 승진(경감)]

① 집회 · 시위의 보호와 공공의 질서 유지를 위해 띠 · 줄 · 방책 등으로 설치할 수 있다.

② 경찰관서장은 질서유지선을 설정할 때에는 주최자 또는 연락책임자에게 이를 알려야 한다.

③ 일단 설정 · 고지된 질서유지선은 변경할 수 없다.

④ 질서유지선을 손괴할 경우 처벌할 수 있다.

정답 및 해설 | ③

③ [×] 변경할 수 있다.

> 대통령령 **집회 및 시위에 관한 법률 시행령 제13조【질서유지선의 설정 · 고지 등】** ② 법 제13조 제2항에 따른 질서유지선의 설정 고지는 서면으로 하여야 한다. 다만, 집회 또는 시위 장소의 상황에 따라 질서유지선을 새로 설정하거나 변경하는 경우에는 집회 또는 시위의 장소에 있는 경찰공무원이 구두로 알릴 수 있다.

① [○]

> **집회 및 시위에 관한 법률 제13조【질서유지선의 설정】** ① 제6조 제1항에 따른 신고를 받은 관할경찰관서장은 집회 및 시위의 보호와 공공의 질서 유지를 위하여 필요하다고 인정하면 최소한의 범위를 정하여 질서유지선을 설정할 수 있다.
>
> **집회 및 시위에 관한 법률 제2조【정의】** 이 법에서 사용하는 용어의 뜻은 다음과 같다.
> 5. "**질서유지선**"이란 관할 경찰서장이나 시 · 도경찰청장이 적법한 집회 및 시위를 보호하고 질서유지나 원활한 교통 소통을 위하여 집회 또는 시위의 장소나 행진 구간을 일정하게 구획하여 설정한 띠, 방책, 차선 등의 경계 표지를 말한다.

② [○]

> **집회 및 시위에 관한 법률 제13조【질서유지선의 설정】** ② 제1항에 따라 경찰관서장이 질서유지선을 설정할 때에는 주최자 또는 연락책임자에게 이를 알려야 한다.

④ [○]

> **집회 및 시위에 관한 법률 제24조【벌칙】** 다음 각 호의 어느 하나에 해당하는 자는 6개월 이하의 징역 또는 50만원 이하의 벌금 · 구류 또는 과료에 처한다.
> 3. 제13조에 따라 설정한 질서유지선을 경찰관의 경고에도 불구하고 정당한 사유 없이 상당 시간 침범하거나 손괴 · 은닉 · 이동 또는 제거하거나 그 밖의 방법으로 그 효용을 해친 자

042 '집회 및 시위에 관한 법률', '집회 및 시위에 관한 법률 시행령'상 질서유지선에 대한 설명으로 가장 옳은 것은?

[2017 경간]

① 집회 · 시위의 신고를 받은 관할경찰관서장은 집회 · 시위의 보호와 공공의 질서 유지를 위해 최대한의 범위를 정하여 질서유지선을 설정할 수 있다.

② '집회 · 시위의 참가자를 일반인이나 차량으로부터 보호할 필요가 있을 경우'는 질서유지선을 설정할 수 있는 경우에 해당하지 않는다.

③ 경찰관서장이 질서유지선을 설정할 때에는 사전에 질서유지인에게 이를 서면으로 고지하여야 한다.

④ 적법한 요건에 따라 설정한 질서유지선을 경찰관의 경고에도 불구하고 정당한 사유 없이 상당 시간 침범하거나 손괴 · 은닉 · 이동 또는 제거하거나 그 밖의 방법으로 그 효용을 해친 자는 6개월 이하의 징역 또는 50만원 이하의 벌금 · 구류 또는 과료에 처한다.

정답 및 해설 | ④

④ [○]

> **집회 및 시위에 관한 법률 제24조【벌칙】** 다음 각 호의 어느 하나에 해당하는 자는 6개월 이하의 징역 또는 50만원 이하의 벌금 · 구류 또는 과료에 처한다.
> 3. 제13조에 따라 설정한 질서유지선을 경찰관의 경고에도 불구하고 정당한 사유 없이 상당 시간 침범하거나 손괴 · 은닉 · 이동 또는 제거하거나 그 밖의 방법으로 그 효용을 해친 자

① [×] 최소한의 범위를 정하여 질서유지선을 설정할 수 있다.

> **집회 및 시위에 관한 법률 제13조【질서유지선의 설정】** ① 제6조 제1항에 따른 신고를 받은 관할경찰관서장은 집회 및 시위의 보호와 공공의 질서 유지를 위하여 필요하다고 인정하면 최소한의 범위를 정하여 질서유지선을 설정할 수 있다.

② [×] '집회 · 시위의 참가자를 일반인이나 차량으로부터 보호할 필요가 있을 경우'도 질서유지선을 설정할 수 있는 사유에 해당한다.

> 대통령령 **집회 및 시위에 관한 법률 시행령 제13조【질서유지선의 설정 · 고지 등】** ① 관할 경찰관서장은 집회 및 시위의 보호와 공공의 질서 유지를 위하여 다음 각 호의 어느 하나에 해당하는 경우에는 법 제13조 제1항에 따라 질서유지선을 설정할 수 있다.
> 2. 집회 · 시위의 참가자를 일반인이나 차량으로부터 보호할 필요가 있을 경우

③ [×] 주최자 또는 연락책임자에게 이를 알려야 한다.

> 집회 및 시위에 관한 법률 제13조【질서유지선의 설정】② 제1항에 따라 경찰관서장이 질서유지선을 설정할 때에는 주최자 또는 연락책임자에게 이를 알려야 한다.

043 「집회 및 시위에 관한 법률」 및 동법 시행령상 질서유지선 제도에 대한 설명으로 가장 적절하지 않은 것은?

[2018 실무 3]

① 옥외집회 및 시위의 신고를 받은 관할경찰관서장은 집회 및 시위의 보호와 공공의 질서 유지를 위하여 필요하다고 인정하면 최소한의 범위를 정하여 질서유지선을 설정할 수 있다.

② 경찰관서장이 질서유지선을 설정할 때에는 주최자 또는 연락책임자에게 이를 알려야 한다.

③ 질서유지선의 설정 고지는 서면으로 하여야 한다. 다만, 집회 또는 시위 장소의 상형에 따라 질서 유지선을 새로 설정하거나 변경하는 경우에는 집회 또는 시위의 장소에 있는 경찰공무원이 구두로 알릴 수 있다.

④ 경찰관의 경고에도 불구하고 질서유지선을 정당한 사유 없이 손괴한 자는 6개월 이하의 징역 또는 500만원 이하의 벌금 · 구류 또는 과료에 처한다.

정답 및 해설 | ④

④ [×] 6개월 이하의 징역 또는 50만원 이하의 벌금 · 구류 또는 과료에 처한다.

> 집회 및 시위에 관한 법률 제24조【벌칙】다음 각 호의 어느 하나에 해당하는 자는 6개월 이하의 징역 또는 50만원 이하의 벌금 · 구류 또는 과료에 처한다.
> 3. 제13조에 따라 설정한 질서유지선을 경찰관의 경고에도 불구하고 정당한 사유 없이 상당 시간 침범하거나 손괴 · 은닉 · 이동 또는 제거하거나 그 밖의 방법으로 그 효용을 해친 자

① [○]

> 집회 및 시위에 관한 법률 제13조【질서유지선의 설정】① 제6조 제1항에 따른 신고를 받은 관할경찰관서장은 집회 및 시위의 보호와 공공의 질서 유지를 위하여 필요하다고 인정하면 최소한의 범위를 정하여 질서유지선을 설정할 수 있다.

②③ [○]

> 집회 및 시위에 관한 법률 제13조【질서유지선의 설정】② 제1항에 따라 경찰관서장이 질서유지선을 설정할 때에는 주최자 또는 연락책임자에게 이를 알려야 한다.
>
> 대통령령 집회 및 시위에 관한 법률 시행령 제13조【질서유지선의 설정 · 고지 등】② 법 제13조 제2항에 따른 질서유지선의 설정 고지는 서면으로 하여야 한다. 다만, 집회 또는 시위 장소의 상황에 따라 질서유지선을 새로 설정하거나 변경하는 경우에는 집회 또는 시위의 장소에 있는 경찰공무원이 구두로 알릴 수 있다.

044 「집회 및 시위에 관한 법률」 및 동법 시행령상 '질서유지선'에 관한 설명으로 가장 적절하지 않은 것은?

[2023 승진]

① 질서유지선을 경찰관의 경고에도 불구하고 정당한 사유 없이 상당 시간 침범하거나 손괴 · 은닉 · 이동 또는 제거하거나 그 밖의 방법으로 그 효용을 해친 자는 6개월 이하의 징역 또는 50만원 이하의 벌금 · 구류 또는 과료에 처한다.

② 옥외집회 및 시위의 신고를 받은 경찰관서장이 질서유지선을 설정할 때에는 주최자 또는 연락책임자에게 이를 알려야 한다.

③ 질서유지선의 설정 고지는 구두 또는 서면으로 할 수 있다. 다만 집회 또는 시위 장소의 상황에 따라 질서유지선을 새로 설정하거나 변경하는 경우에는 집회 또는 시위의 장소에 있는 경찰공무원이 서면으로 알려야 한다.

④ 옥외집회나 시위의 신고를 받은 관할경찰관서장은 집회 및 시위의 보호와 공공의 질서 유지를 위하여 필요하다고 인정하면 최소한의 범위를 정하여 질서유지선을 설정할 수 있다.

정답 및 해설 | ③

③ [×] 서면고지가 원칙이고, 현장 상황에 따라 새로 설정 · 변경시 구두로 알리는 것이 가능하다.

> 대통령령 **집회 및 시위에 관한 법률 시행령 제13조【질서유지선의 설정 · 고지 등】** ② 법 제13조 제2항에 따른 질서유지선의 설정 고지는 서면으로 하여야 한다. 다만, 집회 또는 시위 장소의 상황에 따라 질서유지선을 새로 설정하거나 변경하는 경우에는 집회 또는 시위의 장소에 있는 경찰공무원이 구두로 알릴 수 있다.

① [○]

> **집회 및 시위에 관한 법률 제24조【벌칙】** 다음 각 호의 어느 하나에 해당하는 자는 6개월 이하의 징역 또는 50만원 이하의 벌금 · 구류 또는 과료에 처한다.
> 3. 제13조에 따라 설정한 질서유지선을 경찰관의 경고에도 불구하고 정당한 사유 없이 상당 시간 침범하거나 손괴 · 은닉 · 이동 또는 제거하거나 그 밖의 방법으로 그 효용을 해친 자

②④ [○] 집회 및 시위에 관한 법률 제13조 제2항

> **집회 및 시위에 관한 법률 제13조【질서유지선의 설정】** ① 제6조 제1항에 따른 신고를 받은 관할경찰관서장은 집회 및 시위의 보호와 공공의 질서 유지를 위하여 필요하다고 인정하면 최소한의 범위를 정하여 질서유지선을 설정할 수 있다.
> ② 제1항에 따라 경찰관서장이 질서유지선을 설정할 때에는 주최자 또는 연락책임자에게 이를 알려야 한다.

045 「집회 및 시위에 관한 법률」 및 「집회 및 시위에 관한 법률 시행령」상 질서유지선에 대한 설명으로 가장 적절한 것은? [2021 채용 1차]

① 관할경찰관서장은 집회 및 시위의 보호와 공공의 질서 유지를 위하여 집회 · 시위의 행진로를 확보하거나 이를 위한 임시횡단보도를 설치할 필요가 있을 경우에는 「집회 및 시위에 관한 법률」 제13조 제1항에 따라 질서유지선을 설정할 수 있다.

② 경찰관서장이 질서유지선을 설정할 때에는 주최자 또는 연락책임자에게 이를 서면으로 고지하여야 하며, 이러한 과정을 통해 설정 · 고지된 질서유지선은 추후에 변경할 수 없다.

③ 옥외집회 및 시위의 신고를 받은 관할경찰관서장은 집회 및 시위의 보호와 공공의 질서 유지를 위하여 필요하다고 인정하면 최대한의 범위를 정하여 질서유지선을 설정할 수 있다.

④ 「집회 및 시위에 관한 법률」 제13조에 따라 설정한 질서유지선을 경찰관의 경고에도 불구하고 정당한 사유 없이 상당 시간 침범하거나 손괴 · 은닉 · 이동 또는 제거하거나 그 밖의 방법으로 그 효용을 해친 자는 6개월 이하의 징역 또는 500만원 이하의 벌금 · 구류 또는 과료에 처한다.

정답 및 해설 I ①

① [○]

> 대통령령 **집회 및 시위에 관한 법률 시행령 제13조【질서유지선의 설정 · 고지 등】** ① 관할 경찰관서장은 집회 및 시위의 보호와 공공의 질서 유지를 위하여 다음 각 호의 어느 하나에 해당하는 경우에는 법 제13조 제1항에 따라 질서유지선을 설정할 수 있다.
> 5. 집회 · 시위의 행진로를 확보하거나 이를 위한 임시횡단보도를 설치할 필요가 있을 경우
>
> **집회 및 시위에 관한 법률 제13조【질서유지선의 설정】** ① 제6조 제1항에 따른 신고를 받은 관할경찰관서장은 집회 및 시위의 보호와 공공의 질서 유지를 위하여 필요하다고 인정하면 최소한의 범위를 정하여 질서유지선을 설정할 수 있다.

② [×] 변경할 수 있다.

> 대통령령 **집회 및 시위에 관한 법률 시행령 제13조【질서유지선의 설정 · 고지 등】** ② 법 제13조 제2항에 따른 질서유지선의 설정 고지는 서면으로 하여야 한다. 다만, 집회 또는 시위 장소의 상황에 따라 질서유지선을 새로 설정하거나 변경하는 경우에는 집회 또는 시위의 장소에 있는 경찰공무원이 구두로 알릴 수 있다.

③ [×] 최소한의 범위를 정하여 질서유지선을 설정할 수 있다.

> **집회 및 시위에 관한 법률 제13조【질서유지선의 설정】** ① 제6조 제1항에 따른 신고를 받은 관할경찰관서장은 집회 및 시위의 보호와 공공의 질서 유지를 위하여 필요하다고 인정하면 최소한의 범위를 정하여 질서유지선을 설정할 수 있다.

④ [×] 500만원이 아닌 50만원 이하의 벌금 · 구류 또는 과료에 처한다.

> **집회 및 시위에 관한 법률 제24조【벌칙】** 다음 각 호의 어느 하나에 해당하는 자는 6개월 이하의 징역 또는 50만원 이하의 벌금 · 구류 또는 과료에 처한다.
> 3. 제13조에 따라 설정한 질서유지선을 경찰관의 경고에도 불구하고 정당한 사유 없이 상당 시간 침범하거나 손괴 · 은닉 · 이동 또는 제거하거나 그 밖의 방법으로 그 효용을 해친 자

046 2014년 「집회 및 시위에 관한 법률 시행령」이 개정(10.22. 시행)되어 집회현장 확성기 소음기준이 강화되고, 종합병원과 공공도서관에도 주거지역 · 학교와 동일한 소음 기준이 적용되었다. 집회 현장 소음 관리에 관한 설명으로 가장 적절하지 않은 것은? [2015 승진(경감)]

① 「집회 및 시위에 관한 법률 시행령」상 소음기준은 주간 · 야간 및 심야시간을 달리하여 규정하고 있다.

② 소음을 측정할 때는 소음으로 인한 피해자가 위치한 건물 등이 (i) 주거지역, 학교, 종합병원의 경우, (ii) 공공도서관의 경우와 (iii) 그 밖의 지역일 경우로 구분하여 기준치를 적용한다.

③ 관할경찰관서장은 집회 또는 시위의 주최자가 소음 기준을 초과하는 소음을 발생시켜 타인에게 피해를 주는 경우에는 그 기준 이하의 소음 유지 또는 확성기 등의 사용 중지를 명하거나 확성기 등의 일시보관 등 필요한 조치를 할 수 있다.

④ 경찰의 확성기 일시보관 등의 필요한 조치를 거부 또는 방해하더라도 「집회 및 시위에 관한 법률」상 처벌규정은 존재하지 않는다.

정답 및 해설 I ④

④ [×] 처벌규정이 존재한다.

> **집회 및 시위에 관한 법률 제24조【벌칙】** 다음 각 호의 어느 하나에 해당하는 자는 6개월 이하의 징역 또는 50만원 이하의 벌금 · 구류 또는 과료에 처한다.
> 4. 제14조 제2항(➜ 경찰의 확성기 일시보관 등의 필요한 조치)에 따른 명령을 위반하거나 필요한 조치를 거부 · 방해한 자

① [○] 시행령 별표 2에서 주간(07:00~해지기 전), 야간(해진 후~24:00), 심야(00:00~07:00)로 나누어 적용하고 있다.

② [○] (i) 주거지역, 학교, 종합병원의 경우, (ii) 공공도서관의 경우와 (iii) 그 밖의 지역 순으로 더 엄격한 기준을 마련해 두고 있다[(i)의 경우와 (ii)의 경우는 주간 및 야간은 동일한 기준이 적용되나, 심야의 경우 (i) 주거지역 등이 소음기준이 강화된다].

③ [○]

> **집회 및 시위에 관한 법률 제14조【확성기등 사용의 제한】** ② 관할경찰관서장은 집회 또는 시위의 주최자가 제1항에 따른 기준을 초과하는 소음을 발생시켜 타인에게 피해를 주는 경우에는 그 기준 이하의 소음 유지 또는 확성기등의 사용 중지를 명하거나 확성기 등의 일시보관 등 필요한 조치를 할 수 있다.

047 「집회 및 시위에 관한 법률」 및 그 시행령에 대한 설명으로 옳지 않은 것은? [2020 경간]

① 단체는 「집회 및 시위에 관한 법률」상 '주최자'가 될 수 있다.

② 집회 또는 시위의 주최자는 금지 통고를 받은 날부터 10일 이내에 해당 경찰관서의 바로 위의 상급경찰관서의 장에게 이의를 신청할 수 있다.

③ 학문, 예술, 체육, 종교, 의식, 친목, 오락, 관혼상제 및 국경행사에 관한 집회에서는 '확성기 등 사용의 제한'에 관한 규정을 적용하지 아니한다.

④ 소음 측정 장소는 피해자가 위치한 건물 외벽에서 소음원 방향으로 1~3.5m 떨어진 지점으로 하되, 소음도가 높을 것으로 예상되는 지점의 지면 위 1.2~1.5m 높이에서 측정한다. 다만, 주된 건물의 경비 등을 위하여 사용되는 부속 건물, 광장 · 공원이나 도로상의 영업시설물, 공원의 관리사무소 등은 소음 측정 장소에서 제외한다.

정답 및 해설 | ③

③ [×] 확성기 등의 사용 제한에 관한 규정은 학문 · 예술 등 관련 집회에도 적용된다.

> **집회 및 시위에 관한 법률 제15조【적용의 배제】** 학문, 예술, 체육, 종교, 의식, 친목, 오락, 관혼상제 및 국경행사에 관한 집회에는 제6조부터 제12조까지의 규정을 적용하지 아니한다.
>
> **집회 및 시위에 관한 법률 제14조【확성기등 사용의 제한】** ① 집회 또는 시위의 주최자는 확성기, 북, 징, 꽹과리 등의 기계 · 기구(이하 이 조에서 "확성기 등"이라 한다)를 사용하여 타인에게 심각한 피해를 주는 소음으로서 대통령령으로 정하는 기준을 위반하는 소음을 발생시켜서는 아니 된다.

① [○]

> **집회 및 시위에 관한 법률 제2조【정의】** 이 법에서 사용하는 용어의 뜻은 다음과 같다.
> 3. "**주최자**"란 자기 이름으로 자기 책임 아래 집회나 시위를 여는 사람이나 단체를 말한다. 주최자는 주관자를 따로 두어 집회 또는 시위의 실행을 맡아 관리하도록 위임할 수 있다. 이 경우 주관자는 그 위임의 범위 안에서 주최자로 본다.

② [○]

> **집회 및 시위에 관한 법률 제9조【집회 및 시위의 금지 통고에 대한 이의 신청 등】** ① 집회 또는 시위의 주최자는 제8조에 따른 금지 통고를 받은 날부터 10일 이내에 해당 경찰관서의 바로 위의 상급경찰관서의 장에게 이의를 신청할 수 있다.

④ [○] 시행령 별표 2에 규정된 소음 측정 장소에 관한 옳은 설명이다.

048 집회현장에서의 확성기 소음기준('집회 및 시위에 관한 법률 시행령')으로 빈칸의 숫자를 순서대로 바르게 나열한 것은? [2015 경간 유사, 2016 실무 3]

확성기 등의 소음기준(제14조 관련)

[단위: dB(A)]

<table>
<tr><th colspan="2" rowspan="2">소음도 구분</th><th rowspan="2">대상 지역</th><th colspan="3">시간대</th></tr>
<tr><th>주간
(07:00~해지기 전)</th><th>야간
(해진 후~24:00)</th><th>심야
(00:00~07:00)</th></tr>
<tr><td rowspan="6">대상
소음도</td><td rowspan="3">등가소음도
(Leq)</td><td>주거지역, 학교, 종합병원</td><td>(㉠) 이하</td><td>(㉡) 이하</td><td>55 이하</td></tr>
<tr><td>공공도서관</td><td>65 이하</td><td colspan="2">60 이하</td></tr>
<tr><td>그 밖의 지역</td><td>(㉢) 이하</td><td colspan="2">(㉣) 이하</td></tr>
<tr><td rowspan="3">최고소음도
(Lmax)</td><td>주거지역, 학교, 종합병원</td><td>85 이하</td><td>80 이하</td><td>75 이하</td></tr>
<tr><td>공공도서관</td><td>85 이하</td><td colspan="2">80 이하</td></tr>
<tr><td>그 밖의 지역</td><td colspan="3">95 이하</td></tr>
</table>

① 65 - 60 - 75 - 65

② 60 - 50 - 70 - 60

③ 65 - 55 - 80 - 70

④ 65 - 60 - 80 - 70

정답 및 해설 I ①

① [○] ㉠ 65, ㉡ 60, ㉢ 75, ㉣ 65가 들어가는 것이 적절하다.

☑ 확성기 등의 소음기준(시행령 별표 2) [단위: dB(A)]

소음도 구분		대상 지역	시간대		
			주간 (07:00~해지기 전)	야간 (해진 후~24:00)	심야 (00:00~07:00)
대상 소음도	등가소음도 (Leq)	주거지역, 학교, 종합병원	65 이하	60 이하	55 이하
		공공도서관	65 이하	60 이하	
		그 밖의 지역	75 이하	65 이하	
	최고소음도 (Lmax)	주거지역, 학교, 종합병원	85 이하	80 이하	75 이하
		공공도서관	85 이하	80 이하	
		그 밖의 지역	95 이하		

049 집회 및 시위에 관한 법률 시행령 제14조 별표 2의 확성기 등의 소음기준단위: Leq dB(A) 및 소음 측정 방법에 대한 내용으로 가장 적절하지 않은 것은? [2018 채용 1차]

① 주거지역, 학교, 종합병원, 공공도서관에서 주간(07:00~해지기 전)에 확성기 등의 소음기준은 65 이하이다.

② 그 밖의 지역에서 야간(해진 후~24:00)에 확성기 등의 소음기준은 65 이하이다.

③ 소음 측정 장소는 피해자가 위치한 건물 외벽에서 소음원 방향으로 1~3.5m 떨어진 지점으로 하되, 소음도가 높을 것으로 예상되는 지점의 지면 위 1.2~1.5m 높이에서 측정하고, 주된 건물의 경비 등을 위하여 사용되는 부속 건물, 광장 · 공원이나 도로상의 영업시설물, 공원의 관리사무소 등도 소음 측정 장소로 포함된다.

④ 확성기 등의 소음은 관할경찰서장(현장 경찰공무원)이 측정한다.

정답 및 해설 I ③

③ [×] **소음 측정 장소**는 피해자가 위치한 건물의 외벽에서 소음원 방향으로 1~3.5m 떨어진 지점으로 하되, 소음도가 높을 것으로 예상되는 지점의 지면 위 1.2~1.5m 높이에서 측정한다. 다만, 주된 건물의 경비 등을 위하여 사용되는 부속 건물, 광장 · 공원이나 도로상의 영업시설물, 공원의 관리사무소 등은 소음 측정 장소에서 제외한다(시행령 별표 2).

①② [○] 옳은 기준이다.

④ [○] 확성기 등의 소음은 관할경찰서장(현장 경찰공무원)이 측정한다(시행령 별표 2).

050 「집회 및 시위에 관한 법률 시행령」상 주거지역의 주간(07:00~해지기 전), 야간(해진 후~24:00)의 소음 기준을 연결한 것으로 가장 적절한 것은? [2020 실무 1]

① 75dB 이하 - 65dB 이하

② 70dB 이하 - 60dB 이하

③ 65dB 이하 - 60dB 이하

④ 65dB 이하 - 55dB 이하

정답 및 해설 I ③

③ [○] 65dB 이하, 60dB 이하이다.

051 집회현장에서의 확성기 사용에 대한 설명으로 가장 적절하지 않은 것은? [2022 승진]

① 중앙행정기관이 개최하는 국경일 행사의 경우 행사 개최시간에 한정하여 행사 진행에 영향을 미치는 소음에 대해서는,「집회 및 시위에 관한 법률 시행령」 별표2에 따른 확성기등의 소음기준을 '그 밖의 지역'의 소음기준으로 적용한다.

②「집회 및 시위에 관한 법률 시행령」 별표2에 따른 소음측정 장소에서 확성기등의 대상소음이 있을 때 측정한 소음도를 측정소음도로 하고, 같은 장소에서 확성기등의 대상소음이 없을 때 5분간 측정한 소음도를 배경소음도로 한다.

③「집회 및 시위에 관한 법률」상 관할경찰관서장은 집회 또는 시위의 주최자가 확성기등의 소음기준을 초과하는 소음을 발생시켜 타인에게 피해를 주는 경우에 그 기준 이하의 소음 유지 또는 확성기등의 사용 중지를 명하거나 확성기 등의 일시보관 등 필요한 조치를 할 수 있다.

④「집회 및 시위에 관한 법률 시행령」 별표2에 따른 확성기등의 소음기준에서 주거지역의 주간(07:00~해지기 전)시간대 등가소음도(Leq)는 65dB 이하이다.

정답 및 해설 I ①

① [×] 중앙행정기관이 개최하는 국경일 행사의 경우 행사 개최시간에 한정하여 '주거지역'의 소음기준을 적용한다.

> **대통령령** 집회 및 시위에 관한 법률 시행령 [별표 2] 확성기등의 소음기준
> 7. 다음 각 목에 해당하는 행사(중앙행정기관이 개최하는 행사만 해당한다)의 진행에 영향을 미치는 소음에 대해서는 그 행사의 개최시간에 한정하여 위 표의 주거지역의 소음기준을 적용한다.
> 가.「국경일에 관한 법률」 제2조에 따른 국경일의 행사
> 나.「각종 기념일 등에 관한 규정」 별표에 따른 각종 기념일 중 주관 부처가 국가보훈부인 기념일의 행사

② [○]

> **대통령령** 집회 및 시위에 관한 법률 시행령 [별표 2] 확성기등의 소음기준
> 3. 제2호의 장소에서 확성기등의 대상소음이 있을 때 측정한 소음도를 측정소음도로 하고, 같은 장소에서 확성기등의 대상소음이 없을 때 5분간 측정한 소음도를 배경소음도로 한다.

③ [○]

> **집회 및 시위에 관한 법률 제14조【확성기등 사용의 제한】** ② 관할경찰관서장은 집회 또는 시위의 주최자가 제1항에 따른 기준을 초과하는 소음을 발생시켜 타인에게 피해를 주는 경우에는 그 기준 이하의 소음 유지 또는 확성기등의 사용 중지를 명하거나 확성기 등의 일시보관 등 필요한 조치를 할 수 있다.

④ [○] 주거지역의 등가소음도 기준은 주간 65dB 이하, 야간 60dB 이하, 심야 55dB 이하이다.

04 주최 측의 준수사항

052 다음은 「집회 및 시위에 관한 법률」상 어떤 용어에 대한 설명이다. ㉠과 ㉡에 적당한 말은?

[2017 실무 3]

(㉠)라 함은 자기 이름으로 자기 책임 아래 집회 또는 시위를 개최하는 사람 또는 단체를 말한다. (㉠)는 (㉡)를(을) 따로 두어 집회 또는 시위의 실행을 맡아 관리하도록 위임할 수 있다. 이 경우 (㉡)는(은) 그 위임의 범위 안에서 (㉠)로 본다.

	㉠	㉡
①	주관자	질서유지인
②	주관자	주최자
③	주최자	질서유지인
④	주최자	주관자

정답 및 해설 I ④

④ [○] **집회 및 시위에 관한 법률 제2조 【정의】** 이 법에서 사용하는 용어의 뜻은 다음과 같다.
3. "(㉠ **주최자**)"란 자기 이름으로 자기 책임 아래 집회나 시위를 여는 사람이나 단체를 말한다. (㉠ 주최자)는 (㉡ 주관자)를 따로 두어 집회 또는 시위의 실행을 맡아 관리하도록 위임할 수 있다. 이 경우 (㉡ 주관자)는 그 위임의 범위 안에서 (㉠ 주최자)로 본다.

053 「집회 및 시위에 관한 법률」에 대한 설명으로 가장 적절한 것은? [2018 채용 3차]

① '주최자'란 자기 이름으로 자기 책임 아래 집회나 시위를 여는 사람이나 단체를 말한다. 주최자는 질서 유지인을 따로 두어 집회 또는 시위의 실행을 맡아 관리하도록 위임할 수 있다.
② 집회 또는 시위의 주최자는 집회 또는 시위의 질서 유지에 관하여 자신을 보좌하도록 18세 이상의 사람을 질서유지인으로 임명하여야 한다.
③ 옥외집회 또는 시위 장소가 두 곳 이상의 경찰서의 관할에 속하는 경우에는 관할 시·도경찰청장에게 신고서를 제출해야 하고, 두 곳 이상의 시·도경찰청 관할에 속하는 경우에는 경찰청장에게 신고서를 제출하여야 한다.
④ 집회 또는 시위의 주최자는 집회 또는 시위에 있어서의 질서를 유지할 수 없으면 그 집회 또는 시위의 종결을 선언하여야 한다.

정답 및 해설 I ④

④ [○] **집회 및 시위에 관한 법률 제16조 【주최자의 준수 사항】** ③ 집회 또는 시위의 주최자는 제1항에 따른 질서를 유지할 수 없으면 그 집회 또는 시위의 종결을 선언하여야 한다.

① [×] 주관자를 따로 두어 집회 또는 시위의 실행을 맡아 관리하도록 위임할 수 있다.

집회 및 시위에 관한 법률 제2조 【정의】 이 법에서 사용하는 용어의 뜻은 다음과 같다.
3. "**주최자**"란 자기 이름으로 자기 책임 아래 집회나 시위를 여는 사람이나 단체를 말한다. 주최자는 주관자를 따로 두어 집회 또는 시위의 실행을 맡아 관리하도록 위임할 수 있다. 이 경우 주관자는 그 위임의 범위 안에서 주최자로 본다.

② [×] 임명할 수 있다.

> **집회 및 시위에 관한 법률 제16조【주최자의 준수 사항】** ② 집회 또는 시위의 주최자는 집회 또는 시위의 질서 유지에 관하여 자신을 보좌하도록 18세 이상의 사람을 질서유지인으로 임명할 수 있다.

③ [×] 두 곳 이상의 시 · 도경찰청 관할에 속하는 경우, 주최지를 관할하는 시 · 도경찰청장에게 제출하여야 한다.

> **집회 및 시위에 관한 법률 제6조【옥외집회 및 시위의 신고 등】** ① … 다만, 옥외집회 또는 시위 장소가 두 곳 이상의 경찰서의 관할에 속하는 경우에는 관할 시 · 도경찰청장에게 제출하여야 하고, 두 곳 이상의 시 · 도경찰청 관할에 속하는 경우에는 주최지를 관할하는 시 · 도경찰청장에게 제출하여야 한다.

054 「집회 및 시위에 관한 법률」에서 사용하는 용어의 정의로 가장 적절하지 않은 것은? [2016 채용 1차]

① '시위'란 여러 사람이 공동의 목적을 가지고 도로, 광장, 공원 등 일반인이 자유로이 통행할 수 있는 장소를 행진하거나 위력 또는 기세를 보여, 불특정한 여러 사람의 의견에 영향을 주거나 제압을 가하는 행위를 말한다.

② '주관자'란 자기 이름으로 자기 책임 아래 집회나 시위를 여는 사람이나 단체를 말한다. 주관자는 주최자를 따로 두어 집회 또는 시위의 실행을 맡아 관리하도록 위임할 수 있다. 이 경우 주최자는 그 위임의 범위 안에서 주관자로 본다.

③ '질서유지인'이란 주최자가 자신을 보좌하여 집회 또는 시위의 질서를 유지하게 할 목적으로 임명한 자를 말한다.

④ '옥외집회'란 천장이 없거나 사방이 폐쇄되지 아니한 장소에서 여는 집회를 말한다.

정답 및 해설 I ②

② [×] 주최자와 주관자의 위치가 바뀌어 있다.

> **집회 및 시위에 관한 법률 제2조【정의】** 이 법에서 사용하는 용어의 뜻은 다음과 같다.
> 3. "**주최자**"란 자기 이름으로 자기 책임 아래 집회나 시위를 여는 사람이나 단체를 말한다. 주최자는 주관자를 따로 두어 집회 또는 시위의 실행을 맡아 관리하도록 위임할 수 있다. 이 경우 주관자는 그 위임의 범위 안에서 주최자로 본다.

①③④ [○]

> **집회 및 시위에 관한 법률 제2조【정의】** 이 법에서 사용하는 용어의 뜻은 다음과 같다.
> 1. "**옥외집회**"란 천장이 없거나 사방이 폐쇄되지 아니한 장소에서 여는 집회를 말한다.
> 2. "**시위**"란 여러 사람이 공동의 목적을 가지고 도로, 광장, 공원 등 일반인이 자유로이 통행할 수 있는 장소를 행진하거나 위력 또는 기세를 보여, 불특정한 여러 사람의 의견에 영향을 주거나 제압을 가하는 행위를 말한다.
> 4. "**질서유지인**"이란 주최자가 자신을 보좌하여 집회 또는 시위의 질서를 유지하게 할 목적으로 임명한 자를 말한다 ➜ 18세 이상, 임의적

055 「집회 및 시위에 관한 법률」에 대한 설명으로 가장 적절한 것은? [2017 채용 2차]

① '주관자(主管者)'란 자기 이름으로 자기 책임 아래 집회나 시위를 여는 사람이나 단체를 말한다.

② 집회 또는 시위의 주관자는 집회 또는 시위의 질서 유지에 관하여 자신을 보좌하도록 18세 이상의 사람을 질서유지인으로 임명하여야 한다.

③ 주최자는 신고한 옥외집회 또는 시위를 하지 아니하게 된 경우에는 신고서에 적힌 집회 일시 24시간 전에 그 철회사유 등을 적은 철회신고서를 관할경찰관서장에게 제출하여야 한다.

④ 관할경찰서장 또는 시 · 도경찰청장은 신고서를 접수하면 신고자에게 접수 일시를 적은 접수증을 12시간 이내에 내주어야 한다.

정답 및 해설 I ③

③ [○]

> **집회 및 시위에 관한 법률 제6조【옥외집회 및 시위의 신고 등】** ③ 주최자는 제1항에 따라 신고한 옥외집회 또는 시위를 하지 아니하게 된 경우에는 신고서에 적힌 집회 일시 24시간 전에 그 철회사유 등을 적은 철회신고서를 관할경찰관서장에게 제출하여야 한다.

① [×] 주최자에 대한 정의이다.

> **집회 및 시위에 관한 법률 제2조【정의】** 이 법에서 사용하는 용어의 뜻은 다음과 같다.
> 3. "주최자"란 자기 이름으로 자기 책임 아래 집회나 시위를 여는 사람이나 단체를 말한다. 주최자는 주관자를 따로 두어 집회 또는 시위의 실행을 맡아 관리하도록 위임할 수 있다. 이 경우 주관자는 그 위임의 범위 안에서 주최자로 본다.

② [×] 주관자가 아닌 주최자가, 질서유지인을 임명하여야 하는 것이 아니라 임명할 수 있다.

> **집회 및 시위에 관한 법률 제16조【주최자의 준수 사항】** ② 집회 또는 시위의 주최자는 집회 또는 시위의 질서 유지에 관하여 자신을 보좌하도록 18세 이상의 사람을 질서유지인으로 임명할 수 있다.

④ [×] 접수증은 즉시 내주어야 하는 것이다.

> **집회 및 시위에 관한 법률 제6조【옥외집회 및 시위의 신고 등】** ② 관할 경찰서장 또는 시 · 도경찰청장(이하 "관할경찰관서장"이라 한다)은 제1항에 따른 신고서를 접수하면 신고자에게 접수 일시를 적은 접수증을 즉시 내주어야 한다.

056 「집회 및 시위에 관한 법률」에 대한 설명으로 가장 적절하지 않은 것은? [2017 승진(경위)]

① '질서유지인'이란 주최자가 자신을 보좌하여 집회 또는 시위의 질서를 유지하게 할 목적으로 임명한 자를 말한다.

② '질서유지선'이란 관할경찰서장이나 시 · 도경찰청장이 적법한 집회 및 시위를 보호하고 질서 유지나 원활한 교통 소통을 위하여 집회 또는 시위의 장소나 행진 구간을 일정하게 구획하여 설정한 띠, 방책, 차선 등의 경계 표지를 말한다.

③ 집회 또는 시위의 주최자는 평화적인 집회 또는 시위가 방해받을 염려가 있다고 인정되면 관할경찰관서에 그 사실을 알려 보호를 요청할 수 있다. 이 경우 관할경찰관서의 장은 정당한 사유 없이 보호 요청을 거절하여서는 안 된다.

④ 헌법재판소의 경계 지점으로부터 200미터 이내의 장소에서는 옥외집회 또는 시위를 하여서는 아니 된다.

정답 및 해설 | ④

④ [×] 100m 이내이다.

> 집회 및 시위에 관한 법률 제11조【옥외집회와 시위의 금지 장소】누구든지 다음 각 호의 어느 하나에 해당하는 청사 또는 저택의 경계 지점으로부터 100미터 이내의 장소에서는 옥외집회 또는 시위를 하여서는 아니 된다.
> 2. 각급 법원, 헌법재판소. 다만, …

①② [○]

> 집회 및 시위에 관한 법률 제2조【정의】이 법에서 사용하는 용어의 뜻은 다음과 같다.
> 4. "질서유지인"이란 주최자가 자신을 보좌하여 집회 또는 시위의 질서를 유지하게 할 목적으로 임명한 자를 말한다. ➜ 18세 이상, 임의적
> 5. "질서유지선"이란 관할 경찰서장이나 시 · 도경찰청장이 적법한 집회 및 시위를 보호하고 질서유지나 원활한 교통 소통을 위하여 집회 또는 시위의 장소나 행진 구간을 일정하게 구획하여 설정한 띠, 방책, 차선 등의 경계 표지를 말한다.

③ [○]

> 집회 및 시위에 관한 법률 제3조【집회 및 시위에 대한 방해 금지】③ 집회 또는 시위의 주최자는 평화적인 집회 또는 시위가 방해받을 염려가 있다고 인정되면 관할 경찰관서에 그 사실을 알려 보호를 요청할 수 있다. 이 경우 관할 경찰관서의 장은 정당한 사유 없이 보호 요청을 거절하여서는 아니 된다.

057 「집회 및 시위에 관한 법률」상 주최자와 질서유지인의 준수 사항에 대한 설명으로 가장 적절하지 않은 것은? [2021 경간]

① 집회 또는 시위의 주최자는 집회 또는 시위의 질서 유지에 관하여 자신을 보좌하도록 18세 이상의 사람을 질서유지인으로 임명하여야 한다.

② 집회 또는 시위의 주최자는 질서를 유지할 수 없으면 그 집회 또는 시위의 종결을 선언하여야 한다.

③ 질서유지인은 참가자 등이 질서유지인임을 쉽게 알아볼 수 있도록 완장, 모자, 어깨띠, 상의 등을 착용하여야 한다.

④ 관할경찰관서장은 집회 또는 시위의 주최자와 협의하여 질서유지인의 수를 적절하게 조정할 수 있다.

정답 및 해설 | ①

① [×] 18세 이상의 사람을 질서유지인으로 **임명**할 수 있다.

> 집회 및 시위에 관한 법률 제16조【주최자의 준수 사항】② 집회 또는 시위의 주최자는 집회 또는 시위의 질서 유지에 관하여 자신을 보좌하도록 18세 이상의 사람을 질서유지인으로 임명할 수 있다.

② [○]

> 집회 및 시위에 관한 법률 제16조【주최자의 준수 사항】① 집회 또는 시위의 주최자는 집회 또는 시위에 있어서의 질서를 유지하여야 한다.
> ③ 집회 또는 시위의 주최자는 제1항에 따른 질서를 유지할 수 없으면 그 집회 또는 시위의 종결을 선언하여야 한다.

③④ [○]

> 집회 및 시위에 관한 법률 제17조【질서유지인의 준수 사항 등】③ 질서유지인은 참가자 등이 질서유지인임을 쉽게 알아볼 수 있도록 완장, 모자, 어깨띠, 상의 등을 착용하여야 한다.
> ④ 관할경찰관서장은 집회 또는 시위의 주최자와 협의하여 질서유지인의 수를 적절하게 조정할 수 있다.

058 다음 중 「집회 및 시위에 관한 법률」에 대한 설명으로 적절한 것을 모두 고른 것은? [2018 채용 2차]

> ㉠ 집회 또는 시위의 주최자 및 질서유지인은 특정한 사람이나 단체가 집회나 시위에 참가하는 것을 막을 수 있다. 다만, 언론사의 기자는 출입이 보장되어야 하며, 이 경우 기자는 신분증을 제시하고 기자임을 표시한 완장을 착용하여야 한다.
> ㉡ 단체는 「집회 및 시위에 관한 법률」상 '주최자'가 될 수 없다.
> ㉢ 집회 또는 시위의 주최자는 집회 또는 시위의 질서 유지에 관하여 자신을 보좌하도록 18세 이상의 사람을 질서유지인으로 임명할 수 있다.
> ㉣ 학문, 예술, 체육, 종교, 의식, 친목, 오락, 관혼상제 및 국경행사에 관한 집회에는 확성기 등 사용의 제한에 관한 규정을 적용하지 아니한다.

① ㉠, ㉡　　② ㉠, ㉢
③ ㉡, ㉢　　④ ㉠, ㉢, ㉣

정답 및 해설 I ②

㉠ [○]

> **집회 및 시위에 관한 법률 제4조【특정인 참가의 배제】** 집회 또는 시위의 주최자 및 질서유지인은 특정한 사람이나 단체가 집회나 시위에 참가하는 것을 막을 수 있다. 다만, 언론사의 기자는 출입이 보장되어야 하며, 이 경우 기자는 신분증을 제시하고 기자임을 표시한 완장을 착용하여야 한다.

㉡ [×] 단체도 주최자가 될 수 있다.

> **집회 및 시위에 관한 법률 제2조【정의】** 이 법에서 사용하는 용어의 뜻은 다음과 같다.
> 3. "**주최자**"란 자기 이름으로 자기 책임 아래 집회나 시위를 여는 사람이나 단체를 말한다. 주최자는 주관자를 따로 두어 집회 또는 시위의 실행을 맡아 관리하도록 위임할 수 있다. 이 경우 주관자는 그 위임의 범위 안에서 주최자로 본다.

㉢ [○]

> **집회 및 시위에 관한 법률 제16조【주최자의 준수 사항】** ② 집회 또는 시위의 주최자는 집회 또는 시위의 질서 유지에 관하여 자신을 보좌하도록 18세 이상의 사람을 질서유지인으로 임명할 수 있다.

㉣ [×] 확성기 등의 사용제한에 관한 규정은 학문·예술 등 관련 집회에도 적용된다.

> **집회 및 시위에 관한 법률 제15조【적용의 배제】** 학문, 예술, 체육, 종교, 의식, 친목, 오락, 관혼상제 및 국경행사에 관한 집회에는 제6조부터 제12조까지의 규정을 적용하지 아니한다.
>
> **집회 및 시위에 관한 법률 제14조【확성기등 사용의 제한】** ① 집회 또는 시위의 주최자는 확성기, 북, 징, 꽹과리 등의 기계·기구(이하 이 조에서 "확성기 등"이라 한다)를 사용하여 타인에게 심각한 피해를 주는 소음으로서 대통령령으로 정하는 기준을 위반하는 소음을 발생시켜서는 아니 된다.

059 다음은 「집회 및 시위에 관한 법률」에 대한 설명이다. 보기의 (   )에 들어갈 숫자를 모두 더한 값은?

[2016 경간]

> ㉠ 옥외집회나 시위를 주최하려는 자는 신고서를 옥외집회나 시위를 시작하기 720시간 전부터 (   )시간 전에 관할경찰서장에게 제출하여야 한다.
> ㉡ 질서유지선을 경찰관의 경고에도 불구하고 정당한 사유 없이 상당 시간 침범하거나 손괴 · 은닉 · 이동 또는 제거하거나 그 밖의 방법으로 그 효용을 해친 자는 (   )개월 이하의 징역 또는 50만원 이하의 벌금 · 구류 또는 과료에 처한다.
> ㉢ 폭행, 협박, 그 밖의 방법으로 평화적인 집회 또는 시위를 방해하거나 질서를 문란하게 한 자는 (   )년 이하의 징역 또는 300만원 이하의 벌금에 처한다.

① 55　　② 56　　③ 57　　④ 59

정답 및 해설 I ③

③ [○] 48 + 6 + 3 = 57

㉠ 48

> **집회 및 시위에 관한 법률 제6조【옥외집회 및 시위의 신고 등】** ① 옥외집회나 시위를 주최하려는 자는 그에 관한 다음 각 호의 사항 모두를 적은 신고서를 옥외집회나 시위를 시작하기 720시간 전부터 (㉠ 48)시간 전에 관할 경찰서장에게 제출하여야 한다. 다만, …

㉡ 6

> **집회 및 시위에 관한 법률 제24조【벌칙】** 다음 각 호의 어느 하나에 해당하는 자는 (㉡ 6)개월 이하의 징역 또는 50만원 이하의 벌금 · 구류 또는 과료에 처한다.
> 3. 제13조에 따라 설정한 질서유지선을 경찰관의 경고에도 불구하고 정당한 사유 없이 상당 시간 침범하거나 손괴 · 은닉 · 이동 또는 제거하거나 그 밖의 방법으로 그 효용을 해친 자

㉢ 3

> **집회 및 시위에 관한 법률 제3조【집회 및 시위에 대한 방해 금지】** ① 누구든지 폭행, 협박, 그 밖의 방법으로 평화적인 집회 또는 시위를 방해하거나 질서를 문란하게 하여서는 아니 된다.
> **집회 및 시위에 관한 법률 제22조【벌칙】** ① 제3조 제1항 또는 제2항을 위반한 자는 (㉢ 3)년 이하의 징역 또는 300만원 이하의 벌금에 처한다. 다만, 군인 · 검사 또는 경찰관이 제3조 제1항 또는 제2항을 위반한 경우에는 5년 이하의 징역에 처한다.

060 다음 보기 중 「집회 및 시위에 관한 법률」에 대한 설명으로 옳은 것은 모두 몇 개인가? [2014 채용 1차]

> ㉠ 옥외집회 또는 시위 장소가 두 곳 이상의 경찰서의 관할에 속하는 경우에는 관할 시 · 도경찰청장에게 제출하여야 하고, 두 곳 이상의 시 · 도경찰청 관할에 속하는 경우에는 경찰청장에게 제출하여야 한다.
> ㉡ 관할경찰관서장은 「집회 및 시위에 관한 법률」 제6조 제1항에 따른 신고서의 기재 사항에 미비한 점을 발견하면 접수증을 교부한 때부터 24시간 이내에 주최자에게 12시간을 기한으로 그 기재 사항을 보완할 것을 통고할 수 있다.
> ㉢ 금지 통고를 받은 주최자는 금지 통고를 받은 날부터 10일 이내에 해당 경찰관서의 바로 위의 상급경찰관서의 장에게 이의를 신청할 수 있다.
> ㉣ '주최자'라 함은 자기 이름으로 자기 책임 아래 집회 또는 시위를 개최하는 사람 또는 단체를 말하며, 주최자는 질서유지인을 따로 두어 집회 또는 시위의 실행을 맡아 관리하도록 위임할 수 있다.
> ㉤ 집회 또는 시위의 주최자 및 질서유지인은 특정한 사람이나 단체가 집회나 시위에 참가하는 것을 막을 수 있다. 다만, 언론사의 기자는 출입이 보장되어야 하며, 이 경우 기자는 신분증을 제시하고 기자임을 표시한 완장을 착용하여야 한다.

① 1개　② 2개　③ 3개　④ 4개

정답 및 해설 I ②

㉠ [×] 경찰청장이 아니라 주최지를 관할하는 시 · 도경찰청장에게 제출하여야 한다.

> **집회 및 시위에 관한 법률 제6조 【옥외집회 및 시위의 신고 등】** ① 옥외집회나 시위를 주최하려는 자는 그에 관한 다음 각 호의 사항 모두를 적은 신고서를 옥외집회나 시위를 시작하기 720시간 전부터 48시간 전에 관할 경찰서장에게 제출하여야 한다. 다만, 옥외집회 또는 시위 장소가 두 곳 이상의 경찰서의 관할에 속하는 경우에는 관할 시 · 도경찰청장에게 제출하여야 하고, 두 곳 이상의 시 · 도경찰청 관할에 속하는 경우에는 주최지를 관할하는 시 · 도경찰청장에게 제출하여야 한다.

㉡ [×] 접수증을 교부한 때부터 12시간 이내에 주최자에게 24시간을 기한으로 하여 보완할 것을 통고할 수 있다.

> **집회 및 시위에 관한 법률 제7조 【신고서의 보완 등】** ① 관할경찰관서장은 제6조 제1항에 따른 신고서의 기재 사항에 미비한 점을 발견하면 접수증을 교부한 때부터 12시간 이내에 주최자에게 24시간을 기한으로 그 기재 사항을 보완할 것을 통고할 수 있다.

㉢ [○]

> **집회 및 시위에 관한 법률 제9조 【집회 및 시위의 금지 통고에 대한 이의 신청 등】** ① 집회 또는 시위의 주최자는 제8조에 따른 금지 통고를 받은 날부터 10일 이내에 해당 경찰관서의 바로 위의 상급경찰관서의 장에게 이의를 신청할 수 있다.

㉣ [×] 주최자는 주관자를 따로 두어 위임할 수 있다.

> **집회 및 시위에 관한 법률 제2조 【정의】** 이 법에서 사용하는 용어의 뜻은 다음과 같다.
> 3. **"주최자"**란 자기 이름으로 자기 책임 아래 집회나 시위를 여는 사람이나 단체를 말한다. 주최자는 주관자를 따로 두어 집회 또는 시위의 실행을 맡아 관리하도록 위임할 수 있다. 이 경우 주관자는 그 위임의 범위 안에서 주최자로 본다.

㉤ [○]

> **집회 및 시위에 관한 법률 제4조 【특정인 참가의 배제】** 집회 또는 시위의 주최자 및 질서유지인은 특정한 사람이나 단체가 집회나 시위에 참가하는 것을 막을 수 있다. 다만, 언론사의 기자는 출입이 보장되어야 하며, 이 경우 기자는 신분증을 제시하고 기자임을 표시한 완장을 착용하여야 한다.

061 '집회 및 시위에 관한 법률' 및 동법 시행령을 설명한 것으로 다음 보기 중 옳은 것은 모두 몇 개인가?

[2016 지능범죄]

> ㉠ 군인 · 검사 · 판사 · 경찰관이 폭행, 협박, 그 밖의 방법으로 평화적인 집회 또는 시위를 방해한 경우 5년 이하의 징역에 처한다.
> ㉡ 주거지역에서 야간에 개최되는 집회의 경우 확성기 등의 소음기준은 60LeqdB(A) 이하이다.
> ㉢ 질서유지인은 참가자 등이 질서유지인임을 쉽게 알아볼 수 있도록 완장, 모자, 어깨띠, 상의 등을 착용할 수 있다.
> ㉣ 관할경찰관서장은 신고서의 기재 사항에 미비한 점을 발견하면 접수증을 교부한 때로부터 24시간 이내에 주최자에게 12시간을 기한으로 그 기재 사항을 보완할 것을 통고할 수 있다.
> ㉤ 집회 또는 시위의 주최자는 금지 통고를 받은 날로부터 10일 이내에 해당 경찰관서의 바로 위 상급경찰관서의 장에게 이의를 신청하여야 한다.

① 1개　　② 2개　　③ 3개　　④ 4개

정답 및 해설 I ①

㉠ [×] 판사는 처벌이 가중되는 주체에 포함되지 않는다.

> **집회 및 시위에 관한 법률 제3조【집회 및 시위에 대한 방해 금지】** ① 누구든지 폭행, 협박, 그 밖의 방법으로 평화적인 집회 또는 시위를 방해하거나 질서를 문란하게 하여서는 아니 된다.
>
> **집회 및 시위에 관한 법률 제22조【벌칙】** ① 제3조 제1항 또는 제2항을 위반한 자는 3년 이하의 징역 또는 300만원 이하의 벌금에 처한다. 다만, 군인 · 검사 또는 경찰관이 제3조 제1항 또는 제2항을 위반한 경우에는 5년 이하의 징역에 처한다.

㉡ [○] 주간은 65dB(A), 야간은 60dB(A), 심야는 55dB(A) 이하이다.

㉢ [×] 착용하여야 한다.

> **집회 및 시위에 관한 법률 제17조【질서유지인의 준수 사항 등】** ③ 질서유지인은 참가자 등이 질서유지인임을 쉽게 알아볼 수 있도록 완장, 모자, 어깨띠, 상의 등을 착용하여야 한다.

㉣ [×] 접수증을 교부한 때부터 12시간 이내에 주최자에게 24시간을 기한으로 하여 보완할 것을 통고할 수 있다.

> **집회 및 시위에 관한 법률 제7조【신고서의 보완 등】** ① 관할경찰관서장은 제6조 제1항에 따른 신고서의 기재 사항에 미비한 점을 발견하면 접수증을 교부한 때부터 12시간 이내에 주최자에게 24시간을 기한으로 그 기재 사항을 보완할 것을 통고할 수 있다.

㉤ [×] 신청할 수 있다.

> **집회 및 시위에 관한 법률 제9조【집회 및 시위의 금지 통고에 대한 이의 신청 등】** ① 집회 또는 시위의 주최자는 제8조에 따른 금지 통고를 받은 날부터 10일 이내에 해당 경찰관서의 바로 위의 상급경찰관서의 장에게 이의를 신청할 수 있다.

062 집회 · 시위에 대한 판례의 태도로 가장 적절한 것은? [2020 실무 3]

① 사전에 아무 계획이나 조직한 바 없었더라도, 즉흥적으로 현장에 모인 사람들과 함께 구호와 노래를 제창한 자는 시위의 주최자라고 볼 수 있다.

② 신고내용에 포함되지 않은 삼보일배 행진을 한 것은 신고제도의 목적 달성을 심히 곤란하게 하는 정도에 이른다고 볼 수 있다.

③ 신고한 행진 경로를 따라 행진하면서 하위 1개 차로에서 2회에 걸쳐 약 15분 동안 연좌한 경우 신고한 범위를 뚜렷이 벗어나는 경우에 해당한다.

④ 사전 신고를 하지 아니한 옥외집회 참가자들에게 해산명령불응죄를 적용하기 위하여는 관할경찰관서장 등이 적법한 해산명령의 절차와 방식을 준수하였음이 입증되어야 한다.

정답 및 해설 I ④

④ [○] 아래 판결에서 증명되어야 한다는 것이 곧 '입증'되어야 한다는 뜻이다.

> **요지판례 I**
> ■ 해산명령 불응의 죄책을 묻기 위하여는 관할경찰관서장 등이 직접 참가자들에 대하여 자진 해산할 것을 요청하고, 이에 따르지 아니하는 경우 세 번 이상 자진 해산할 것을 명령하는 등 집회 및 시위에 관한 법률 시행령 제17조에서 정한 적법한 해산명령의 절차와 방식을 준수하였음이 증명되어야 한다(대판 2005.9.28, 2005도3491).

① [×] 주최자라고 볼 수 없다.

> **요지판례 I**
> ■ '주최자'라 함은 자기 명의로 자기 책임 아래 집회 또는 시위를 개최하는 사람 또는 단체를 말하는 것인바, 우연히 대학교 정문 앞에 모이게 된 다른 사람들과 함께 즉석에서 즉흥적으로 학교당국과 경찰의 제지에 대한 항의의 의미로 시위를 하게 된 것이라면, 비록 그 시위에서의 구호나 노래가 피고인들의 선창에 의하여 제창되었다고 하더라도, 그와 같은 사실만으로는 피고인들이 위 시위의 주최자라고는 볼 수 없다(대판 1991.4.9, 90도2435).

② [×] 신고제도의 목적 달성을 심히 곤란하게 하는 정도라고 볼 수 없다.

> **요지판례 I**
> ■ 건설업체 노조원들이 '임 · 단협 성실교섭 촉구 결의대회'를 개최하면서 차도의 통행방법으로 신고하지 아니한 삼보일배 행진을 하여 차량의 통행을 방해한 사안에서, 그 시위방법이 장소 · 태양 · 내용 · 방법과 결과 등에 비추어 사회통념상 용인될 수 있는 다소의 피해를 발생시킨 경우에 불과하고, 집회 및 시위에 관한 법률에 정한 신고제도의 목적 달성을 심히 곤란하게 하는 정도에 이른다고 볼 수 없어, 사회상규에 위배되지 않는 정당행위에 해당한다(대판 2009.7.23, 2009도840).

③ [×] 신고한 범위를 뚜렷이 벗어나는 경우에 해당하지 아니한다.

> **요지판례 I**
> ■ 피고인들이 이미 신고한 행진 경로를 따라 행진로인 하위 1개 차로에서 2회에 걸쳐 약 15분 동안 연좌하였다는 사실 외에 이미 신고한 집회방법의 범위를 벗어난 사항은 없고, 약 3시간 30분 동안 이루어진 집회시간 동안 연좌시간도 약 15분에 불과한 사안에서, 위 옥외집회 등 주최행위가 신고한 범위를 뚜렷이 벗어나는 경우에 해당하지 아니한다(대판 2010.3.11, 2009도10425).

05 집회 또는 시위의 해산

063 「집회 및 시위에 관한 법률 시행령」상 집회시위의 해산절차로 가장 적절한 것은? [2023 승진]

① 자진 해산의 요청 ➜ 해산명령 ➜ 종결선언의 요청 ➜ 직접해산
② 자진 해산의 요청 ➜ 종결선언의 요청 ➜ 해산명령 ➜ 직접해산
③ 종결선언의 요청 ➜ 자진 해산의 요청 ➜ 해산명령 ➜ 직접해산
④ 종결선언의 요청 ➜ 해산명령 ➜ 자진 해산의 요청 ➜ 직접해산

정답 및 해설 | ③
③ [○] 집회 · 시위의 해산은 '종결 선언의 요청 ➜ 자진 해산의 요청 ➜ 해산명령 ➜ 직접 해산'의 순서에 따른다.

064 해산절차에 대한 설명으로 가장 적절하지 <u>않은</u> 것은? [2017 실무 1]

① 자진해산 요청은 집회참가자들에게 직접 한다.
② 해산명령은 1회로도 족하나, 자진 해산 요청은 반드시 3회 이상 일정한 시간적 간격을 두고 실시해야 한다.
③ 경찰서장은 집회주최자에게 종결 선언을 요청할 수 있다.
④ 해산절차 이행에 대한 기록을 남겨 사후 사법처리에 대비한다.

정답 및 해설 | ②
② [×] 자진해산 요청은 1회만 하는 것도 가능하나, 해산명령은 반드시 3회 이상 할 것이 요구된다.

> 대통령령 **집회 및 시위에 관한 법률 시행령 제17조【집회 또는 시위의 자진 해산의 요청 등】** 법 제20조에 따라 집회 또는 시위를 해산시키려는 때에는 관할 경찰관서장 또는 관할 경찰관서장으로부터 권한을 부여받은 경찰공무원은 다음 각 호의 순서에 따라야 한다. 다만, …
> 3. **해산명령 및 직접 해산**: 제2호에 따른 자진 해산 요청에 따르지 아니하는 경우에는 세 번 이상 자진 해산할 것을 명령하고, 참가자들이 해산명령에도 불구하고 해산하지 아니하면 직접 해산시킬 수 있다.

① [○]

> 대통령령 **집회 및 시위에 관한 법률 시행령 제17조【집회 또는 시위의 자진 해산의 요청 등】** …
> 2. **자진 해산의 요청**: 제1호의 종결 선언 요청에 따르지 아니하거나 종결 선언에도 불구하고 집회 또는 시위의 참가자들이 집회 또는 시위를 계속하는 경우에는 직접 참가자들에 대하여 자진 해산할 것을 요청한다.

③ [○]

> 대통령령 **집회 및 시위에 관한 법률 시행령 제17조【집회 또는 시위의 자진 해산의 요청 등】** …
> 1. **종결 선언의 요청**: 주최자에게 집회 또는 시위의 종결 선언을 요청하되, 주최자의 소재를 알 수 없는 경우에는 주관자 · 연락책임자 또는 질서유지인을 통하여 종결 선언을 요청할 수 있다.

④ [○] 해산명령 불이행은 형사처벌 대상이 되는 행위이므로(제24조), 향후 사법처리에 대비하여 적법한 공무집행이라는 점에 대한 기록을 남겨두는 것이 바람직하다.

065 집회 · 시위의 해산명령에 대한 설명으로 가장 적절한 것은? [2020 실무 1]

① 자진해산의 요청 → 종결 선언의 요청 → 해산명령 → 직접해산의 순서로 진행한다.

② 자진해산 요청은 직접 집회주최자에게 요청하여야 한다.

③ 종결 선언은 주최자에게 요청하되, 주최자 · 주관자 · 연락책임자 및 질서유지인이 집회 또는 시위 장소에 없는 경우에는 종결 선언의 요청을 생략할 수 있다.

④ 자진해산을 요청할 때는 반드시 '자진해산'이라는 용어를 사용하여야 한다.

정답 및 해설 I ③

③ [○]

> **대통령령** 집회 및 시위에 관한 법률 시행령 제17조【집회 또는 시위의 자진 해산의 요청 등】… 주최자 · 주관자 · 연락책임자 및 질서유지인이 집회 또는 시위 장소에 없는 경우에는 종결 선언의 요청을 생략할 수 있다.
> 1. **종결 선언의 요청**: 주최자에게 집회 또는 시위의 종결 선언을 요청하되, 주최자의 소재를 알 수 없는 경우에는 주관자 · 연락책임자 또는 질서유지인을 통하여 종결 선언을 요청할 수 있다.

① [×] 종결선언의 요청 ➔ 자진해산의 요청 ➔ 3회 이상 해산명령 ➔ 직접해산의 순서로 진행한다.

② [×] 자진해산 요청은 직접 참가자들에 대하여 한다.

> **대통령령** 집회 및 시위에 관한 법률 시행령 제17조【집회 또는 시위의 자진 해산의 요청 등】…
> 2. **자진 해산의 요청**: 제1호의 종결 선언 요청에 따르지 아니하거나 종결 선언에도 불구하고 집회 또는 시위의 참가자들이 집회 또는 시위를 계속하는 경우에는 직접 참가자들에 대하여 자진 해산할 것을 요청한다.

④ [×] 반드시 '자진해산'이라는 용어를 사용해야 하는 것이 아니다.

> **요지판례 I**
> ■ 해산명령 이전에 자진해산할 것을 요청하도록 한 입법 취지에 비추어 볼 때, 반드시 '자진해산'이라는 용어를 사용하여 요청할 필요는 없고, 그 때 해산을 요청하는 언행 중에 스스로 해산하도록 청하는 취지가 포함되어 있으면 된다(대판 2000.11.24, 2000도2172).

066 집회 및 시위 관리에 대한 설명으로 가장 적절하지 않은 것은? (다툼이 있으면 판례에 의함) [2017 승진(경감)]

① 관할경찰관서장 또는 관할경찰관서장으로부터 권한을 부여받은 경찰공무원은 집회 또는 시위를 해산시키는 주체가 될 수 있다.

② 주최자에게 집회 또는 시위의 종결 선언을 요청하되, 주최자의 소재를 알 수 없는 경우에는 주관자 · 연락책임자 또는 질서유지인을 통하여 종결 선언을 요청할 수 있다.

③ 질서유지선으로 사람의 대열, 버스 등 차량은 사용할 수 있으나, 인도경계석 · 차선 등 지상물은 사용할 수 없다.

④ 자진해산을 요청할 때는 반드시 '자진해산'이라는 용어를 사용하여 요청할 필요는 없고, 해산을 요청하는 언행 중에 스스로 해산하도록 청하는 취지가 포함되어 있으면 된다.

정답 및 해설 | ③

③ [×] 사람의 대열이나 버스 등 차량은 경계표지로 기능할 수 있는 물건 또는 도로교통법상 안전표지가 아니므로 질서유지선이 될 수 없다고 보아야 하고, 반면 인도경계석이나 차선 등은 경계표지로 기능할 수 있는 물건 또는 도로교통법상 안전표지로서 질서유지선으로 기능할 수 있다고 보아야 한다.

> **요지판례 |**
> ■ 질서유지선은 띠, 방책, 차선 등과 같이 경계표지로 기능할 수 있는 물건 또는 도로교통법상 안전표지라고 봄이 타당하므로, 경찰관들이 집회 또는 시위가 이루어지는 장소의 외곽이나 그 장소 안에서 줄지어 서는 등의 방법으로 사실상 질서유지선의 역할을 수행한다고 하더라도 이를 가리켜 집시법에서 정한 질서유지선이라고 할 수는 없다(대판 2019.1.10, 2016도21311). ➜ 경찰관들의 대열(사람의 대열)을 질서유지선으로 볼 수 없다.
> ■ 경찰버스로 이루어진 차벽을 '질서유지선'이라고 공표하거나 '질서유지선'이라고 기재해 두었다 하여 경찰이 차벽을 집시법상의 질서유지선으로 사용할 의사였다거나 설치된 차벽이 객관적으로 질서유지선의 역할을 한 것으로 보이지는 아니한다는 원심(서울고등법원)의 결론은 수긍할 수 있다(대판 2017.5.31, 2016도21077).

①② [○]

> 대통령령 **집회 및 시위에 관한 법률 시행령 제17조【집회 또는 시위의 자진 해산의 요청 등】** 법 제20조에 따라 집회 또는 시위를 해산시키려는 때에는 관할 경찰관서장 또는 관할 경찰관서장으로부터 권한을 부여받은 경찰공무원은 다음 각 호의 순서에 따라야 한다. 다만, 법 제20조 제1항 제1호 · 제2호 또는 제4호에 해당하는 집회 · 시위의 경우와 주최자 · 주관자 · 연락책임자 및 질서유지인이 집회 또는 시위 장소에 없는 경우에는 종결 선언의 요청을 생략할 수 있다.
> 1. **종결 선언의 요청**: 주최자에게 집회 또는 시위의 종결 선언을 요청하되, 주최자의 소재를 알 수 없는 경우에는 주관자 · 연락책임자 또는 질서유지인을 통하여 종결 선언을 요청할 수 있다.

④ [○]

> **요지판례 |**
> ■ 해산명령 이전에 자진해산할 것을 요청하도록 한 입법 취지에 비추어 볼 때, 반드시 '자진해산'이라는 용어를 사용하여 요청할 필요는 없고, 그 때 해산을 요청하는 언행 중에 스스로 해산하도록 청하는 취지가 포함되어 있으면 된다(대판 2000.11.24, 2000도2172).

067 「집회 및 시위에 관한 법률」 및 동법 시행령에 대한 설명 중 가장 적절한 것은? [2020 승진(경위)]

① 관할경찰관서장은「집회 및 시위에 관한 법률」제6조 제1항에 따른 신고서의 기재 사항에 미비한 점을 발견하면 접수증을 교부한 때부터 12시간 이내에 주최자 또는 질서유지인에게 24시간을 기한으로 그 기재 사항을 보완할 것을 통고할 수 있다.

② 위 ①에 따른 보완 통고는 보완할 사항을 분명히 밝혀 서면 또는 구두로 주최자 또는 연락책임자에게 송달하여야 한다.

③「집회 및 시위에 관한 법률」제6조 제1항에 따른 신고를 받은 관할경찰관서장이 집회 및 시위의 보호와 공공의 질서 유지를 위하여 필요하다고 인정하여 질서유지선을 설정할 때에는 주최자 또는 연락책임자에게 이를 알려야 한다.

④ 집회 또는 시위 장소의 상황에 따라 질서유지선을 새로 설정하거나 변경하는 경우 서면으로 통지해야 한다.

정답 및 해설 | ③

③ [○]

> **집회 및 시위에 관한 법률 제13조【질서유지선의 설정】** ① 제6조 제1항에 따른 신고를 받은 관할경찰관서장은 집회 및 시위의 보호와 공공의 질서 유지를 위하여 필요하다고 인정하면 최소한의 범위를 정하여 질서유지선을 설정할 수 있다.
> ② 제1항에 따라 경찰관서장이 질서유지선을 설정할 때에는 주최자 또는 연락책임자에게 이를 알려야 한다.

① [×] 주최자에게 기재 사항을 보완할 것을 통고할 수 있다.

> **집회 및 시위에 관한 법률 제7조【신고서의 보완 등】** ① 관할경찰관서장은 제6조 제1항에 따른 신고서의 기재 사항에 미비한 점을 발견하면 접수증을 교부한 때부터 12시간 이내에 주최자에게 24시간을 기한으로 그 기재 사항을 보완할 것을 통고할 수 있다.

② [×] 주최자 또는 연락책임자에 서면을 송달하여야 한다.

> **집회 및 시위에 관한 법률 제7조【신고서의 보완 등】** ② 제1항에 따른 보완 통고는 보완할 사항을 분명히 밝혀 서면으로 주최자 또는 연락책임자에게 송달하여야 한다.

④ [×] 집회 · 시위 장소의 상황에 따라 새로 설정하거나 변경하는 경우에는 구두로 알릴 수 있다.

> 대통령령 **집회 및 시위에 관한 법률 시행령 제13조【질서유지선의 설정 · 고지 등】** ② 법 제13조 제2항에 따른 질서유지선의 설정 고지는 서면으로 하여야 한다. 다만, 집회 또는 시위 장소의 상황에 따라 질서유지선을 새로 설정하거나 변경하는 경우에는 집회 또는 시위의 장소에 있는 경찰공무원이 구두로 알릴 수 있다.

068 「집회 및 시위에 관한 법률」에 대한 설명으로 가장 적절한 것은? [2020 채용 1차]

① 적법한 절차에 따라 설정한 질서유지선을 경찰관의 경고에도 불구하고 정당한 사유 없이 상당 시간 침범하거나 손괴 · 은닉 · 이동 또는 제거하거나 그 밖의 방법으로 그 효용을 해친 자는 6개월 이하의 징역 또는 50만원 이하의 벌금 · 구류 또는 과료에 처한다.

② 옥외집회 또는 시위 장소가 두 곳 이상의 경찰서의 관할에 속하는 경우에는 주최지를 관할하는 경찰서장에게 신고서를 제출하여야 한다.

③ 관할경찰서장은 신고서의 기재 사항에 미비한 점을 발견하면 접수증을 교부한 때부터 12시간 이내에 주최자에게 24시간을 기한으로 그 기재 사항을 보완할 것을 통고하여야 한다.

④ '주관자'란 자기 이름으로 자기 책임 아래 집회나 시위를 여는 사람이나 단체를 말한다. 주관자는 주최자를 따로 두어 집회 또는 시위의 실행을 맡아 관리하도록 위임할 수 있다.

정답 및 해설 I ①

① [○]

> **집회 및 시위에 관한 법률 제24조【벌칙】** 다음 각 호의 어느 하나에 해당하는 자는 6개월 이하의 징역 또는 50만원 이하의 벌금 · 구류 또는 과료에 처한다.
> 3. 제13조에 따라 설정한 질서유지선을 경찰관의 경고에도 불구하고 정당한 사유 없이 상당 시간 침범하거나 손괴 · 은닉 · 이동 또는 제거하거나 그 밖의 방법으로 그 효용을 해친 자

② [×] 관할 시 · 도경찰청장에게 신고서를 제출하여야 한다.

> **집회 및 시위에 관한 법률 제6조【옥외집회 및 시위의 신고 등】** ① 옥외집회나 시위를 주최하려는 자는 그에 관한 다음 각 호의 사항 모두를 적은 신고서를 옥외집회나 시위를 시작하기 720시간 전부터 48시간 전에 관할 경찰서장에게 제출하여야 한다. 다만, 옥외집회 또는 시위 장소가 두 곳 이상의 경찰서의 관할에 속하는 경우에는 관할 시 · 도경찰청장에게 제출하여야 하고, 두 곳 이상의 시 · 도경찰청 관할에 속하는 경우에는 주최지를 관할하는 시 · 도경찰청장에게 제출하여야 한다.

③ [×] 관할경찰관서장은 보완할 것을 통고할 수 있다.

> **집회 및 시위에 관한 법률 제7조【신고서의 보완 등】** ① 관할경찰관서장은 제6조 제1항에 따른 신고서의 기재 사항에 미비한 점을 발견하면 접수증을 교부한 때부터 12시간 이내에 주최자에게 24시간을 기한으로 그 기재 사항을 보완할 것을 통고할 수 있다.

④ [×] 주관자와 주최자의 위치가 바뀌었다.

> 집회 및 시위에 관한 법률 제2조 【정의】 이 법에서 사용하는 용어의 뜻은 다음과 같다.
> 3. "**주최자**"란 자기 이름으로 자기 책임 아래 집회나 시위를 여는 사람이나 단체를 말한다. 주최자는 주관자를 따로 두어 집회 또는 시위의 실행을 맡아 관리하도록 위임할 수 있다. 이 경우 주관자는 그 위임의 범위 안에서 주최자로 본다.

069 집회의 자유에 대한 판례의 태도로 가장 적절하지 않은 것은? [2014 실무 3]

① 집회에 있어서 사람의 다과(多寡)에는 제한이 없다.

② 헌법 제21조 제1항은 집회의 자유의 대상으로 '집회'만을 규정하고 있지만, '시위의 자유'도 헌법 제21조 제1항에 의하여 보호되는 기본권이다.

③ 집회의 금지와 해산은 원칙적으로 공공의 안녕질서에 대한 위협이 잠재적으로 존재하는 경우라면 허용된다.

④ 집회참가자에 대한 검문의 방법으로 시간을 지연시킴으로써 집회장소에 접근하는 것을 방해하는 것을 금지된다.

정답 및 해설 | ③

③ [×] 직접적 위협이 명백히 존재하는 경우에만 허용된다.

> **요지판례 |**
> ■ 집회의 자유에 대한 제한은 다른 중요한 법익의 보호를 위하여 반드시 필요한 경우에 한하여 정당화되는 것이며, 특히 집회의 금지와 해산은 원칙적으로 공공의 안녕질서에 대한 직접적인 위협이 명백하게 존재하는 경우에 한하여 허용될 수 있다. 집회의 금지와 해산은 집회의 자유를 보다 적게 제한하는 다른 수단, 즉 조건을 붙여 집회를 허용하는 가능성을 모두 소진한 후에 비로소 고려될 수 있는 최종적인 수단이다(헌재 2003.10.30, 2000헌바67).

① [○]

> **요지판례 |**
> ■ 집회 및 시위에 관한 법률에 의하여 보장 및 규제의 대상이 되는 집회란 '특정 또는 불특정 다수인이 공동의 의견을 형성하여 이를 대외적으로 표명할 목적 아래 일시적으로 일정한 장소에 모이는 것'을 말하고, 모이는 장소나 사람의 다과에 제한이 있을 수 없으므로, 2인이 모인 집회도 위 법의 규제 대상이 된다고 보아야 한다(대판 2012.5.24, 2010도11381).

② [○]

> **요지판례 |**
> ■ 집회의 자유는 집회를 통하여 형성된 의사를 집단적으로 표현하고 이를 통하여 불특정 다수인의 의사에 영향을 줄 자유를 포함하므로 이를 내용으로 하는 시위의 자유 또한 집회의 자유를 규정한 헌법 제21조 제1항에 의하여 보호되는 기본권이다(헌재 2005.11.24, 2004헌가17).

④ [○]

> **요지판례 |**
> ■ 집회의 자유는 집회의 시간, 장소, 방법과 목적을 스스로 결정할 권리를 보장한다. 집회의 자유에 의하여 구체적으로 보호되는 주요행위는 집회의 준비 및 조직, 지휘, 참가, 집회장소 · 시간의 선택이다. 따라서 집회의 자유는 개인이 집회에 참가하는 것을 방해하거나 또는 집회에 참가할 것을 강요하는 국가행위를 금지할 뿐만 아니라, 예컨대 집회장소로의 여행을 방해하거나, 집회장소로부터 귀가하는 것을 방해하거나, 집회참가자에 대한 검문의 방법으로 시간을 지연시킴으로써 집회장소에 접근하는 것을 방해하는 등 집회의 자유행사에 영향을 미치는 모든 조치를 금지한다(헌재 2003.10.30, 2000헌바67).

070 집회 및 시위에 관한 설명 중 옳고 그름의 표시(○, ×)가 바르게 된 것은? (다툼이 있는 경우 판례에 의함) [2024 승진]

> ㉠ 헌법에 따르면 집회에 대한 허가제는 인정되지 아니한다.
> ㉡ 집회금지통고는 관할경찰서장이 집회신고를 접수한 후 「집회 및 시위에 관한 법률」상 집회 사전금지조항에 근거하여 집회 주최자 등에게 해당 집회를 금지한다는 사실을 알리는 행정처분이므로 그 자체를 헌법에 위배되는 제도라고 볼 수 없다.
> ㉢ 집회의 금지와 해산은 원칙적으로 공공의 안녕질서에 대한 직접적인 위협이 명백하게 존재하는 경우에 한하여 허용될 수 있고, 집회의 자유를 보다 적게 제한하는 다른 수단, 예컨대 시위 참가자수의 제한, 시위 대상과의 거리 제한, 시위 방법, 시기, 소요시간의 제한 등 조건을 붙여 집회를 허용하는 가능성을 모두 소진한 후에 비로소 고려될 수 있는 최종적인 수단이다.
> ㉣ 사전 금지 또는 제한된 집회라 하더라도 실제 이루어진 집회가 당초 신고 내용과 달리 평화롭게 개최되거나 집회 규모를 축소하여 이루어지는 등 타인의 법익 침해나 기타 공공의 안녕질서에 대하여 직접적이고 명백한 위험을 초래하지 않은 경우에는 이에 대하여 사전금지 또는 제한을 위반하여 집회를 한 점을 들어 처벌하는 것 이외에 더 나아가 이에 대한 해산을 명하고 이에 불응하였다 하여 처벌할 수는 없다.

① ㉠(○) ㉡(○) ㉢(○) ㉣(○)
② ㉠(×) ㉡(×) ㉢(○) ㉣(×)
③ ㉠(○) ㉡(○) ㉢(×) ㉣(○)
④ ㉠(○) ㉡(×) ㉢(×) ㉣(×)

정답 및 해설 | ①

㉠ [○] 헌법이 명시적으로 집회에 대한 허가제가 금지됨을 규정하고 있다.

> **헌법 제21조** ②언론·출판에 대한 허가나 검열과 집회·결사에 대한 허가는 인정되지 아니한다.

㉡ [○]

> **요지판례 |**
> ■ 집회 금지통고는 관할 경찰서장이 집회신고를 접수한 후 집시법상 집회 사전금지조항에 근거하여 집회 주최자 등에게 해당 집회를 금지한다는 사실을 알리는 행정처분이므로 그 자체를 헌법에 위배되는 제도라고 볼 수 없고, 이를 운용할 때에도 경찰의 자의적 판단에 따라 집회의 자유가 침해되는 것을 방지하기 위하여 집시법 제9조에서 금지통고에 대한 이의신청을 할 수 있다고 규정하고 있으므로, 이를 헌법에 위배된다고 볼 수 없다(대판 2011.10.13, 2009도13846).

㉢ [○]

> **요지판례 |**
> ■ 집회의 자유에 대한 제한은 다른 중요한 법익의 보호를 위하여 반드시 필요한 경우에 한하여 정당화되는 것이며, 특히 집회의 금지와 해산은 원칙적으로 공공의 안녕질서에 대한 직접적인 위협이 명백하게 존재하는 경우에 한하여 허용될 수 있다. 집회의 금지와 해산은 집회의 자유를 보다 적게 제한하는 다른 수단, 즉 조건을 붙여 집회를 허용하는 가능성을 모두 소진한 후에 비로소 고려될 수 있는 최종적인 수단이다(헌재결 2003.10.30, 2000헌바67).

㉣ [○]

> **요지판례 |**
> ■ 사전 금지 또는 제한된 집회라 하더라도 실제 이루어진 집회가 당초 신고 내용과 달리 평화롭게 개최되거나 집회 규모를 축소하여 이루어지는 등 타인의 법익 침해나 기타 공공의 안녕질서에 대하여 직접적이고 명백한 위험을 초래하지 않은 경우에는 이에 대하여 사전 금지 또는 제한을 위반하여 집회를 한 점을 들어 처벌하는 것 이외에 더 나아가 이에 대한 해산을 명하고 이에 불응하였다 하여 처벌할 수는 없다(대판 2011.10.13, 2009도13846).
> ➜ 사전금지·제한위반 처벌 ○ / 해산명령 불응 처벌 ×

071 집회 및 시위에 관한 다음 설명 중 가장 적절하지 않은 것은? (단, 다툼이 있으면 판례에 의함)

[2014 승진(경감)]

① 행진시위의 참가자들이 일부 구간에서 감행한 전차선 점거행진, 도로점거 연좌시위 등의 행위는 당초 신고된 범위를 현저히 일탈하거나 구 「집회 및 시위에 관한 법률」 제12조의 규정에 의한 조건을 중대하게 위반한 것으로서 그로 인하여 도로의 통행이 불가능하게 되거나 현저하게 곤란하게 된 이상 「형법」 제185조 소정의 일반교통방해죄에 해당한다고 할 것이다.

② 「집회 및 시위에 관한 법률」 제20조 제1항과 「집회 및 시위에 관한 법률 시행령」이 해산명령을 할 때 그 사유를 구체적으로 고지하도록 명시적으로 규정하고 있지 아니하므로, 해산명령을 할 때에는 해산사유가 「집회 및 시위에 관한 법률」 제20조 제1항 각 호 중 어느 사유에 해당하는지에 관하여 구체적으로 고지하여야 하는 것은 아니다.

③ 구 「집회 및 시위에 관한 법률」에 의하여 금지되어 그 주최 또는 참가행위가 형사처벌의 대상이 되는 위법한 집회 · 시위가 장차 특정지역에서 개최될 것이 예상된다고 하더라도, 이와 시간적 · 장소적으로 근접하지 않은 다른 지역에서 그 집회 · 시위에 참가하기 위하여 출발 또는 이동하는 행위를 함부로 제지하는 것은 「경찰관 직무집행법」 제6조 제1항의 행정상 즉시강제인 경찰관의 제지의 범위를 명백히 넘어 허용될 수 없다.

④ 「집회 및 시위에 관한 법률」 제20조 제1항 제2호가 미신고 옥외집회 또는 시위를 해산명령 대상으로 하면서 별도의 해산 요건을 정하고 있지 않더라도, 그 옥외집회 또는 시위로 인하여 타인의 법익이나 공공의 안녕질서에 대한 직접적인 위험이 명백하게 초래된 경우에 한하여 위 조항에 기하여 해산을 명할 수 있고, 이러한 요건을 갖춘 해산명령에 불응하는 경우에만 「집회 및 시위에 관한 법률」 제24조 제5호에 의하여 처벌할 수 있다.

정답 및 해설 | ②

② [×]

요지판례 |

■ 집회 및 시위에 관한 법률 제20조 제1항 및 제20조 제2항 등 관련 규정들의 해석상 관할경찰관서장이 위 해산명령을 할 때에는 해산사유가 집시법 제20조 제1항 각호 중 어느 사유에 해당하는지 구체적으로 고지하여야 한다(대판 2019.8.29, 2016도1869). ➜ 따라서 해산명령을 하면서 구체적인 해산사유를 고지하지 않았거나 정당하지 않은 사유를 고지하면서 해산명령을 한 경우에는, 그러한 해산명령에 따르지 아니하였다 하더라도 집시법 제20조 제2항을 위반하였다고 할 수 없다.

① [○]

요지판례 |

■ 집회 또는 시위가 신고된 범위 내에서 행해졌거나 신고된 내용과 다소 다르게 행해졌어도 신고된 범위를 현저히 일탈하지 않는 경우에는, 그로 인하여 도로의 교통이 방해를 받았다고 하더라도 특별한 사정이 없는 한 형법 제185조의 일반교통방해죄가 성립한다고 볼 수 없다. 그러나 그 집회 또는 시위가 당초 신고된 범위를 현저히 일탈하거나 구 집회 및 시위에 관한 법률 제12조에 의한 조건을 중대하게 위반하여 도로교통을 방해함으로써 통행을 불가능하게 하거나 현저하게 곤란하게 하는 경우에는 일반교통방해죄가 성립한다(대판 2008.11.13, 2006도755). ➜ 전국민주노동조합총연맹 준비위원회가 주관한 도로행진시위가 사전에 구 집회 및 시위에 관한 법률에 따라 옥외집회신고를 마쳤어도, 신고의 범위와 위 법률 제12조에 따른 제한을 현저히 일탈하여 주요도로 전차선을 점거하여 행진 등을 함으로써 교통소통에 현저한 장해를 일으켰다면, 일반교통방해죄를 구성한다.

③ [○]

요지판례 |

■ 집회 및 시위에 관한 법률에 의하여 금지되어 그 주최 또는 참가행위가 형사처벌의 대상이 되는 위법한 집회·시위가 장차 특정지역에서 개최될 것이 예상된다고 하더라도, 이와 시간적·장소적으로 근접하지 않은 다른 지역에서 그 집회·시위에 참가하기 위하여 출발 또는 이동하는 행위를 함부로 제지하는 것은 경찰관 직무집행법 제6조의 행정상 즉시강제인 경찰관의 제지의 범위를 명백히 넘어 허용될 수 없다. 따라서 이러한 제지행위는 공무집행방해죄의 보호대상이 되는 공무원의 적법한 직무집행이 아니다(대판 2008.11.13, 2007도9794). ➜ 집회·시위 예정시간으로부터 약 5시간 30분 전에 그 예정장소로부터 약 150km 떨어진 곳에서 이루어진 제지행위는 위법하다.

경찰관 직무집행법 제6조【범죄의 예방과 제지】 경찰관은 범죄행위가 목전에 행하여지려고 하고 있다고 인정될 때에는 이를 예방하기 위하여 관계인에게 필요한 경고를 하고, 그 행위로 인하여 사람의 생명·신체에 위해를 끼치거나 재산에 중대한 손해를 끼칠 우려가 있는 긴급한 경우에는 그 행위를 제지할 수 있다.

④ [○]

요지판례 |

■ 집회 및 시위에 관한 법률이 '제10조 본문을 위반한 집회 또는 시위'와 '제6조 제1항에 따른 신고를 하지 아니한 집회 또는 시위'를 해산명령 대상으로 하면서 별도의 해산 요건을 정하고 있지 않더라도, 그 옥외집회 또는 시위로 인하여 타인의 법익이나 공공의 안녕질서에 대한 직접적인 위험이 명백하게 초래된 경우에 한하여 위 조항에 기하여 해산을 명할 수 있고, 이러한 요건을 갖춘 해산명령에 불응하는 경우에만 집시법 제24조 제5호에 의하여 처벌할 수 있다(대판 2015.6.11, 2015도4273).

072 집회 및 시위에 관한 법률에 대한 판례의 태도로 가장 적절하지 않은 것은? [2019 승진(경위)]

① 해산명령 이전에 자진해산할 것을 요청할 때, 반드시 '자진해산'이라는 용어를 사용하여 요청할 필요는 없고, 해산을 요청하는 언행 중에 스스로 해산하도록 청하는 취지가 포함되어 있으면 된다.

② 사전 금지 또는 제한된 집회라 하더라도 실제 이루어진 집회가 당초 신고 내용과 달리 평화롭게 개최되거나 집회 규모를 축소하여 이루어지는 등 타인의 법익 침해나 기타 공공의 안녕질서에 대하여 직접적이고 명백한 위험을 초래하지 않은 경우에는 이에 대하여 사전 금지 또는 제한을 위반하여 집회를 한 점을 들어 처벌하는 것 이외에 더 나아가 이에 대한 해산을 명하고 이에 불응하였다 하여 처벌할 수는 없다.

③ 당초 옥외집회를 개최하겠다고 신고하였지만 그 신고 내용과 달리 아예 옥외집회는 개최하지 아니한 채 신고한 장소와 인접한 건물 등에서 옥내집회만을 개최한 경우, 신고한 옥외집회를 개최하는 과정에서 그 신고범위를 일탈한 행위로 보아 이를 집회 및 시위에 관한 법률 위반으로 처벌할 수 있다.

④ 타인이 관리하는 건조물에서 옥내집회를 개최하는 경우에도 타인의 법익 침해나 기타 공공의 안녕질서에 대하여 직접적이고 명백한 위험을 초래하는 때에는 해산명령의 대상이 된다.

정답 및 해설 | ③

③ [×] 신고범위를 일탈한 행위를 한 데 대한 집회 및 시위에 관한 법률 위반죄로 처벌할 수는 없다.

요지판례 |

■ 집회 및 시위에 관한 법률은 옥외집회나 시위에 대하여는 사전신고를 요구하고 나아가 그 신고범위의 일탈행위를 처벌하고 있지만, 옥내집회에 대하여는 신고하도록 하는 규정 자체를 두지 않고 있다. 따라서 당초 옥외집회를 개최하겠다고 신고하였지만 신고 내용과 달리 아예 옥외집회는 개최하지 아니한 채 신고한 장소와 인접한 건물 등에서 옥내집회만을 개최한 경우에는, 그것이 건조물침입죄 등 다른 범죄를 구성함은 별론으로 하고, 신고한 옥외집회를 개최하는 과정에서 그 신고범위를 일탈한 행위를 한 데 대한 집시법 위반죄로 처벌할 수는 없다(대판 2013.7.25, 2010도14545).

① [○]

요지판례 |

■ 해산명령 이전에 자진해산할 것을 요청하도록 한 입법 취지에 비추어 볼 때, 반드시 '자진해산'이라는 용어를 사용하여 요청할 필요는 없고, 그 때 해산을 요청하는 언행 중에 스스로 해산하도록 청하는 취지가 포함되어 있으면 된다(대판 2000.11.24, 2000도2172).

② [○]

요지판례 |

■ 사전 금지 또는 제한된 집회라 하더라도 실제 이루어진 집회가 당초 신고 내용과 달리 평화롭게 개최되거나 집회 규모를 축소하여 이루어지는 등 타인의 법익 침해나 기타 공공의 안녕질서에 대하여 직접적이고 명백한 위험을 초래하지 않은 경우에는 이에 대하여 사전 금지 또는 제한을 위반하여 집회를 한 점을 들어 처벌하는 것 이외에 더 나아가 이에 대한 해산을 명하고 이에 불응하였다 하여 처벌할 수는 없다(대판 2011.10.13, 2009도13846).
➜ 사전금지 · 제한을 위반한 경우 처벌 ○ / 해산명령에 불응한 경우 처벌 ×

④ [○]

요지판례 |

■ 옥내집회는 집시법상 사전신고 없이 개최할 수 있는 것이지만, 이 역시 다른 중요한 법익의 보호를 위하여 필요한 경우에는 그 자유가 제한될 수 있다. 따라서 타인이 관리하는 건조물에서 옥내집회를 개최하는 경우에도, 그것이 '폭행, 협박, 손괴, 방화 등으로 질서를 문란하게 하는 행위로 질서를 유지할 수 없는 집회'에 해당하는 등 집회의 목적, 참가인원, 집회 방식, 행태 등으로 볼 때 타인의 법익 침해나 기타 공공의 안녕질서에 대하여 직접적이고 명백한 위험을 초래하는 때에는 해산명령의 대상이 된다고 보아야 한다(대판 2013.7.25, 2010도14545).

073 '집회 및 시위에 관한 법률'상 해산명령에 대한 설명 중 옳지 않은 것은? (판례에 의함) [2021 경간]

① 경찰이 집회 및 시위에 관한 법률이 정한 해산명령을 할 때 해산사유가 법률조항 중 어느 사유에 해당하는지에 관하여 구체적으로 고지하여야 한다.

② 사전 금지 또는 제한된 집회라 하더라도 실제 이루어진 집회가 당초 신고 내용과 달리 타인의 법익이나 공공의 안녕질서에 직접적이고 명백한 위험을 초래하지 않은 경우, 사전에 금지 통고된 집회라는 이유만으로 해산을 명하고 이에 불응하였다고 처벌할 수 없다.

③ 해산명령은 자진 해산 요청에 따르지 않는 시위참가자들에게 자진해산할 의무를 부과하는 것이므로 반드시 '자진해산을 명령한다'는 용어가 사용되거나 말로 해산명령임을 표시해야 한다.

④ 해산명령의 대상은 '집회 또는 시위' 자체이므로 해산명령의 방법은 그 대상인 집회나 시위의 참가자들 전체 무리나 집단에 고지 · 전달하는 방법으로 행하여야 한다.

정답 및 해설 | ③

③ [×] 반드시 '지진해산'이라는 용어가 사용될 필요는 없고, 스스로 해산하도록 청하는 취지가 포함되어 있으면 된다.

요지판례 |

■ 해산명령 이전에 자진해산할 것을 요청하도록 한 입법 취지에 비추어 볼 때, 반드시 '자진해산'이라는 용어를 사용하여 요청할 필요는 없고, 그 때 해산을 요청하는 언행 중에 스스로 해산하도록 청하는 취지가 포함되어 있으면 된다(대판 2000.11.24, 2000도2172).

① [○]

요지판례 |

■ 집회 및 시위에 관한 법률 제20조 제1항 및 제20조 제2항 등 관련 규정들의 해석상 관할경찰관서장이 위 해산명령을 할 때에는 해산사유가 집시법 제20조 제1항 각호 중 어느 사유에 해당하는지 구체적으로 고지하여야 한다(대판 2019.8.29, 2016도1869). ➜ 따라서 해산명령을 하면서 구체적인 해산사유를 고지하지 않았거나 정당하지 않은 사유를 고지하면서 해산명령을 한 경우에는, 그러한 해산명령에 따르지 아니하였다 하더라도 집시법 제20조 제2항을 위반하였다고 할 수 없다.

② [○]

요지판례 |

■ 사전 금지 또는 제한된 집회라 하더라도 실제 이루어진 집회가 당초 신고 내용과 달리 평화롭게 개최되거나 집회 규모를 축소하여 이루어지는 등 타인의 법익 침해나 기타 공공의 안녕질서에 대하여 직접적이고 명백한 위험을 초래하지 않은 경우에는 이에 대하여 사전 금지 또는 제한을 위반하여 집회를 한 점을 들어 처벌하는 것 이외에 더 나아가 이에 대한 해산을 명하고 이에 불응하였다 하여 처벌할 수는 없다(대판 2011.10.13, 2009도13846).
➜ 사전금지 · 제한을 위반하는 경우 처벌 ○ / 해산명령에 불응하는 경우 처벌 ×

④ [○]

요지판례 |

■ 자진 해산 요청과 해산명령의 대상은 '집회 또는 시위' 자체이므로 자진 해산 요청과 해산명령의 방법은 그 대상인 집회나 시위의 참가자들 전체 무리나 집단에 고지 · 전달하는 방법으로 행하여야 하고, 해산명령 불응의 죄책을 묻기 위한 요건인 '세 번 이상의 해산명령'이 있었는지 여부도 그 집회나 시위 참가자들 전체 무리나 집단에 대하여 위와 같은 방법으로 적법하게 해산을 명한 횟수를 기준으로 판단하여야 한다(대판 2019.12.13, 2017도19737).

074 집회 및 시위에 대한 설명으로 가장 적절하지 않은 것은? (다툼이 있는 경우 판례에 의함) [2022 승진]

① 집회참가자들이 망인에 대한 추모의 목적과 그 범위 내에서 이루어지는 노제 등을 위한 이동 · 행진의 수준을 넘어서서 그 기회를 이용하여 다른 공동의 목적을 가지고 일반인이 자유로이 통행할 수 있는 장소를 행진하거나 위력 또는 기세를 보여, 불특정한 여러 사람의 의견에 영향을 주거나 제압을 하는 행위에까지 나아가는 경우에는, 이미 「집회 및 시위에 관한 법률」이 정한 시위에 해당하므로 「집회 및 시위에 관한 법률」 제6조에 따라 사전에 신고서를 관할 경찰서장에게 제출할 것이 요구된다.

② 옥외집회 또는 시위 참가자들이 교통혼잡이 야기되었다고 볼 만한 사정은 없으나 이미 신고한 행진 경로를 따라 행진로인 하위 1개 차로에서 약 3시간 30분 동안 이루어진 집회시간 동안 2회에 걸쳐 약 15분 동안 연좌하였다는 사실만으로도 주최행위가 신고한 목적, 일시, 방법 등의 범위를 뚜렷이 벗어나는 경우에 해당한다고 볼 수 있다.

③ 집회란 '특정 또는 불특정 다수인이 공동의 의견을 형성하여 이를 대외적으로 표명할 목적 아래 일시적으로 일정한 장소에 모이는 것'을 말한다.

④ 옥외집회 또는 시위 당시의 구체적인 상황에 비추어 볼 때 옥외집회 또는 시위의 신고사항 미비점이나 신고범위 일탈로 인하여 타인의 법익 기타 공공의 안녕질서에 대하여 직접적인 위험이 초래된 경우에 비로소 그 위험의 방지 · 제거에 적합한 제한조치를 취할 수 있되, 그 조치는 법령에 의하여 허용되는 범위 내에서 필요한 최소한도에 그쳐야 한다.

정답 및 해설 | ②

② [×] 신고한 목적, 일시, 방법 등의 범위를 뚜렷이 벗어나는 경우에 **해당하지 아니한다고 보았다.**

요지판례 |

■ 피고인들이 이미 신고한 행진 경로를 따라 행진로인 하위 1개 차로에서 2회에 걸쳐 약 15분 동안 연좌하였다는 사실 외에 이미 신고한 집회방법의 범위를 벗어난 사항은 없고, 약 3시간 30분 동안 이루어진 집회시간 동안 연좌시간도 약 15분에 불과한 사안에서, 위 옥외집회 등 주최행위가 신고한 범위를 뚜렷이 벗어나는 경우에 해당하지 아니한다(대판 2010.3.11, 2009도10425).

① [○]

요지판례 |

■ 장례에 관한 집회 참가자들이 망인에 대한 추모의 목적과 그 범위 내에서 이루어지는 노제 등을 위한 이동 · 행진의 수준을 넘어서서 그 기회를 이용하여 다른 공동의 목적으로 시위에 나아간 경우, 집회 및 시위에 관한 법률상 사전 신고를 요하는 것이다(대판 2012.4.26, 2011도6294).

③ [○]

요지판례 |

■ 집회 및 시위에 관한 법률에 의하여 보장 및 규제의 대상이 되는 집회란 '특정 또는 불특정 다수인이 공동의 의견을 형성하여 이를 대외적으로 표명할 목적 아래 일시적으로 일정한 장소에 모이는 것'을 말한다(대판 2009.7.9, 2007도1649).

④ [○]

요지판례 |

■ 집회 및 시위에 관한 법률 하에서는 옥외집회 또는 시위가 그 신고사항에 미비점이 있었다거나 신고의 범위를 일탈하였다고 하더라도 그 신고내용과 동일성이 유지되어 있는 한 신고를 하지 아니한 것이라고 볼 수는 없으므로, 관할 경찰관서장으로서는 단순히 신고사항에 미비점이 있었다거나 신고의 범위를 일탈하였다는 이유만으로 곧바로 당해 옥외집회 또는 시위 자체를 해산하거나 저지하여서는 아니될 것이고, 옥외집회 또는 시위 당시의 구체적인 상황에 비추어 볼 때 옥외집회 또는 시위의 신고사항 미비점이나 신고범위 일탈로 인하여 타인의 법익 기타 공공의 안녕질서에 대하여 직접적인 위험이 초래된 경우에 비로소 그 위험의 방지 · 제거에 적합한 제한조치를 취할 수 있되, 그 조치는 법령에 의하여 허용되는 범위 내에서 필요한 최소한도에 그쳐야 할 것이다(대판 2001.10.9, 98다20929).

075 「집회 및 시위에 관한 법률」에 관한 다음 설명 중 가장 적절하지 않은 것은? (다툼이 있는 경우 판례에 의함)

[2022 채용 2차]

① 집회의 신고가 경합할 경우, 먼저 신고된 집회의 목적, 장소 및 시간, 참여예정인원, 집회 신고인이 기존에 신고한 집회 건수와 실제로 집회를 개최한 비율 등 먼저 신고된 집회의 실제 개최 가능성 여부와 양 집회의 상반 또는 방해가능성 등 제반 사정을 확인하여 먼저 신고된 집회가 다른 집회의 개최를 봉쇄하기 위한 허위 또는 가장 집회신고에 해당함이 객관적으로 분명해 보이는 경우라도 관할 경찰관서장이 뒤에 신고된 집회에 대하여 금지통고를 했다면, 이러한 금지통고에 위반하여 집회를 개최한 행위는 「집회 및 시위에 관한 법률」에 위배된다.

② 질서유지선이 집회 및 시위의 보호와 공공의 질서유지를 위하여 필요하다고 인정되는 최소한의 범위를 정하여 설정되고 「집회 및 시위에 관한 법률 시행령」 관련 조항에서 정한 사유에 해당한다면, 집회 또는 시위가 이루어지는 장소 외곽의 경계지역뿐 아니라 집회 또는 시위의 장소 안에도 설정할 수 있다.

③ 경찰관들이 옥외집회 또는 시위 장소에서 줄지어 서는 등의 방법으로 소위 '사실상 질서유지선'의 역할을 수행한다고 하더라도 이를 가리켜 「집회 및 시위에 관한 법률」에서 정한 질서유지선이라고 할 수는 없다.

④ 집회 · 시위 참가자들이 관할 경찰관서에 신고하지 않고 집회를 개최한 경우, 그 옥외집회 또는 시위로 인하여 타인의 법익이나 공공의 안녕질서에 대한 직접적인 위험이 명백하게 초래되지 않은 상황에서 경찰이 '미신고집회'라는 사유로 자진 해산 요청을 한 후, '불법적인 행진시도', '불법 도로 점거로 인한 도로교통법 제68조 제3항 제2호 위반'이라는 사유로 3회에 걸쳐 해산명령을 하였더라도 정당한 해산명령에 해당하지 않는다.

정답 및 해설 | ①

① [×] 이러한 경우 금지통고 위반하여 집회를 개최하였더라도 집시법 위반이 아니라는 것이 판례의 입장이다.

요지판례 |

■ 집회의 신고가 경합할 경우 특별한 사정이 없는 한 관할경찰관서장은 집시법 제8조 제2항의 규정에 의하여 신고 순서에 따라 뒤에 신고된 집회에 대하여 금지통고를 할 수 있지만, 먼저 신고된 집회의 참여예정인원, 집회의 목적, 집회개최장소 및 시간, 집회 신고인이 기존에 신고한 집회 건수와 실제로 집회를 개최한 비율 등 먼저 신고된 집회의 실제 개최 가능성 여부와 양 집회의 상반 또는 방해가능성 등 제반 사정을 확인하여 먼저 신고된 집회가 다른 집회의 개최를 봉쇄하기 위한 허위 또는 가장 집회신고에 해당함이 객관적으로 분명해 보이는 경우에는, 뒤에 신고된 집회에 다른 집회금지 사유가 있는 경우가 아닌 한, 관할경찰관서장이 단지 먼저 신고가 있었다는 이유만으로 뒤에 신고된 집회에 대하여 집회 자체를 금지하는 통고를 하여서는 아니 되고, 설령 이러한 금지통고에 위반하여 집회를 개최하였다고 하더라도 그러한 행위를 집시법상 금지통고에 위반한 집회개최행위에 해당한다고 보아서는 아니 된다(대판 2014.12.11, 2011도13299).

② [○]

요지판례 |

■ 질서유지선의 설정에 관한 집시법 및 집시법 시행령의 관련 규정에 비추어 볼 때, 집시법에서 정한 질서유지선은 집회 및 시위의 보호와 공공의 질서 유지를 위하여 필요하다고 인정되는 경우로서 집시법 시행령 제13조 제1항에서 정한 사유에 해당한다면 반드시 집회 또는 시위가 이루어지는 장소 외곽의 경계지역뿐만 아니라 집회 또는 시위의 장소 안에도 설정할 수 있다고 봄이 타당하나, 이러한 경우에도 그 질서유지선은 집회 및 시위의 보호와 공공의 질서 유지를 위하여 필요하다고 인정되는 최소한의 범위를 정하여 설정되어야 하고, 질서유지선이 위 범위를 벗어나 설정되었다면 이는 집시법 제13조 제1항에 위반되어 적법하다고 할 수 없다(대판 2019.1.10, 2016도21311).

③ [○]

요지판례 |

■ 질서유지선은 띠, 방책, 차선 등과 같이 경계표지로 기능할 수 있는 물건 또는 도로교통법상 안전표지라고 봄이 타당하므로, 경찰관들이 집회 또는 시위가 이루어지는 장소의 외곽이나 그 장소 안에서 줄지어 서는 등의 방법으로 사실상 질서유지선의 역할을 수행한다고 하더라도 이를 가리켜 집시법에서 정한 질서유지선이라고 할 수는 없다(대판 2019.1.10, 2016도21311). → 경찰관들의 대열(사람의 대열)을 질서유지선으로 볼 수 없다.

④ [○]

요지판례 |

■ 집시법이 '제10조 본문을 위반한 집회 또는 시위'와 '제6조 제1항에 따른 신고를 하지 아니한 집회 또는 시위'를 해산명령 대상으로 하면서 별도의 해산 요건을 정하고 있지 않더라도, 그 옥외집회 또는 시위로 인하여 타인의 법익이나 공공의 안녕질서에 대한 직접적인 위험이 명백하게 초래된 경우에 한하여 위 조항에 기하여 해산을 명할 수 있고, 이러한 요건을 갖춘 해산명령에 불응하는 경우에만 집시법 제24조 제5호에 의하여 처벌할 수 있다(대판 2015.6.11, 2015도4273).

제6장 | 안보경찰

주제 1 국가보안법

01 국가보안법 개설

001 「국가보안법」상 반국가단체에 관한 설명이다. 빈칸에 들어갈 말로 가장 적절하게 연결된 것은?

[2016 승진(경감)]

> '반국가단체'라 함은 정부를 (㉠)하거나 국가를 (㉡)할 것을 목적으로 하는 국내외의 결사 또는 집단으로서 지휘통솔체제를 갖춘 단체를 말한다.

	㉠	㉡
①	사칭	변란
②	참칭	변란
③	참칭	문란
④	사칭	문란

정답 및 해설 | ②

② [O] 국가보안법 제2조 【정의】 ① 이 법에서 "반국가단체"라 함은 정부를 (㉠ 참칭)하거나 국가를 (㉡ 변란)할 것을 목적으로 하는 국내외의 결사 또는 집단으로서 지휘통솔체제를 갖춘 단체를 말한다.

002 국가보안법상 반국가단체와 이적단체에 대한 설명으로 가장 적절하지 않은 것은? (다툼이 있는 경우 판례에 의함)

[2020 실무 3]

① 반국가단체란 국가를 참칭하거나 정부를 변란할 것을 목적으로 하는 국내외의 결사 또는 집단으로서 지휘통솔체제를 갖춘 단체를 말한다.

② 반국가단체에서 지도적 임무에 종사한 자란 실제에 있어서 당해 반국가단체를 위하여 중요한 역할 또는 지도적 활동을 한 자를 말한다.

③ 이적단체는 별개의 반국가단체의 존재를 전제로 한다.

④ 결사는 계속적인 집합체임에 반하여, 집단은 일시적인 집합체인 점에서 다르다.

정답 및 해설 | ①

① [×] 정부와 국가의 위치가 바뀌었다.

> 국가보안법 제2조 【정의】 ① 이 법에서 "반국가단체"라 함은 정부를 참칭하거나 국가를 변란할 것을 목적으로 하는 국내외의 결사 또는 집단으로서 지휘통솔체제를 갖춘 단체를 말한다.

② [○]

> **요지판례 |**
> ■ 국가보안법 제3조 제1항 제2호 소정의 지도적 임무에 종사한 자라 함은, 당해 반국가단체 내에 있어서의 지위 여하를 막론하고 실제에 있어서 당해 반국가단체를 위하여 중요한 역할 또는 지도적 활동을 한 자를 말하므로, 자기의 지시를 따르는 하부조직의 유무는 지도적 임무에 종사하였는지의 여부와 직접 관련이 없다(대판 1995.7.25, 95도1148).

③ [○]

> **요지판례 |**
> ■ 별개의 반국가단체의 존재를 전제로 하여 그 반국가단체의 활동을 찬양하는 등 방법으로 동조하는 것을 목적으로 하는 경우에는 이적단체에 해당한다고 보아야 한다(대판 1995.7.28, 95도1121).

④ [○]

> **요지판례 |**
> ■ 국가보안법 제3조와 관련하여 '결사'라 함은 공동의 목적을 가진 2인 이상의 특정다수인의 임의적인 계속적(사실상 계속하여 존재함을 요하지 않고 계속시킬 의도하에서 결합됨으로써 족하다) 결합체라 할 것이고, '집단'이라 함은 위 결사와 같이 공동목적을 가진 특정다수인의 결합이지만 결사가 계속적인 집합체임에 대하여 집단은 일시적인 점에서 상이하다(대판 1982.9.28, 82도2016).

02 국가보안법상 주요 처벌대상 행위

003 「국가보안법」상 불고지죄 대상이 되는 범죄가 아닌 것은? [2015 실무 3] [2016 실무 3 유사]

① 자진지원죄
② 목적수행죄
③ 반국가단체구성죄
④ 편의제공죄

정답 및 해설 | ④

④ [×] 국가보안법상 불고지죄 대상 범죄는 반국가단체구성 · 목적수행 · 자진지원의 3가지이다(반 · 목 · 자). 편의제공죄는 해당하지 않는다.

> 국가보안법 제10조 【불고지】 제3조(➜ 반국가단체구성 등), 제4조(➜ 목적수행), 제5조 제1항(➜ 자진지원) · 제3항(제1항의 미수범에 한한다) · 제4항의 죄를 범한 자라는 정을 알면서 수사기관 또는 정보기관에 고지하지 아니한 자는 5년 이하의 징역 또는 200만원 이하의 벌금에 처한다. 다만, 본범과 친족관계가 있는 때에는 그 형을 감경 또는 면제한다.

004 「국가보안법」상 제10조(불고지)는 일정한 범죄행위를 알고서도 수사기관에 신고하지 않은 경우에 성립한다. 이에 대한 설명으로 가장 적절하지 않은 것은? [2017 실무 3]

① 본조의 입법취지는 중요 국가보안법 위반범인에 대한 불가비호성(不可庇護性)에 있다.
② 본범과 친족관계가 있는 때에는 그 형을 감경 또는 면제한다.
③ 불고지죄의 대상이 되는 범죄는 반국가단체구성죄(제3조), 목적수행죄(제4조), 자진지원죄(제5조 제1항), 편의제공죄(제9조)가 있다.
④ 법정형은 5년 이하의 징역 또는 200만원 이하의 벌금이다.

정답 및 해설 | ③

③ [×] 국가보안법상 불고지죄 대상 범죄는 반국가단체구성 · 목적수행 · 자진지원의 3가지이다(반 · 목 · 자). 편의제공죄는 해당하지 않는다.

①②④ [○] 국가보안법상 불고지죄는 불고지, 즉 '알면서도 고지하지 아니한 행위'를 처벌하는 규정으로서, 그 입법취지는 국가보안법 위반범인에 대한 불가비호성에 있다.

> **국가보안법 제10조 【불고지】** 제3조(➜ 반국가단체 구성 등), 제4조(➜ 목적수행), 제5조 제1항(➜ 자진지원) · 제3항(제1항의 미수범에 한한다) · 제4항의 죄를 범한 자라는 정을 알면서 수사기관 또는 정보기관에 고지하지 아니한 자는 5년 이하의 징역 또는 200만원 이하의 벌금에 처한다. 다만, 본범과 친족관계가 있는 때에는 그 형을 감경 또는 면제한다.

005 국가보안법 중 본범과 친족관계가 있을 경우 감경 또는 면제할 수 있는 규정에 관한 설명이다. 다음 중 가장 적절하지 않은 것은? [2014 실무 3]

① 재산상 이익과 장소의 제공, 기타 방법으로 편의제공(제9조 제2항) – 임의적 감면

② 특수직무유기죄 – 필요적 감면

③ 불고지죄 – 필요적 감면

④ 무고 · 날조죄 – 감경 · 면제 규정이 없다.

정답 및 해설 | ②

② [×] 특수직무유기죄의 경우 임의적 감면이다.

☑ 친족관계의 감면

대상범죄	감면규정
제9조 제2항 단순 편의제공	임의적 **감면**: 본범과 친족관계가 있는 때에는 그 형을 감경 또는 면제할 수 있다.
제10조 불고지	필요적 **감면**: 본범과 친족관계가 있는 때에는 그 형을 감경 또는 면제한다.
제11조 특수직무유기	임의적 **감면**: 본범과 친족관계가 있는 때에는 그 형을 감경 또는 면제할 수 있다.

006 다음 「국가보안법」상 죄명 중 '행위주체에 제한이 있는 것은 모두 몇 개인가? [2014 채용 2차]

㉠ 자진지원죄(제5조 제1항)	㉡ 금품수수죄(제5조 제2항)
㉢ 목적수행죄(제4조 제1항)	㉣ 잠입 · 탈출죄(제6조 제2항)
㉤ 직권남용 무고 · 날조죄(제12조 제2항)	㉥ 이적단체 구성 · 가입죄(제7조 제3항)

① 2개　② 3개

③ 4개　④ 5개

정답 및 해설 I ②

② [○] 국가보안법상 ㉢ **제4조 제1항** 목적수행, ㉠ **제5조 제1항** 자진지원, 제7조 제4항 허위사실 날조·유포, 제11조 특수직무유기, ㉣ **제12조 제2항** 직권남용 무고·날조가 행위주체의 제한이 있는 범죄이다(특·허·자·목·직).

☑ 행위주체의 제한

대상범죄	행위주체
제3조 반국가단체의 구성 등	누구든지(제한없음)
제4조 ① 목적수행	반국가단체구성원 또는 그 지령을 받은 자
제5조 ① 자진지원	반국가단체구성원 또는 그 지령을 받은 자를 제외한 자
제5조 ② 금품수수	누구든지(제한없음)
제6조 잠입·탈출	누구든지(제한없음)
제7조 ① 찬양·고무 등	누구든지(제한없음)
제7조 ③ 이적단체구성	누구든지(제한없음)
제7조 ④ 허위사실 날조·유포	이적단체구성원
제7조 ⑤ 안보위해 문건제작	누구든지(제한없음)
제8조 회합·통신 등	누구든지(제한없음)
제9조 편의제공	누구든지(제한없음)
제10조 불고지	누구든지(제한없음)
제11조 특수직무유기	범죄수사 또는 정보의 직무에 종사하는 공무원
제12조 ① 일반 무고·날조	누구든지(제한없음)
제12조 ② 직권남용 무고·날조	범죄수사 또는 정보의 직무에 종사하는 공무원이나 이를 보조하는 자 또는 이를 지휘하는 자

007 「국가보안법」의 다음 범죄들 중 객관적 구성요건상 행위주체에 아무런 제한이 없는 것을 모두 고른 것은?

[2020 실무 3]

㉠ 반국가단체의 구성·가입·가입권유죄	㉡ 편의제공죄
㉢ 단순잠입·탈출죄	㉣ 특수직무유기죄
㉤ 이적단체원의 허위사실 날조·유포죄	㉥ 특수잠입·탈출죄

① ㉠, ㉡, ㉢
② ㉡, ㉣, ㉥
③ ㉠, ㉡, ㉢, ㉥
④ ㉠, ㉢, ㉣, ㉤

정답 및 해설 I ③

③ [○] 국가보안법상 제4조 목적수행, 제5조 제1항 자진지원, ㉤ **제7조 제4항** 허위사실 날조·유포, ㉣ **제11조** 특수직무유기, 제12조 제2항 직권남용 무고·날조가 행위주체의 제한이 있는 범죄이다(특·허·자·목·직). 따라서 행위주체에 제한이 없는 범죄는 ㉠㉡㉢㉥이다.

008 「국가보안법」에 대한 다음 설명 중 옳은 것은 모두 몇 개인가? [2017 경간]

> ㉠ 국가보안법은 군사기밀 보호법과 마찬가지로 과실범 처벌규정을 두고 있다.
> ㉡ 국가보안법 제4조 제1항의 목적수행죄는 반국가단체구성원이나 그 지령을 받은 자는 주체가 될 수 없다.
> ㉢ 국가보안법 제5조 제1항의 자진지원죄는 반국가단체구성원이나 그 지령을 받은 자도 주체가 될 수 있지만, 국가보안법 제6조 제2항의 특수잠입 · 탈출죄는 반국가단체 구성원만 주체가 될 수 있다.
> ㉣ 국가보안법의 죄를 범한 후 자수하거나 국가보안법상 죄를 범한 타인을 고발하거나 타인이 국가보안법상의 죄를 범하는 것을 방해한 때에는 그 형을 감경 또는 면제한다.

① 1개 ② 2개 ③ 3개 ④ 4개

정답 및 해설 I ①

㉠ [×] 군사기밀 보호법은 과실로 인한 군사기밀 누설을 처벌하는 규정이 있으나(제14조), 국가보안법은 과실범 처벌규정이 없다.

㉡ [×] 목적수행죄는 반국가단체구성원이나 그 지령을 받은 자만이 주체가 될 수 있다.

> **국가보안법 제4조【목적수행】** ① 반국가단체의 구성원 또는 그 지령을 받은 자가 그 목적수행을 위한 행위를 한 때에는 다음의 구별에 따라 처벌한다.

㉢ [×] 자진지원죄는 반국가단체구성원이나 그 지령을 받은 자는 주체가 될 수 없다(즉, 반국가단체구성원 또는 그 지령을 받은 자를 제외한 자만이 주체가 된다). 한편 특수잠입 · 탈출죄는 주체의 제한이 없다.

> **국가보안법 제5조【자진지원 · 금품수수】** ① 반국가단체나 그 구성원 또는 그 지령을 받은 자를 지원할 목적으로 자진하여 제4조 제1항 각호에 규정된 행위를 한 자는 제4조 제1항의 예에 의하여 처벌한다.
> **국가보안법 제6조【잠입 · 탈출】** ② 반국가단체나 그 구성원의 지령을 받거나 받기 위하여 또는 그 목적수행을 협의하거나 협의하기 위하여 잠입하거나 탈출한 자는 사형 · 무기 또는 5년 이상의 징역에 처한다.

㉣ [○]

> **국가보안법 제16조【형의 감면】** 다음 각호의 1에 해당한 때에는 그 형을 감경 또는 면제한다.
> 1. 이 법의 죄를 범한 후 자수한 때
> 2. 이 법의 죄를 범한 자가 이 법의 죄를 범한 타인을 고발하거나 타인이 이 법의 죄를 범하는 것을 방해한 때

009 국가보안법에 대한 설명으로 가장 적절하지 않은 것은? [2019 실무 3]

① 국가보안법 제5조 제2항의 금품수수죄는 국가의 존립 · 안전이나 자유민주적 기본질서를 위태롭게 한다는 정을 알면서 반국가단체의 구성원 또는 그 지령을 받은 자로부터 금품을 수수함으로써 성립하는 죄이며, 반국가단체의 구성원이나 그 지령을 받은 자도 본죄의 주체가 된다.

② 국가보안법 제6조 제2항의 특수잠입 · 탈출죄는 국가의 존립 · 안전이나 자유민주적 기본질서를 위태롭게 한다는 정을 알면서 반국가단체의 지배하에 있는 지역으로부터 잠입하거나 그 지역으로 탈출함으로써 성립하는 죄이며, 주체에는 아무런 제한이 없다.

③ 국가보안법 제8조 제1항 회합 · 통신죄에서 '회합 · 통신 기타의 방법으로 연락'이라고 함은 반국가단체의 구성원 또는 그 지령을 받은 자를 직접 상대방으로 하는 경우는 물론이고 제3자를 이용하여 통신 기타의 방법으로 연락하는 것을 말한다.

④ 국가보안법 제10조의 불고지죄는 반국가단체의 구성 · 가입 · 가입권유죄, 목적수행죄, 자진지원죄를 범한 자라는 정을 알면서 수사기관 또는 정보기관에 고지하지 아니함으로써 성립하는 죄이며, 본범과 친족관계가 있는 때에는 그 형을 감경 또는 면제한다.

정답 및 해설 I ②

② [×] 지문은 제6조 제1항의 잠입 · 탈출죄에 대한 설명이며 제6조 제1항 일반잠입 · 탈출과 제2항 특수잠입 · 탈출 모두 주체의 제한은 없다.

> **국가보안법 제6조 【잠입 · 탈출】** ① 국가의 존립 · 안전이나 자유민주적 기본질서를 위태롭게 한다는 정을 알면서 반국가단체의 지배하에 있는 지역으로부터 잠입하거나 그 지역으로 탈출한 자는 10년 이하의 징역에 처한다.
> ② 반국가단체나 그 구성원의 지령을 받거나 받기 위하여 또는 그 목적수행을 협의하거나 협의하기 위하여 잠입하거나 탈출한 자는 사형 · 무기 또는 5년 이상의 징역에 처한다.

① [○] 제5조 제1항의 경우 주체가 '반국가단체구성원 또는 그 지령을 받은 자를 제외한 자'로 제한되는 것과 달리, 제2항의 금품수수는 주체의 제한이 없다.

> **국가보안법 제5조 【자진지원 · 금품수수】** ② 국가의 존립 · 안전이나 자유민주적 기본질서를 위태롭게 한다는 정을 알면서 반국가단체의 구성원 또는 그 지령을 받은 자로부터 금품을 수수한 자는 7년 이하의 징역에 처한다.

③ [○]

> **요지판례 I**
> ■ 국가보안법 제8조 제1항에서 '회합, 통신 기타의 방법으로 연락'이라고 함은 반국가단체구성원 또는 그 지령을 받은 자를 직접 상대방으로 하는 경우는 물론이고 제3자를 이용하여 통신 기타의 방법으로 연락하는 것을 말한다(대판 1997.7.16, 97도985).

④ [○]

> **국가보안법 제10조 【불고지】** 제3조(➜ 반국가단체구성 등), 제4조(➜ 목적수행), 제5조 제1항(➜ 자진지원) · 제3항(제1항의 미수범에 한한다) · 제4항의 죄를 범한 자라는 정을 알면서 수사기관 또는 정보기관에 고지하지 아니한 자는 5년 이하의 징역 또는 200만원 이하의 벌금에 처한다. 다만, 본범과 친족관계가 있는 때에는 그 형을 감경 또는 면제한다.

03 처벌상의 특례

010 「국가보안법」에 대한 설명으로 가장 적절하지 않은 것은? [2017 실무 3]

① 이 법의 죄에 관하여 유기징역형을 선고한 때에는 그 형의 장기 이하의 자격정지를 병과할 수 있다.

② 이적단체란 정부를 참칭하거나 국가를 변란할 것을 목적으로 한다.

③ 국가보안법 위반의 죄를 범한 후 자수한 때에는 그 형을 감경 또는 면제한다.

④ 목적수행죄(제4조)의 주체는 반국가단체의 구성원 또는 그 지령을 받은 자이다.

정답 및 해설 I ②

② [×] **이적단체**는 반국가단체 등의 활동을 찬양 · 고무 · 선전 또는 이에 동조하거나 국가의 변란을 선전 · 선동하는 행위를 하는 것을 그 목적으로 한다. 정부를 참칭하거나 국가를 변란할 것을 목적으로 하는 단체는 **반국가단체**이다.

> **요지판례 I**
> ■ 국가보안법 제7조 제3항에 규정된 이른바 '이적단체'란 국가보안법 제2조 소정의 반국가단체 등의 활동을 찬양 · 고무 · 선전 또는 이에 동조하거나 국가의 변란을 선전 · 선동하는 행위를 하는 것을 그 목적으로 하여 특정 다수인에 의하여 결성된 계속적이고 독자적인 결합체를 가리키는데, 이러한 이적단체를 인정할 때에는 국가보안법 제1조에서 규정하고 있는 위 법의 목적과 유추해석이나 확대해석을 금지하는 죄형법정주의의 기본정신에 비추어서 그 구성요건을 엄격히 제한하여 해석하여야 한다(대판 2007.12.13, 2007도7257). ➜ 소위 '일심회'는 이적성이 인정되나 국가보안법 제7조 제3항이 요구하는 정도의 조직적 결합체에는 이르지 못하였으므로, 국가보안법상 이적단체에 해당하지 않는다.

① [○]

> **국가보안법 제14조 【자격정지의 병과】** 이 법의 죄에 관하여 유기징역형을 선고할 때에는 그 형의 장기 이하의 자격정지를 병과할 수 있다.

③ [○] 형법에서는 자수의 경우 임의적 감면으로 규정하고 있는 것과 비교된다.

> **국가보안법 제16조【형의 감면】** 다음 각호의 1에 해당한 때에는 그 형을 감경 또는 면제한다.
> 1. 이 법의 죄를 범한 후 자수한 때
> 2. 이 법의 죄를 범한 자가 이 법의 죄를 범한 타인을 고발하거나 타인이 이 법의 죄를 범하는 것을 방해한 때

④ [○]

> **국가보안법 제4조【목적수행】** ① 반국가단체의 구성원 또는 그 지령을 받은 자가 그 목적수행을 위한 행위를 한 때에는 다음의 구별에 따라 처벌한다.

제1호	외환의 죄, 존속살해, 강도살인, 강도치사 등의 범죄
제2호	간첩죄, 간첩방조죄, 국가기밀탐지 · 수집 · 누설 등의 범죄
제3호	소요, 폭발물사용, 방화, 살인 등의 범죄
제4호	중요시설파괴, 약취 · 유인, 항공기 · 무기 등의 이동 · 취거 등의 범죄
제5호	유가증권위조, 상해, 국가기밀서류 · 물품의 손괴 · 은닉 등의 범죄
제6조	선전 · 선동, 허위사실 날조 · 유포 등의 범죄

011 「국가보안법」에 대한 설명으로 가장 적절하지 않은 것은? [2018 실무 3]

① '반국가단체'라 함은 정부를 참칭하거나 국가를 변란할 것을 목적으로 하는 국내외의 결사 또는 집단으로서 지휘통솔체제를 갖춘 단체를 말한다.

② 특수직무유기죄를 범한 자가 본범과 친족관계에 있는 때에는 그 형을 감경 또는 면제할 수 있다.

③ 이 법의 죄를 범하고 그 보수를 받은 때에는 이를 몰수한다. 다만, 이를 몰수할 수 없을 때에는 그 가액을 추징할 수 있다.

④ 검사는 이 법의 죄를 범한 자에 대하여 형법 제51조(양형의 조건)의 사항을 참작하여 공소제기를 보류할 수 있다.

정답 및 해설 I ③

③ [×] 그 가액을 추징한다.

> **국가보안법 제15조【몰수 · 추징】** ① 이 법의 죄를 범하고 그 보수를 받은 때에는 이를 몰수한다. 다만, 이를 몰수할 수 없을 때에는 그 가액을 추징한다.

① [○]

> **국가보안법 제2조【정의】** ① 이 법에서 "반국가단체"라 함은 정부를 참칭하거나 국가를 변란할 것을 목적으로 하는 국내외의 결사 또는 집단으로서 지휘통솔체제를 갖춘 단체를 말한다.

② [○]

> **국가보안법 제11조【특수직무유기】** 범죄수사 또는 정보의 직무에 종사하는 공무원이 이 법의 죄를 범한 자라는 정을 알면서 그 직무를 유기한 때에는 10년 이하의 징역에 처한다. 다만, 본범과 친족관계가 있는 때에는 그 형을 감경 또는 면제할 수 있다.

④ [○]

> **국가보안법 제20조【공소보류】** ① 검사는 이 법의 죄를 범한 자에 대하여 형법 제51조의 사항을 참작하여 공소제기를 보류할 수 있다.

012 「국가보안법」의 내용으로 가장 적절하지 않은 것은? [2015 경간]

① 검사 또는 사법경찰관으로부터 이 법에 정한 죄의 참고인으로 출석을 요구받은 자가 정당한 이유 없이 2회 이상 출석요구에 불응한 때에는 관할법원판사의 구속영장을 발부받아 구인할 수 있다.

② 검사는 이 법의 죄를 범한 자에 대하여 형법상 양형조건을 참작하여 공소제기를 보류할 수 있다.

③ 공소보류를 받은 자가 공소의 제기 없이 2년을 경과한 때에는 소추할 수 없다.

④ 공소보류가 취소된 경우에는 동일한 범죄사실로 재구속할 수 없다.

정답 및 해설 | ④

④ [×] 동일한 범죄사실로 재구속할 수 있다.

> **국가보안법 제20조 【공소보류】** ④ 제3항에 의하여 공소보류가 취소된 경우에 는 형사소송법 제208조의 규정(➔ 다른 중요증거 발견 제외, 동일 범죄사실 재구속 불가)에 불구하고 동일한 범죄사실로 재구속할 수 있다.

① [○]

> **국가보안법 제18조 【참고인의 구인 · 유치】** ① 검사 또는 사법경찰관으로부터 이 법에 정한 죄의 참고인으로 출석을 요구받은 자가 정당한 이유없이 2회 이상 출석요구에 불응한 때에는 관할법원판사의 구속영장을 발부받아 구인할 수 있다.

②③ [○]

> **국가보안법 제20조 【공소보류】** ① 검사는 이 법의 죄를 범한 자에 대하여 형법 제51조의 사항을 참작하여 공소제기를 보류할 수 있다.
> ② 제1항에 의하여 공소보류를 받은 자가 공소의 제기없이 2년을 경과한 때에는 소추할 수 없다.

013 「국가보안법」에 대한 설명으로 가장 적절하지 않은 것은? [2021 경간]

① 이 법은 국가의 안전을 위태롭게 하는 반국가활동을 규제함으로써 국가의 안전과 국민의 생존 및 자유를 확보함을 목적으로 한다.

② 이 법에서 "반국가단체"라 함은 정부를 참칭하거나 국가를 변란할 것을 목적으로 하는 국내외의 결사 또는 집단으로서 지휘통솔체제를 갖춘 단체를 말한다.

③ 이 법의 죄를 범한 자를 수사기관 또는 정보기관에 통보하거나 체포한 자에게는 「국가보안유공자 상금지급 등에 관한 규정」이 정하는 바에 따라 상금을 지급한다.

④ 사법경찰관리로부터 이 법에 정한 죄의 참고인으로 출석을 요구받은 자가 정당한 이유없이 출석요구에 불응한 때에는 관할법원판사의 구속영장을 발부받아 구인할 수 있다.

정답 및 해설 | ④

④ [×] 정당한 이유없이 **2회 이상** 출석요구에 불응

> **국가보안법 제18조 【참고인의 구인 · 유치】** ① 검사 또는 사법경찰관으로부터 이 법에 정한 죄의 참고인으로 출석을 요구받은 자가 정당한 이유없이 2회 이상 출석요구에 불응한 때에는 관할법원판사의 구속영장을 발부받아 구인할 수 있다.

① [○]

> **국가보안법 제1조 【목적등】** ① 이 법은 국가의 안전을 위태롭게 하는 반국가활동을 규제함으로써 국가의 안전과 국민의 생존 및 자유를 확보함을 목적으로 한다.

② [○]

> **국가보안법 제2조 【정의】** ① 이 법에서 "반국가단체"라 함은 정부를 참칭하거나 국가를 변란할 것을 목적으로 하는 국내외의 결사 또는 집단으로서 지휘통솔체제를 갖춘 단체를 말한다.

③ [○] 반면, **보로금**과 보상은 지급할 수 있다(보상할 수 있다).

> **국가보안법 제21조 【상금】** ① 이 법의 죄를 범한 자를 수사기관 또는 정보기관에 통보하거나 체포한 자에게는 대통령령이 정하는 바에 따라 상금을 지급한다.
>
> **국가보안법 제22조 【보로금】** ① 제21조의 경우에 압수물이 있는 때에는 상금을 지급하는 경우에 한하여 그 압수물 가액의 2분의 1에 상당하는 범위안에서 보로금을 지급할 수 있다.
>
> **국가보안법 제23조 【보상】** 이 법의 죄를 범한 자를 신고 또는 체포하거나 이에 관련하여 상이를 입은 자와 사망한 자의 유족은 대통령령이 정하는 바에 따라 「국가유공자 등 예우 및 지원에 관한 법률」에 따른 공상군경 또는 순직군경의 유족이나 「보훈보상대상자 지원에 관한 법률」에 따른 재해부상군경 또는 재해사망군경의 유족으로 보아 보상할 수 있다.

014 「국가보안법」의 특성에 대한 설명으로 가장 적절하지 않은 것은? [2019 승진(경감)]

① 고의범만 처벌하며, 일부 범죄를 제외하고 기본적으로 미수 · 예비 · 음모를 처벌한다.

② 국가보안법의 죄를 범한 후 자수하거나 동법의 죄를 범한 자가 타인이 동법의 죄를 범하는 것을 방해하였을 때에는 그 형을 감경 또는 면제한다.

③ 검사는 국가보안법의 죄를 범한 자에 대하여 공소제기를 보류할 수 있으며 공소보류가 취소된 경우에는 동일한 범죄사실로 재구속할 수 없다.

④ 편의제공죄나 찬양 · 고무죄 등 형법상 종범의 성격을 가진 행위에 대하여 독립된 범죄로 처벌한다.

정답 및 해설 I ③

③ [×] 동일한 범죄사실로 재구속할 수 있다.

> **국가보안법 제20조 【공소보류】** ④ 제3항에 의하여 공소보류가 취소된 경우에는 형사소송법 제208조의 규정(➜ 다른 중요증거 발견 제외, 동일 범죄사실 재구속 불가)에 불구하고 동일한 범죄사실로 재구속할 수 있다.

① [○] 군사기밀 보호법은 과실로 인한 군사기밀 누설을 처벌하는 규정이 있으나(제14조), 국가보안법은 과실범 처벌규정이 없다. 또한 국가보안법 대상 범죄의 경우 신속한 사전 대응이 요구된다는 점에서 일부 예외를 제외하고 예비 · 음모 · 미수를 원칙적으로 처벌한다.

② [○]

> **국가보안법 제16조 【형의 감면】** 다음 각호의 1에 해당한 때에는 그 형을 감경 또는 면제한다.
> 1. 이 법의 죄를 범한 후 자수한 때
> 2. 이 법의 죄를 범한 자가 이 법의 죄를 범한 타인을 고발하거나 타인이 이 법의 죄를 범하는 것을 방해한 때

④ [○] 선전 · 선동 · 권유는 형법상 교사 · 방조의 수단으로 정범에 종속되어 처벌되지만, 국가보안법에서는 선전 · 선동행위를 별도의 범죄로 규정하여 처벌하고 있다(제4조 목적수행, 제7조 찬양 · 고무). 또한 잠복 · 회합 등 장소제공은 형법상 종범으로서 정범의 실행행위에 종속되나 국가보안법은 독립된 편의제공죄로 처벌한다(제9조 편의제공).

015 「국가보안법」상 공소보류에 대한 설명 중 가장 적절하지 않은 것은? [2014 승진(경위)]

① 검사는 국가보안법 위반사범에 대하여 공소제기를 보류할 수 있다.

② 공소보류를 받은 자가 법무부장관이 정한 감시 · 보도에 관한 규칙에 위반한 때에는 공소보류를 취소할 수 있다.

③ 공소보류 결정을 받은 자가 공소제기 없이 1년이 경과한 때에는 소추할 수 없다.

④ 공소보류가 취소된 때에는 「형사소송법」 제208조(재구속의 제한)의 규정에도 불구하고 동일 범죄사실로 재구속 · 소추할 수 있다.

정답 및 해설 I ③

③ [×] 1년이 아니라 2년이 경과한 때에는 소추를 할 수 없다.

> **국가보안법 제20조【공소보류】** ② 제1항에 의하여 공소보류를 받은 자가 공소의 제기없이 2년을 경과한 때에는 소추할 수 없다.

①②④ [○]

> **국가보안법 제20조【공소보류】** ① 검사는 이 법의 죄를 범한 자에 대하여 형법 제51조의 사항을 참작하여 공소제기를 보류할 수 있다.
> ③ 공소보류를 받은 자가 법무부장관이 정한 감시 · 보도에 관한 규칙에 위반한 때에는 공소보류를 취소할 수 있다.
> ④ 제3항에 의하여 공소보류가 취소된 경우에는 형사소송법 제208조의 규정(➜ 다른 중요증거 발견 제외, 동일 범죄사실 재구속 불가)에 불구하고 동일한 범죄사실로 재구속할 수 있다.

016 국가보안법 위반사건에 대하여 형사정책적 견지에서 검사는 공소를 보류할 수 있다. 공소보류 제도에 대한 설명으로 가장 적절하지 않은 것은? [2015 실무 3]

① 「국가보안법」에서 규정하고 있는 특수한 제도이다.

② 공소보류처분을 받은 자가 법무부장관이 정한 감시 · 보도에 관한 규칙에 위반한 때에는 공소보류를 취소할 수 있다.

③ 공소보류처분이 취소된 경우에는 「형사소송법」 제208조(재구속의 제한)에도 불구하고 동일한 범죄사실로 재구속할 수 있다.

④ 공소보류를 받은 자에 대해서는 공소제기 없이 3개월을 경과하면 소추할 수 없다.

정답 및 해설 I ④

④ [×] 3개월이 아니라 2년이 경과한 때에는 소추를 할 수 없다.

① [○] 공소보류는 국가보안법에 특유한 제도로서, 일반 형사범에 대한 기소유예와 유사하나 기소유예의 경우 공소시효가 지나야 같은 범죄로 소추되지 않지만 공소보류는 시효과 관계없이 2년이 지나면 소추되지 않는다는 점에 차이가 있다.

②③ [○]

> **국가보안법 제20조【공소보류】** ③ 공소보류를 받은 자가 법무부장관이 정한 감시 · 보도에 관한 규칙에 위반한 때에는 공소보류를 취소할 수 있다.
> ④ 제3항에 의하여 공소보류가 취소된 경우에는 형사소송법 제208조의 규정(➜ 다른 중요증거 발견 제외, 동일 범죄사실 재구속 불가)에 불구하고 동일한 범죄사실로 재구속할 수 있다.

017 다음 보기 중 「국가보안법」에 관한 설명으로 틀린 것은 모두 몇 개인가? [2014 채용 1차]

㉠ 「국가보안법」제10조 불고지죄는 법정형이 5년 이하의 징역 또는 300만원 이하의 벌금으로 국가보안법 중 유일하게 선택형으로 벌금형을 두고 있다.
㉡ 「국가보안법」의 죄를 범한 후 자수한 때에는 그 형을 감경 또는 면제한다.
㉢ 공소보류 결정을 받은 자가 공소제기 없이 2년이 경과한 때에는 소추할 수 없다.
㉣ 검사 또는 사법경찰관으로부터 「국가보안법」에 정한 죄의 참고인으로 출석을 요구받은 자가 정당한 이유 없이 2회 이상 출석요구에 불응한 때에는 관할법원판사의 구속영장을 발부받아 구인할 수 있다.

① 1개 ② 2개
③ 3개 ④ 4개

정답 및 해설 | ①

㉠ [×] 불고지죄가 유일하게 선택형을 벌금형으로 두고 있는 것은 옳다. 다만, 200만원 이하의 벌금이 옳다.

> **국가보안법 제10조 【불고지】** 제3조(➔ 반국가단체구성 등), 제4조(➔ 목적수행), 제5조 제1항(➔ 자진지원) · 제3항(제1항의 미수범에 한한다) · 제4항의 죄를 범한 자라는 정을 알면서 수사기관 또는 정보기관에 고지하지 아니한 자는 5년 이하의 징역 또는 200만원 이하의 벌금에 처한다. 다만, 본범과 친족관계가 있는 때에는 그 형을 감경 또는 면제한다.

㉡ [○] 형법에서 자수의 경우 임의적 감면으로 규정하고 있는 것과 비교된다.

> **국가보안법 제16조 【형의 감면】** 다음 각호의 1에 해당한 때에는 그 형을 감경 또는 면제한다.
> 1. 이 법의 죄를 범한 후 자수한 때
> 2. 이 법의 죄를 범한 자가 이 법의 죄를 범한 타인을 고발하거나 타인이 이 법의 죄를 범하는 것을 방해한 때

㉢ [○]

> **국가보안법 제20조 【공소보류】** ① 검사는 이 법의 죄를 범한 자에 대하여 형법 제51조의 사항을 참작하여 공소제기를 보류할 수 있다.
> ② 제1항에 의하여 공소보류를 받은 자가 공소의 제기없이 2년을 경과한 때에는 소추할 수 없다.

㉣ [○]

> **국가보안법 제18조 【참고인의 구인 · 유치】** ① 검사 또는 사법경찰관으로부터 이 법에 정한 죄의 참고인으로 출석을 요구받은 자가 정당한 이유없이 2회 이상 출석요구에 불응한 때에는 관할법원판사의 구속영장을 발부받아 구인할 수 있다.

018 「국가보안법」에 대한 설명으로 적절하지 않은 것은 모두 몇 개인가? [2023 경간]

가. 반국가단체라 함은 정부를 참칭하거나 국가를 변란할 것을 목적으로 하는 국내외의 결사 또는 집단으로서 지휘통솔체제를 갖춘 단체를 말한다.
나. 반국가단체의 구성 · 가입죄 및 가입권유죄는 미수뿐만 아니라 예비 · 음모도 처벌한다.
다. 범죄수사 또는 정보의 직무에 종사하는 공무원이 이 법의 죄를 범한 자라는 정을 알면서 그 직무를 유기한 때에는 10년 이하의 징역에 처한다. 다만, 본범과 친족관계가 있는 때에는 그 형을 감경 또는 면제한다.
라. 반국가단체나 그 구성원의 지령을 받거나 받기 위하여 또는 그 목적수행을 협의하거나 협의하기 위하여 잠입하거나 탈출한 자는 10년 이하의 징역에 처한다.

① 1개 ② 2개
③ 3개 ④ 4개

정답 및 해설 I ③

가. [○]

> **국가보안법 제2조 【정의】** ① 이 법에서 "반국가단체"라 함은 정부를 참칭하거나 국가를 변란할 것을 목적으로 하는 국내외의 결사 또는 집단으로서 지휘통솔체제를 갖춘 단체를 말한다.

나. [×] 가입권유죄는 미수를 처벌하나 예비 · 음모를 처벌하지 않는다.

> **국가보안법 제3조 【반국가단체의 구성등】** ③ 제1항 및 제2항의 미수범은 처벌한다.
> ④ 제1항 제1호 및 제2호의 죄를 범할 목적으로 예비 또는 음모한 자는 2년 이상의 유기징역에 처한다.
> ⑤ 제1항 제3호의 죄를 범할 목적으로 예비 또는 음모한 자는 10년 이하의 징역에 처한다.

다. [×] 형을 감경 또는 면제**할 수 있다**.

> **국가보안법 제11조 【특수직무유기】** 범죄수사 또는 정보의 직무에 종사하는 공무원이 이 법의 죄를 범한 자라는 정을 알면서 그 직무를 유기한 때에는 10년 이하의 징역에 처한다. 다만, 본범과 친족관계가 있는 때에는 그 형을 감경 또는 면제할 수 있다.

라. [×] 사형 · 무기 또는 **5년 이상의 징역**에 처한다.

> **국가보안법 제6조 【잠입 · 탈출】** ② 반국가단체나 그 구성원의 지령을 받거나 받기 위하여 또는 그 목적수행을 협의하거나 협의하기 위하여 잠입하거나 탈출한 자는 사형 · 무기 또는 5년 이상의 징역에 처한다.

05 보상과 원호

019 「국가보안법」의 보상과 원호에 대한 내용이다. 아래 ㉠부터 ㉣까지의 내용 중 옳고 그름의 표시(○, ×)가 바르게 된 것은? [2018 채용 1차]

> ㉠ 이 법의 죄를 범한 자를 수사기관 또는 정보기관에 통보하거나 체포한 자에게는 대통령령이 정하는 바에 따라 상금을 지급한다.
> ㉡ 반국가단체나 그 구성원 또는 그 지령을 받은 자로부터 금품을 취득하여 수사기관 또는 정보기관에 제공한 자에게는 그 가액의 2분의 1에 상당하는 범위 안에서 보로금을 지급할 수 있다. 반국가단체의 구성원 또는 그 지령을 받은 자가 제공한 때에도 또한 같다.
> ㉢ 보로금의 청구 및 지급에 관하여 필요한 사항은 대통령령으로 정한다.
> ㉣ 이 법에 의한 상금과 보로금의 지급 및 제23조에 의한 보상대상자를 심의 · 결정하기 위하여 법무부장관 소속하에 국가보안유공자 심사위원회를 둔다.

	㉠	㉡	㉢	㉣
①	○	×	○	×
②	×	○	×	○
③	○	×	×	×
④	○	○	○	○

정답 및 해설 I ④

㉠ [○]

> **국가보안법 제21조 【상금】** ① 이 법의 죄를 범한 자를 수사기관 또는 정보기관에 통보하거나 체포한 자에게는 대통령령이 정하는 바에 따라 상금을 지급한다.

㉡㉢ [○]

> **국가보안법 제22조 【보로금】** ② 반국가단체나 그 구성원 또는 그 지령을 받은 자로부터 금품을 취득하여 수사기관 또는 정보기관에 제공한 자에게는 그 가액의 2분의 1에 상당하는 범위 안에서 보로금을 지급할 수 있다. 반국가단체의 구성원 또는 그 지령을 받은 자가 제공한 때에도 또한 같다.
> ③ 보로금의 청구 및 지급에 관하여 필요한 사항은 대통령령으로 정한다.

㉣ [○]

> 국가보안법 제24조 【국가보안유공자 심사위원회】 ① 이 법에 의한 상금과 보로금의 지급 및 제23조에 의한 보상대상자를 심의 · 결정하기 위하여 법무부장관소속하에 국가보안유공자 심사위원회(이하 "위원회"라 한다)를 둔다.

주제 2 보안관찰법

01 보안관찰법 개설

02 보안관찰의 대상

020 보안관찰법상 보안관찰 해당 범죄가 아닌 것은? [2017 채용 1차]

① 「형법」상 내란죄

② 「군형법」상 일반이적죄

③ 「국가보안법」상 목적수행죄

④ 「국가보안법」상 금품수수죄

정답 및 해설 I ①

① [×] 내란죄는 보안관찰 해당 범죄가 아니다.

보안관찰법 제2조 【보안관찰해당범죄】 이 법에서 "보안관찰해당범죄"라 함은 다음 각 호의 1에 해당하는 죄를 말한다.

구분	해당하는 범죄	해당하지 않는 범죄
형법 (제1호)	• 내란목적살인죄 • 외환유치죄 · 여적죄 · 모병이적죄 • 시설제공 · 파괴이적죄 · 물건제공이적죄 • 간첩죄 및 그 미수범과 예비 · 음모 · 선전 · 선동죄	• 내란죄 • 일반이적죄 • 전시군수계약 불이행죄

021 「보안관찰법」상 보안관찰 해당 범죄로 가장 적절하지 않은 것은? [2017 실무 3]

① 「형법」상의 전시군수계약불이행죄(제103조)

② 「형법」상의 모병이적죄(제94조)

③ 「국가보안법」상 잠입 · 탈출죄(제6조)

④ 「국가보안법」상 목적수행죄(제4조)

정답 및 해설 I ①

① [×] 「형법」상의 전시군수계약불이행죄는 보안관찰 해당 범죄가 아니다.

022 「보안관찰법」상 '보안관찰 해당 범죄'로 가장 적절하지 않은 것은? [2017 승진(경감)]

① 「국가보안법」상 잠입 · 탈출죄

② 「국가보안법」상 목적수행죄

③ 「군형법」상 단순반란불보고죄

④ 「형법」상 시설제공이적죄

정답 및 해설 | ③

③ [×] 단순반란불보고죄는 보안관찰 해당 범죄가 아니다.

보안관찰법 제2조【보안관찰해당범죄】 이 법에서 "보안관찰해당범죄"라 함은 다음 각호의 1에 해당하는 죄를 말한다.

구분	해당하는 범죄	해당하지 않는 범죄
군형법 (제2호)	• 반란죄 • 반란목적 군용물탈취죄 · 반란불보고죄 • 군대 및 군용시설제공죄 · 군용시설파괴죄 • 간첩죄 · 일반이적죄 · 이적 목적반란불보고죄(제9조 제2항)	• 단순반란불보고죄(제9조 제1항)

03 보안관찰처분의 절차

023 「보안관찰법」에 관한 설명으로 가장 적절하지 않은 것은? [2024 승진]

① '보안관찰처분대상자'라 함은 보안관찰해당범죄 또는 이와 경합된 범죄로 금고 이상의 형의 선고를 받고 그 형기합계가 3년 이상인 자로서 형의 전부 또는 일부의 집행을 면제받은 사실이 있는 자를 말한다.

② 보안관찰처분의 기간은 2년으로 하되, 법무부장관은 검사의 청구가 있는 때에는 보안관찰처분심의위원회의 의결을 거쳐 그 기간을 갱신할 수 있다.

③ 보안관찰처분대상자는 대통령령이 정하는 바에 따라 그 형의 집행을 받고 있는 교도소, 소년교도소, 구치소, 유치장 또는 군교도소에서 출소 전에 거주예정지 기타 대통령령으로 정하는 사항을 교도소등의 장을 경유하여 거주예정지 관할 경찰서장에게 신고하고, 출소 후 7일 이내에 그 거주예정지 관할 경찰서장에게 출소사실을 신고하여야 한다.

④ 보안관찰처분청구는 검사가 보안관찰처분청구서를 법무부장관에게 제출함으로써 행한다.

정답 및 해설 | ①

① [×] 집행 면제가 아니라, 집행을 받은 사실이 있는 자이다.

보안관찰법 제3조【보안관찰처분대상자】 이 법에서 "**보안관찰처분대상자**"라 함은 보안관찰해당범죄 또는 이와 경합된 범죄로 금고 이상의 형의 선고를 받고 그 형기합계가 3년 이상인 자로서 형의 전부 또는 일부의 집행을 받은 사실이 있는 자를 말한다. ➜ 보경금선 3집

② [○] **보안관찰법 제5조【보안관찰처분의 기간】** ① 보안관찰처분의 기간은 2년으로 한다.
② 법무부장관은 검사의 청구가 있는 때에는 보안관찰처분심의위원회의 의결을 거쳐 그 기간을 갱신할 수 있다.

③ [○] **보안관찰법 제6조【보안관찰처분대상자의 신고】** ① 보안관찰처분대상자는 대통령령이 정하는 바에 따라 그 형의 집행을 받고 있는 교도소, 소년교도소, 구치소, 유치장 또는 군교도소(이하 "교도소등"이라 한다)에서 출소전에 거주예정지 기타 대통령령으로 정하는 사항을 교도소등의 장을 경유하여 거주예정지 관할경찰서장에게 신고하고, 출소후 7일이내에 그 거주예정지 관할경찰서장에게 출소사실을 신고하여야 한다. 제20조 제3항에 해당하는 경우에는 법무부장관이 제공하는 거주할 장소(이하 "거소"라 한다)를 거주예정지로 신고하여야 한다.

④ [○]

> **보안관찰법 제8조【청구의 방법】** ① 제7조의 규정에 의한 보안관찰처분청구는 검사가 보안관찰처분청구서(이하 "처분청구서"라 한다)를 법무부장관에게 제출함으로써 행한다.

024 「보안관찰법」에 관한 설명으로 가장 적절하지 않은 것은? [2023 채용 1차]

① "보안관찰처분대상자"라 함은 보안관찰해당범죄 또는 이와 경합된 범죄로 금고 이상의 형의 선고를 받고 그 형기 합계가 3년 이상인 자로서 형의 전부 또는 일부의 집행을 받은 사실이 있는 자를 말한다.

② 보안관찰처분청구는 검사가 행한다.

③ 보안관찰처분을 받은 자는 이 법이 정하는 바에 따라 소정의 사항을 주거지 관할경찰서장에게 신고하고, 재범방지에 필요한 범위 안에서 그 지시에 따라 보안관찰을 받아야 한다.

④ 보안관찰처분의 기간은 3년으로 한다.

정답 및 해설 I ④

④ [×] 보안관찰처분의 기간은 **2년**으로 한다.

> **보안관찰법 제5조【보안관찰처분의 기간】** ① 보안관찰처분의 기간은 2년으로 한다.
> ② 법무부장관은 검사의 청구가 있는 때에는 보안관찰처분심의위원회의 의결을 거쳐 그 기간을 갱신할 수 있다.

① [○]

> **보안관찰법 제3조【보안관찰처분대상자】** 이 법에서 "**보안관찰처분대상자**"라 함은 보안관찰해당범죄 또는 이와 경합된 범죄로 금고 이상의 형의 선고를 받고 그 형기합계가 3년 이상인 자로서 형의 전부 또는 일부의 집행을 받은 사실이 있는 자를 말한다. ➜ 보경금선 3집

② [○]

> **보안관찰법 제7조【보안관찰처분의 청구】** 보안관찰처분청구는 검사가 행한다.

③ [○]

> **보안관찰법 제4조【보안관찰처분】** ① 제3조에 해당하는 자중 보안관찰해당범죄를 다시 범할 위험성이 있다고 인정할 충분한 이유가 있어 재범의 방지를 위한 관찰이 필요한 자에 대하여는 보안관찰처분을 한다.
> ② 보안관찰처분을 받은 자는 이 법이 정하는 바에 따라 소정의 사항을 주거지 관할경찰서장(이하 "관할경찰서장"이라 한다)에게 신고하고, 재범방지에 필요한 범위안에서 그 지시에 따라 보안관찰을 받아야 한다.

025 「보안관찰법」에 대한 설명으로 가장 적절하지 않은 것은? [2017 승진(경위)]

① 보안관찰처분에 관한 결정은 보안관찰처분심의위원회의 의결을 거처 법무부장관이 행한다.

② 법무부장관은 검사의 청구가 있는 때에는 보안관찰처분심의위원회의 의결을 거쳐 그 기간을 갱신할 수 있다.

③ 검사는 피보안관찰자가 도주하거나 1월 이상 그 소재가 불명한 때에는 보안관찰처분의 집행중지결정을 할 수 있다.

④ '보안관찰처분대상자'라 함은 보안관찰해당범죄 또는 이와 경합된 범죄로 징역 이상의 형의 선고를 받고 그 형기합계가 3년 이상인 자로서 형의 전부 또는 일부의 집행을 받은 사실이 있는 자를 말한다.

정답 및 해설 I ④

④ [×] 징역 이상이 아니라 금고 이상이다.

> **보안관찰법 제3조 【보안관찰처분대상자】** 이 법에서 **"보안관찰처분대상자"**라 함은 보안관찰해당범죄 또는 이와 경합된 범죄로 금고 이상의 형의 선고를 받고 그 형기합계가 3년 이상인 자로서 형의 전부 또는 일부의 집행을 받은 사실이 있는 자를 말한다. ➔ 보경금선 3집

① [○]

> **보안관찰법 제14조 【결정】** ① 보안관찰처분에 관한 결정은 위원회의 의결을 거쳐 법무부장관이 행한다.

② [○]

> **보안관찰법 제5조 【보안관찰처분의 기간】** ① 보안관찰처분의 기간은 2년으로 한다.
> ② 법무부장관은 검사의 청구가 있는 때에는 보안관찰처분심의위원회의 의결을 거쳐 그 기간을 갱신할 수 있다.

③ [○]

> **보안관찰법 제17조 【보안관찰처분의 집행】** ③ 검사는 피보안관찰자가 도주하거나 1월 이상 그 소재가 불명한 때에는 보안관찰처분의 집행중지결정을 할 수 있다. 그 사유가 소멸된 때에는 지체 없이 그 결정을 취소하여야 한다.

026 「보안관찰법」에 대한 설명으로 가장 적절하지 않은 것은? [2018 경채]

① 보안관찰처분대상자는 출소 후 지체 없이 거주예정지 관할경찰서장에게 출소사실을 신고하여야 한다.

② 보안관찰처분에 관한 결정은 보안관찰처분심의위원회의 의결을 거쳐 법무부장관이 행한다.

③ 보안관찰처분의 기간은 2년이며, 법무부장관은 검사의 청구가 있는 때에는 보안관찰처분심의위원회의 의결을 거쳐 그 기간을 갱신할 수 있다.

④ '보안관찰처분대상자'라 함은 보안관찰해당범죄 또는 이와 경합된 범죄로 금고 이상의 형의 선고를 받고 그 형기합계가 3년 이상인 자로서 형의 전부 또는 일부의 집행을 받은 사실이 있는 자를 말한다.

정답 및 해설 I ①

① [×] 출소 후 7일 이내에 신고하여야 한다.

> **보안관찰법 제6조 【보안관찰처분대상자의 신고】** ① 보안관찰처분대상자는 … 출소후 7일이내에 그 거주예정지 관할경찰서장에게 출소사실을 신고하여야 한다. 제20조 제3항에 해당하는 경우에는 법무부장관이 제공하는 거주할 장소(이하 "거소"라 한다)를 거주예정지로 신고하여야 한다.

② [○]

> **보안관찰법 제14조 【결정】** ① 보안관찰처분에 관한 결정은 위원회의 의결을 거쳐 법무부장관이 행한다.

③ [○]

> **보안관찰법 제5조 【보안관찰처분의 기간】** ① 보안관찰처분의 기간은 2년으로 한다.
> ② 법무부장관은 검사의 청구가 있는 때에는 보안관찰처분심의위원회의 의결을 거쳐 그 기간을 갱신할 수 있다.

④ [○]

> **보안관찰법 제3조 【보안관찰처분대상자】** 이 법에서 **"보안관찰처분대상자"**라 함은 보안관찰해당범죄 또는 이와 경합된 범죄로 금고 이상의 형의 선고를 받고 그 형기합계가 3년 이상인 자로서 형의 전부 또는 일부의 집행을 받은 사실이 있는 자를 말한다. ➔ 보경금선 3집

027 「보안관찰법」에 대한 설명으로 가장 적절한 것은? [2019 승진(경감)]

① 보안관찰처분에 관한 결정은 보안관찰처분심의위원회의 의결을 거쳐 법무부장관이 행한다.

② 피보안관찰자는 국외여행 또는 7일 이상 여행을 하는 경우 수시신고를 해야 한다.

③ 보안관찰처분의 기간은 2년이며, 그 기간은 갱신할 수 없다.

④ '보안관찰처분대상자'는 보안관찰해당범죄 또는 이와 경합된 범죄로 징역 이상의 형의 선고를 받고 그 형기 합계가 3년 이상인 자로서 형의 전부 또는 일부의 집행을 받은 사람이 있는 자를 말한다.

정답 및 해설 I ①

① [○] 보안관찰법 제14조【결정】① 보안관찰처분에 관한 결정은 위원회의 의결을 거쳐 법무부장관이 행한다.

② [×] 10일 이상 주거를 이탈하여 여행하고자 할 경우이다.

> 보안관찰법 제18조【신고사항】④ 피보안관찰자가 주거지를 이전하거나 국외여행 또는 10일 이상 주거를 이탈하여 여행하고자 할 때에는 미리 거주예정지, 여행예정지 기타 대통령령이 정하는 사항을 지구대 · 파출소장을 거쳐 관할경찰서장에게 신고하여야 한다. 다만, 제20조 제3항에 의하여 거소제공을 받은 자가 주거지를 이전하고자 할 때에는 제20조 제5항에 의하여 거소변경을 신청하여 변경결정된 거소를 거주예정지로 신고하여야 한다.

③ [×] 그 기간은 갱신할 수 있다.

> 보안관찰법 제5조【보안관찰처분의 기간】① 보안관찰처분의 기간은 2년으로 한다.
> ② 법무부장관은 검사의 청구가 있는 때에는 보안관찰처분심의위원회의 의결을 거쳐 그 기간을 갱신할 수 있다.

④ [×] 징역이 아니라 금고 이상의 형이다.

> 보안관찰법 제3조【보안관찰처분대상자】이 법에서 "보안관찰처분대상자"라 함은 보안관찰해당범죄 또는 이와 경합된 범죄로 금고 이상의 형의 선고를 받고 그 형기합계가 3년 이상인 자로서 형의 전부 또는 일부의 집행을 받은 사실이 있는 자를 말한다. → 보경금선 3집

028 「보안관찰법」에 관한 다음 설명 중 가장 적절한 것은? [2014 채용 2차]

① '보안관찰처분대상자'라 함은 보안관찰해당범죄 또는 이와 경합된 범죄로 벌금 이상의 형의 선고를 받고, 형의 전부 또는 일부의 집행을 받은 사실이 있는 자를 말한다.

② 보안관찰처분 기간은 2년이며, 그 기간은 갱신할 수 없다.

③ 「형법」상 범죄 중 내란목적살인죄, 외환유치죄, 여적죄, 모병이적죄, 시설제공이적죄, 간첩죄는 보안관찰 해당 범죄이다.

④ 보안관찰처분의 집행중지결정은 관할경찰서장이 한다.

정답 및 해설 I ③

③ [○] 보안관찰법 제2조【보안관찰해당범죄】이 법에서 "보안관찰해당범죄"라 함은 다음 각 호의 1에 해당하는 죄를 말한다.

구분	해당하는 범죄	해당하지 않는 범죄
형법 (제1호)	• 내란목적살인죄 • 외환유치죄 · 여적죄 · 모병이적죄 • 시설제공 · 파괴이적죄 · 물건제공이적죄 • 간첩죄 및 그 미수범과 예비 · 음모 · 선전 · 선동죄	• 내란죄 • 일반이적죄 • 전시군수계약 불이행죄

① [×] 벌금형이 아니라 금고 이상의 형 선고를 받고 형기합계 3년 이상인 자로 형의 전부 또는 일부의 집행을 받은 사실이 있는 자를 말한다.

> **보안관찰법 제3조 【보안관찰처분대상자】** 이 법에서 "**보안관찰처분대상자**"라 함은 보안관찰해당범죄 또는 이와 경합된 범죄로 금고 이상의 형의 선고를 받고 그 형기합계가 3년 이상인 자로서 형의 전부 또는 일부의 집행을 받은 사실이 있는 자를 말한다. ➔ 보경금선 3집

② [×] 갱신할 수 있다.

> **보안관찰법 제5조 【보안관찰처분의 기간】** ① 보안관찰처분의 기간은 2년으로 한다.
> ② 법무부장관은 검사의 청구가 있는 때에는 보안관찰처분심의위원회의 의결을 거쳐 그 기간을 갱신할 수 있다.

④ [×] 보안관찰처분의 집행중지결정은 검사가 한다.

> **보안관찰법 제17조 【보안관찰처분의 집행】** ③ 검사는 피보안관찰자가 도주하거나 1월 이상 그 소재가 불명한 때에는 보안관찰처분의 집행중지결정을 할 수 있다. 그 사유가 소멸된 때에는 지체 없이 그 결정을 취소하여야 한다.

029 다음은 「보안관찰법」상 '보안관찰처분'을 설명한 것이다. 가장 적절한 것은? [2014 채용 1차]

① '보안관찰처분대상자'라 함은 보안관찰해당범죄 또는 이와 경합된 범죄로 금고 이상의 형의 선고를 받고 그 형기합계가 2년 이상인 자로서 형의 전부 또는 일부의 집행을 받은 사실이 있는 자를 말한다.

② 보안관찰처분의 기간은 2년으로 하며, 법무부장관은 검사의 청구가 있는 때에는 보안관찰처분심의위원회의 의결을 거쳐 그 기간을 갱신할 수 있다.

③ 보안관찰처분대상자는 출소 후 2개월 이내에 그 거주예정지 관할경찰서장에게 출소사실을 신고하여야 한다.

④ 검사는 피보안관찰자가 도주하거나 1월 이상 그 소재가 불명한 때에는 보안관찰처분의 집행중지결정을 할 수 있으며, 그 사유가 소멸된 때에는 7일 이내에 그 결정을 취소하여야 한다.

정답 및 해설 I ②

② [○]

> **보안관찰법 제5조 【보안관찰처분의 기간】** ① 보안관찰처분의 기간은 2년으로 한다.
> ② 법무부장관은 검사의 청구가 있는 때에는 보안관찰처분심의위원회의 의결을 거쳐 그 기간을 갱신할 수 있다.

① [×] 3년 이상인 자로서 형의 전부 또는 일부의 집행을 받은 사실이 있는 자를 말한다.

> **보안관찰법 제3조 【보안관찰처분대상자】** 이 법에서 "**보안관찰처분대상자**"라 함은 보안관찰해당범죄 또는 이와 경합된 범죄로 금고 이상의 형의 선고를 받고 그 형기합계가 3년 이상인 자로서 형의 전부 또는 일부의 집행을 받은 사실이 있는 자를 말한다. ➔ 보경금선 3집

③ [×] 출소 후 7일 이내 신고하여야 한다.

> **보안관찰법 제6조 【보안관찰처분대상자의 신고】** ① 보안관찰처분대상자는 … 출소후 7일이내에 그 거주예정지 관할경찰서장에게 출소사실을 신고하여야 한다. 제20조 제3항에 해당하는 경우에는 법무부장관이 제공하는 거주할 장소(이하 "거소"라 한다)를 거주예정지로 신고하여야 한다.

④ [×] 그 사유가 소멸된 때에는 지체 없이 그 결정을 취소하여야 한다.

> **보안관찰법 제17조 【보안관찰처분의 집행】** ③ 검사는 피보안관찰자가 도주하거나 1월 이상 그 소재가 불명한 때에는 보안관찰처분의 집행중지결정을 할 수 있다. 그 사유가 소멸된 때에는 지체 없이 그 결정을 취소하여야 한다.

030 「보안관찰법」에 대한 설명으로 가장 옳지 않은 것은? [2016 경간]

① 검사는 피보안관찰자가 도주하거나 3월 이상 그 소재가 불명한 때에는 보안관찰처분의 집행중지결정을 할 수 있다. 그 사유가 소멸된 때에는 지체 없이 그 결정을 취소하여야 한다.

② 보안관찰처분에 관한 결정은 보안관찰처분심의위원회의 의결을 거쳐 법무부장관이 행한다.

③ 보안관찰처분의 기간은 2년이며, 그 기간은 갱신할 수 있다.

④ 보안관찰법에 의한 법무부장관의 결정을 받은 자가 그 결정에 이의가 있을 때에는 행정소송법이 정하는 바에 따라 결정이 집행된 날부터 60일 이내에 서울고등법원에 소를 제기할 수 있다.

정답 및 해설 I ①

① [×] 1월 이상 소재가 불명한 경우이다.

> **보안관찰법 제17조【보안관찰처분의 집행】** ③ 검사는 피보안관찰자가 도주하거나 1월 이상 그 소재가 불명한 때에는 보안관찰처분의 집행중지결정을 할 수 있다. 그 사유가 소멸된 때에는 지체 없이 그 결정을 취소하여야 한다.

② [○]

> **보안관찰법 제14조【결정】** ① 보안관찰처분에 관한 결정은 위원회의 의결을 거쳐 법무부장관이 행한다.

③ [○]

> **보안관찰법 제5조【보안관찰처분의 기간】** ① 보안관찰처분의 기간은 2년으로 한다.
> ② 법무부장관은 검사의 청구가 있는 때에는 보안관찰처분심의위원회의 의결을 거쳐 그 기간을 갱신할 수 있다.

④ [○]

> **보안관찰법 제23조【행정소송】** 이 법에 의한 법무부장관의 결정을 받은 자가 그 결정에 이의가 있을 때에는 행정소송법이 정하는 바에 따라 그 결정이 집행된 날부터 60일 이내에 서울고등법원에 소를 제기할 수 있다. 다만, 제11조의 규정에 의한 면제결정신청에 대한 기각결정을 받은 자가 그 결정에 이의가 있을 때에는 그 결정이 있는 날부터 60일 이내에 서울고등법원에 소를 제기할 수 있다.

031 보안관찰에 대한 설명 중 가장 적절하지 않은 것은? [2014 실무 3 변형]

① 형법상 국가존립에 관한 범죄 중 내란죄(제87조), 일반이적죄(제99조), 전시군수계약불이행죄(제103조)는 보안관찰 해당 범죄가 아니다.

② 보안관찰처분대상자는 보안관찰해당범죄 또는 이와 경합된 범죄로 금고 이상의 형의 선고를 받고 그 형기 합계가 3년 이상인 자로서 형의 전부 또는 일부의 집행을 받은 자를 말하며, 보안관찰처분의 기간은 2년으로 한다.

③ 보안관찰처분 대상자는 교도소등의 장을 경유, 거주예정지 경찰서장에게 보안관찰처분대상자 신고하여야 한다.

④ 보안관찰처분대상자는 교도소등에서 출소 후 7일 이내에 관할경찰서장에게 출소사실을 신고해야 하고, 신고사항에 변동이 있는 때에는 변동이 있는 날부터 3일 이내에 신고하여야 한다.

정답 및 해설 I ④

④ [×] 일단 출제 당시에는 변동신고를 3일 이내에 해야 한다는 부분 때문에 틀린 지문으로 처리되었다(변동신고도 7일 이내에 하여야 함). 해당 조문과 관련하여 2021.6.24. 헌법재판소가 변동신고 조항에 대해 헌법불합치결정을 하였고, 2022년 5월 현재 아직 보완입법이 이루어지지 않고 있는 상태이다(개정시한인 2023.6.30.까지 잠정적용).

> **보안관찰법 제6조【보안관찰처분대상자의 신고】** ① 보안관찰처분대상자는 … 출소후 7일이내에 그 거주예정지 관할경찰서장에게 출소사실을 신고하여야 한다. 제20조 제3항에 해당하는 경우에는 법무부장관이 제공하는 거주할 장소(이하 "거소"라 한다)를 거주예정지로 신고하여야 한다.
> ② 보안관찰처분대상자는 교도소등에서 출소한 후 제1항의 신고사항에 변동이 있을 때에는 변동이 있는 날부터 7일이내에 그 변동된 사항을 관할경찰서장에게 신고하여야 한다. 다만, 제20조 제3항에 의하여 거소제공을 받은 자가 주거지를 이전하고자 할 때에는 미리 관할경찰서장에게 제18조 제4항 단서에 의한 신고를 하여야 한다.
> [헌법불합치, 2017헌바479, 2021.6.24, 보안관찰법(1989.6.16. 법률 제4132호로 전부개정된 것) 제6조 제2항 전문 및 제27조 제2항 중 제6조 제2항 전문에 관한 부분은 각 헌법에 합치되지 아니한다. 위 법률조항들은 2023.6.30.을 시한으로 개정될 때까지 계속 적용한다.]

① [○]

> **보안관찰법 제2조【보안관찰해당범죄】** 이 법에서 "보안관찰해당범죄"라 함은 다음 각호의 1에 해당하는 죄를 말한다.

구분	해당범죄	해당하지 않는 범죄
형법 (제1호)	• 내란목적살인죄 • 외환유치죄 · 여적죄 · 모병이적죄 • 시설제공 · 파괴이적죄 · 물건제공이적죄 • 간첩죄 및 그 미수범과 예비 · 음모 · 선전 · 선동죄	• 내란죄 • 일반이적죄 • 전시군수계약 불이행죄

② [○]

> **보안관찰법 제3조【보안관찰처분대상자】** 이 법에서 "**보안관찰처분대상자**"라 함은 보안관찰해당범죄 또는 이와 경합된 범죄로 금고 이상의 형의 선고를 받고 그 형기합계가 3년 이상인 자로서 형의 전부 또는 일부의 집행을 받은 사실이 있는 자를 말한다. ➜ 보경금선 3집
> **보안관찰법 제5조【보안관찰처분의 기간】** ① 보안관찰처분의 기간은 2년으로 한다.

③ [○]

> **보안관찰법 제6조【보안관찰처분대상자의 신고】** ① 보안관찰처분대상자는 대통령령이 정하는 바에 따라 그 형의 집행을 받고 있는 교도소, 소년교도소, 구치소, 유치장 또는 군교도소(이하 "교도소등"이라 한다)에서 출소전에 거주예정지 기타 대통령령으로 정하는 사항을 교도소등의 장을 경유하여 거주예정지 관할경찰서장에게 신고하고, …

032 보안관찰에 대한 설명으로 가장 적절하지 않은 것은?

[2020 승진(경감)]

① 「국가보안법」상 목적수행죄, 자진지원죄, 금품수수죄와 「형법」상 내란목적살인죄, 외환유치죄, 간첩죄, 물건제공이적죄, 모병이적죄, 시설제공이적죄는 보안관찰해당범죄이다.

② 피보안관찰자는 보안관찰처분결정고지를 받은 날이 속한 달부터 매 3월이 되는 달의 말일까지 정기 신고를 해야 한다.

③ 피보안관찰자는 국외여행 또는 10일 이상 국내여행을 하는 경우 신고를 해야 한다.

④ 「보안관찰법」상 보안관찰처분심의위원회는 위원장 1인(법무부장관)과 6인의 위원으로 구성되고, 위원은 법무부장관의 제청으로 대통령이 임명 또는 위촉한다.

정답 및 해설 I ④

④ [×] 위원장은 법무부차관이다.

> **보안관찰법 제12조【보안관찰처분심의위원회】** ① 보안관찰처분에 관한 사안을 심의·의결하기 위하여 법무부에 보안관찰처분심의위원회(이하 "위원회"라 한다)를 둔다.
> ② 위원회는 위원장 1인과 6인의 위원으로 구성한다.
> ③ 위원장은 법무부차관이 되고, 위원은 학식과 덕망이 있는 자로 하되, 그 과반수는 변호사의 자격이 있는 자이어야 한다.
> ④ 위원은 법무부장관의 제청으로 대통령이 임명 또는 위촉한다.

① [○]

> **보안관찰법 제2조【보안관찰해당범죄】** 이 법에서 "보안관찰해당범죄"라 함은 다음 각호의 1에 해당하는 죄를 말한다.

구분	해당하는 범죄	해당하지 않는 범죄
형법 (제1호)	• 내란목적살인죄 • 외환유치죄 · 여적죄 · 모병이적죄 • 시설제공 · 파괴이적죄 · 물건제공이적죄 • 간첩죄 및 그 미수범과 예비 · 음모 · 선전 · 선동죄	• 내란죄 • 일반이적죄 • 전시군수계약 불이행죄
군형법 (제2호)	• 반란죄 • 반란목적 군용물탈취죄 · 반란불보고죄 • 군대 및 군용시설제공죄 · 군용시설파괴죄 • 간첩죄 · 일반이적죄 · 이적 목적반란불보고죄(제9조 제2항)	• 단순반란불보고죄(제9조 제1항)
국가 보안법 (제3호)	• 목적수행죄 • 금품수수죄 • 편의제공죄 • 잠입 · 탈출죄 • 자진지원죄	• 찬양 · 고무죄 • 회합 · 통신죄 • 반국가단체 구성죄 • 특수직무유기죄 • 불고지죄 • 무고날조죄

② [○]

> **보안관찰법 제18조【신고사항】** ② 피보안관찰자는 보안관찰처분결정고지를 받은 날이 속한 달부터 매 3월이 되는 달의 말일까지 다음 각호의 사항을 지구대 · 파출소장을 거쳐 관할경찰서장에게 신고하여야 한다.

③ [○]

> **보안관찰법 제18조【신고사항】** ④ 피보안관찰자가 주거지를 이전하거나 국외여행 또는 10일 이상 주거를 이탈하여 여행하고자 할 때에는 미리 거주예정지, 여행예정지 기타 대통령령이 정하는 사항을 지구대 · 파출소장을 거쳐 관할경찰서장에게 신고하여야 한다. 다만, …

033 「보안관찰법」에 대한 설명으로 가장 적절하지 않은 것은? [2017 채용 2차]

① 보안관찰처분대상자라 함은 보안관찰해당범죄 또는 이와 경합된 범죄로 금고 이상의 형의 선고를 받고 그 형기합계가 3년 이상인 자로서 형의 전부 또는 일부의 집행을 받은 사실이 있는 자를 말한다.

② 보안관찰처분대상자는 출소 후 7일 이내에 그 거주예정지 관할경찰서장에게 출소사실을 신고하여야 한다.

③ 피보안관찰자는 보안관찰처분결정고지를 받은 날부터 7일 이내에 일정한 사항을 주거지를 관할하는 지구대 · 파출소장을 거쳐 관할경찰서장에게 신고하여야 한다.

④ 피보안관찰자는 주거지를 이전하거나 국외여행 또는 7일 이상 주거를 이탈하여 여행하고자 할 때에는 미리 거주예정지, 여행예정지 등을 지구대 · 파출소장을 거쳐 관할경찰서장에게 신고하여야 한다.

정답 및 해설 I ④

④ [×] 7일 이상이 아니라 10일 이상이다.

> **보안관찰법 제18조【신고사항】** ④ 피보안관찰자가 주거지를 이전하거나 국외여행 또는 10일 이상 주거를 이탈하여 여행하고자 할 때에는 미리 거주예정지, 여행예정지 기타 대통령령이 정하는 사항을 지구대 · 파출소장을 거쳐 관할경찰서장에게 신고하여야 한다. 다만, …

① [○]

> **보안관찰법 제3조【보안관찰처분대상자】** 이 법에서 "**보안관찰처분대상자**"라 함은 보안관찰해당범죄 또는 이와 경합된 범죄로 금고 이상의 형의 선고를 받고 그 형기합계가 3년 이상인 자로서 형의 전부 또는 일부의 집행을 받은 사실이 있는 자를 말한다. ➜ 보경금선 3집

② [○]

> **보안관찰법 제6조【보안관찰처분대상자의 신고】** ① 보안관찰처분대상자는 … 출소후 7일이내에 그 거주예정지 관할경찰서장에게 출소사실을 신고하여야 한다. 제20조 제3항에 해당하는 경우에는 법무부장관이 제공하는 거주할 장소(이하 "거소"라 한다)를 거주예정지로 신고하여야 한다.

③ [○]

> **보안관찰법 제18조【신고사항】** ① 보안관찰처분을 받은 자(이하 "피보안관찰자"라 한다)는 보안관찰처분결정고지를 받은 날부터 7일 이내에 다음 각호의 사항을 주거지를 관할하는 지구대 또는 파출소의 장(이하 "지구대 · 파출소장"이라 한다)을 거쳐 관할경찰서장에게 신고하여야 한다. …

034 '보안관찰법'상 보안관찰처분을 받은 자(피보안관찰자)의 신고에 대한 다음 설명 중 가장 옳은 것은?

[2017 경간]

① 최초 신고사항에 대한 변동이 있을 때에는 10일 이내에 지구대장(파출소장)을 거쳐 관할경찰서장에게 변동사항을 신고하여야 한다.

② 주거지를 이전하거나 국외여행 또는 7일 이상 주거를 이탈하여 여행하고자 할 때에는 미리 지구대장(파출소장)을 거쳐 관할경찰서장에게 신고하여야 한다.

③ 보안관찰처분결정고지를 받은 날부터 10일 이내에 지구대장(파출소장)을 거쳐 관할경찰서장에게 피보안관찰자신고를 하여야 한다.

④ 보안관찰처분결정고지를 받은 날이 속한 달부터 매 3월이 되는 달의 말일까지 3월간의 주요활동사항 등 소정사항을 지구대장(파출소장)을 거쳐 관할경찰서장에게 신고하여야 한다.

정답 및 해설 I ④

④ [○]

> **보안관찰법 제18조【신고사항】** ② 피보안관찰자는 보안관찰처분결정고지를 받은 날이 속한 달부터 매 3월이 되는 달의 말일까지 다음 각호의 사항을 지구대 · 파출소장을 거쳐 관할경찰서장에게 신고하여야 한다.
> 1. 3월간의 주요활동사항
> 2. 통신 · 회합한 다른 보안관찰처분대상자의 인적사항과 그 일시, 장소 및 내용
> 3. 3월간에 행한 여행에 관한 사항(신고를 마치고 중지한 여행에 관한 사항을 포함한다)
> 4. 관할경찰서장이 보안관찰과 관련하여 신고하도록 지시한 사항

① [×] 7일 이내 변동사항을 신고하여야 한다.

> **보안관찰법 제18조【신고사항】** ③ 피보안관찰자는 제1항의 신고사항에 변동이 있을 때에는 7일 이내에 지구대 · 파출소장을 거쳐 관할경찰서장에게 신고하여야 한다. 피보안관찰자가 제1항의 신고를 한 후 제20조 제3항에 의하여 거소제공을 받거나 제20조 제5항에 의하여 거소가 변경된 때에는 제공 또는 변경된 거소로 이전한 후 7일 이내에 지구대 · 파출소장을 거쳐 관할경찰서장에게 신고하여야 한다.

② [×] 10일 이상 주거를 이탈하여 여행하고자 할 경우에 신고하여야 한다.

> **보안관찰법 제18조【신고사항】** ④ 피보안관찰자가 주거지를 이전하거나 국외여행 또는 10일 이상 주거를 이탈하여 여행하고자 할 때에는 미리 거주예정지, 여행예정지 기타 대통령령이 정하는 사항을 지구대 · 파출소장을 거쳐 관할경찰서장에게 신고하여야 한다. 다만, 제20조 제3항에 의하여 거소제공을 받은 자가 주거지를 이전하고자 할 때에는 제20조 제5항에 의하여 거소변경을 신청하여 변경결정된 거소를 거주예정지로 신고하여야 한다.

③ [×] 7일 이내에 피보안관찰자신고를 하여야 한다.

> **보안관찰법 제18조【신고사항】** ① 보안관찰처분을 받은 자(이하 "피보안관찰자"라 한다)는 보안관찰처분결정고지를 받은 날부터 7일 이내에 다음 각호의 사항을 주거지를 관할하는 지구대 또는 파출소의 장(이하 "지구대 · 파출소장"이라 한다)을 거쳐 관할경찰서장에게 신고하여야 한다. 제20조 제3항에 해당하는 경우에는 법무부장관이 제공하는 거소를 주거지로 신고하여야 한다.
> 1. 등록기준지, 주거(실제로 생활하는 거처), 성명, 생년월일, 성별, 주민등록번호
> 2. 가족 및 동거인 상황과 교우관계
> 3. 직업, 월수, 본인 및 가족의 재산상황
> 4. 학력, 경력
> 5. 종교 및 가입한 단체
> 6. 직장의 소재지 및 연락처
> 7. 보안관찰처분대상자 신고를 행한 관할경찰서 및 신고일자
> 8. 기타 대통령령이 정하는 사항

035 「보안관찰법」상 보안관찰처분에 대한 설명으로 가장 적절한 것은? [2020 실무 3]

① 보안관찰처분대상자는 보안관찰해당범죄 또는 이와 경합된 범죄로 징역 이상의 형의 선고를 받고 그 형기합계가 3년 이상인 자로서 형의 전부 또는 일부의 집행을 받은 사실이 있는 자를 말한다.

② 보안관찰처분의 기간은 2년이며, 법무부장관은 검사의 청구가 있는 때에는 보안관찰처분심의위원회의 의결을 거쳐 그 기간을 갱신할 수 있다.

③ 보안관찰처분대상자는 출소 후 3일 이내에 거주예정지 관할경찰서장에게 출소사실을 신고해야 한다.

④ 보안관찰처분대상자가 도주하거나 1개월 이상 소재불명인 경우 보안관찰처분의 집행중지결정을 할 수 있다.

정답 및 해설 | ②

② [○]

> **보안관찰법 제5조【보안관찰처분의 기간】** ① 보안관찰처분의 기간은 2년으로 한다.
> ② 법무부장관은 검사의 청구가 있는 때에는 보안관찰처분심의위원회의 의결을 거쳐 그 기간을 갱신할 수 있다.

① [×] 징역이 아니라 금고 이상이다.

> **보안관찰법 제3조【보안관찰처분대상자】** 이 법에서 "**보안관찰처분대상자**"라 함은 보안관찰해당범죄 또는 이와 경합된 범죄로 금고 이상의 형의 선고를 받고 그 형기합계가 3년 이상인 자로서 형의 전부 또는 일부의 집행을 받은 사실이 있는 자를 말한다. ➜ 보경금선 3집

③ [×] 출소 후 7일 이내에 신고하여야 한다.

> **보안관찰법 제6조【보안관찰처분대상자의 신고】** ① 보안관찰처분대상자는 … 출소후 7일이내에 그 거주예정지 관할경찰서장에게 출소사실을 신고하여야 한다. 제20조 제3항에 해당하는 경우에는 법무부장관이 제공하는 거주할 장소(이하 "거소"라 한다)를 거주예정지로 신고하여야 한다.

④ [×] 보안관찰처분대상자가 아니라 피보안관찰자이다.

> **보안관찰법 제17조【보안관찰처분의 집행】** ③ 검사는 피보안관찰자가 도주하거나 1월 이상 그 소재가 불명한 때에는 보안관찰처분의 집행중지결정을 할 수 있다. 그 사유가 소멸된 때에는 지체 없이 그 결정을 취소하여야 한다.

036 '보안관찰법'상 보안관찰처분에 대한 설명으로 옳지 않은 것은? [2021 경간]

① 보안관찰처분은 보안처분의 일종으로 본질, 추구하는 목적 및 기능에 있어 형벌과는 독자적 의의를 가진 사회보호적 처분이므로 형벌과 병과하여 선고한다고 해서 일사부재리원칙에 위반하였다고 할 수 없다.

② 보안관찰처분에 관한 결정은 보안처분심의위원회에 의결을 거쳐 법무부장관이 행하며, 법무부장관은 보안관찰처분심의위원회의 의결과 다른 결정을 할 수 없다. 다만, 보안관찰처분대상자에 대하여 보안관찰처분심의위원회의 의결보다 유리한 결정을 하는 때에는 그러하지 아니하다.

③ 보안관찰처분의 기간은 2년으로 하며 법무부장관은 검사의 청구가 있는 때에는 보안관찰처분심의위원회의 의결을 거쳐 1회에 한해 그 기간을 갱신할 수 있다.

④ 보안관찰처분결정을 받은 자가 그 결정에 이의가 있을 때에는 행정소송법이 정하는 바에 따라 그 결정이 집행된 날부터 60일 이내에 서울고등법원에 소를 제기할 수 있다.

정답 및 해설 | ③

③ [×] 갱신의 횟수에 대한 제한은 없다.

> **보안관찰법 제5조【보안관찰처분의 기간】** ① 보안관찰처분의 기간은 2년으로 한다.
> ② 법무부장관은 검사의 청구가 있는 때에는 보안관찰처분심의위원회의 의결을 거쳐 그 기간을 갱신할 수 있다.

① [○]

> **요지판례 |**
> ■ 보안처분은 그 본질, 추구하는 목적 및 기능에 있어 형벌과는 다른 독자적 의의를 가진 사회보호적인 처분이므로 형벌과 병과하여 선고한다고 해서 이중처벌금지원칙에 해당되지 아니한다는 것이 헌법재판소의 확립된 견해이고, 보안관찰법상 보안관찰처분 역시 그 본질이 헌법 제12조 제1항에 근거한 보안처분인 이상, 형의 집행종료 후 별도로 보안관찰처분을 명할 수 있다고 규정한 보안관찰처분 근거조항이 이중처벌금지원칙에 위배되지 아니한다(헌재 2015.11.26, 2014헌바475).

② [○]

> **보안관찰법 제14조【결정】** ① 보안관찰처분에 관한 결정은 위원회의 의결을 거쳐 법무부장관이 행한다.
> ② 법무부장관은 위원회의 의결과 다른 결정을 할 수 없다. 다만, 보안관찰처분대상자에 대하여 위원회의 의결보다 유리한 결정을 하는 때에는 그러하지 아니하다.

④ [○]

> **보안관찰법 제23조【행정소송】** 이 법에 의한 법무부장관의 결정을 받은 자가 그 결정에 이의가 있을 때에는 행정소송법이 정하는 바에 따라 그 결정이 집행된 날부터 60일 이내에 서울고등법원에 소를 제기할 수 있다. 다만, …

037 보안관찰에 대한 설명 중 가장 적절하지 않은 것은? [2022 승진]

① 「보안관찰법」상 법무부장관은 보안관찰처분대상자 또는 피보안관찰자 중 국내에 가족이 없거나 가족이 있어도 인수를 거절하는 자에 대하여는 대통령령이 정하는 바에 의하여 거소를 제공할 수 있다.

② 「형법」상 일반이적죄는 「보안관찰법」상 보안관찰해당범죄에 해당된다.

③ 「보안관찰법 시행규칙」에서 규정하는 '사안'에는 보안관찰처분기간갱신청구에 관한 사안도 해당된다.

④ 「보안관찰법」상 피보안관찰자가 주거지를 이전하거나 국외여행 또는 10일 이상 주거를 이탈하여 여행하고자 할 때에는 미리 거주예정지, 여행예정지 기타 대통령령이 정하는 사항을 지구대 · 파출소장을 거쳐 관할 경찰서장에게 신고하여야 한다.

정답 및 해설 I ②

② [×] 「형법」상 일반이적죄는 「보안관찰법」상 보안관찰해당범죄에 해당하지 않는다.

보안관찰법 제2조【보안관찰해당범죄】 이 법에서 "보안관찰해당범죄"라 함은 다음 각 호의 1에 해당하는 죄를 말한다.

구분	해당범죄	해당하지 않는범죄
형법 (제1호)	• 내란목적살인죄 • 외환유치죄 · 여적죄 · 모병이적죄 • 시설제공 · 파괴이적죄 · 물건제공이적죄 • 간첩죄 및 그 미수범과 예비 · 음모 · 선전 · 선동죄	• 내란죄 • 일반이적죄 • 전시군수계약 불이행죄

① [○] 보안관찰법 제20조 제3항

보안관찰법 제20조【보호】 ① 검사 및 사법경찰관리는 피보안관찰자가 자조의 노력을 함에 있어, 그의 개선과 자위를 위하여 필요하다고 인정되는 적절한 보호를 할 수 있다.
② 제1항의 보호의 방법은 다음과 같다.
1. 주거 또는 취업을 알선하는 것 / 2. 직업훈련의 기회를 제공하는 것 / 3. 환경을 개선하는 것 /
4. 기타 본인의 건전한 사회복귀를 위하여 필요한 원조를 하는 것
③ 법무부장관은 보안관찰처분대상자 또는 피보안관찰자중 국내에 가족이 없거나 가족이 있어도 인수를 거절하는 자에 대하여는 대통령령이 정하는 바에 의하여 거소를 제공할 수 있다.
④ 사회복지사업법에 의한 사회복지시설로서 대통령령이 정하는 시설의 장은 법무부장관으로부터 보안관찰처분대상자 또는 피보안관찰자에 대한 거소제공의 요청을 받은 때에는 정당한 이유없이 이를 거부하여서는 아니된다.

③ [○] '사안'이란 보안관찰처분과 관련된 일체의 사안, 즉 보안관찰처분의 청구 · 취소 · 기간갱신 · 면제결정 등과 관련된 사안을 말하며, 보안관찰법 시행규칙은 이러한 '사안'을 기준으로 하여 여러 규정들을 두고 있다.

법무부령 **보안관찰법 시행규칙 제2조【정의】** 이 규칙에서 사용하는 용어의 정의는 다음과 같다.
1. **"사안"**이라 함은 보안관찰처분청구, 보안관찰처분취소청구, 보안관찰처분기간갱신청구, 보안관찰처분면제결정청구, 보안관찰처분면제결정취소청구 및 보안관찰처분면제결정신청에 관한 사안을 말한다.

법무부령 **보안관찰법 시행규칙 제11조【관할】** 검사 및 사법경찰관리(특별사법경찰관리를 포함한다. 이하 같다)는 각 소속관서의 관할구역내에서 직무를 행한다. 다만, 관할구역 내의 사안과 관련이 있는 사실의 조사를 위하여 필요하거나 긴급을 요하는 때에는 관할구역 외에서도 그 직무를 행할 수 있다.

법무부령 **보안관찰법 시행규칙 제13조【비밀의 유지와 명예훼손 금지】** 검사 및 사법경찰관리는 사안을 조사함에 있어 비밀을 유지하고, 용의자 기타 관계인의 명예를 훼손하지 아니하도록 하여야 한다.

④ [○]

보안관찰법 제18조【신고사항】 ④ 피보안관찰자가 주거지를 이전하거나 국외여행 또는 10일 이상 주거를 이탈하여 여행하고자 할 때에는 미리 거주예정지, 여행예정지 기타 대통령령이 정하는 사항을 지구대 · 파출소장을 거쳐 관할 경찰서장에게 신고하여야 한다. 다만, 제20조 제3항에 의하여 거소제공을 받은 자가 주거지를 이전하고자 할 때에는 제20조 제5항에 의하여 거소변경을 신청하여 변경결정된 거소를 거주예정지로 신고하여야 한다.

제7장 | 외사경찰

주제 1 국제경찰공조

01 국제형사사법 공조법

001 국제형사사법 공조에 대한 설명으로 가장 적절하지 않은 것은? [2020 실무 3]

① '사람 또는 물건의 소재에 대한 수사', '증거 수집, 압수 · 수색 또는 검증'은 국제형사사법 공조법에 따른 공조의 범위에 해당한다.

② 외국의 공조요청에 대해 「국제형사사법 공조법」상 공조를 연기할 수 있는 사유는 공조범죄가 정치적 범죄이거나 정치적 목적으로 행해진 경우이다.

③ 「국제형사사법 공조법」상 대한민국의 주권, 국가안전보장, 안녕질서 또는 미풍양속을 해칠 우려가 있는 경우는 임의적 공조거절 사유에 해당한다.

④ 특정성의 원칙이란 요청국이 공조에 따라 취득한 증거를 공조요청의 대상이 된 범죄 이외의 수사나 재판에 사용하여서는 안 된다는 원칙이다.

정답 및 해설 | ②

② [×] 공조범죄가 정치적 범죄이거나 정치적 목적으로 행해진 경우는 공조의 제한사유이다.

> **국제형사사법 공조법 제6조【공조의 제한】** 다음 각 호의 어느 하나에 해당하는 경우에는 공조를 하지 아니할 수 있다.
> 3. 공조범죄가 정치적 성격을 지닌 범죄이거나, 공조요청이 정치적 성격을 지닌 다른 범죄에 대한 수사 또는 재판을 할 목적으로 한 것이라고 인정되는 경우
>
> **국제형사사법 공조법 제7조【공조의 연기】** 대한민국에서 수사가 진행 중이거나 재판에 계속된 범죄에 대하여 외국의 공조요청이 있는 경우에는 그 수사 또는 재판 절차가 끝날 때까지 공조를 연기할 수 있다.

① [○]

> **국제형사사법 공조법 제5조【공조의 범위】** 공조의 범위는 다음 각 호와 같다.
> 1. 사람 또는 물건의 소재에 대한 수사
> 4. 증거 수집, 압수 · 수색 또는 검증

③ [○]

> **국제형사사법 공조법 제6조【공조의 제한】** 다음 각 호의 어느 하나에 해당하는 경우에는 공조를 하지 아니할 수 있다.
> 1. 대한민국의 주권, 국가안전보장, 안녕질서 또는 미풍양속을 해칠 우려가 있는 경우

④ [○] 특정성의 원칙에 관한 옳은 설명이다. 국제형사사법 공조의 기본원칙은 다음과 같다.

☑ 국제형사사법공조의 기본원칙

쌍방가벌성의 원칙	형사사법 공조의 대상이 되는 범죄는 요청국과 피요청국에서 모두 처벌 가능한 범죄이어야 한다는 원칙
상호주의의 원칙	외국이 우리나라에 사법공조를 행하여 주는 만큼, 우리나라도 동일 또는 유사한 범위 내에서 해당 외국의 공조요청에 응한다는 원칙
특정성 원칙	요청국이 공조에 따라 취득한 증거를 공조요청한 범죄 이외의 범죄에 관한 수사나 재판에 사용하여서는 아니 되며, 증인으로 출석 시 피요청국을 출발하기 이전의 행위로 인한 구금 · 소추 등 자유의 제한을 받지 않는다는 의미를 포함하는 원칙

002 국제형사사법 공조에 관한 설명 중 가장 적절하지 않은 것은? [2014 승진(경감)]

① 외국이 사법공조를 해주는 만큼 자국도 동일하거나 유사한 범위 내에서 공조요청에 응한다는 원칙은 '상호주의 원칙'과 관련이 깊다.

② 요청국이 공조에 따라 취득한 증거를 공조요청의 대상이 범죄 이외의 수사나 재판에 사용하여서는 안 된다는 원칙은 '특정성의 원칙'과 관련이 깊다.

③ 「국제형사사법 공조법」상 대한민국의 주권, 국가안전보장, 안녕질서 또는 미풍양속을 해칠 우려가 있는 경우에는 공조를 하지 아니할 수 있다.

④ 「국제형사사법 공조법」상 대한민국에서 수사가 진행 중이거나 재판에 계속된 범죄에 대하여 외국의 공조요청이 있는 경우에 수사의 진행, 재판의 계속을 이유로 공조를 연기할 수 없다.

정답 및 해설 I ④

④ [×] 공조를 연기할 수 있다.

> **국제형사사법 공조법 제7조 【공조의 연기】** 대한민국에서 수사가 진행 중이거나 재판에 계속된 범죄에 대하여 외국의 공조요청이 있는 경우에는 그 수사 또는 재판 절차가 끝날 때까지 공조를 연기할 수 있다.

① [○] **상호주의 원칙**이란 외국이 우리나라에 사법공조를 행하여 주는 만큼, 우리나라도 동일 또는 유사한 범위 내에서 당해 외국의 공조요청에 응한다는 원칙을 말한다.

② [○] **특정성 원칙**이란 요청국이 공조에 따라 취득한 증거를 공조요청한 범죄 이외의 범죄에 관한 수사나 재판에 사용하여서는 아니 되며, 증인으로 출석 시 피요청국을 출발하기 이전의 행위로 인한 구금 · 소추 등 자유의 제한을 받지 않는다는 의미를 포함하는 원칙을 말한다.

③ [○]

> **국제형사사법 공조법 제6조 【공조의 제한】** 다음 각 호의 어느 하나에 해당하는 경우에는 공조를 하지 아니할 수 있다.
> 1. 대한민국의 주권, 국가안전보장, 안녕질서 또는 미풍양속을 해칠 우려가 있는 경우

003 다음은 국제형사사법 공조에 대한 설명이다. 옳지 않은 것으로 묶인 것은? [2019 채용 1차]

> ㉠ 요청국이 공조에 따라 취득한 증거를 공조요청의 대상이 된 범죄 이외의 수사나 재판에 사용해서는 안 된다는 원칙은 '특정성의 원칙'과 관련이 깊다.
> ㉡ 우리나라가 외국과 체결한 형사사법 공조조약과 「국제형사사법 공조법」의 규정이 상충되면 공조조약이 우선 적용된다.
> ㉢ 「국제형사사법 공조법」상 공조범죄가 대한민국의 법률에 의하여는 범죄를 구성하지 아니하거나 공소를 제기할 수 없는 범죄인 경우 공조를 하지 아니해야 한다.
> ㉣ 「국제형사사법 공조법」상 대한민국에서 수사가 진행 중이거나 재판에 계속된 범죄에 대하여 외국의 공조요청이 있는 경우에 수사의 진행, 재판의 계속을 이유로 공조를 연기할 수 없다.

① ㉠, ㉡ ② ㉡, ㉢

③ ㉡, ㉣ ④ ㉢, ㉣

정답 및 해설 I ④

㉠ [○] **특정성 원칙**이란 요청국이 공조에 따라 취득한 증거를 공조요청한 범죄 이외의 범죄에 관한 수사나 재판에 사용하여서는 아니 되며, 증인으로 출석시 피요청국을 출발하기 이전의 행위로 인한 구금 · 소추 등 자유의 제한을 받지 않는다는 의미를 포함하는 원칙을 말한다.

㉡ [○]

> **국제형사사법 공조법 제3조 【공조조약과의 관계】** 공조에 관하여 공조조약에 이 법과 다른 규정이 있는 경우에는 그 규정에 따른다. ➜ 조약우선주의

㉢ [×] 공조를 하지 아니할 수 있다.

> **국제형사사법 공조법 제6조 【공조의 제한】** 다음 각 호의 어느 하나에 해당하는 경우에는 공조를 하지 아니할 수 있다.
> 4. 공조범죄가 대한민국의 법률에 의하여는 범죄를 구성하지 아니하거나 공소를 제기할 수 없는 범죄인 경우

㉣ [×] 공조를 연기할 수 있다.

> **국제형사사법 공조법 제7조 【공조의 연기】** 대한민국에서 수사가 진행 중이거나 재판에 계속된 범죄에 대하여 외국의 공조요청이 있는 경우에는 그 수사 또는 재판 절차가 끝날 때까지 공조를 연기할 수 있다.

004 「국제형사사법 공조법」상 외국의 요청에 따른 수사의 공조절차에서 '검사 등의 처분'에 대한 설명으로 가장 적절하지 않은 것은? [2017 실무 3]

① 검사는 공조에 필요한 경우에는 판사에게 청구하여 발부받은 영장에 의하여 압수 · 수색 또는 검증을 할 수 있다.

② 검사는 요청국에 인도하여야 할 증거물 등이 법원에 제출되어 있는 경우에는 법무부장관의 인도허가 결정을 받아야 한다.

③ 검사는 사법경찰관리를 지휘하여 공조에 필요한 수사를 하게 할 수 있고, 사법경찰관은 검사에게 신청하여 검사의 청구로 판사가 발부한 영장에 의하여 공조에 필요한 압수 · 수색 또는 검증을 할 수 있다.

④ 검사는 공조에 필요한 자료를 수집하기 위하여 관계인의 출석을 요구하여 진술을 들을 수 있고, 감정 · 통역 또는 번역을 촉탁할 수 있으며, 서류나 그 밖에 물건의 소유자 · 소지자 또는 보관자에게 그 제출을 요구하거나, 행정기관이나 그 밖의 공사단체에 공조에 필요한 사실을 조회하거나 필요한 사항의 보고를 요구할 수 있다.

정답 및 해설 I ②

② [×] 법원의 인도허가 결정을 받아야 한다.

> **국제형사사법 공조법 제17조 【검사 등의 처분】** ③ 검사는 요청국에 인도하여야 할 증거물 등이 법원에 제출되어 있는 경우에는 법원의 인도허가 결정을 받아야 한다.

①③④ [○]

> **국제형사사법 공조법 제17조 【검사 등의 처분】** ① 검사는 공조에 필요한 자료를 수집하기 위하여 관계인의 출석을 요구하여 진술을 들을 수 있고, 감정 · 통역 또는 번역을 촉탁할 수 있으며, 서류나 그 밖의 물건의 소유자 · 소지자 또는 보관자에게 그 제출을 요구하거나, 행정기관이나 그 밖의 공사단체에 공조에 필요한 사실을 조회하거나 필요한 사항의 보고를 요구할 수 있다.
> ② 검사는 공조에 필요한 경우에는 판사에게 청구하여 발급받은 영장에 의하여 압수 · 수색 또는 검증을 할 수 있다.
> ④ 검사는 사법경찰관리를 지휘하여 제1항의 수사를 하게 할 수 있고, 사법경찰관은 검사에게 신청하여 검사의 청구로 판사가 발부한 영장에 의하여 제2항에 따른 압수 · 수색 또는 검증을 할 수 있다.

005 국제형사사법 공조에 대한 설명으로 옳지 않은 것은 모두 몇 개인가? [2020 경간]

> 가. 요청국이 공조에 따라 취득한 증거를 공조요청의 대상이 된 범죄 이외의 수사나 재판에 사용해서는 안 된다는 원칙은 '특정성의 원칙'과 관련이 깊다.
> 나. 「국제형사사법 공조법」상 공조범죄가 대한민국의 법률에 의하여는 범죄를 구성하지 아니하거나 공소를 제기할 수 없는 범죄인 경우 공조를 하지 아니할 수 있다.
> 다. 「국제형사사법 공조법」상 대한민국에서 수사가 진행 중이거나 재판에 계속된 범죄에 대하여 외국의 공조요청이 있는 경우에는 그 수사 또는 재판 절차가 끝날 때까지 공조를 연기하여야 한다.
> 라. 「국제형사사법 공조법」상 외국의 요청에 따른 수사의 공조절차에서 검사는 요청국에 인도하여야 할 증거물 등이 법원에 제출되어 있는 경우에는 법무부장관의 인도허가 결정을 받아야 한다.

① 1개　　② 2개　　③ 3개　　④ 4개

정답 및 해설 | ②

가. [○] 특정성의 원칙이란 요청국이 공조에 따라 취득한 증거를 공조요청한 범죄 이외의 범죄에 관한 수사나 재판에 사용하여서는 아니 되며, 증인으로 출석시 피요청국을 출발하기 이전의 행위로 인한 구금 · 소추 등 자유의 제한을 받지 않는다는 의미를 포함하는 원칙을 말한다.

나. [○]

> **국제형사사법 공조법 제6조 【공조의 제한】** 다음 각 호의 어느 하나에 해당하는 경우에는 공조를 하지 아니할 수 있다.
> 4. 공조범죄가 대한민국의 법률에 의하여는 범죄를 구성하지 아니하거나 공소를 제기할 수 없는 범죄인 경우

다. [×] 연기할 수 있다.

> **국제형사사법 공조법 제7조 【공조의 연기】** 대한민국에서 수사가 진행 중이거나 재판에 계속된 범죄에 대하여 외국의 공조요청이 있는 경우에는 그 수사 또는 재판 절차가 끝날 때까지 공조를 연기할 수 있다.

라. [×] 법원의 인도허가 결정을 받아야 한다.

> **국제형사사법 공조법 제17조 【검사 등의 처분】** ③ 검사는 요청국에 인도하여야 할 증거물 등이 법원에 제출되어 있는 경우에는 법원의 인도허가 결정을 받아야 한다.

02 범죄인 인도법

006 '범죄인 인도법'을 설명한 것으로 가장 적절하지 않은 것은? [2016 지능범죄]

① 범죄인의 인도심사 및 그 청구와 관련된 사건은 서울고등법원과 서울고등검찰청의 전속관할로 한다.

② 범죄인 인도법에 관하여 인도조약에 이 법과 다른 규정이 있는 경우 범죄인 인도법을 따른다.

③ 대한민국과 청구국의 법률에 따라 인도범죄가 사형, 무기징역, 무기금고, 장기 1년 이상의 징역 또는 금고에 해당하는 경우에만 범죄인을 인도할 수 있다.

④ 범죄인이 인종, 종교, 국적, 성별, 정치적 신념 또는 특정 사회단체에 속한 것 등을 이유로 처벌되거나 그 밖의 불리한 처분을 받을 염려가 있다고 인정되는 경우에는 범죄인을 인도하여서는 아니 된다.

정답 및 해설 | ②

② [×] 인도조약에 따른다.

> **범죄인 인도법 제3조의2 【인도조약과의 관계】** 범죄인 인도에 관하여 인도조약에 이 법과 다른 규정이 있는 경우에는 그 규정에 따른다. ➜ 조약우선주의

① [○]

> **범죄인 인도법 제3조 【범죄인 인도사건의 전속관할】** 이 법에 규정된 범죄인의 인도심사 및 그 청구와 관련된 사건은 서울고등법원과 서울고등검찰청의 전속관할로 한다.

③ [○]

> **범죄인 인도법 제6조 【인도범죄】** 대한민국과 청구국의 법률에 따라 인도범죄가 사형, 무기징역, 무기금고, 장기 1년 이상의 징역 또는 금고에 해당하는 경우에만 범죄인을 인도할 수 있다.

④ [○]

> **범죄인 인도법 제7조 【절대적 인도거절 사유】** 다음 각 호의 어느 하나에 해당하는 경우에는 범죄인을 인도하여서는 아니 된다.
> 4. 범죄인이 인종, 종교, 국적, 성별, 정치적 신념 또는 특정 사회단체에 속한 것 등을 이유로 처벌되거나 그 밖의 불리한 처분을 받을 염려가 있다고 인정되는 경우

007 범죄인 인도에 관한 원칙에 대한 설명으로 가장 적절하지 않은 것은? [2021 승진(실무종합)]

① 자국민 불인도의 원칙은 자국민은 인도하지 않는다는 원칙으로서, 우리나라 「범죄인 인도법」 제9조는 절대적 거절사유로 규정하고 있다.

② 쌍방가벌성의 원칙은 인도청구가 있는 범죄가 청구국과 피청구국 쌍방의 법률에 의하여 범죄를 구성하지 않는 경우에는 그 범죄에 관하여 범죄인을 인도하지 않는다는 원칙이다.

③ 최소한 중요성의 원칙은 어느 정도 중요성을 띤 범죄인만 인도하는 원칙이다.

④ 특정성의 원칙은 인도된 범죄인이 인도가 허용된 범죄 외의 범죄를 처벌받지 아니하고, 제3국에 인도되지 아니한다는 청구국의 보증이 없는 경우에는 범죄인을 인도하여서는 아니 된다는 원칙이다.

정답 및 해설 | ①

① [×] **자국민 불인도의 원칙**은 인도의 대상은 원칙적으로 외국인이고, 자국민은 인도의 대상이 되지 않는다는 원칙으로, 우리나라 범죄인 인도법상으로는 임의적 거절사유로 규정되어 있다.

> **범죄인 인도법 제9조 【임의적 인도거절 사유】** 다음 각 호의 어느 하나에 해당하는 경우에는 범죄인을 인도하지 아니할 수 있다.
> 1. 범죄인이 대한민국 국민인 경우

② [○] 옳은 설명이다.

③ [○] 우리나라의 경우 범죄인 인도법 제6조에서 명시적으로 규정하고 있다.

> **범죄인 인도법 제6조 【인도범죄】** 대한민국과 청구국의 법률에 따라 인도범죄가 사형, 무기징역, 무기금고, 장기 1년 이상의 징역 또는 금고에 해당하는 경우에만 범죄인을 인도할 수 있다.

④ [○] 우리나라의 경우 범죄인 인도법 제10조에서 명시적으로 규정하고 있다.

> **범죄인 인도법 제10조 【인도가 허용된 범죄 외의 범죄에 대한 처벌 금지에 관한 보증】** 인도된 범죄인이 다음 각 호의 어느 하나에 해당하는 경우를 제외하고는 인도가 허용된 범죄 외의 범죄로 처벌받지 아니하고 제3국에 인도되지 아니한다는 청구국의 보증이 없는 경우에는 범죄인을 인도하여서는 아니 된다. 예 자금세탁범죄(Money Laundering)로 인도가 청구되었으나 실제로는 정치범으로 처벌하는 경우 / A국에서 인도청구가 있었으나 실제 A국을 거쳐 B국으로 인도되는 경우

008 「범죄인 인도법」에 대한 설명으로 가장 적절한 것은? [2015 채용 3차]

① 이 법에 규정된 범죄인의 인도심사 및 그 청구와 관련된 사건은 대법원과 대검찰청의 전속관할로 한다.

② 범죄인이 인종, 종교, 국적, 성별, 정치적 신념 또는 특정 사회단체에 속한 것 등을 이유로 처벌되거나 그 밖의 불리한 처분을 받을 염려가 있다고 인정되는 경우 범죄인을 인도하지 않을 수 있다.

③ 범죄인이 대한민국 국민인 경우 범죄인을 인도하여서는 아니 된다.

④ 인도범죄의 전부 또는 일부가 대한민국 영역에서 범한 것인 경우 범죄인을 인도하지 아니할 수 있다.

정답 및 해설 I ④

④ [○] / ③ [×] 대한민국 국민은 인도하지 아니할 수 있는 임의적 인도거절 사유이다.

> **범죄인 인도법 제9조【임의적 인도거절 사유】** 다음 각 호의 어느 하나에 해당하는 경우에는 범죄인을 인도하지 아니할 수 있다.
> 1. 범죄인이 대한민국 국민인 경우
> 2. 인도범죄의 전부 또는 일부가 대한민국 영역에서 범한 것인 경우

① [×] 서울고등법원과 서울고등검찰청의 전속관할이다.

> **범죄인 인도법 제3조【범죄인 인도사건의 전속관할】** 이 법에 규정된 범죄인의 인도심사 및 그 청구와 관련된 사건은 서울고등법원과 서울고등검찰청의 전속관할로 한다.

② [×] 인도하여서는 아니 되는 절대적 인도거절 사유이다.

> **범죄인 인도법 제7조【절대적 인도거절 사유】** 다음 각 호의 어느 하나에 해당하는 경우에는 범죄인을 인도하여서는 아니 된다.
> 4. 범죄인이 인종, 종교, 국적, 성별, 정치적 신념 또는 특정 사회단체에 속한 것 등을 이유로 처벌되거나 그 밖의 불리한 처분을 받을 염려가 있다고 인정되는 경우

009 「범죄인 인도법」에 대한 다음 설명 중 가장 옳지 않은 것은? [2017 경간]

① 대한민국 또는 청구국의 법률에 따라 인도범죄에 관한 공소시효 또는 형의 시효가 완성된 경우에는 범죄인을 인도하여서는 아니 된다.

② 대한민국과 청구국의 법률에 따라 인도범죄가 사형, 무기징역, 무기금고, 장기 1년 이상의 징역 또는 금고에 해당하는 경우에만 범죄인을 인도할 수 있다.

③ 「범죄인 인도법」은 정치범 불인도의 원칙에 대하여 명문규정을 두고 있지 않다.

④ 인도범죄에 관하여 대한민국 법원에서 재판이 계속 중이거나 재판이 확정된 경우에는 범죄인을 인도하여서는 아니 된다.

정답 및 해설 I ③

③ [×] 범죄인 인도법 제8조에 명문규정을 두고 있다.

> **범죄인 인도법 제8조【정치적 성격을 지닌 범죄 등의 인도거절】** ① 인도범죄가 정치적 성격을 지닌 범죄이거나 그와 관련된 범죄인 경우에는 범죄인을 인도하여서는 아니 된다. 다만, …

①④ [○]

> **범죄인 인도법 제7조【절대적 인도거절 사유】** 다음 각 호의 어느 하나에 해당하는 경우에는 범죄인을 인도하여서는 아니 된다.
> 1. 대한민국 또는 청구국의 법률에 따라 인도범죄에 관한 공소시효 또는 형의 시효가 완성된 경우
> 2. 인도범죄에 관하여 대한민국 법원에서 재판이 계속 중이거나 재판이 확정된 경우

② [○]

> 범죄인 인도법 제6조【인도범죄】 대한민국과 청구국의 법률에 따라 인도범죄가 사형, 무기징역, 무기금고, 장기 1년 이상의 징역 또는 금고에 해당하는 경우에만 범죄인을 인도할 수 있다.

010 범죄인 인도법 제7조에 따른 절대적 인도거절 사유에 해당하지 않는 것은? [2022 채용 1차]

① 대한민국 또는 청구국의 법률에 따라 인도범죄에 관한 공소시효 또는 형의 시효가 완성된 경우

② 인도범죄에 관하여 대한민국 법원에서 재판이 계속 중이거나 재판이 확정된 경우

③ 인도범죄의 성격과 범죄인이 처한 환경 등에 비추어 범죄인을 인도하는 것이 비인도적이라고 인정되는 경우

④ 범죄인이 인종, 종교, 국적, 성별, 정치적 신념 또는 특정 사회단체에 속한 것 등을 이유로 처벌되거나 그 밖의 불리한 처분을 받을 염려가 있다고 인정되는 경우

정답 및 해설 I ③

③ [×] 이는 상대적 인도거절 사유이다.

☑ 인도거절 사유의 비교

유형	절대적 인도거절 사유	상대적 인도거절 사유
수사가능성 관련	• ① 공소시효 완성 • ① 형의 시효 완성 • 인도범죄 의심에 상당이유 ×	• 대한민국 국민 • 대한민국 영역에서의 범죄
사법기능 관련	• ② 인도범죄 재판의 계속 중 • ② 인도범죄 재판의 확정	• 인도범죄 외 재판의 계속 중 • 인도범죄 외 재판의 확정, 집행 중 • 인도범죄, 제3국에서 처벌 완료
인도적 사유	④ 인종, 종교, 국적, 성별, 정치적 신념 또는 특정 사회단체 소속한 이유로 불리한 처벌 우려	③ 인도하는 것이 비인도적인 경우

011 「범죄인 인도법」에서 규정하는 절대적 인도거절 사유로 옳은 것만을 모두 고른 것은? [2024 1차 채용]

> ㉠ 범죄인이 대한민국 국민인 경우
> ㉡ 인도범죄의 전부 또는 일부가 대한민국 영역에서 범한 것인 경우
> ㉢ 범죄인이 인종, 종교, 국적, 성별, 정치적 신념 또는 특정 사회단체에 속한 것 등을 이유로 처벌되거나 그 밖의 불리한 처분을 받을 염려가 있다고 인정되는 경우
> ㉣ 인도범죄에 관하여 대한민국 법원에서 재판이 계속 중이거나 재판이 확정된 경우

① ㉠, ㉡　　② ㉢, ㉣

③ ㉠, ㉡, ㉣　　④ ㉡, ㉢, ㉣

정답 및 해설 I ②

㉠㉡ [×] 임의적 인도거절 사유

㉢㉣ [○] 절대적 인도거절 사유

012 「범죄인 인도법」상 아래 ㉠부터 ㉤까지 설명으로 절대적 인도거절 사유(A)와 임의적 인도거절 사유(B)로 바르게 연결된 것은? [2017 승진(경위)]

> ㉠ 인도범죄에 관하여 대한민국 법원에서 재판이 계속 중이거나 재판이 확정된 경우
> ㉡ 범죄인이 대한민국 국민인 경우
> ㉢ 인도범죄의 성격과 범죄인이 처한 환경 등에 비추어 범죄인을 인도하는 것이 비인도적이라고 인정되는 경우
> ㉣ 범죄인이 인종, 종교, 국적, 성별, 정치적 신념 또는 특정 사회단체에 속한 것 등을 이유로 처벌되거나 그 밖의 불리한 처분을 받을 염려가 있다고 인정되는 경우
> ㉤ 인도범죄의 전부 또는 일부가 대한민국 영역에서 범한 것인 경우

	A	B
①	㉠, ㉣	㉡, ㉢, ㉤
②	㉠, ㉤	㉡, ㉢, ㉣
③	㉡, ㉢	㉠, ㉣, ㉤
④	㉡, ㉣	㉠, ㉢, ㉤

정답 및 해설 I ①

① [○] 절대적 인도거절 사유는 ㉠㉣이고, 임의적 인도거절 사유는 ㉡㉢㉤이다.

☑ 인도거절 사유의 비교

유형	절대적 인도거절 사유	상대적 인도거절 사유
수사가능성 관련	• 공소시효 완성 • 형의 시효 완성 • 인도범죄 의심에 상당이유 ×	• ㉡ 대한민국 국민 • ㉤ 대한민국 영역에서의 범죄
사법기능 관련	• ㉠ 인도범죄 재판의 계속 중 • ㉠ 인도범죄 재판의 확정	• 인도범죄 외 재판의 계속 중 • 인도범죄 외 재판의 확정, 집행 중 • 인도범죄, 제3국에서 처벌 완료
인도적 사유	㉣ 인종, 종교, 국적, 성별, 정치적 신념 또는 특정 사회단체 소속한 이유로 불리한 처벌 우려	㉢ 인도하는 것이 비인도적인 경우

013 「범죄인 인도법」상 '절대적 인도거절 사유'에 해당하지 않는 것은? [2014 채용 2차]

① 인도범죄에 관하여 대한민국 법원에서 재판이 계속 중이거나 재판이 확정된 경우
② 대한민국 또는 청구국의 법률에 의하여 인도범죄에 관한 공소시효 또는 형의 시효가 완성된 경우
③ 인도범죄의 성격과 범죄인이 처한 환경 등에 비추어 범죄인을 인도하는 것이 비인도적이라고 인정되는 경우
④ 범죄인이 인종, 종교, 국적, 성별, 정치적 신념 또는 특정사회단체에 속한 것 등을 이유로 처벌되거나 그 밖의 불리한 처분을 받을 염려가 있다고 인정되는 경우

정답 및 해설 I ③

③ [×] 이는 상대적 인도거절 사유에 해당한다.

인도거절 사유의 비교

유형	절대적 인도거절 사유	상대적 인도거절 사유
수사가능성 관련	• ② 공소시효 완성 • ② 형의 시효 완성 • 인도범죄 의심에 상당이유 ×	• 대한민국 국민 • 대한민국 영역에서의 범죄
사법기능 관련	• ① 인도범죄 재판의 계속 중 • ① 인도범죄 재판의 확정	• 인도범죄 외 재판의 계속 중 • 인도범죄 외 재판의 확정, 집행 중 • 인도범죄, 제3국에서 처벌 완료
인도적 사유	④ 인종, 종교, 국적, 성별, 정치적 신념 또는 특정 사회단체 소속한 이유로 불리한 처벌 우려	③ 인도하는 것이 비인도적인 경우

014 「범죄인 인도법」상 임의적 인도거절 사유로서 가장 적절하지 않은 것은? [2015 채용 2차]

① 범죄인이 대한민국 국민인 경우

② 인도범죄의 전부 또는 일부가 대한민국 영역에서 범한 것인 경우

③ 범죄인의 인도범죄 외의 범죄에 관하여 대한민국 법원에 재판이 계속 중인 경우 또는 범죄인이 형을 선고받는 그 집행이 끝나지 아니하거나 면제되지 아니한 경우

④ 대한민국 또는 청구국의 법률에 따라 인도범죄에 관한 공소시효 또는 형의 시효가 완성된 경우

정답 및 해설 I ④

④ [×] 이는 절대적 인도거절 사유에 해당한다.

인도거절 사유의 비교

유형	절대적 인도거절 사유	상대적 인도거절 사유
수사가능성 관련	• ④ 공소시효 완성 • ④ 형의 시효 완성 • 인도범죄 의심에 상당이유 ×	• ① 대한민국 국민 • ② 대한민국 영역에서의 범죄
사법기능 관련	• 인도범죄 재판의 계속 중 • 인도범죄 재판의 확정	• ③ 인도범죄 외 재판의 계속 중 • ③ 인도범죄 외 재판의 확정, 집행 중 • 인도범죄, 제3국에서 처벌 완료
인도적 사유	인종, 종교, 국적, 성별, 정치적 신념 또는 특정 사회단체 소속을 이유로 불리한 처벌 우려	인도하는 것이 비인도적인 경우

015 「범죄인 인도법」의 인도거절 사유에 대한 내용으로 가장 적절하지 않은 것은? [2018 채용 1차]

① 대한민국 또는 청구국의 법률에 따라 인도범죄에 관한 공소시효 또는 형의 시효가 완성된 경우에는 범죄인을 인도하여서는 아니 된다.

② 범죄인이 인종, 종교, 국적, 성별, 정치적 신념 또는 특정 사회단체에 속한 것 등을 이유로 처벌되거나 그 밖의 불리한 처분을 받을 염려가 있다고 인정되는 경우에는 범죄인을 인도하지 아니할 수 있다.

③ 범죄인의 인도범죄 외의 범죄에 관하여 대한민국 법원에 재판이 계속 중인 경우 또는 범죄인이 형을 선고받고 그 집행이 끝나지 아니하거나 면제되지 아니한 경우에는 범죄인을 인도하지 아니할 수 있다.

④ 범죄인이 인도범죄에 관하여 제3국(청구국이 아닌 외국을 말한다)에서 재판을 받고 처벌되었거나 처벌받지 아니하기로 확정된 경우에는 범죄인을 인도하지 아니할 수 있다.

정답 및 해설 I ②

② [×] 이는 절대적 인도거절 사유에 해당하므로, 인도하여서는 아니 된다.

> **범죄인 인도법 제7조【절대적 인도거절 사유】** 다음 각 호의 어느 하나에 해당하는 경우에는 범죄인을 인도하여서는 아니 된다.
> 4. 범죄인이 인종, 종교, 국적, 성별, 정치적 신념 또는 특정 사회단체에 속한 것 등을 이유로 처벌되거나 그 밖의 불리한 처분을 받을 염려가 있다고 인정되는 경우

① [○]

> **범죄인 인도법 제7조【절대적 인도거절 사유】** 다음 각 호의 어느 하나에 해당하는 경우에는 범죄인을 인도하여서는 아니 된다.
> 1. 대한민국 또는 청구국의 법률에 따라 인도범죄에 관한 공소시효 또는 형의 시효가 완성된 경우

③④ [○]

> **범죄인 인도법 제9조【임의적 인도거절 사유】** 다음 각 호의 어느 하나에 해당하는 경우에는 범죄인을 인도하지 아니할 수 있다.
> 3. 범죄인의 인도범죄 외의 범죄에 관하여 대한민국 법원에 재판이 계속 중인 경우 또는 범죄인이 형을 선고받고 그 집행이 끝나지 아니하거나 면제되지 아니한 경우
> 4. 범죄인이 인도범죄에 관하여 제3국(청구국이 아닌 외국을 말한다. 이하 같다)에서 재판을 받고 처벌되었거나 처벌받지 아니하기로 확정된 경우

016 「범죄인 인도법」에 대한 설명 중 가장 적절하지 않은 것은? [2020 승진(경위)]

① 순수한 정치범은 인도하지 않는 것이 원칙이나 정치범일지라도 국가원수암살범은 예외가 되어 일반적으로 인도의 대상이 된다.

② 대한민국과 청구국의 법률에 따라 인도범죄가 사형, 무기징역, 무기금고, 장기 1년 이상의 징역 또는 금고에 해당하는 경우에만 범죄인을 인도할 수 있다.

③ 범죄인이 인도범죄에 관하여 제3국(청구국이 아닌 외국)에서 재판을 받고 처벌되었거나 처벌받지 아니하기로 확정된 경우는 청구국에 인도하지 아니할 수 있다.

④ 법무부장관은 범죄인이 인도구속영장에 의하여 구속 중인 경우에는 구속된 날부터 2개월 이내에 인도심사에 관한 결정을 하여야 한다.

정답 및 해설 I ④

④ [×] 인도심사에 관한 결정주체는 법무부장관이 아닌 법원(서울고등법원)이다.

> **범죄인 인도법 제14조【법원의 인도심사】** ① 법원은 제13조에 따른 인도심사의 청구를 받았을 때에는 지체 없이 인도심사를 시작하여야 한다.
> ② 법원은 범죄인이 인도구속영장에 의하여 구속 중인 경우에는 구속된 날부터 2개월 이내에 인도심사에 관한 결정을 하여야 한다.

① [○]

> **범죄인 인도법 제8조【정치적 성격을 지닌 범죄 등의 인도거절】** ① 인도범죄가 정치적 성격을 지닌 범죄이거나 그와 관련된 범죄인 경우에는 범죄인을 인도하여서는 아니 된다. 다만, 인도범죄가 다음 각 호의 어느 하나에 해당하는 경우에는 그러하지 아니하다.
> 1. 국가원수 · 정부수반 또는 그 가족의 생명 · 신체를 침해하거나 위협하는 범죄

② [○]

> **범죄인 인도법 제6조【인도범죄】** 대한민국과 청구국의 법률에 따라 인도범죄가 사형, 무기징역, 무기금고, 장기 1년 이상의 징역 또는 금고에 해당하는 경우에만 범죄인을 인도할 수 있다.

③ [○]

> **범죄인 인도법 제9조【임의적 인도거절 사유】** 다음 각 호의 어느 하나에 해당하는 경우에는 범죄인을 인도하지 아니할 수 있다.
> 4. 범죄인이 인도범죄에 관하여 제3국(청구국이 아닌 외국을 말한다. 이하 같다)에서 재판을 받고 처벌되었거나 처벌받지 아니하기로 확정된 경우

017 「범죄인 인도법」에 대한 설명으로 가장 적절하지 않은 것은? [2020 실무 3]

① 우리나라는 정치범 불인도원칙을 명문으로 규정하고 있고, 정치범죄는 국제법상 불확정적인 개념으로 정치범죄의 해당 여부는 전적으로 청구국의 판단에 의존한다.

② 범죄인이 인도범죄에 관하여 제3국(청구국이 아닌 외국)에서 재판을 받고 처벌되었거나 처벌받지 아니하기로 확정된 경우는 임의적 인도거절 사유에 해당한다.

③ 법무부장관의 인도명령 당시 범죄인이 구속되어 있는 경우 인도기한은 인도명령을 한 날부터 30일로 한다.

④ 법원은 범죄인이 인도구속영장에 의하여 구속 중인 경우에는 구속된 날부터 2개월 이내에 인도심사에 관한 결정을 하여야 한다.

정답 및 해설 I ①

① [×] 명문으로 규정되어 있으나, 정치범에 해당하는지 여부에 대한 판단은 전적으로 피청구국의 판단에 따른다.

> **범죄인 인도법 제8조【정치적 성격을 지닌 범죄 등의 인도거절】** ① 인도범죄가 정치적 성격을 지닌 범죄이거나 그와 관련된 범죄인 경우에는 범죄인을 인도하여서는 아니 된다. 다만, 인도범죄가 다음 각 호의 어느 하나에 해당하는 경우에는 그러하지 아니하다.
> 1. 국가원수 · 정부수반 또는 그 가족의 생명 · 신체를 침해하거나 위협하는 범죄
> 2. 다자간 조약에 따라 대한민국이 범죄인에 대하여 재판권을 행사하거나 범죄인을 인도할 의무를 부담하고 있는 범죄
> 3. 여러 사람의 생명 · 신체를 침해 · 위협하거나 이에 대한 위험을 발생시키는 범죄

② [○]

> **범죄인 인도법 제9조【임의적 인도거절 사유】** 다음 각 호의 어느 하나에 해당하는 경우에는 범죄인을 인도하지 아니할 수 있다.
> 4. 범죄인이 인도범죄에 관하여 제3국(청구국이 아닌 외국을 말한다. 이하 같다)에서 재판을 받고 처벌되었거나 처벌받지 아니하기로 확정된 경우

③ [O]

> 범죄인 인도법 제35조 【인도장소와 인도기한】 ① 법무부장관의 인도명령에 따른 범죄인의 인도는 범죄인이 구속되어 있는 교도소, 구치소 또는 그 밖에 법무부장관이 지정하는 장소에서 한다.
> ② 인도기한은 인도명령을 한 날부터 30일로 한다.

④ [O]

> 범죄인 인도법 제14조 【법원의 인도심사】 ② 법원은 범죄인이 인도구속영장에 의하여 구속 중인 경우에는 구속된 날부터 2개월 이내에 인도심사에 관한 결정을 하여야 한다.

018 다음은 「범죄인 인도법」상 인도심사명령청구에 대한 설명이다. (　　) 안에 들어갈 말을 순서대로 바르게 나열한 것은?

[2018 채용 2차]

> (　　)장관은 (　　)장관으로부터 「범죄인 인도법」 제11조에 따른 인도청구서 등을 받았을 때에는 이를 (　　) 검사장에게 송부하고 그 소속 검사로 하여금 (　　)에 범죄인 인도허가 여부에 관한 심사를 청구하도록 명하여야 한다.

① 법무부 - 외교부 - 서울고등검찰청 - 서울고등법원

② 외교부 - 법무부 - 서울중앙지방검찰청 - 서울중앙지방법원

③ 외교부 - 법무부 - 서울고등검찰청 - 서울고등법원

④ 법무부 - 외교부 - 서울중앙지방검찰청 - 서울중앙지방법원

정답 및 해설 | ①

① [O]

> 범죄인 인도법 제12조 【법무부장관의 인도심사청구명령】 ① 법무부장관은 외교부장관으로부터 제11조에 따른 인도청구서 등을 받았을 때에는 이를 서울고등검찰청 검사장에게 송부하고 그 소속 검사로 하여금 서울고등법원(이하 "법원"이라 한다)에 범죄인의 인도허가 여부에 관한 심사(이하 "인도심사"라 한다)를 청구하도록 명하여야 한다. 다만, 인도조약 또는 이 법에 따라 범죄인을 인도할 수 없거나 인도하지 아니하는 것이 타당하다고 인정되는 경우에는 그러하지 아니하다.

019 「범죄인 인도법」에 대한 설명으로 가장 적절한 것은?

[2018 채용 3차]

① 청구국과 피청구국 쌍방의 법률에 의하여 범죄를 구성하지 않는 경우에는 범죄인을 인도하지 않는다는 것은 쌍방가벌성의 원칙으로, 우리나라 「범죄인 인도법」에 명문규정은 없다.

② 인도범죄 외의 범죄에 관하여 대한민국 법원에 재판이 계속 중인 경우 또는 범죄인이 형을 선고받고 그 집행이 끝나지 아니하거나 면제되지 아니한 경우 범죄인을 인도하여서는 아니 된다.

③ 범죄인이 「범죄인 인도법」 제20조에 따른 인도구속영장에 의하여 구속되었을 때에는 구속된 때부터 48시간 이내에 인도심사를 청구하여야 한다.

④ 법원은 범죄인이 인도구속영장에 의하여 구속 중인 경우에는 구속된 날부터 2개월 이내에 인도심사에 관한 결정을 하여야 한다.

정답 및 해설 I ④

④ [○]

> **범죄인 인도법 제14조【법원의 인도심사】** ① 법원은 제13조에 따른 인도심사의 청구를 받았을 때에는 지체 없이 인도심사를 시작하여야 한다.
> ② 법원은 범죄인이 인도구속영장에 의하여 구속 중인 경우에는 구속된 날부터 2개월 이내에 인도심사에 관한 결정을 하여야 한다.

① [×] **쌍방가벌성 원칙**은 청구국과 피청구국 쌍방 국가 모두의 법률에 의하여 범죄를 구성하지 않는 경우에는 그 범죄에 대하여 범죄인을 인도하지 않는다는 원칙으로, 범죄인 인도법 제6조의 '대한민국과 청구국의 법률에 따라'라는 부분이 이 원칙을 나타내고 있는 것으로 본다.

> **범죄인 인도법 제6조【인도범죄】** 대한민국과 청구국의 법률에 따라 인도범죄가 사형, 무기징역, 무기금고, 장기 1년 이상의 징역 또는 금고에 해당하는 경우에만 범죄인을 인도할 수 있다.

② [×] 이는 임의적 인도거절 사유에 해당한다.

> **범죄인 인도법 제9조【임의적 인도거절 사유】** 다음 각 호의 어느 하나에 해당하는 경우에는 범죄인을 인도하지 아니할 수 있다.
> 3. 범죄인의 인도범죄 외의 범죄에 관하여 대한민국 법원에 재판이 계속 중인 경우 또는 범죄인이 형을 선고받고 그 집행이 끝나지 아니하거나 면제되지 아니한 경우

③ [×] 구속된 날부터 3일 이내에 청구하여야 한다.

> **범죄인 인도법 제13조【인도심사청구】** ② 범죄인이 제20조에 따른 인도구속영장에 의하여 구속되었을 때에는 구속된 날부터 3일 이내에 인도심사를 청구하여야 한다.

020 「범죄인 인도법」에 대한 설명으로 가장 적절한 것은? [2019 승진(경감)]

① 대한민국의 주권, 국가안전보장, 안녕질서 또는 미풍양속을 해칠 우려가 있는 경우 범죄인을 인도하지 않을 수 있다.

② 범죄인이 인종, 종교, 국적, 성별, 정치적 신념 또는 특정 사회단체에 속한 것 등을 이유로 처벌되거나 그 밖의 불리한 처분을 받을 염려가 있다고 인정되는 경우 범죄인을 인도하지 않을 수 있다.

③ 외교부장관은 범죄인 인도조약의 존재 여부, 상호보증 여부, 인도대상범죄 여부 등을 확인하고 관계서류를 첨부하여 법무부장관에게 송부한다.

④ 외교부장관은 인도조약 또는 범죄인 인도법에 따라 범죄인을 인도할 수 없거나 인도하지 아니하는 것이 타당하다고 인정되는 경우에는 인도심사청구명령을 하지 아니하고, 그 사실을 법무부장관에게 통지하여야 한다.

정답 및 해설 I ③

③ [○] 외교부장관은 인도조약의 존재 여부, 상호보증 여부, 인도대상범죄 여부 등을 확인하고 이들을 관련자료로서 인도청구서와 함께 법무부장관에게 송부한다.

> **범죄인 인도법 제11조【인도청구를 받은 외교부장관의 조치】** 외교부장관은 청구국으로부터 범죄인의 인도청구를 받았을 때에는 인도청구서와 관련 자료를 법무부장관에게 송부하여야 한다.

① [×] 범죄인 인도거절 사유가 아니라 공조의 제한 사유 중 하나이다.

> **국제형사사법 공조법 제6조【공조의 제한】** 다음 각 호의 어느 하나에 해당하는 경우에는 공조를 하지 아니할 수 있다.
> 1. 대한민국의 주권, 국가안전보장, 안녕질서 또는 미풍양속을 해칠 우려가 있는 경우

② [×] 이는 임의적 인도거절 사유가 아니라 절대적 인도거절 사유에 해당한다.

> **범죄인 인도법 제7조【절대적 인도거절 사유】** 다음 각 호의 어느 하나에 해당하는 경우에는 범죄인을 인도하여서는 아니 된다.
> 4. 범죄인이 인종, 종교, 국적, 성별, 정치적 신념 또는 특정 사회단체에 속한 것 등을 이유로 처벌되거나 그 밖의 불리한 처분을 받을 염려가 있다고 인정되는 경우

④ [×] 외교부장관과 법무부장관의 위치가 바뀌어 있다.

> **범죄인 인도법 제12조【법무부장관의 인도심사청구명령】** ① 법무부장관은 외교부장관으로부터 제11조에 따른 인도청구서 등을 받았을 때에는 이를 서울고등검찰청 검사장에게 송부하고 그 소속 검사로 하여금 서울고등법원(이하 "법원"이라 한다)에 범죄인의 인도허가 여부에 관한 심사(이하 "인도심사"라 한다)를 청구하도록 명하여야 한다. 다만, 인도조약 또는 이 법에 따라 범죄인을 인도할 수 없거나 인도하지 아니하는 것이 타당하다고 인정되는 경우에는 그러하지 아니하다.
> ② 법무부장관은 제1항 단서에 따라 인도심사청구명령을 하지 아니하는 경우에는 그 사실을 외교부장관에게 통지하여야 한다.

021 「범죄인 인도법」에 규정된 내용으로 가장 적절하지 않은 것은? [2021 경간]

① 「범죄인 인도법」에 규정된 범죄인의 인도심사 및 그 청구와 관련된 사건은 경찰청 국제협력관의 전속관할로 한다.

② 대한민국과 청구국의 법률에 따라 인도범죄가 사형, 무기징역, 무기금고, 장기(長期) 1년 이상의 징역 또는 금고에 해당하는 경우에만 범죄인을 인도할 수 있다.

③ 외교부장관은 청구국으로부터 범죄인의 긴급인도구속을 청구받았을 때에는 긴급인도구속 청구서와 관련 자료를 법무부장관에게 송부하여야 한다.

④ 「범죄인 인도법」에 따라 법무부장관이 검사장 등에게 하는 명령과 검사장 · 지청장 또는 검사가 법무부장관에게 하는 건의 · 보고 또는 서류 송부는 검찰총장을 거쳐야 한다. 다만, 고위공직자범죄수사처장 또는 그 소속 검사의 경우에는 그러하지 아니하다.

정답 및 해설 I ①

① [×] 서울고등법원과 서울고등검찰청의 전속관할로 한다.

> **범죄인 인도법 제3조【범죄인 인도사건의 전속관할】** 이 법에 규정된 범죄인의 인도심사 및 그 청구와 관련된 사건은 서울고등법원과 서울고등검찰청의 전속관할로 한다.

② [○] 최소한의 중요범죄 원칙이다.

> **범죄인 인도법 제6조【인도범죄】** 대한민국과 청구국의 법률에 따라 인도범죄가 사형, 무기징역, 무기금고, 장기 1년 이상의 징역 또는 금고에 해당하는 경우에만 범죄인을 인도할 수 있다.

③ [○]

> **범죄인 인도법 제24조【긴급인도구속의 청구를 받은 외교부장관의 조치】** 외교부장관은 청구국으로부터 범죄인의 긴급인도구속을 청구받았을 때에는 긴급인도구속 청구서와 관련 자료를 법무부장관에게 송부하여야 한다.

④ [○]

> **범죄인 인도법 제47조【검찰총장 경유】** 이 법에 따라 법무부장관이 검사장 등에게 하는 명령과 검사장 · 지청장 또는 검사가 법무부장관에게 하는 건의 · 보고 또는 서류 송부는 검찰총장을 거쳐야 한다. 다만, 고위공직자범죄수사처장 또는 그 소속 검사의 경우에는 그러하지 아니하다.

022 「범죄인 인도법」에 대한 설명으로 적절한 것을 모두 고른 것은? [2018 실무 3]

> ㉠ 인도범죄의 성격과 범죄인이 처한 환경 등에 비추어 범죄인을 인도하는 것이 비인도적이라고 인정되는 경우 범죄인을 인도하지 아니할 수 있다.
> ㉡ 법무부장관은 외교부장관으로부터 제11조에 따른 인도청구서 등을 받았을 때에는 이를 서울고등검찰청 검사장에게 송부하고 그 소속 검사로 하여금 서울고등법원에 범죄인의 인도허가 여부에 관한 심사를 청구하도록 명하여야 한다. 다만, 인도조약 또는 이 법에 따라 범죄인을 인도할 수 없거나 인도하지 아니하는 것이 타당하다고 인정되는 경우에는 그러하지 아니하다.
> ㉢ 범죄인이 인도범죄에 관하여 제3국(청구국이 아닌 외국)에서 재판을 받고 처벌되었거나 처벌받지 아니하기로 확정된 경우는 필요적 인도거절 사유에 해당한다.
> ㉣ 대한민국과 청구국의 법률에 따라 인도범죄가 사형, 무기징역, 무기금고, 단기 1년 이상의 징역 또는 금고에 해당하는 경우에만 범죄인을 인도할 수 있다.

① ㉠, ㉡
② ㉠, ㉢
③ ㉡, ㉢
④ ㉡, ㉣

정답 및 해설 | ①

㉠ [O]

> **범죄인 인도법 제9조 【임의적 인도거절 사유】** 다음 각 호의 어느 하나에 해당하는 경우에는 범죄인을 인도하지 아니할 수 있다.
> 5. 인도범죄의 성격과 범죄인이 처한 환경 등에 비추어 범죄인을 인도하는 것이 비인도적이라고 인정되는 경우

㉡ [O]

> **범죄인 인도법 제12조 【법무부장관의 인도심사청구명령】** ① 법무부장관은 외교부장관으로부터 제11조에 따른 인도청구서 등을 받았을 때에는 이를 서울고등검찰청 검사장에게 송부하고 그 소속 검사로 하여금 서울고등법원(이하 "법원"이라 한다)에 범죄인의 인도허가 여부에 관한 심사(이하 "인도심사"라 한다)를 청구하도록 명하여야 한다. 다만, 인도조약 또는 이 법에 따라 범죄인을 인도할 수 없거나 인도하지 아니하는 것이 타당하다고 인정되는 경우에는 그러하지 아니하다.

㉢ [×] 임의적 인도거절 사유에 해당한다.

> **범죄인 인도법 제9조 【임의적 인도거절 사유】** 다음 각 호의 어느 하나에 해당하는 경우에는 범죄인을 인도하지 아니할 수 있다.
> 4. 범죄인이 인도범죄에 관하여 제3국(청구국이 아닌 외국을 말한다. 이하 같다)에서 재판을 받고 처벌되었거나 처벌받지 아니하기로 확정된 경우

㉣ [×] 단기가 아니라 장기이다.

> **범죄인 인도법 제6조 【인도범죄】** 대한민국과 청구국의 법률에 따라 인도범죄가 사형, 무기징역, 무기금고, 장기 1년 이상의 징역 또는 금고에 해당하는 경우에만 범죄인을 인도할 수 있다.

023 다음은 「범죄인 인도법」과 범죄인 인도의 원칙에 대한 설명이다. 옳은 것은 모두 몇 개인가?

[2020 채용 2차]

> ㉠ 「범죄인 인도법」 제6조는 대한민국 청구국의 법률에 따라 인도범죄가 사형, 무기징역, 무기금고, 장기 1년 이상의 징역 또는 금고에 해당하는 경우에만 범죄인 인도가 가능하다고 규정하여 '쌍방가벌성의 원칙'과 '최소한의 중요성 원칙'을 모두 담고 있다.
> ㉡ 인도조약이 체결되어 있지 않은 경우에도 범죄인의 인도를 청구하는 국가가 동종의 범죄인 인도청구에 응한다는 보증을 하는 경우 「범죄인 인도법」을 적용한다는 원칙은 '상호주의 원칙'이다.
> ㉢ 자국민은 원칙적으로 인도의 대상이 아니라는 '자국민 불인도의 원칙'은 「범죄인 인도법」상 절대적 인도거절 사유로 규정되어 있다.
> ㉣ 인도범죄가 정치적 성격을 지닌 범죄이거나 그와 관련된 경우 범죄인을 인도하여서는 안 된다는 '정치범 불인도의 원칙'은 「범죄인 인도법」에 규정되어 있다. 다만, 국가원수 암살, 집단학살 등은 정치범 불인도의 예외사유로 인정한다.

① 1개 ② 2개 ③ 3개 ④ 4개

정답 및 해설 I ③

㉠ [○] **최소한의 중요성 원칙**은 어느 정도 중요성을 띤 범죄인만 인도하는 원칙이고, **쌍방가벌성 원칙**은 청구국과 피청구국 쌍방 국가 모두의 법률에 의하여 범죄를 구성하지 않는 경우에는 그 범죄에 대하여 범죄인을 인도하지 않는다는 원칙이다. 우리나라의 범죄인 인도법 제6조의 '대한민국과 청구국의 법률에 따라'라는 부분은 '쌍방가벌성 원칙'을, '사형, 무기징역, 무기금고, 장기 1년 이상의 징역 또는 금고'부분은 최소한의 중요성 원칙을 나타내고 있다고 본다.

> **범죄인 인도법 제6조 【인도범죄】** 대한민국과 청구국의 법률에 따라 인도범죄가 사형, 무기징역, 무기금고, 장기 1년 이상의 징역 또는 금고에 해당하는 경우에만 범죄인을 인도할 수 있다.

㉡ [○]

> **범죄인 인도법 제4조 【상호주의】** 인도조약이 체결되어 있지 아니한 경우에도 범죄인의 인도를 청구하는 국가가 같은 종류 또는 유사한 인도범죄에 대한 대한민국의 범죄인 인도청구에 응한다는 보증을 하는 경우에는 이 법을 적용한다.

㉢ [×] **자국민 불인도의 원칙**은 인도의 대상은 원칙적으로 외국인이고, 자국민은 인도의 대상이 되지 않는다는 원칙으로, 우리나라 「범죄인 인도법」상으로는 임의적 거절사유로 규정되어 있다.

> **범죄인 인도법 제9조 【임의적 인도거절 사유】** 다음 각 호의 어느 하나에 해당하는 경우에는 범죄인을 인도하지 아니할 수 있다.
> 1. 범죄인이 대한민국 국민인 경우

㉣ [○]

> **범죄인 인도법 제8조 【정치적 성격을 지닌 범죄 등의 인도거절】** ① 인도범죄가 정치적 성격을 지닌 범죄이거나 그와 관련된 범죄인 경우에는 범죄인을 인도하여서는 아니 된다. 다만, 인도범죄가 다음 각 호의 어느 하나에 해당하는 경우에는 그러하지 아니하다.
> 1. 국가원수 · 정부수반 또는 그 가족의 생명 · 신체를 침해하거나 위협하는 범죄
> 2. 다자간 조약에 따라 대한민국이 범죄인에 대하여 재판권을 행사하거나 범죄인을 인도할 의무를 부담하고 있는 범죄
> 3. 여러 사람의 생명 · 신체를 침해 · 위협하거나 이에 대한 위험을 발생시키는 범죄

024 '국제형사사법 공조법'과 '범죄인 인도법'에 대한 내용으로 옳은 것은 모두 몇 개인가? [2021 경간]

> ㉠ 국제형사사법 공조와 범죄인 인도 과정 모두 상호주의 원칙과 조약우선주의를 천명하고 있다.
> ㉡ 대한민국에서 수사가 진행 중이거나 재판에 계속된 범죄에 대하여 외국의 공조요청이 있는 경우에는 즉시 공조해야 한다.
> ㉢ 외국의 요청에 따른 수사의 공조절차에서 공조요청 접수 및 요청국에 대한 공조자료의 송부는 법무부장관이 한다. 다만, 긴급한 조치가 필요한 경우나 특별한 사정이 있는 경우에는 외교부장관이 법무부장관의 동의를 받아 이를 할 수 있다.
> ㉣ 대한민국과 청구국의 법률에 따라 인도범죄가 사형, 무기징역, 무기금고, 장기 3년 이상의 징역 또는 금고에 해당하는 경우에만 범죄인을 인도할 수 있다.
> ㉤ 범죄인이 대한민국 국민이거나 인도범죄에 관하여 대한민국 법원에서 재판이 확정된 경우에는 범죄인을 인도하여서는 아니 된다.

① 1개 ② 2개 ③ 3개 ④ 4개

정답 및 해설 | ①

㉠ [○]

> **국제형사사법 공조법 제3조 【공조조약과의 관계】** 공조에 관하여 공조조약에 이 법과 다른 규정이 있는 경우에는 그 규정에 따른다. ➜ 조약우선주의
> **국제형사사법 공조법 제4조 【상호주의】** 공조조약이 체결되어 있지 아니한 경우에도 동일하거나 유사한 사항에 관하여 대한민국의 공조요청에 따른다는 요청국의 보증이 있는 경우에는 이 법을 적용한다.
> **범죄인 인도법 제3조의2 【인도조약과의 관계】** 범죄인 인도에 관하여 인도조약에 이 법과 다른 규정이 있는 경우에는 그 규정에 따른다. ➜ 조약우선주의
> **범죄인 인도법 제4조 【상호주의】** 인도조약이 체결되어 있지 아니한 경우에도 범죄인의 인도를 청구하는 국가가 같은 종류 또는 유사한 인도범죄에 대한 대한민국의 범죄인 인도청구에 응한다는 보증을 하는 경우에는 이 법을 적용한다.

㉡ [×] 공조를 연기할 수 있다.

> **국제형사사법 공조법 제7조 【공조의 연기】** 대한민국에서 수사가 진행 중이거나 재판에 계속된 범죄에 대하여 외국의 공조요청이 있는 경우에는 그 수사 또는 재판 절차가 끝날 때까지 공조를 연기할 수 있다.

㉢ [×] 외교부장관과 법무부장관의 역할이 서로 바뀌어 있다.

> **국제형사사법 공조법 제11조 【공조요청의 접수 및 공조 자료의 송부】** 공조요청 접수 및 요청국에 대한 공조 자료의 송부는 외교부장관이 한다. 다만, 긴급한 조치가 필요한 경우나 특별한 사정이 있는 경우에는 법무부장관이 외교부장관의 동의를 받아 이를 할 수 있다.

㉣ [×] 장기 1년 이상의 징역 또는 금고에 해당하는 경우에 범죄인을 인도할 수 있다.

> **범죄인 인도법 제6조 【인도범죄】** 대한민국과 청구국의 법률에 따라 인도범죄가 사형, 무기징역, 무기금고, 장기 1년 이상의 징역 또는 금고에 해당하는 경우에만 범죄인을 인도할 수 있다.

㉤ [×] 범죄인이 대한민국 국민인 경우는 임의적 인도거절 사유이다.

> **범죄인 인도법 제7조 【절대적 인도거절 사유】** 다음 각 호의 어느 하나에 해당하는 경우에는 범죄인을 인도하여서는 아니 된다.
> 2. 인도범죄에 관하여 대한민국 법원에서 재판이 계속 중이거나 재판이 확정된 경우
> **범죄인 인도법 제9조 【임의적 인도거절 사유】** 다음 각 호의 어느 하나에 해당하는 경우에는 범죄인을 인도하지 아니할 수 있다.
> 1. 범죄인이 대한민국 국민인 경우

03 국제경찰협력기구

025 국제형사경찰기구(International Criminal Police Organization)의 활동상 한계에 대한 설명이다. 괄호 안에 들어갈 말로 가장 적절하지 않은 것은? [2014 실무 3]

> 국제형사경찰기구는 (   ), (   ), (   ), (   ) 성격을 띤 사항에 대해서 어떠한 간섭이나 활동을 하는 것을 엄격히 금지한다.

① 경제적
② 군사적
③ 인종적
④ 종교적

정답 및 해설 I ①

① [×] 인터폴은 정치적, (② 군사적), (④ 종교적), (③ 인종적) 성격을 띤 사항에 대해서 어떠한 간섭이나 활동을 하는 것을 엄격히 금지한다.

026 인터폴 조직에 대한 설명으로 가장 적절한 것은? [2017 실무 3]

> ㉠ 회원국에 설치된 상설 경찰협력부서로, 사무총국 및 회원국들과의 공조, 자국 내 법집행기관들과의 협력 업무를 수행함
> ㉡ 제한적 심의기관으로, 총회 결정사항의 이행 여부 확인, 총회의제안 준비, 총회에 제출될 활동계획 및 예산안 승인, 사무총국 운영에 대한 감독업무를 수행함

	㉠	㉡
①	국가중앙사무국(N.C.B)	집행위원회(Executive Committee)
②	사무총국(General Secretariat)	국가중앙사무국(N.C.B)
③	총회(General Assembly)	집행위원회(Executive Committee)
④	사무총국(General Secretariat)	총회(General Assembly)

정답 및 해설 I ①

① [○]

㉠ 국가중앙사무국(National Central Bureau, NCB)에 대한 설명이다.

국가중앙 사무국 (NCB)	• National Central Bureau(NCB) • 모든 회원국에 설치된 상설기구로서 회원국간의 각종 공조요구에 대응함 • **우리나라 국가중앙사무국**: 경찰청 외사국 인터폴국제공조과 국제공조계(인터폴계는 국외도피사범 추적 및 송환, 타국 NCB와 공조수사 진행 등 업무)

㉡ 집행위원회(Executive Committee)에 대한 설명이다.

집행 위원회	• Executive Committee • 제한적 심의기관으로, 총회 결정사항의 이행 여부 확인, 총회의제안 준비, 제출될 활동계획 및 예산안 승인, 사무총국 운영에 대한 감독업무를 수행 • 총회에서 선출된 13명의 의원(총재 1, 부총재 3, 집행위원 9)으로 구성 • 총재는 4년 임기, 부총재와 집행위원은 3년 임기

027 국제형사경찰기구(INTERPOL)에 대한 설명으로 가장 적절하지 않은 것은? [2018 경채]

① 국제형사경찰기구는 정치적 · 군사적 · 종교적 · 인종적 성격을 띤 사항에 대해서 어떠한 간섭이나 활동을 하는 것을 엄격히 금지한다.

② 국제형사경찰기구의 공용어는 영어, 불어, 스페인어, 아랍어이다.

③ 집행위원회는 국제형사경찰기구의 최고 의결기관으로 매년 한 번씩 개최하여 일주일간 진행된다.

④ 사무총국은 프랑스 리옹에 있으며, 모든 회원국에는 상설기구로서 국가중앙사무국을 설치하고 있다.

정답 및 해설 I ③

③ [×] 집행위원회가 아닌 총회에 대한 설명이다.

총회	• General Assembly • 최고 의결기관으로 중요 정책 · 활동계획 · 재정업무 관련 중요사항을 의결 • 각 회원국 대표로 구성되며, 매년 1회 개최, 일주일간 진행
집행 위원회	• Executive Committee • 제한적 심의기관으로, 총회 결정사항의 이행 여부 확인, 총회의제안 준비, 제출될 활동계획 및 예산안 승인, 사무총국 운영에 대한 감독업무를 수행 • 총회에서 선출된 13명의 의원(총재 1, 부총재 3, 집행의원 9)으로 구성 • 총재는 4년 임기, 부총재와 집행위원은 3년 임기

①② [○] 인터폴은 정치적 · 군사적 · 종교적 · 인종적 성격을 띤 사항에 대해서 어떠한 간섭이나 활동을 하는 것을 엄격히 금지하며, 영어 · 불어 · 스페인어 · 아랍어를 공용어로 사용한다.

④ [○]

사무 총국	• General Secretariat • 상설 행정기관 및 기술기관으로서, 총회 결정사항을 이행하고 범죄정보를 집중관리하며 회원국 및 국제기구와의 연락 협력업무를 수행 • 5년 임기 사무총장이 사무총국을 운영하여 조직관리 및 예산집행 • 사무총국 제2국이 연락 및 범죄정보의 배포 등 핵심적 기능을 수행 • 프랑스 리옹에 소재
국가중앙 사무국 (NCB)	• National Central Bureau(NCB) • 모든 회원국에 설치된 상설기구로서 회원국간의 각종 공조요구에 대응함 • 우리나라 국가중앙사무국: 경찰청 외사국 인터폴국제공조과 국제공조계(인터폴계는 국외도피사범 추적 및 송환, 타국 NCB와 공조수사 진행 등 업무)

028 인터폴(INTERPOL)에 대한 설명으로 가장 적절한 것은? [2018 실무 3]

① 회원국간 협력의 기본원칙 중 '보편성'이란 모든 회원간은 재정분담금의 규모와 관계없이 동일한 혜택과 지원을 받을 수 있다는 내용이다.

② 인터폴의 공용어는 영어, 독일어, 스페인어, 아랍어이다.

③ 회원국간의 협력의 종류에는 범죄수사 협력, 범죄예방을 위한 협력, 군사적 · 정치적 분야에서의 협력이 있다.

④ 집행위원회(Executive Committee)는 총회에서 선출되는 13명의 위원으로 구성되며, 총재는 4년, 3명의 부총재 및 집행위원은 3년 임기로 각각 선출된다.

정답 및 해설 I ④

④ [○]

집행 위원회	• Executive Committee • 제한적 심의기관으로, 총회 결정사항의 이행 여부 확인, 총회의제안 준비, 제출될 활동계획 및 예산안 승인, 사무총국 운영에 대한 감독업무를 수행 • 총회에서 선출된 13명의 의원(총재 1, 부총재 3, 집행위원 9)으로 구성 • 총재는 4년 임기, 부총재와 집행위원은 3년 임기

① [×] 평등성에 대한 내용이다.

보편성 원칙	회원국은 지리 · 언어 등 요인에 방해받지 않고 타 회원국과 협력할 수 있다.
평등성 원칙	회원국은 재정분담금의 규모와 관계 없이 동일한 혜택과 지원을 받는다.

② [×] 인터폴은 영어 · 불어 · 스페인어 · 아랍어를 공용어로 사용한다. 독일어는 공용어가 아니다.

③ [×] 인터폴은 정치적 · 군사적 · 종교적 · 인종적 성격을 띤 사항에 대해서 어떠한 간섭이나 활동을 하는 것을 엄격히 금지한다.

029 다음 중 국제형사경찰기구(INTERPOL)에 대한 설명으로 가장 적절한 것은? [2018 채용 3차]

① 1914년 모나코에서 국제형사경찰회의(International Criminal Police Congress)가 개최되어 국제범죄 기록보관소 설립, 범죄인 인도절차의 표준화 등에 대하여 논의하였는데 이것이 국제경찰협력의 기초가 되었다.

② 1923년 제네바에서 제2차 국제형사경찰회의가 개최되어 국제형사경찰위원회(International Criminal Police Commission)가 창설되었으며 이는 국제형사경찰기구의 전신이라 할 수 있다.

③ 1956년 비엔나에서 제25차 국제형사경찰위원회가 개최되어 국제형사경찰기구가 발족하였고, 당시 사무총국을 리옹에 두었다.

④ 국가중앙사무국(National Central Bureau)은 회원국에 설치된 상설 경찰협력부서로 우리나라의 경우 경찰청 외사국 국제협력과 인터폴계에 설치되어 있다.

정답 및 해설 I ①

① [○] ☑ 인터폴 연혁

- **1914년 모나코**에서 열린 국제형사경찰회의(International Criminal Police Congress)가 국제경찰협력의 기초가 되었다.
- **1923년 비엔나**에서 19개국 경찰기관장이 참석한 가운데 제2차 국제형사경찰회의가 개최되어 국제형사경찰위원회(International Criminal Police Commission)를 창립하였다. ➜ 국제형사경찰기구(인터폴)의 전신
- **1956년 비엔나**에서 제25차 국제형사경찰위원회가 개최되어 국제형사경찰기구(International Criminal Police Organization)가 발족하였고, 당시 사무총국은 파리에 두었다.

② [×] 제네바가 아닌 비엔나에서 열린 회의이다.

③ [×] 당시 사무총국은 프랑스 파리에 두었다.

④ [×] 국가중앙사무국(National Central Bureau)은 회원국에 설치된 상설 경찰협력부서로서 우리나라의 경우 경찰청 외사국 인터폴국제공조과 국제공조계에 설치되어 있다.

국가중앙 사무국 (NCB)	• National Central Bureau(NCB) • 모든 회원국에 설치된 상설기구로서 회원국간의 각종 공조요구에 대응함 • **우리나라 국가중앙사무국**: 경찰청 외사국 인터폴국제공조과 국제공조계(인터폴계는 국외도피사범 추적 및 송환, 타국 NCB와 공조수사 진행 등 업무)

030 국제형사경찰기구(INTERPOL) 설립에 대한 설명으로 가장 적절하지 않은 것은? [2021 경간]

① 1914년 모나코(Monaco)에서 제1회 국제형사경찰회의(International Criminal Police Congress)가 개최되었다.

② 1923년 헤이그(Hague)에서 19개국 경찰기관장이 참석하여 유럽대륙 위주의 국제형사경찰위원회(International Criminal Police Commission)를 창설하였다.

③ 1956년 비엔나(Vienna) 제25차 국제형사경찰위원회 총회에서 국제형사경찰기구(International Criminal Police Organization: ICPO), 즉 인터폴(INTERPOL)로 명칭이 변경되었다.

④ 2021년 현재 본부는 리옹(Lyon)에 있다.

정답 및 해설 I ②

② [×] 1923년 **비엔나**에서 19개국 경찰기관장이 참석하여 유럽대륙 위주의 국제형사경찰위원회(International Criminal Police Commission)를 창설하였다. ➜ 국제형사경찰위원회(ICPC)는 근본적으로 유럽대륙 위주의 기구였다는 지역적 한계성을 가지고 있었다.

031 국제형사경찰기구(인터폴)에 대한 설명으로 가장 적절하지 않은 것은? [2020 승진(경감)]

① 인터폴 협력의 원칙으로는 주권의 존중, 일반법의 집행, 보편성의 원칙, 평등성의 원칙, 업무방법의 유연성 등이 있다.

② 1923년 비엔나에서 19개국 경찰기관장이 참석한 가운데 제2차 국제형사경찰회의가 개최되어 국제형사경찰위원회(ICPC: International Criminal Police Commission)를 창립하였다.

③ 법무부장관은 국제형사경찰기구로부터 외국의 형사사건 수사에 대하여 협력을 요청받거나 국제형사경찰기구에 협력을 요청하는 경우 국제범죄의 정보 및 자료 교환, 국제범죄의 동일증명 및 전과 조회 등의 조치를 취할 수 있다.

④ 인터폴에서 발행하는 국제수배서에는 변사자 신원확인을 위한 흑색수배서(Black Notice), 장물수배를 위한 장물수배서(Stolen Property Notice), 범죄관련인 소재확인을 위한 청색수배서(Blue Notice) 등이 있다.

정답 및 해설 I ③

③ [×] 법무부장관이 아닌 행정안전부장관이다.

> **국제형사사법 공조법 제38조 【국제형사경찰기구와의 협력】** ① 행정안전부장관은 국제형사경찰기구로부터 외국의 형사사건 수사에 대하여 협력을 요청받거나 국제형사경찰기구에 협력을 요청하는 경우에는 다음 각 호의 조치를 취할 수 있다.
> 1. 국제범죄의 정보 및 자료 교환
> 2. 국제범죄의 동일증명(同一證明) 및 전과 조회
> 3. 국제범죄에 관한 사실 확인 및 그 조사
>
> ② 제1항 각 호를 제외한 협력요청이 이 법에 따른 공조에 관한 것인 경우에는 이 법에 따른다.

① [○]

주권의 존중	회원국은 국내법에 따라 행하는 통상적 업무수행의 범위 내에서 협조한다.
일반법의 집행	일반형법의 집행이라고도 하며, 일반범죄와 관련된 범죄의 예방 및 진압역할을 수행한다. ➜ 정치·종교·군사·인종 관련사항은 일체 관여·활동 배제
보편성의 원칙	회원국은 지리·언어 등 요인에 방해받지 않고 타 회원국과 협력할 수 있다.
평등성의 원칙	회원국은 재정분담금의 규모와 관계 없이 동일한 혜택과 지원을 받는다.
타기관과의 협력	각 회원국은 국가중앙사무국을 통해 일반범죄의 예방과 진압에 관여하고 있는 타 국가기관과도 협력할 수 있다.
업무방법의 융통성	협조방식은 규칙성·계속성이 있어야 하나 회원국의 국내실정을 충분히 고려하여 협조의 방식을 변경할 수 있다.

② [○] ☑ 인터폴 연혁

> • 1914년 **모나코**에서 열린 국제형사경찰회의(International Criminal Police Congress)가 국제경찰협력의 기초가 되었다.
> • 1923년 **비엔나**에서 19개국 경찰기관장이 참석한 가운데 제2차 국제형사경찰회의가 개최되어 국제형사경찰위원회(International Criminal Police Commission)를 창립하였다. ➜ 국제형사경찰기구(인터폴)의 전신
> • 1956년 **비엔나**에서 제25차 국제형사경찰위원회가 개최되어 국제형사경찰기구(International Criminal Police Organization)가 발족하였고, 당시 사무총국은 파리에 두었다.

④ [○] 옳은 설명이다.

032 인터폴에서 발행하는 국제수배서에 대한 설명으로 가장 적절하지 않은 것은? [2018 승진(경위)]

① 청색수배서(Blue Notice) – 수배자의 신원 · 전과 및 소재확인을 목적으로 발행

② 녹색수배서(Green Notice) – 상습 국제범죄자의 동향 파악 및 범죄예방을 위해 발행

③ 황색수배서(Yellow Notice) – 가출인의 소재확인 및 가명사용 사망자의 신원확인을 목적으로 발행

④ 자주색수배서(Purple Notice) – 새로운 특이 범죄수법을 분석하여 각 회원국에 배포할 목적으로 발행

정답 및 해설 I ③

③ [×] 흑색수배서가 국제신원미상 사체수배서이고, 황색수배서는 국제실종자수배서(가출인수배서)이다.

흑색수배서 (Black Notice)	• 국제신원미상 사체수배서 • 신원불상 사망자 또는 가명사용 사망자의 신원확인 목적
황색수배서 (Yellow Notice)	• 국제실종자수배서(가출인수배서) • 실종자의 소재특정 또는 신원불명 인물의 신원확인 목적

① [○]

청색수배서 (Blue Notice)	• 국제정보조회수배서 • 범죄 수사에 있어 요주의 인물(유죄판결을 받은 자, 수배자, 피의자, 참고인, 피해자 등 범죄 관련자)의 신원 · 전과 및 소재의 확인을 위한 경우

② [○]

녹색수배서 (Green Notice)	• 상습국제범죄자수배서 • 상습적으로 범행하였거나 범행할 우려가 있는 국제범죄자의 동향 파악 및 범죄예방을 위해 발행

④ [○]

자색(보라색) 수배서 (Purple Notice)	• 범죄수법수배서 • 새로운 범죄수법 등 범죄자들이 사용하는 범죄수법이나 도구 · 은신처에 대한 정보를 사무총국에서 집중관리하며, 각 회원국에 배포하여 수사기관이 범죄예방 수사자료로 활용하게 함

033 다음 중 인터폴에서 발행하는 국제수배서에 대한 설명 중 가장 적절하지 않은 것은? [2020 승진(경위)]

① 흑색수배서(가출인수배서) - 실종자 소재확인 목적 발부

② 녹색수배서(상습국제범죄자수배서) - 우범자 정보제공 목적 발부

③ 보라색수배서(범죄수법수배서) - 범죄수법 정보제공 목적 발부

④ 청색수배서(국제정보조회수배서) - 범죄 관련인 소재확인 목적 발부

정답 및 해설 I ①

① [×] 흑색수배는 국제신원미상 사체수배서이며, 가출인수배서는 황색수배서이다.

흑색수배서 (Black Notice)	• 국제신원미상 사체수배서 • 신원불상 사망자 또는 가명사용 사망자의 신원확인 목적
황색수배서 (Yellow Notice)	• 국제실종자수배서(가출인수배서) • 실종자의 소재특정 또는 신원불명 인물의 신원확인 목적

② [○]

녹색수배서 (Green Notice)	• 상습국제범죄자수배서 • 상습적으로 범행하였거나 범행할 우려가 있는 국제범죄자의 동향 파악 및 범죄예방을 위해 발행

③ [○]

자색(보라색) 수배서 (Purple Notice)	• 범죄수법수배서 • 새로운 범죄수법 등 범죄자들이 사용하는 범죄수법이나 도구 · 은신처에 대한 정보를 사무총국에서 집중관리하며, 각 회원국에 배포하여 수사기관이 범죄예방 수사자료로 활용하게 함

④ [○]

청색수배서 (Blue Notice)	• 국제정보조회수배서 • 범죄 수사에 있어 요주의 인물(유죄판결을 받은 자, 수배자, 피의자, 참고인, 피해자 등 범죄 관련자)의 신원 · 전과 및 소재의 확인을 위한 경우

034 인터폴에서 발행하는 국제수배서에 대한 설명으로 가장 적절하지 않은 것은? [2015 채용 1차]

① 적색수배서는 국제체포수배서로서 범죄인 인도를 목적으로 발행한다.

② 녹색수배서는 가출인의 소재 확인 또는 기억상실자 등의 신원을 확인할 목적으로 발행한다.

③ 흑색수배서는 사망자의 신원을 확인할 수 없거나 사망자가 가명을 사용하였을 경우 정확한 신원을 파악할 목적으로 발행한다.

④ 오렌지수배서는 폭발물 등에 대한 경고 목적으로 발행한다.

정답 및 해설 I ②

② [×] 녹색수배서는 상습국제범죄자수배서이다. 황색수배서가 국제실종자수배서(가출인수배서)이다.

녹색수배서 (Green Notice)	• 상습국제범죄자수배서 • 상습적으로 범행하였거나 범행할 우려가 있는 국제범죄자의 동향 파악 및 범죄예방을 위해 발행
황색수배서 (Yellow Notice)	• 국제실종자수배서(가출인수배서) • 실종자의 소재특정 또는 신원불명 인물의 신원확인 목적

① [○]

적색수배서 (Red Notice)	• 국제체포수배서 • 국제재판관할 또는 국제법정에 의한 신병 인도가 요구되는 자의 소재 특정 및 체포

③ [○]

흑색수배서 (Black Notice)	• 국제신원미상 사체수배서 • 신원불상 사망자 또는 가명사용 사망자의 신원확인 목적

④ [○]

오렌지수배서 (Orange Notice)	• 무기 등 경고수배서 • 인명 또는 재산에 대한 임박한 위협과 위험이 될 수 있는 사건 · 인물 · 물체(폭발물 등) · 과정 경고

035 국제형사경찰기구(INTERPOL)에서 발행하는 국제수배서에 대한 설명으로 가장 적절하지 않은 것은?

[2020 실무 3]

① 인터폴 사무총국에서는 폭발물 등 위험물에 대한 경고를 목적으로 오렌지수배서를 발부하고 있다.

② 청색수배서는 유죄판결을 받은 자, 수배자, 피의자, 참고인, 피해자 등 범죄 관련자의 소재확인 목적으로 발부된다.

③ 실종자 소재확인 목적으로 발부되는 것은 흑색수배서이다.

④ 보라색수배서는 세계 각국에서 범인들이 범행시 사용한 새로운 범죄수법 등을 사무총국에서 집중관리하고 이를 각 회원국에 배포하여 수사기관으로 하여금 범죄예방 수사자료로 활용하게 한다.

정답 및 해설 | ③

③ [×] 황색수배서가 국제실종자수배서(가출인수배서)이다. 흑색수배서는 국제신원미상 사체수배서이다.

황색수배서 (Yellow Notice)	• 국제실종자수배서(가출인수배서) • 실종자의 소재특정 또는 신원불명 인물의 신원확인 목적
흑색수배서 (Black Notice)	• 국제신원미상 사체수배서 • 신원불상 사망자 또는 가명사용 사망자의 신원확인 목적

① [○]

오렌지수배서 (Orange Notice)	• 무기 등 경고수배서 • 인명 또는 재산에 대한 임박한 위협과 위험이 될 수 있는 사건 · 인물 · 물체(폭발물 등) · 과정 경고

② [○]

청색수배서 (Blue Notice)	• 국제정보조회수배서 • 범죄 수사에 있어 요주의 인물(유죄판결을 받은 자, 수배자, 피의자, 참고인, 피해자 등 범죄 관련자)의 신원 · 전과 및 소재의 확인을 위한 경우

④ [○]

자색(보라색) 수배서 (Purple Notice)	• 범죄수법수배서 • 새로운 범죄수법 등 범죄자들이 사용하는 범죄수법이나 도구 · 은신처에 대한 정보를 사무총국에서 집중관리하며, 각 회원국에 배포하여 수사기관이 범죄예방 수사자료로 활용하게 함

036 인터폴에서 발행하는 국제수배서에 대한 설명 중 틀린 것으로 묶인 것은? [2014 승진(경위)]

> ㉠ 흑색수배서(Black Notice) - 신원불상 사망자 또는 가명사용 사망자의 신원확인
> ㉡ 황색수배서(Yellow Notice) - 도난 또는 불법취득 물건 · 문화재 등에 대한 수배
> ㉢ 녹색수배서(Green Notice) - 수배자의 신원 · 전과 및 소재확인
> ㉣ 청색수배서(Blue Notice) - 상습 국제범죄자의 동향 파악 및 범죄예방을 위해 발행
> ㉤ 적색수배서(Red Notice) - 범죄인 인도를 목적으로 발행
> ㉥ 자주색수배서(Purple Notice) - 가출인의 소재 확인 및 기억상실자의 신원확인

① ㉠, ㉡, ㉢, ㉣ ② ㉡, ㉢, ㉣, ㉥
③ ㉠, ㉡, ㉣, ㉥ ④ ㉢, ㉣, ㉤, ㉥

정답 및 해설 I ②

㉠ [○]

흑색수배서 (Black Notice)	• 국제신원미상 사체수배서 • 신원불상 사망자 또는 가명사용 사망자의 신원확인 목적

㉡ [×]

황색수배서 (Yellow Notice)	• 국제실종자수배서(가출인수배서) • 실종자의 소재특정 또는 신원불명 인물의 신원확인 목적

㉢ [×] 청색수배서에 대한 설명이다.

녹색수배서 (Green Notice)	• 상습국제범죄자수배서 • 상습적으로 범행하였거나 범행할 우려가 있는 국제범죄자의 동향 파악 및 범죄예방을 위해 발행

㉣ [×] 녹색수배서에 대한 설명이다.

청색수배서 (Blue Notice)	• 국제정보조회수배서 • 범죄 수사에 있어 요주의 인물(유죄판결을 받은 자, 수배자, 피의자, 참고인, 피해자 등 범죄 관련자)의 신원 · 전과 및 소재의 확인을 위한 경우

㉤ [○]

적색수배서 (Red Notice)	• 국제체포수배서 • 국제재판관할 또는 국제법정에 의한 신병 인도가 요구되는 자의 소재 특정 및 체포

㉥ [×] 황색수배서에 대한 설명이다.

자색(보라색) 수배서 (Purple Notice)	• 범죄수법수배서 • 새로운 범죄수법 등 범죄자들이 사용하는 범죄수법이나 도구 · 은신처에 대한 정보를 사무총국에서 집중관리하며, 각 회원국에 배포하여 수사기관이 범죄예방 수사자료로 활용하게 함

037 다음 중 인터폴에서 발행하는 국제수배서에 대한 설명으로 옳은 것은 모두 몇 개인가? [2016 경간]

> ㉠ 적색수배서(Red Notice) – 국제체포수배서로 범죄인 인도를 목적으로 발행
> ㉡ 청색수배서(Blue Notice) – 상습국제범죄자와의 동향 파악 및 범죄예방을 위해 발행
> ㉢ 황색수배서(Yellow Notice) – 신원불상 사망자 또는 가명사용 사망자의 신원확인을 위해 발행
> ㉣ 자주색수배서(Purple Notice) – 폭발물 등 위험물에 대한 경고 목적으로 발행
> ㉤ 흑색수배서(Black Notice) – 가출인의 소재확인 및 심신상실자의 신원확인 목적으로 발행

① 0개 ② 1개
③ 2개 ④ 3개

정답 및 해설 | ②

㉠ [○]

적색수배서 (Red Notice)	• 국제체포수배서 • 국제재판관할 또는 국제법정에 의한 신병 인도가 요구되는 자의 소재 특정 및 체포

㉡ [×]

청색수배서 (Blue Notice)	• 국제정보조회수배서 • 범죄 수사에 있어 요주의 인물(유죄판결을 받은 자, 수배자, 피의자, 참고인, 피해자 등 범죄 관련자)의 신원 · 전과 및 소재의 확인을 위한 경우
녹색수배서 (Green Notice)	• 상습국제범죄자수배서 • 상습적으로 범행하였거나 범행할 우려가 있는 국제범죄자의 동향 파악 및 범죄예방을 위해 발행

㉢ [×] 흑색수배서에 대한 설명이다.

황색수배서 (Yellow Notice)	• 국제실종자수배서(가출인수배서) • 실종자의 소재특정 또는 신원불명 인물의 신원확인 목적
흑색수배서 (Black Notice)	• 국제신원미상 사체수배서 • 신원불상 사망자 또는 가명사용 사망자의 신원확인 목적

㉣ [×] 오렌지수배서에 대한 설명이다.

자색(보라색) 수배서 (Purple Notice)	• 범죄수법수배서 • 새로운 범죄수법 등 범죄자들이 사용하는 범죄수법이나 도구 · 은신처에 대한 정보를 사무총국에서 집중관리하며, 각 회원국에 배포하여 수사기관이 범죄예방 수사자료로 활용하게 함
오렌지수배서 (Orange Notice)	• 무기 등 경고수배서 • 인명 또는 재산에 대한 임박한 위협과 위험이 될 수 있는 사건 · 인물 · 물체(폭발물 등) · 과정 경고

㉤ [×] 황색수배서에 대한 설명이다.

흑색수배서 (Black Notice)	• 국제신원미상 사체수배서 • 신원불상 사망자 또는 가명사용 사망자의 신원확인 목적
황색수배서 (Yellow Notice)	• 국제실종자수배서(가출인수배서) • 실종자의 소재특정 또는 신원불명 인물의 신원확인 목적

MEMO

2025 대비 최신개정판

해커스경찰 서정표 경찰학

기출문제집 | 2권 각론

개정 3판 1쇄 발행 2024년 7월 29일

지은이	서정표 편저
펴낸곳	해커스패스
펴낸이	해커스경찰 출판팀

주소	서울특별시 강남구 강남대로 428 해커스경찰
고객센터	1588-4055
교재 관련 문의	gosi@hackerspass.com 해커스경찰 사이트(police.Hackers.com) 교재 Q&A 게시판 카카오톡 플러스 친구 [해커스경찰]
학원 강의 및 동영상강의	police.Hackers.com

ISBN	2권: 979-11-7244-235-4 (14350) 세트: 979-11-7244-233-0 (14350)
Serial Number	03-01-01